Y0-BDK-651

David Brooks

Kelias į save

Kaip ugdyti charakterį

Iš anglų kalbos vertė Jovita Groblytė

Vilnius 2016

UDK 159.923.5
Br254

Versta iš
The Road to Character
David Brooks

This translation published by arrangement
with Random House, a division of Penguin
Random House LLC

© David Brooks, 2015
© Viršelis, Milena Grigaitienė, 2016
© Vertimas į lietuvių kalbą, Jovita Groblytė, 2016
© Leidykla VAGA, 2016

ISBN 978-5-415-02443-8

Skiriu Annei C. Snyder,
kuri transformavo šią knygą

TURINYS

ĮŽANGA: ADOMAS II

Neseniai galvojau apie tai, kuo skiriasi CV dorybės ir laidotuvių dorybės. CV dorybės yra tos, kurias įrašome į savo gyvenimo aprašymą, įgūdžiai, kuriuos pateikiame darbo rinkai ir kurie padeda siekti išorinės sėkmės. Laidotuvėse paprastai kalbama apie gilesnius dalykus – apie savybes, kurios apibūdina pačią žmogaus esmę – ar esi geras, drąsus, nuoširdus ar ištikimas; kokie tavo santykiai su žmonėmis.

Dauguma pasakytų, kad laidotuvėse paminėtos žmogaus dorybės yra svarbesnės už CV išvardytas savybes, bet turiu prisipažinti, kad ilgais gyvenimo tarpsniais man teko daugiau galvoti apie pastarąsias, o ne apie pirmąsias. Mūsų švietimo sistema tikrai daugiau dėmesio skiria CV, o ne laidotuvėse vardijamoms žmogaus dorybėms. Ta pati tendencija matoma ir viešojoje erdvėje – žurnalų savigalbos patarimuose, populiariausioje negrožinėje literatūroje. Dauguma žmonių daug geriau žino, kaip susikurti sėkmingą karjerą, o ne kaip išsiugdyti stiprų charakterį.

1965 metais išleista rabino Josefo Soloveičiko (Joseph Solo-
veitchik) knyga „Vienišas tikintis žmogus" (*Lonely Man of Faith*)
mane paskatino susimąstyti apie šias dvi gerųjų žmogaus sa-
vybių rūšis. Soloveičikas atkreipė dėmesį į tai, kad kūrinijos
pradžioje egzistavo du pradai, ir teigė, kad jie simbolizuoja dvi
prieštaringas mūsų prigimties puses, kurias pavadino *Ado-
mu I* ir *Adomu II*.

Iš dalies pritaikę Soloveičiko kategorijas šiuolaikiniam
kontekstui galime sakyti, kad Adomas I yra į karjerą susi-
telkusi, ambicingoji mūsų prigimties pusė. Tai išorinė as-
menybės dalis, gyvenimo aprašyme apibūdinamas Adomas.
Jis nori statyti, kurti, gaminti ir atrasti. Jis siekia užimti aukš-
tą padėtį ir laimėti.

Adomas II yra vidinis Adomas. Jo tikslas yra įkūnyti tam
tikras moralines savybes. Adomas II nori būti taikaus cha-
rakterio, santūriai, bet tvirtai žinoti kas teisinga, o kas ne –
jis nori ne tik daryti gera, bet ir būti geras. Adomas II nori
nuoširdžiai mylėti, su pasiaukojimu tarnauti kitiems, gerbti
kūriniją ir savo galimybes, gyventi pagal kokią nors ypatingą
tiesą ir kad jo sieloje vyrautų darna.

Adomas I nori nugalėti pasaulį, o Adomas II nori paklusti
pašaukimui tarnauti pasauliui. Adomas I yra kūrybingas ir
mėgaujasi savo laimėjimais, o Adomas II kartais atsižada ma-
terialios sėkmės ir garbės dėl kokio nors švento tikslo. Ado-
mas I klausia, kaip viskas veikia, o Adomas II klausia, kodėl
viskas egzistuoja ir dėl ko mes galų gale čia esame. Adomas

I nori ir toliau rizikuoti, o Adomas II nori sugrįžti prie savo šaknų ir mėgautis jaukiu šeimos pasibuvimu prie pietų stalo. Adomo I šūkis yra „Sėkmė", o Adomas II į gyvenimą žiūri kaip į vertybių konfliktą. Jo šūkis yra „Labdara, meilė ir išganymas".

Soloveičikas teigė, kad gyvenimą nuolat lydi prieštaravimai tarp šių dviejų Adomų. Išorinis, didingasis Adomas ir vidinis, nuolankusis Adomas ne visai suderinami. Mus ištisai persekioja akistata su savimi. Mes pašaukti abiems misijoms, todėl turime išmokti gyventi nuolat jausdami įtampą tarp šių dviejų prigimties pusių.

Turiu pridurti, kad problemiška šioje akistatoje yra tai, kad Adomas I ir Adomas II remiasi skirtingomis logikomis. Adomas I – kuriantis, statantis ir atrandantis Adomas – remiasi paprasta praktine logika. Tai ekonomikos logika. Išeiga priklauso nuo indėlio. Pastangos yra atlyginamos. Praktikuojantis pasiekiamas tobulumas. Siek savo tikslų. Būk kuo universalesnis. Padaryk įspūdį pasauliui.

Adomas II gyvena vadovaudamasis priešinga logika. Jo logika remiasi ne ekonomikos, o moralės dėsniais. Norėdamas gauti, turi duoti. Norėdamas įgyti vidinės stiprybės, turi pasiaukoti dėl ko nors kito. Turi nugalėti norą gauti tai, ko labai trokšti. Sėkmė pažadina didžiausią nesėkmę – puikybę. Nesėkmė veda prie didesnės sėkmės – nuolankumo ir mokymosi. Norėdamas pasiekti pasitenkinimą turi užmiršti save. Norėdamas save atrasti turi save prarasti.

Norint plėtoti savo Adomo I karjerą, reikia ugdyti stipriąsias puses. Norint brandinti savo Adomo II moralinį atsparumą, reikia mesti iššūkį savo silpnybėms.

APSUKRUS GYVŪNAS

Dabartinė kultūra ugdo išorinį Adomą I ir nepaiso Adomo II. Gyvename visuomenėje, kuri skatina galvoti apie tai, kaip susikurti puikią karjerą, tačiau daugumą palieka be žinių apie tai, kaip ugdyti vidinį gyvenimą. Įnirtingos varžybos dėl sėkmės ir prestižo visiškai užvaldo. Vartotojiška rinka skatina gyventi pagal praktiškumo skaičiuoklę, tenkinti savo norus ir sprendžiant kasdienes problemas nekreipti dėmesio į moralės gaires. Greitos ir tuščios informacijos triukšmas vis labiau užgožia tylesnius, iš giliau sklindančius garsus. Mūsų kultūra moko save parduoti ir reklamuoti bei skatina siekti išorinės sėkmės, tačiau tai neišmoko nuolankumo, užuojautos ir neskatina sąžiningo požiūrio į save, kas yra būtina charakteriui ugdyti.

Jeigu esi tik Adomas I, tampi apsukriu gyvūnu, gudriu, save saugančiu padaru, kuris moka žaisti žaidimą ir viską paverčia žaidimu. Jeigu tai viskas, ką turi, tuomet skiri daug laiko profesiniams įgūdžiams ugdyti, tačiau stokoji aiškaus supratimo apie gyvenimo prasmės ištakas, todėl nežinai, kam turėtum skirti savo įgūdžius, kuris profesinis kelias tau tinkamiausias ir geriausias. Metai bėga, o tavo giliausioji savastis taip ir lieka neištirta ir nesuprasta. Esi užsiėmęs, bet tave persekioja neaiškus nerimas dėl to, kad tavo gyvenimas neįgavo tikrosios prasmės ir vertės. Gyveni net neįsisąmonindamas savo didelio nuobodulio, stokodamas tikros meilės ir menkai puoselėdamas tas dvasines vertybes, kurios ir suteikia gyvenimui tikrąją vertę. Tau trūksta vidinių kriterijų, kad galėtum tvirtai įsipareigoti. Niekaip neišsiugdai tokios vidinės tvirtybės ir jėgos, kuri padėtų atsilaikyti prieš kitų nepritarimą arba stiprius gyvenimo smūgius. Pastebi, kad darai tai, kas priimtina kitiems, nesvarbu, ar tau pačiam tai atrodo teisinga, ar ne. Kvailai sprendi apie žmones iš jų sugebėjimų, o ne iš to, ko jie verti. Neturi plano, kaip lavinti charakterį, o be jo ne tik vidinis, bet ir išorinis gyvenimas ilgainiui subyrės į šipulius.

Ši knyga yra apie Adomą II. Ji apie tai, kaip žmonės išsiugdė tvirtą charakterį. Ji apie daug amžių gyvavusią mąstyseną, kurios esmė – geležinio tvirtumo ir išmintingumo žmoguje dermė. Ją parašiau tam, kad išgelbėčiau savo sielą.

Turiu įgimtą polinkį į paviršutiniškumą. Dabar esu panditas ir straipsnių autorius. Man moka už tai, kad būčiau savimyla pagyrūnas, kad mėtyčiausi savo nuomonėmis taip, kad atrodytų, jog pasitikiu jomis labiau nei iš tiesų, kad atrodyčiau protingesnis, geresnis ir autoritetingesnis, nei iš tikrųjų esu. Taip pat aiškiau matau, kad, kaip ir dauguma šiais laikais, gyvenau su neaiškiai apibrėžtais moraliniais siekiais – miglotu noru būti geram, tarnauti kokiam nors didesniam tikslui, nors man trūko aiškaus moralės terminų suvokimo, aiškaus supratimo apie tai, kaip gyventi turtingą vidinį gyvenimą, ar bent jau aiškių žinių apie tai, kaip ugdyti charakterį ir kaip atskleisti jo esmę.

Pamačiau, kad jeigu nesusitelki į Adomo II prigimties pusę, labai nesunku palengva tapti savimi patenkintu moraliai paviršutinišku žmogumi. Žmogus save vertina pagal atlaidumo skalę. Seki paskui savo norus, kad ir kur jie tave vestų, ir pateisini save tol, kol nepradedi akivaizdžiai ko nors skaudinti. Manai, kad jeigu sukuri gerą įspūdį aplinkiniams, greičiausiai esi pakankamai geras. Palengva pradedi virsti nebe tokiu įspūdingu žmogumi, koks iš pradžių tikėjaisi esąs. Tarp tikrojo tavęs ir to, kokiu sieki būti, atsiveria žeminantis plyšys. Supranti, kad Adomo I balsas skamba griausmingai, o Adomo II balsas prislopintas; Adomas I turi aiškų gyvenimo planą, o Adomo II gyvenimo planas miglotas; Adomas I budrus, o Adomas II vaikšto miegodamas.

Rašydamas šią knygą nebuvau tikras, kad sugebėsiu tvirtai žengti charakterio ugdymo keliu, bet norėjau bent jau žinoti, kaip jis atrodo ir kaip juo žingsniavo kiti.

PLANAS

Knygos planas labai paprastas. Kitame skyriuje aprašau senesniąją moralės teoriją. Tai kultūrinė ir intelektualinė „kreivo medžio" tradicija, kuri pabrėždavo mūsų pačių netobulumą. Šioje tradicijoje, susidūrus su žmogaus ribotumu, iš jo buvo reikalaujama nuolankumo. Tačiau ne tik tai – pagal šią tradiciją kiekvienas yra pajėgus stoti akistaton su savo silpnybėmis, galynėtis su savo nuodėmėmis, o keliant iššūkius sau pačiam ugdomas charakteris. Nuolat konfrontuodami su savo nuodėmėmis ir silpnybėmis tampame amžinosios žmogiškos būties dramos dalyviais. Galime siekti kažko daugiau nei laimės. Kasdienėse situacijose turime galimybę ugdyti savo dorybes ir pasitarnauti pasauliui.

Tada, remdamasis biografiniais pasakojimais, kurie kartu yra ir pasakojimai apie vertybinius pasirinkimus, aprašau, kaip toks charakterio ugdymo metodas atrodo realiame gyvenime. Nuo Plutarcho laikų moralistai bandė perteikti tam tikrus standartus pateikdami pavyzdžių. Vien skaitydamas pamokslus arba laikydamasis abstrakčių taisyklių negali sukurti turtingo Adomo II gyvenimo. Pavyzdys yra geriausias mokytojas. Moralė geriausiai ugdoma tada, kai atšyla širdis, kai bendraujame su žmonėmis, kuriais žavimės ir kuriuos mylime, ir taip sąmoningai ar nesąmoningai darome įtaką savo gyvenimui.

Ši tiesa man buvo įkalta į galvą po to, kai parašiau straipsnį, kuriame išreiškiau susierzinimą, kad sunku išmokti būti geram, turint tik mokyklinės patirties. Veterinaras vardu Deivas Džolis (Dave Jolly) atsiuntė elektroninį laišką, kuriame viską išdėstė be užuolankų:

Moralės neišmokstama mokyklos suole, mokiniams mechaniškai užsirašinėjant perduodamas žinias. <...> Gerumo, išmintingumo įgyjama visą gyvenimą stropiai stengiantis gilintis į save ir išgydyti gyvenimo randus. <...> To neįmanoma išmokyti ar parašyti laiške, ar trumpąja žinute. Tą reikia atrasti savo paties širdyje, kai pagaliau esi pasiruošęs eiti to ieškoti, bet ne anksčiau.

Išmintingas žmogus turėtų nuryti susierzinimą ir toliau savo paties gyvenimu rodyti rūpestingumo, ieškojimo ir darbštumo pavyzdį. Tai, ko moko išmintingas žmogus, tėra tik maža dalis to, ką jis perduoda. Perduodama jo gyvenimo visuma, tai, kaip jis žiūri į kiekvieną gyvenimo smulkmeną.

Niekada to nepamirškite. Žinia yra žmogus, visą gyvenimą tobulinęs save nuolatinėmis pastangomis, kurias įkvėpė kitas išmintingas žmogus, dabar išnykęs laiko rūke ir jau nebematomas gavėjui. Gyvenimas yra daug didesnis, negu manome, priežastys ir pasekmės susipynusios visuotinėje moralės dėsnių struktūroje, kuri nepaliaujamai skatina mus tobulėti, tapti geresniems net ir tada, kai pilni skausmo ir sumaišties klaidžiojame tamsoje.

Šis laiškas paaiškina knygos metodiką. Asmenybių portretai, kuriuos rasite nuo antrojo iki dešimtojo skyriaus, yra be galo įvairialypiai – baltieji ir juodieji, vyrai ir moterys, religingi ir pasauliečiai, raštingi ir neišsilavinę. Nė vienas jų toli gražu nėra tobulas. Tačiau toks gyvenimo būdas šiais laikais propaguojamas ne taip dažnai. Jie puikiai žinojo savo silpnybes. Jie nesiliovė kovoję su savo nuodėmėmis ir tą darė gana sėkmingai. O galvodami apie juos pirmiausia prisimename ne jų laimėjimus – kad ir kokie didingi jie būtų buvę, – o tai, kas jie buvo. Tikiuosi, kad jų pavyzdžiai įžiebs tą nedrąsų, mums visiems būdingą ilgesį būti geresniems, sekti jų pėdomis. Paskutinis skyrius apibendrina šias temas. Čia rašau apie tai, kad mūsų kultūroje tapo sunkiau būti geram ir apibendrinu „kreivo medžio" požiūrį į gyvenimą daugybe konkrečių punktų. Jei nekantraujate išgirsti sutrumpintą šios knygos versiją, atsiverskite knygos pabaigą.

Net ir šiais laikais kartais tenka sutikti žmonių, kurie pasižymi nepaprasta vidine darna. Jų gyvenime nėra susiskaidymo ir jie nieko nedaro atmestinai. Jie pasiekė vidinę pilnatvę. Jie ramūs, išlaikantys vidinę pusiausvyrą ir tvirti. Audra jų nenubloškia nuo pasirinkto kelio. Nelaimė jų nesugniuždo. Jie mąsto nuosekliai, o širdyje yra tikri savimi. Jie laikosi oriai ir ramiai. Jų dorybės skiriasi nuo sumanių koledžo studentų dorybių; tai brandžios dorybės, būdingos gyvenimo mačiusiems žmonėms, kurie mokėsi ir iš džiaugsmo, ir iš skausmo.

Kartais tokių žmonių net nepastebi, nes nors ir atrodo geri ir linksmi, jie tuo pat metu yra santūrūs. Jie įpratę būti naudingi, tačiau nenori nieko įrodyti pasauliui, ir jiems būdingos nedemonstratyvios tokių žmonių dorybės: nuolankumas, susilaikymas, santūrumas, nuosaikumas, pagarba ir švelni savidisciplina.

Jie spinduliuoja tam tikrą vidinį džiaugsmą. Jie kalba ramesniu ir tylesniu balsu. Švelniai reaguoja į šiurkštų iššūkį. Tylomis reaguoja į neteisingus užgauliojimus. Nepraranda orumo kai kas nors bando juos pažeminti, ir išlieka santūrūs kai kas nors bando juos provokuoti. Jų niekas neišmuša iš vėžių. Jie pasiaukojamai tarnauja su tokia pačia kuklumo ir santūrumo dvasia, tarsi tai būtų kasdieniškas ir paprastas dalykas, pavyzdžiui, apsipirkimas parduotuvėje. Jie negalvoja apie tai, kad atlieka kažką įspūdingo. Jie išvis apie save negalvoja. Jų neerzina aplinkinių žmonių trūkumai. Jie supranta, ką reikia daryti, ir tą daro.

Jeigu su jais kalbiesi, jie priverčia tave pasijusti juokingesniu ir protingesniu. Bendraudami su skirtingų socialinių sluoksnių žmonėmis jie, regis, nė nepastebi skirtumo. Ilgiau juos pažindamas supranti, kad niekada neteko girdėti jų giriantis ar matyti, kad jie būtų įsitikinę savo teisumu ar dėl kažko užsispyrę. Jie neparodo nė mažiausios užuominos, kad yra išskirtiniai ar lydimi sėkmės.

Jie nesistengė vengti konfliktų ir gyventi ramiai, bet kovodami su gyvenimo iššūkiais tapo brandesni. Jie nuėjo ilgą kelią siekdami išspręsti esminę gyvenimo problemą, kuri, kaip sakė Aleksandras Solženicynas, yra tai, kad „linija, skirianti gėrį ir blogį, eina ne per valstybes, socialines klases ir ne per politines partijas – ji eina per kiekvieno žmogaus širdį“.

Tai žmonės, išsiugdę stiprų charakterį ir sugebėjimą giliau suvokti pasaulį. Užuot siekę sėkmės, jie pasidavė troškimui stipriau pajusti savo sielą. Po visą gyvenimą trukusių pusiausvyros paieškų Adomas I nusilenkė Adomui II. Būtent tokių žmonių mes ir ieškome.

POKYTIS

SEKMADIENIO VAKARAIS MANO VIETINĖ RADIJO STOTIS TRAN-
SLIUOJA SENAS RADIJO LAIDAS. Prieš keletą metų važiuodamas
namo automobiliu išgirdau laidą pavadinimu „Komandos pa-
sirodymas" (*Command Performance*) – Antrojo pasaulinio karo
kareiviams skirtą pramoginį šou. Tąkart išgirdau epizodą,
kuris išėjo į eterį kitą dieną po pergalės, 1945 metų rugpjūčio
15 dieną.

Laidoje dalyvavo žymiausios to laiko garsenybės: Frankas
Sinatra, Marlena Dytrich, Keris Grantas, Betė Deivis ir dau-
gelis kitų. Tačiau man didžiausią įspūdį paliko kuklus ir nuo-
lankus laidos tonas.

Sąjungininkai buvo ką tik iškovoję vieną kilniausių ka-
rinių pergalių žmonijos istorijoje. Tačiau niekas netrankė
kumščiu sau į krūtinę. Niekas nestatė triumfo arkų.

„Na, atrodo, viskas, – pradėjo laidos vedėjas Bingas Krosbis (Bing Crosby). – Ką gali pasakyti tokiu metu? Ne laikas mėtyti skrybėles į orą. Tai pritinka eilinėms šventėms. Manau, kad viskas, ką galime daryti, tai dėkoti Dievui už tai, kad viskas baigėsi." Tada mecosopranas Risa Stivens (Risë Stevens) iškilmingai sudainavo „Ave Maria", o po jos grįžęs Krosbis apibendrino nuotaiką: „Vis dėlto, jei reikėtų vienu žodžiu apibūdinti, ką mes šiandien jaučiame, tai būtų nuolankumas."

Tokia nuotaika vyravo visos laidos metu. Aktorius Berdžesas Mereditas (Burgess Meredith) perskaitė ištrauką iš karo korespondento Ernio Pailo (Ernie Pyle) straipsnio. Pailas buvo žuvęs vos prieš kelis mėnesius, bet užbėgdamas už akių parašė straipsnį apie tai, ką reikštų pergalė: „Šį karą laimėjome drąsių savo vyrų dėka ir dėl daugelio kitų dalykų – Rusijos, Anglijos ir Kinijos bei laikmečio ir gamtos turtų. Mes laimėjome ne dėl to, kad likimas lėmė būti geresniems už kitus. Tikiuosi, kad pergalės akivaizdoje dėkingumo jausmas bus stipresnis už pasididžiavimą."

Ši laida atspindėjo didžiosios tautos dalies nuotaiką. Žinoma, vyko ir džiaugsmingos šventės. San Fransiske jūreiviai užplūdo tramvajus ir nusiaubė gėrimų parduotuves. Niujorko audinių rajono gatves per sprindį nuklojo konfeti sluoksnis[1]. Vis dėlto nuotaikos buvo prieštaringos. Džiaugsmą nustelbė rimtis ir dvejonės.

Taip nutiko iš dalies dėl to, kad karas buvo epochinis įvykis, o jame pralieta tiek daug kraujo, kad pavieniai žmonės viso to akivaizdoje pasijuto labai maži. Dar ir todėl, kad Ramiojo vandenyno pakrantėje karas baigėsi atominės bombos sprogimu. Viso pasaulio gyventojai ką tik buvo tapę žmonių žiaurumo liudininkais. Tas ginklas galėjo sukelti žiaurumo apokalipsę. Tą savaitę Džeimsas Eidžis (James Agee) vedamajame *Time* žurnalo straipsnyje rašė: „Žinia apie pergalę atnešė tiek pat sielvarto ir dvejonių, kiek ir džiaugsmo bei dėkingumo.“ Tačiau kuklus „Komandos pasirodymo“ tonas buvo ne tik nuotaikos ar stiliaus dalykas. Laidos dalyviai buvo vienos didžiausių visų laikų istorinių pergalių liudininkai. Tačiau jie nevaikščiojo kartodami sau, kokie jie nuostabūs. Jie nepuolė spausdinti lipdukų automobiliams, kad įamžintų savo šlovę. Jie pirmiausia norėjo sau priminti, kad moraline prasme jie ne ką geresni už kitus. Jie saugojosi puikybės ir savęs šlovinimo. Jie intuityviai priešinosi įgimtam žmogaus polinkiui į perteklinę savimylą.

Parvažiavau namo prieš pasibaigiant programai ir kurį laiką dar klausiausi radijo laidos prie įvažiavimo į namus. Parėjęs namo įsijungiau futbolo varžybas. Įžaidėjui perdavus kamuolį gaudytojui, jį beveik čia pat sustabdė gynėjas ir išlošė du baudinius. Ir gynėjas pasielgė taip, kaip šiais laikais elgiasi visi profesionalūs sportininkai asmeninės pergalės akimirkomis. Jis prieš kameras sušoko pasipūtėlišką pergalės šokį.

Atėjo mintis, kad po dviejų išloštų baudinių pamačiau didesnę šventę, negu išgirdęs apie tai, kad JAV laimėjo Antrąjį pasaulinį karą.

Šis kontrastas privertė susimąstyti. Man pasirodė, kad toks pokytis galėtų simbolizuoti kultūros pokytį, perėjimą nuo kuklumo kultūros, teigiančios, kad „kiti nėra geresni už mane, bet ir aš nesu geresnis už kitus", prie savęs aukštinimo kultūros, kuri šaukia: „Tik pažvelk, kiek aš pasiekiau – aš tikrai ypatingas." Šis kontrastas buvo tarsi durys į suvokimą, kaip skirtingai galima gyventi šiame pasaulyje.

MAŽASIS AŠ

Po „Komandos pasirodymo" laidos atsigręžiau į praeitį ir keletą metų gilinausi į praėjusį laikmetį ir garsių to meto žmonių gyvenimus. Pirmiausia, ką man priminė šis tyrimas, tai kad niekam neturėtų kilti pagunda kada nors sugrįžti į dvidešimtojo amžiaus vidurio kultūrą. Tuo laikotarpiu buvo daugiau rasizmo, seksizmo ir antisemitizmo. Dauguma nebūtume turėję tokių galimybių, kokiomis naudojamės dabar. Be to, tuometinė kultūra buvo nuobodesnė, maistas buvo neįvairus, o gyvenimo sąlygos vienodos. Tai buvo emociniu šaltumu pasižyminti kultūra. Tėvas dažnai nesugebėdavo išreikšti meilės savo vaikams. Vyras savo žmonoje neįžvelgdavo nieko gilesnio. Daugeliu atvejų dabar gyventi yra geriau, negu buvo tuomet.

Tačiau man pasirodė, kad nuolankumas tais laikais pasireikšdavo dažniau nei dabar, kad egzistavo šimtmečius menanti moralės ekologija, kuri šiais laikais ne tokia gaji ir kuri skatino žmones kritiškiau vertinti savo troškimus, dažniau pastebėti savo ydas, atkakliau kovoti su savo prigimties trūkumais, o silpnybes paversti stiprybėmis. Man pasirodė, kad šioje tradicijoje žmonės nedegė noru tuoj pat dalytis kiekviena savo mintimi, jausmu ar laimėjimu su visu pasauliu. Populiarioji kultūra irgi buvo santūresnė „Komandos pasirodymo" laikais. Tuo metu nebuvo marškinėlių su užrašais, šauktukų spausdinimo mašinėlių klaviatūroje, daugiaspalvių užuojautos kaspinėlių, skirtų įvairiausioms ligoms ir tikslams, savimyliškų automobilių numerių lentelių, automobilių lipdukų su asmeniniais ar etiniais pareiškimais. Žmonės neklijuodavo lipdukų ant užpakalinio automobilio lango, kad galėtų pasigirti, kurį universitetą jie palaiko ar kuriose vietose atostogavo. Visuomenė atvirai netoleravo (kaip jie tą būtų vadinę) pagyrūniškumo, per didelio pasitikėjimo savimi ar pasipūtimo.

Socialinio elgesio kodeksą įkūnijo kuklus tokių aktorių kaip Gregorio Peko (Gregory Peck) arba Gario Kuperio (Gary Cooper), arba serialo „Dragnet" personažo Džo Fraidėjaus (Joe Friday) stilius. Po to, kai Franklino Ruzvelto padėjėjas Haris Hopkinsas (Harry Hopkins) per Antrąjį pasaulinį karą neteko sūnaus, karinė vadovybė norėjo apsaugoti kitus jo sūnus. Hopkinsas atmetė šį pasiūlymą ir atrašė su tam laikotarpiui būdingu santūrumu, kad kitų sūnų nereikėtų skirti į saugesnes vietas vien dėl to, jog jų brolį „ištiko nesėkmė Ramiajame vandenyne"[2].

Iš dvidešimt trijų vyrų ir moterų, tarnavusių Dvaito Eizenhauerio (Dwight Eisenhower) kabinete, žemės ūkio sekretorius buvo vienintelis vėliau išleidęs prisiminimus, kurie pasižymėjo liguistu diskretiškumu. Į valdžią atėjus Reigano (Ronald Reagan) administracijai prisiminimus išleido dvylika iš trisdešimties kabineto narių, ir beveik visi jie buvo skirti savireklamai[3].

Per prezidento rinkimų kampaniją Džordžas Bušas vyresnysis, kuris užaugo tuo laikmečiu, vedamas vaikystėje įdiegtų vertybių vengė kalbėti apie save. Jeigu kalbų rengėjas į kokią nors jo kalbą įrašydavo žodį „aš", jis instinktyviai jį išbraukdavo.

Komanda melste meldė – jūs kandidatuojate į prezidentus. Turite kalbėti apie save. Ilgainiui jiems pavykdavo įsprausti jį į kampą ir jis paklusdavo. Bet kitą dieną sulaukdavo motinos skambučio. „Džordžai, tu ir vėl kalbi apie save", – sakydavo ji. Ir Bušas vėl grįždavo prie seno. Daugiau jokių „aš" kalbose. Jokios savireklamos.

DIDYSIS AŠ

Per keletą metų pririnkau faktų, kurie rodo, kad mūsų akyse įvyko ryškus perėjimas iš nuolankumo kultūros į kultūrą, kurią galima pavadinti „didžiuoju *Aš*", nuo kultūros, kuri skatino save vertinti kukliai, prie kultūros, kuri skatina žmogų save laikyti visatos centru.

Tokių faktų buvo apstu. Pavyzdžiui, 1950 metais organizacija „Gallup" apklausė vyresniųjų vidurinės mokyklos klasių moksleivius, ar jie save laiko svarbiais žmonėmis. 12 procentų atsakė teigiamai. 2005 metais uždavus tą patį klausimą jau nebe 12, o 80 procentų moksleivių atsakė, kad laiko save labai svarbiais. Psichologai naudoja vadinamąjį narcisizmo testą. Jie perskaito teiginius, ir žmogus turi atsakyti, ar jie jam tinka, ar ne. Tai tokie teiginiai, kaip „man patinka būti dėmesio centre... Pasitaikius progai stengiuosi pasirodyti, nes esu ypatingas... Kas nors turėtų parašyti mano biografiją". Per pastaruosius du dešimtmečius vidutinis narcisizmo balas pakilo 30 procentų. 93 procentai jaunų žmonių dabar surinktais taškais viršija vos prieš dvidešimt metų apskaičiuotą vidurkį[4]. Daugiausia žmonių sutinka su teiginiais „aš esu ypatingas" ir „man patinka į save žiūrėti".

Kartu su akivaizdžiai padidėjusia savigarba nepaprastai išaugo ir noras išgarsėti. Anksčiau daugumos siekių sąraše šlovė užimdavo paskutines vietas. 1976 metais atliktoje apklausoje apie gyvenimo tikslus, šlovė užėmė penkioliktą vietą iš šešiolikos. 2007 metais 51 procentas jaunų žmonių sakė, kad būti įžymiems yra vienas svarbiausių jų asmeninių tikslų[5]. Viename tyrime vidurinės mokyklos mergaičių buvo paklausta, su kuriuo žmogumi jos labiausiai norėtų papietauti. Pirmąją vietą užėmė Dženifer Lopes, antrąją – Jėzus Kristus, o trečiąją – Paris Hilton. Tada mergaičių paklausta, ką jos norėtų dirbti. Beveik du kartus daugiau apklaustųjų atsakė, kad labiau norėtų būti asmeninėmis garsenybės asistentėmis – pavyzdžiui, tokios įžymybės kaip Džastinas Biberis – negu Harvardo prezidentėmis. (Nors, tiesą sakant, beveik neabejoju, kad Harvardo prezidentas irgi mieliau sutiktų būti Džastino Biberio asmeniniu asistentu.)

Stebėdamas populiariąją kultūrą visur matydavau tuos pačius šūkius: Tu esi ypatingas. Pasitikėk savimi. Būk ištikimas sau. „Pixaro" ir „Disney'aus" kompanijų filmuose vaikams ištisai kartojama, kokie jie nuostabūs. Diplomų įteikimo kalbose nuolat skamba tos pačios banalios frazės: Leiskis vedamas aistros. Perženk ribas. Atrask savo kelią. Privalai daug nuveikti, nes esi toks puikus. Tai pasitikėjimo savimi evangelija.

2009 metais per diplomų įteikimo iškilmes Elen Dedženeres (Ellen DeGeneres) sakė: „Mano patarimas yra likti ištikimiems sau, ir viskas bus gerai." Žymus virtuvės šefas Marijus Batalis (Mario Batali) patarė abiturientams laikytis taisyklės „Atrask savo tiesą ir nuosekliai jos laikykis". Ana Kvindlen (Anna Quindlen) kitus klausytojus skatino išdrįsti „gerbti savo asmenybę, savo intelektą, savo polinkius ir, o taip, savo sielą, klausytis jos aiškaus ir švaraus balso, o ne vadovautis miglotomis žinutėmis iš baikštaus aplinkinio pasaulio."

Elizabet Gilbert (Elizabeth Gilbert) savo didžiuliais tiražais leidžiamoje knygoje „Valgyk, melskis, mylėk" (*Eat, Pray, Love*) (esu turbūt vienintelis kada nors ją iki galo perskaitęs vyras) rašo, kad Dievas apsireiškia per „mano pačios vidinį balsą.

<...> Dievas glūdi tavyje taip pat kaip ir tu, lygiai toks pat kaip ir tu."[6]

Pradėjau domėtis, kaip mes auginame savo vaikus, ir čia taip pat pastebėjau pasikeitusios moralės ženklų. Pavyzdžiui, ankstesniuose merginų skaučių vadovėliuose buvo kalbama apie pasiaukojimo ir kuklumo etiką. Juose būdavo pabrėžiama, kad pagrindinė kliūtis laimei yra per didelis noras, kad žmonės apie tave galvotų.

Devintojo dešimtmečio tonas buvo jau kitoks. Vadovėlyje „Tu gali tai pakeisti: vadovėlis jaunesnio ir vyresnio amžiaus skautėms" (*You Make the Difference: The Handbook for Cadette and Senior Girl Scouts*) mergaitės buvo raginamos daugiau dėmesio skirti sau: „Kaip pajusti ryšį su savimi? Ką tu jauti? <...> Perėjimas į vyresniuosius skautus suteiks vienokių ar kitokių galimybių geriau save pažinti <...> Pažink save, kad geriau suprastum, ką jauti, galvoji ir kaip elgiesi."[7]

Tas pokytis girdimas net ir iš pamokslininkų sakyklų. Vienas populiariausių didžiausios šiuolaikinės bažnyčios vadovų Džoelis Ostinas (Joel Osteen) rašo iš Hjustono Teksaso valstijoje. „Dievas tave sukūrė ne tam, kad būtum vidutinybė, – savo knygoje „Tapk geresnis" (*Become a Better You*) sako Ostinas. – Tave sukūrė tam, kad siektum vis daugiau. Tave sukūrė tam, kad po savęs paliktum pėdsaką. <...> Pradėk [tikėti], kad „aš esu išrinktasis, man lemta laimėti"."[8]

NUOLANKUMO KELIAS

Metams bėgant toliau dirbau prie šios knygos ir mintimis vis grįždavau prie „Komandos pasirodymo" laidos. Niekaip negalėjau pamiršti nepaprasto nuolankumo, kurį tada girdėjau tuose balsuose.

Laidos dalyvių kuklumas buvo tam tikra prasme estetiškai gražus. Kuklus žmogus būna ramus ir malonus, o save aukštinantis žmogus yra silpnas ir įkyrus. Nuolankumas yra tarsi išsivadavimas iš nuolatinio poreikio įrodinėti, kad esi pranašesnis, o egoizmas yra nuolatinis, nepasotinamas įkalinto žmogaus alkis – jis susirūpinęs tik savimi, orientuotas į konkurenciją ir trokštantis išsiskirti. Nuolankumą lydi tokios malonios emocijos kaip susižavėjimas, draugystė ir dėkingumas. Kenterberio arkivyskupas Maiklas Ramzis (Michael Ramsey) pasakė: „Dėkingumas yra dirva, kurioje sunku augti puikybei."[9]

Toks nuolankumas patrauklus ir intelektualine prasme. Psichologas Danielis Kanemanas (Daniel Kahneman) rašo: „Mes turime neįtikėtiną sugebėjimą ignoruoti savo neišmanymą."[10] Nuolankumas yra suvokimas, kad egzistuoja daug dalykų, kurių tu nežinai, ir kad didelė dalis to, ką manaisi žinąs, yra iškreipta arba neteisinga.

Taip nuolankumas mus veda prie išminties. Montenis kartą rašė: „Iš kitų žmonių perimdami žinias galime tapti daug išmanantys, bet negalime tapti išmintingi perimdami kitų žmonių išminį." Todėl, kad išmintis nėra surinkta informacija. Tai gebėjimas žinoti, ko nežinai, ir rasti būdą, kaip gyventi su savo neišmanymu, abejonėmis ir ribotumu. Vorenas Bafetas (Warren Buffett) panašiai apibūdino savo sritį: „Investavimas nėra žaidimas, kuriame žmogus, kurio intelekto rodiklis yra 160, nugali kitą, kurio intelekto rodiklis 130. Turint įprastus protinius sugebėjimus viskas, ko reikia, yra temperamentas, kuris padėtų kontroliuoti emocijas, kitiems keliančias problemų."

Žmonėms, kuriuos laikome išmintingais, iš dalies pavyko nugalėti savo potraukius ir prigimtinį polinkį per daug savimi pasitikėti. Intelektinį nuolankumą būtų galima apibrėžti kaip gebėjimą aiškiai save matyti iš šono, per atstumą. Tai perėjimas nuo žvilgsnio į stambų suaugusio žmogaus planą, kuris užpildo visą paveikslą, prie platesnės perspektyvos, kurioje galima pamatyti savo privalumus ir trūkumus, ryšius ir priklausomybes bei savo vaidmenį platesniu mastu.

Ir, galiausiai, nuolankumas kažkodėl palieka įspūdį. Kiekviena epocha turėjo jai būdingų saviugdos metodų, savų būdų, kaip ugdyti charakterį ir gilintis į save. „Komandos pasirodymo" laidos dalyviai saugojosi ne itin patrauklaus polinkio didžiuotis, girtis ir puikuotis.

Šiandien daugumai gyvenimas yra kelionės metafora – kelionės per išorinį pasaulį ir aukštyn sėkmės laiptais. Jei norime ką nors pakeisti ar atrasti gyvenimo tikslą, dažniausiai tai reiškia, kad norime išorinės sėkmės – atlikti tam tikrą darbą, kuris darytų poveikį pasauliui, sukurti klestinčią kompaniją ar kaip nors pasitarnauti bendruomenei.

Iš tiesų nuolankūs žmonės savo gyvenimą apibūdina tokia pat kelionės metafora. Tačiau šalia to jie naudoja ir kitą metaforą, labiau susijusią su vidiniu gyvenimu. Tai akistatos su savimi metafora. Tokie žmonės yra linkę manyti, kad visi mes viduje susiskaldę, tuo pat metu galime būti ir nepaprastai apdovanoti, ir turėti didelių trūkumų – kiekvienas pasižymime tam tikrais talentais, bet kartu ir tam tikromis silpnybėmis. Ir jeigu mūsų įpročiu taps pasiduoti pagundoms ir nekovoti su savo ydomis, kuri nors svarbi mūsų dalis pamažu nunyks. Viduje nebebūsime tokie geri, kaip norėtume. Mums iš esmės nepasiseks.

Tokiems žmonėms svarbus išorinis sėkmingo gyvenimo konfliktas, tačiau pagrindinis gyvenimo konfliktas yra vidinė kova su savo silpnybėmis. 1943 metais išleistoje knygoje „Ką reiškia būti tikru žmogumi" (*On Being a Real Person*) populiarus ministras Haris Emersonas Fosdikas (Harry Emerson Fosdick) rašė: „Prasmingo gyvenimo pradžia yra akistata su savimi."[11]

Tikrai nuolankūs žmonės labai stengiasi įgyti daugiau gerų savybių ir nugalėti blogąsias, sustiprinti savo silpnąsias vietas. Jie pradeda aiškiai suvokdami, kad jų pačių prigimtis turi trūkumų. Pagrindinė mūsų problema yra egocentrizmas, ir 2005 metais savo žymiojoje diplomų įteikimo kalboje Keniono koledže tą puikiai iliustravo Deividas Fosteris Volesas (David Foster Wallace):

Visa tiesioginė patirtis tik patvirtina mano tvirtą įsitikinimą, kad aš esu absoliutus visatos centras; pats tikriausias, ryškiausias ir svarbiausias egzistuojantis žmogus. Mes retai kada susimąstome apie šį įgimtą, elementarų egocentrizmą, nes visuomenėje tai laikoma atstumiančiu dalyku. Tačiau jis būdingas beveik visiems. Tai mūsų prigimties dalis, tai, kas jau būna įdiegta į mūsų *pagrindinę plokštę* mums gimus. Tik pagalvokite: jūs niekada nesate patyrę atvejo, kad nebūtumėte pačiame įvykių centre. Pasaulis yra priešais JUS arba už JŪSŲ, JŪSŲ kairėje arba dešinėje, JŪSŲ televizoriuje arba JŪSŲ kompiuterio ekrane. Ir taip toliau. Kiti žmonės turi kažkokiu būdu jums perduoti savo mintis ir jausmus, o savos mintys ir jausmai yra tokie neatidėliotini, svarbūs, tikri.

Toks egocentrizmas mus nukreipia neteisinga linkme. Jis gimdo savanaudiškumą, norą pasinaudoti kitais kaip priemonėmis gauti tai, ko tau reikia. Taip pat skatina puikybę, norą būti aukščiau už kitus. Tai gebėjimas ignoruoti ir pateisinti savo netobulumus ir išpūsti dorybes. Visą gyvenimą dauguma žmonių nuolat save lygina ir nuolat pamato, kad yra truputį geresni už kitus – dorybingesni, nuovokesni, turintys geresnį skonį. Mes nuolat siekiame pripažinimo ir skausmingai jautriai reaguojame į bet kokią pastabą arba autoriteto, kurį, kaip manome, įgijome, sumenkinimą.

Mums įgimtas kažkoks iškreiptas polinkis mažesnius meilės objektus iškelti virš didesnių. Visi ką nors mylime ir norime daugybės dalykų: draugystės, šeimos, populiarumo, šalies, pinigų ir taip toliau. Ir visi žinome, kad kai kurie iš jų yra didesni ir svarbesni už kitus. Manau, kad dauguma žmonių tokius meilės objektus klasifikuoja daugmaž panašiai. Visi žinome, kad meilė vaikams ar tėvams turėtų būti didesnė už meilę pinigams. Visi žinome, kad tiesa turėtų būti svarbiau už populiarumą. Net ir šiais reliatyvizmo ir pliuralizmo laikais dažniausiai mus vienijanti moralinių vertybių hierarchija yra ta pati.

Tačiau mūsų meilės objektų hierarchinė tvarka dažnai sugriūva. Jei kas nors slapta jums ką nors prisipažįsta, o jūs šventinės vakarienės metu išplepate tą kaip paskalas, vadinasi, populiarumas jums svarbiau už draugystę. Jeigu susitikime kalbate daugiau nei klausotės, galbūt labiau norite nustelbti kitus nei mokytis ir palaikyti draugystę. Mes nuolat taip elgiamės.

Žmonės, kurie save vertina kukliai, yra moraliniai realistai. Moraliniai realistai žino, kad mes visi sukurti iš „kreivo medžio", kaip sakė Imanuelis Kantas (Immanuel Kant): „Iš kreivo žmonijos medžio niekada neišaugo nieko tiesaus." Šios „kreivo medžio" žmonijos mokyklos atstovai puikiai žino savo ydas ir tiki, kad charakteris ugdomas kovojant su savo silpnybėmis. Tomasas Mertonas (Thomas Merton) rašė: „Sielos kaip sportininkai – joms reikia savęs vertų varžovų, kad save išmėgintų, tobulėtų ar būtų priverstos atiduoti visas savo jėgas."[12]

Tokių žmonių dienoraščiuose galima rasti vidinės kovos įrodymų. Vieną dieną jie džiaugiasi, jeigu pavyksta bent iš dalies nugalėti savo savanaudiškumą ar kietaširdiškumą. Kitą dieną jie liūdi, yra nusivylę savimi, nes dėl tingulio ar nuovargio neatliko kokios nors labdaringos užduoties arba neaplankė žmogaus, kuris norėjo būti išklausytas. Tokie žmonės linkę matyti savo gyvenimą kaip dvasinę kelionę. Anglų rašytojas Henris Ferlis (Henry Fairlie) sakė: „Jeigu pripažįstame, kad esame iš prigimties linkę nusidėti ir kad šio polinkio niekada iki galo neatsikratysime, vadinasi, turime bent vieną užsiėmimą, kuris galų gale neatrodys bergždžias ir absurdiškas."

Turiu draugą, kuris vakare prieš užmigdamas skiria kelias minutes tam, kad peržvelgtų savo praėjusios dienos klaidas. Pagrindinė nuodėmė, iš kurios kyla daug kitų jo nuodėmių, yra tam tikras širdies kietumas. Jis yra užimtas žmogus ir daugybei žmonių reikia jo laiko. Kartais, kai žmonės prašo patarimo ar prisipažįsta apie kokią nors savo silpnybę, jis tam neskiria viso savo dėmesio. Kartais jam geriau sekasi sudaryti gerą įspūdį, negu iki galo išklausyti. Galbūt susitikime jis daugiau galvojo apie tai, kaip įspūdingai pats pasirodė, o ne nuoširdžiai klausėsi, ką kalba kiti. Galbūt pernelyg pataikaudamas kažką gyrė.

Kiekvieną vakarą jis sudaro padarytų klaidų sąrašą. Pasižymi pagrindines pasikartojančias savo nuodėmes ir kitas klaidas, kurios galbūt išaugo iš jų. Tada kuria planus, kaip geriau pasielgus rytoj. Rytoj jis pasistengs kitaip žiūrėti į žmones, pokalbio metu dažniau patylėti. Rūpestingumas jam bus svarbiau už prestižą, didesni meilės objektai svarbesni už mažesniuosius. Visi esame atsakingi už tai, kad kasdien taptume vis dorovingesni, ir jis kasdien stengsis žengti bent mažytį žingsnį link šio paties svarbiausio tikslo.

Taip gyvenantys žmonės žino, kad žmogaus charakteris nėra įgimtas ar nesąmoningai įgyjamas dalykas. Charakteriui ugdyti reikalingos pastangos ir išmonė. Be šito nepavyks tapti tokiu geru žmogumi, kokiu norėtum būti. Neturint tvirto moralės pagrindo nepavyks pasiekti net ir ilgalaikės išorinės sėkmės. Neturėdamas visa apimančios vidinės vertybių sistemos, kada nors vis tiek prieisi savąjį Votergeitą, skandalą ir išdavystę. Galų gale Adomas I priklauso nuo Adomo II.

Ankstesnėse pastraipose pavartojau žodžius „kova" ir „kovoti". Tačiau būtų neteisinga manyti, kad moralinė kova su savo silpnybėmis yra tokia pati kova, kaip karas ar bokso mačas, kur grumiamasi rankomis, vyrauja smurtas ir agresija. Moraliniai realistai kartais elgiasi griežtai, pavyzdžiui, ryžtingai stoja prieš blogį ar valios pastangomis drausmina savo troškimus. Tačiau asmenybė ugdoma ne tik askezės ir sunkumų keliu. Ją augina ir meilė bei malonumai. Jei tavo tikri draugai yra geri žmonės, tuomet stengiesi juos pamėgdžioti ir perimti jų geriausias savybes. Nuoširdžiai mylint žmogų norisi jam tarnauti ir pelnyti jo dėmesį. Didieji meno kūriniai padeda išplėsti emocijų skalę. Atsiduodami kokiam nors tikslui pakylėjate savo troškimus ir struktūruojate energiją.

Be to, kova su silpnybėmis niekada nevyksta vienumoje. Nė vienas savo paties jėgomis negali pasiekti savitvardos.

Būdamas vienas žmogus neturi tokios stiprios valios, proto, atjautos ir charakterio, kad pajėgtų nuolat stengtis nugalėti savanaudiškumą, puikybę, godumą ir saviapgaulę. Visiems reikia tam tikros pagalbos iš kitų – šeimos, draugų, protėvių, taisyklių, tradicijų, institucijų, pavyzdžių, o tikintiesiems – iš Dievo. Visiems reikia, kad kas nors pasakytų, kai esame neteisūs, patartų, kaip elgtis teisingai, padrąsintų, palaikytų, pažadintų, bendradarbiautų ir įkvėptų tame kelyje.

Toks požiūris į gyvenimą tam tikra prasme yra demokratiškas. Nesvarbu, ar dirbi Volstryte, ar nemokamai daliji vaistus vargšams. Nesvarbu, ar gauni pačias didžiausias, ar pačias mažiausias pajamas. Visur pilna ir didvyrių, ir kvailių. Svarbiausia yra tai, ar nori pradėti moralinę kovą su savimi. Svarbiausia yra tai, ar nori stoti į šią kovą su džiaugsmu ir užuojauta. Ferlis rašo: „Jeigu bent jau pripažįstame sau, kad nusidedame, vadinasi, suprantame, kad kiekvienas kariaujame su savimi ir galime stoti į tą karą kaip tikri kariai – narsiai, entuziastingai ir netgi su džiaugsmu.“[13] Adomo I sėkmė reiškia pergalę prieš kitus. O Adomas II ugdo charakterį laimėdamas kovą su savo vidinėmis silpnybėmis.

U FORMOS KREIVĖ

Šios knygos herojų gyvenimai labai skirtingi. Kiekvienas iš jų rodo pavyzdį, kaip ugdomas charakteris. Tačiau vienas dalykas būdingas jiems visiems: tam, kad pakiltų, jie turėjo nusileisti žemyn. Prieš užkopdami į charakterio aukštumas, jie turėjo nusileisti į nuolankumo slėnį.

Ugdant charakterį dažnai ištinka moralinės krizės, tenka kęsti vidinius prieštaravimus ir vėliau jaučiamas pagyvėjimas. Susidūrę su sunkiais išmėginimais tie žmonės netikėtai išmoko aiškiau pamatyti savo prigimtį. Kasdienis savęs apgaudinėjimas ir savitvardos iliuzija subyrėjo į šipulius. Tam, kad turėtų bent kokią tikimybę patirti transformaciją, jie turėjo išmokti kukliau save vertinti. Alisa turėjo sumažėti, kad patektų į Stebuklų šalį. Arba, kaip sakė Siorenas Kirkegoras (Søren Kierkegaard): „Mylimąją išgelbėja tik tas, kuris nusileidžia į požemių karalystę."

O tada prasidėjo visas grožis. Nuolankumo slėnyje jie išmoko save nutildyti. Tik nutildę save jie galėjo aiškiai pamatyti pasaulį. Tik nutildžius save jiems pavyko suprasti kitus ir priimti tai, ką jie siūlo.

Nutildžius save atsirado vietos malonei. Jie sulaukė pagalbos iš žmonių, iš kurių nesitikėjo sulaukti. Sulaukė tokio supratingumo ir rūpesčio, kokio net neįsivaizdavo. Tokios meilės, kokios nenusipelnė. Jiems nereikėjo mosuoti rankomis, nes rankos juos laikė iškėlusios aukštyn.

Neilgai trukus po to, kai nusileido į nuolankumo slėnį, jie pasijuto sugrįžę į džiaugsmo ir atsidavimo aukštumas. Jie pasinėrė į darbą, susirado naujų draugų ir atrado naujas meiles. Jie apstulbo supratę, kokį ilgą kelią nukeliavo nuo pirmųjų sunkaus išmėginimo dienų. Atsisukę atgal pamatė, kiek daug visko paliko už savęs. Tie žmonės nepasveiko; jie tapo kitokie. Jie atrado pašaukimą arba mėgstamą veiklą. Jie pasiryžo visą gyvenimą likti nuolankūs ir pasiaukoti kokiai nors veiklai, kuri suteikia gyvenimui prasmę. Kiekvienas šios patirties etapas šį tą paliko žmogaus sieloje. Ta patirtis iš naujo suformavo vidinį atsparumą, suteikdama daugiau darnos, vientisumo ir svorio. Stipraus charakterio žmonės gali būti labai ryškūs arba visai neišsiskiriantys, bet bendras jų bruožas yra ypatinga savigarba. Savigarba nėra tas pats, kas pasitikėjimas savimi ar savivertė. Savigarba nepriklauso nuo žmogaus intelekto rodiklio, protinių ar fizinių sugebėjimų, kurie padeda patekti į konkurencingą universitetą. Tai nepalyginama. Jos neįgysi, jeigu kokioje nors srityje būsi geresnis už kitus. Ji išugdoma, kai tampi geresnis nei buvai, kai lieki tvirtas išbandymų metu, sąžiningas pagundų akivaizdoje. Ji randasi moraliai patikimų žmonių sielose. Savigarbą išugdo vidinės, o ne išorinės pergalės. Ją įgyja tik tas, kas nugalėjo kokią nors vidinę pagundą, kas stojo į akistatą su savo silpnybėmis ir kas žino, kad „jei nutiks blogiausia, aš ištversiu. Aš sugebėsiu tai nugalėti".

Procesas, kurį čia apibūdinau, gali vykti įvairiai. Kiekvieno gyvenime pasitaiko didžiulių nesėkmių, sunkių išmėginimų, kurie keičia žmogų ir gali jam arba įkvėpti stiprybės, arba palaužti. Tačiau šis procesas gali vykti ir įprastoje kasdienybėje, palaipsniui. Kiekvieną dieną galima pastebėti nedideles savo ydas, pagelbėti kitiems, pamėginti ištaisyti klaidas. Asmenybė auga tiek dramatiškomis aplinkybėmis, tiek kasdienybėje.

„Komandos pasirodymas" parodė daug daugiau nei tik estetiką ar stilių. Kuo daugiau domėjausi tuo periodu, tuo geriau supratau, kad žiūriu į kitokios moralės šalį. Pradėjau kitaip žiūrėti į žmogaus prigimtį, ėmiau kitaip vertinti kas gyvenime yra svarbu, atradau kitokią asmenybės ir nepaviršutiniško gyvenimo formulę. Nežinau, kiek žmonių šiais laikais laikosi šios kitokios moralės ekologijos, bet žinau žmonių, kurie tą daro, ir nepaprastai jais žaviuosi.

Esu tikras, kad mes netyčia pamiršome šią moralės tradiciją. Per pastaruosius kelis dešimtmečius užmiršome tą kalbą, tą gyvenimo būdą. Mes nesame blogi. Bet nesugebame tiksliai išdėstyti moralinių vertybių. Nesame didesni savanaudžiai ar parsidavėliai palyginti su anų laikų žmonėmis, tačiau nebeturime supratimo apie tai, kaip ugdomas charakteris. „Kreivo medžio" moralės tradicija, paremta nuodėmės įsisąmoninimu ir akistata su nuodėme, buvo tarsi palikimas, perduodamas iš kartos į kartą. Dėl to žmonės geriau suprasdavo, kaip ugdyti laidotuvių dorybes, kaip padėti savo Adomo II prigimties pusei. Be šių dalykų šiuolaikinė kultūra yra dirbtina, ypač moraline prasme.

Pagrindinė šiuolaikinio gyvenimo klaida yra įsitikinimas, kad Adomo I karalystėje galima patirti tikrąjį pasitenkinimą. Tai netiesa. Adomo I troškimai niekada nesibaigia ir visada pranoksta tai, kas ką tik buvo pasiekta. Tik Adomas II gali patirti tikrąjį pasitenkinimą. Adomas I siekia laimės, tačiau Adomas II žino, kad laimės nepakanka. Gyvenimas yra vertybių konfliktas, o didžiausią džiaugsmą suteikia dvasiniai dalykai. Toliau pateiksiu keletą tikrų tokių gyvenimų pavyzdžių. Mes negalime ir neturėtume norėti grįžti į praeitį. Bet galime iš naujo atrasti šią moralės tradiciją, iš naujo skaityti charakterio žodyną ir pritaikyti jį savo gyvenime.

Adomo II neįmanoma sukurti pagal receptų knygą. Nėra tokios septynių žingsnių programos. Bet galime pasinerti į ypatingų žmonių gyvenimus ir pamėginti suprasti jų gyvenimo išmintį. Tikiuosi, kad skaitant šią knygą galėsite išsirinkti kelias sau svarbias pamokas, net jeigu jos ir nebus tos pačios, kurios buvo svarbios man. Tikiuosi, kad tolesni devyni skyriai padės tiek jums, tiek man tapti kitokiems ir geresniems.

PAŠAUKTASIS AŠ

ŠIANDIEN PRIE VAŠINGTONO AIKŠTĖS PARKO MANHATANE STOVI NIUJORKO UNIVERSITETAS, BRANGŪS BUTAI IR PRAŠ-MATNIOS PARDUOTUVĖS. Tačiau 1911 metais šiaurinėje parko pusėje stovėjo gražūs rausvo smiltakmenio pastatai, o rytinė-je ir pietinėje – gamyklos, kuriose dirbo daugiausia jauni žydų ir italų tautybių imigrantai darbininkai. Vienas iš tų gražių namų priklausė dviejų Nepriklausomybės Akto signatarų palikuonei, gerbiamai visuomenės moteriai poniai Gordon Nori (Gordon Norrie).

Kovo 25-ąją, vos ponia Nori su būreliu draugių susėdo gerti arbatos, lauke pasigirdo šurmulys. Viena iš viešnių buvo Fransis Perkins (Frances Perkins), tuo metu trisdešimt vienerių metų amžiaus moteris, kilusi iš senos Meino vidurinės klasės šeimos, kurios giminės linija siekė Revoliucijos laikus. Ji mokėsi Maunt Holjoko koledže ir dirbo lobiste

Niujorko vartotojų lygoje, siekdama uždrausti vaikų darbą. Perkins kalbėjo aukštuomenei būdingu tonu, pritinkančiu jos kilmės moteriai – kaip Margaret Diumon (Margaret Dumont) senuosiuose „Marx Brothers" filmuose arba kaip ponia Terston Hauvel III (Thurston Howell III) – tęsdama raidę *a*, prislopindama *r* ir suapvalindama balsius („ar maaatote" vietoj „ar matote").

Į kambarį įbėgęs liokajus pranešė, kad šalia aikštės įsiplieskė gaisras. Moterys išbėgo į lauką. Perkins pasikėlusi sijoną nubėgo prie degančio pastato. Tai buvo „Triangle Shirtwaist" fabrikas, kuriame įvyko vienas garsiausių gaisrų Amerikos istorijoje. Perkins pamatė liepsnojančius aštuntą, devintą ir dešimtąjį aukštus, o prie atvirų langų spaudėsi krūva darbininkų. Ji prisijungė prie minios persigandusių stebėtojų ant šaligatvio. Kažkas pamatė, kad pro langus, kaip jiems pasirodė, krinta audinių ryšuliai. Jie pagalvojo, kad gamyklos savininkai bando gelbėti savo geriausius audinius. Ryšuliai vis krito ir staiga stebėtojai suprato, kad tai visai ne ryšuliai. Tai buvo į mirtį šokantys žmonės. Vėliau Perkins prisiminė: „Kai atėjome, žmonės ėmė tiesiog šokti žemyn. Iki tol jie atkakliai laikėsi stovėdami ant palangių, jiems už nugaros grūdosi kiti, o ugnis ir dūmai juos vis labiau ir labiau spaudė."[1]

„Jie pradėjo šokti žemyn. Prie lango susidarė per didelė grūstis, ir jie ėmė šokti žemyn ant šaligatvio, – prisimena ji. – Visi žuvo, visi iššokusieji žuvo. Tai buvo siaubingas reginys."[2]

Ugniagesiai ištiesė tinklus, bet iš tokio didelio aukščio krintantys kūnai arba išplėšdavo juos iš rankų, arba tiesiog suplėšydavo. Viena moteris oriai ištuština savo rankinuką ant stebėtojų apačioje ir pati metėsi žemyn. Perkins ir kiti jiems šaukė į viršų: „Nešokite! Pagalba pakeliui." Bet tai buvo netiesa. Liepsnos juos spaudė iš nugaros. Iš pastato iššoko keturiasdešimt septyni žmonės. Viena jauna moteris prieš iššokdama aistringai gestikuliuodama pasakė kalbą, bet niekas jos negirdėjo. Vienas jaunas vyras švelniai padėjo jaunai moteriai užlipti ant palangės. Tada pakėlęs kaip baleriną ištiesė rankas toliau nuo pastato ir ją paleido. Tą patį padarė su antra ir trečia. Galiausiai ant palangės užlipo ketvirtoji mergina; ji jį apsikabino ir jiedu apsikeitė ilgu bučiniu. Tada jis ją pakėlė ir taip pat paleido. Paskui ir pats pakibo ore. Krintant žemyn nuo vėjo išsipūtė jo kelnės ir žmonės pastebėjo, kad jis apsiavęs madingus rudos spalvos batus. Vienas reporteris rašė: „Mačiau jo veidą prieš uždengiant. Galėjai matyti, kad tai buvo tikras vyras. Jis padarė viską, ką galėjo."[3]

Ugnis įsiplieskė tą pačią dieną apie 16.40 popiet, kai kažkas aštuntajame aukšte numetė cigaretę ar degtuką ant medvilnės atraižų krūvos. Toji tuoj pat paskendo liepsnose.

Kažkas perspėjo gamyklos vadovą Samuelį Bernsteiną (Samuel Bernstein) ir jis griebė kelis netoliese stovinčius kibirus vandens ir užpylė ant ugnies. Tai nelabai padėjo. Medvilnės atraižos įsiliepsnodavo nepaprastai greitai, greičiau nei popierius, o vien aštuntajame aukšte jų buvo sumesta beveik tona[4].

Bernsteinas užpylė dar kelis kibirus vandens ant plintančios ugnies, bet tai jau nedarė jokio poveikio ir liepsnos pagavo popierines iškarpas, sukabintas virš medinių darbo stalų. Jis liepė darbininkams ištraukti priešgaisrinę žarną iš šalimais esančios laiptinės. Šie atsuko sklendę, bet vanduo nepasirodė. Gaisro istorikas Deividas Fon Drėlė (David Von Drehle) teigė, kad per pirmąsias tris minutes Bernsteinas priėmė lemtingą sprendimą. Tą laiką jis galėjo skirti kovai su ugnimi arba beveik penkiems šimtams darbininkų evakuoti. Tačiau jis tuščiai kovojo su sparčiai plintančia ugnimi. Jeigu būtų tą laiką skyręs žmonėms evakuoti, tą dieną greičiausiai nebūtų buvę aukų[5].

Pagaliau atitraukęs akis nuo liepsnojančios sienos Bernsteinas apstulbo nuo to, ką išvydo sau už nugaros. Daugelis aštuntojo aukšto moterų švaistė laiką eidamos į persirengimo kambarį susirinkti savo paltų ir daiktų. Kai kurios ieškojo savo kortelių, kad galėtų pažymėti, kada išėjo iš darbo.

Galų gale du gamyklos savininkai dešimtajame aukšte sulaukė perspėjimo apie gaisrą, kuris jau buvo apėmęs aštuntąjį aukštą ir sparčiai kilo aukštyn. Vienas iš jų, Aizekas Harisas (Isaac Harris), surinko grupę darbininkių ir supratęs, kad lipti žemyn per ugnį yra tolygu savižudybei, užriaumojo: „Merginos, lipame ant stogo! Lipkite ant stogo!" Kitas savininkas, Maksas Blankas (Max Blanck), buvo suparalyžiuotas iš baimės. Jis stovėjo siaubo iškreiptu veidu, vienoje rankoje laikydamas jauniausiąją dukterį, o kitoje spausdamas vyresniosios ranką[6]. Kontoros tarnautojas, bandęs evakuotis su kompanijos užsakymų knyga rankose, nusprendė ją išmesti ir vietoj jos gelbėti savo viršininko gyvybę.

Dauguma aštuntojo aukšto darbininkių sugebėjo pasprukti, bet devintojo aukšto darbininkės nesulaukė jokio perspėjimo, kol jų nepasiekė ugnis. Jos puolė lakstyti nuo vieno išėjimo prie kito it persigandę žuvų būriai. Du liftai buvo perkrauti ir dirbo labai iš lėto. Purkštuvų sistemos nebuvo. Avarinis išėjimas buvo išklibęs ir užkrautas. Eilinę darbo dieną iš darbo išeinantys darbininkai būdavo apieškomi, siekiant išvengti vagysčių. Fabrikas buvo suprojektuotas taip, kad visi būtų priversti išeiti tik pro vieną ankštą išėjimą. Kai kurios durys buvo užrakintos. Menkai apie tai informuoti darbininkai gaisrui plečiantis buvo priversti priimti beviltiškus gyvybę ar mirtį lemiančius sprendimus, kol aplink viskas skendo ugnyje, dūmuose ir siaube.

Trys draugės – Ida Nelson, Keiti Vainer (Katie Weiner) ir Fani Lansner (Fanny Lansner) – buvo persirengimo kambaryje, kai pasigirdo riksmai „Ugnis!". Nelson nusprendė bėgti prie vienos iš laiptinių. Vainer puolė prie liftų ir pamatė besileidžiančią lifto kabiną. Ji metėsi žemyn ir užšoko ant kabinos stogo. Lansner nepasirinko nė vienos išeities ir neišsigelbėjo[7].

Meri Bučeli (Mary Bucelli) vėliau pasakojo, kaip jai teko įnirtingai grumtis, kad išbėgtų pirmoji: „Negaliu apsakyti, nes tiek kartų kažkam spyriau ir trenkiau. Pati daviau ir pati gavau. Bet ką sutikusi stūmiau ant žemės, – pasakojo ji apie savo bendradarbius. – Aš tenorėjau išsigelbėti. <...> Tokią akimirką vyksta didžiulė suirutė ir supranti, kad nieko nematai. <...> Matai daugybę dalykų, bet nieko negali atskirti. Per tą sumaištį ir grumtynes nieko negali atskirti."[8]

Džozefas Brenmanas (Joseph Brenman) buvo vienas iš nedaugelio vyrų fabrike. Minia moterų bandė prasibrauti pro jį ir liftus. Bet jos buvo nedidukės, daugelis alpo. Jis nustūmė jas šalin ir pats gelbėdamasis nulėkė į liftą.

Ugniagesiai atvyko greitai, bet jų kopėčios nesiekė aštuntojo aukšto. Iš žarnų purškiamas vanduo vos tesiekė reikiamą aukštį ir tik truputį apliejo pastatą iš lauko pusės.

GĖDA

„Triangle Shirtwaist" fabriko gaisras buvo smūgis visam miestui. Žmonės ne tik tūžo ant fabriko savininkų, bet ir patys jautėsi atsakingi dėl to, kas įvyko. 1909 metais jauna imigrantė iš Rusijos vardu Roza Šnaiderman (Rose Schneiderman) subūrė „Triangle" ir kitų gamyklų darbininkes ir surengė streiką dėl tų pačių problemų, kurios privedė prie gaisro. Piketuotojoms trukdė kompanijos sargybiniai. Miestas į tai reagavo abejingai, taip pat, kaip reagavo apskritai į vargšų gyvenimą. Po gaisro pratrūko masinis įniršis, kurį įžiebė bendras kaltės jausmas dėl egocentriško žmonių požiūrio į gyvenimą, dėl beširdiško abejingumo šalimais esančių žmonių gyvenimo sąlygoms ir kančioms. „Net negaliu apsakyti, kaip žmonės sunerimo, – prisiminė Perkins. – Atrodė, kad mes visi padarėme kažką ne taip. To neturėjo būti. Mes gailėjomės. Mea culpa! Mea culpa!"⁹

Įvykiui paminėti buvo surengtos masinės eitynės, o paskui įvyko didžiulis mitingas, kuriame dalyvavo visi svarbiausi miesto piliečiai. Perkins stovėjo ant scenos kaip Vartotojų lygos atstovė, o Roza Šnaiderman audrino minią: „Jeigu čia atėjusi stengčiausi kalbėti maloniai, išduočiau tuos vargšus sudegusius žmones. Mes bandėme su jumis kalbėtis, gerieji žmonės, bet jūs nepateisinote mūsų lūkesčių!

Senoji inkvizicija turėjo kankinimų suolus, žnyples ir kankinimo instrumentus su geležiniais dantimis. Mes žinome, kas tie daiktai yra šiandien: geležiniai dantys yra mūsų poreikiai, žnyplės yra aukštos įtampos greitaeigiai įrenginiai, prie kurių turime dirbti, o kankinimo suolai yra statiniai su gaisro spąstais, kurie mus pražudys vos užsiliepsnoję. <...>

Mes bandėme su jumis kalbėtis, piliečiai! Mes bandome ir dabar, o jūs kaip labdaringą dovaną siūlote po kelis dolerius gedinčioms motinoms ir broliams bei seserims. Tačiau kaskart, kai darbininkai išeina protestuoti prieš nepakeliamas sąlygas vieninteliu jiems žinomu būdu, stipriai įstatymo rankai leista juos tvirtai spausti žemyn. <...> Negaliu su jumis kalbėtis draugiškai. Buvo pralieta per daug kraujo."¹⁰

Gaisras ir po jo ištikę smūgiai neapsakomai sukrėtė Fransis Perkins. Iki tol ji kovojo už darbininkų teises ir gynė vargšus, bet ėjo tradiciniu keliu, galbūt siekė tradicinės santuokos ir darė gerus darbus kaip aukštuomenės ponia. Po gaisro jos karjera virto pašaukimu. Moralinis pasipiktinimas nukreipė ją kita linkme. Ji pati ir jos norai nebeatrodė tiek svarbūs, o centrine gyvenimo ašimi tapo jos veiklos misija. Išnyko jos sluoksnio žmonėms būdingas rafinuotumas. Jai trūko kantrybė dėl to, kaip socialines reformas palaikanti aukštuomenė tarnauja vargšams. Jai trūko kantrybė dėl jų manieringumo, noro išlikti švariems ir nesileisti į peštynes. Perkins tapo griežtesnė. Ji pasinėrė į politikos sūkurį. Ji buvo pasiruošusi imtis moraliai rizikingų veiksmų, jeigu jie padėtų apsaugoti nuo tokios katastrofos kaip ta, kuri pasiglemžė „Triangle" fabriko moterų gyvybes. Ji buvo pasiruošusi ieškoti kompromisų ir dirbti su korumpuotais pareigūnais, jeigu tai duotų kokių nors rezultatų. Ji paskyrė šiam tikslui visą savo likusį gyvenimą.

PAŠAUKTA

Šiandien diplomų įteikimo ceremonijose oratoriai linki diplomantams sekti paskui savo aistrą, pasitikėti jausmais, neriboti savęs, apmąstyti ir atrasti savo gyvenimo prasmę. Už tokių šabloniškų palinkėjimų slypi prielaida, kad stengiantis suprasti, kaip gyventi, svarbiausius atsakymus galima rasti savo viduje. Suaugusiojo gyvenimui besiruošiantis jaunas žmogus turi skirti laiko atrasti save, įvardyti, kas jam iš tikrųjų svarbu, kokie jo prioritetai, kas pažadina jo didžiausią aistrą. Jis turi savęs paklausti: koks mano gyvenimo tikslas? Ko aš noriu iš gyvenimo? Kas man iš tikrųjų vertinga ir ką darau ne tik tam, kad patikčiau kitiems ir padaryčiau gerą įspūdį? Taip mąstant galima susidėlioti gyvenimą kaip verslo planą. Pirmiausia įvertini savo gabumus ir polinkius. Tada nusibrėži tikslus ir susikuri metodą, kuris padės link jų eiti. Sudarai planą tikslui pasiekti, padėsiantį atskirti tai, kas veda link tikslo, nuo to, kas atrodo svarbu, bet iš tikrųjų tik blaško dėmesį. Iš anksto nusibrėžęs tikslą ir lanksčiai laikydamasis plano pamatysi, kad gyveni prasmingą gyvenimą. Apie tokį ryžtą kalba Viljamas Ernestas Henlis (William Ernest Henley) savo eilėraštyje „Nenugalimieji" (*Invictus*): „Esu savo likimo šeimininkas / Esu savo sielos kapitonas."

Šiame individualistiškos nepriklausomybės amžiuje žmonės linkę būtent taip tvarkyti savo gyvenimą. Šis metodas prasideda nuo savęs ir baigiasi savimi, jis prasideda nuo savęs tyrinėjimo, o baigiasi išsipildymu. Tokiame gyvenime svarbiausia yra asmeniniai pasirinkimai. Tačiau Fransis Perkins savo gyvenimo tikslą atrado remdamasi kitu metodu, dažniau naudotu praėjusiame amžiuje. Gyvendamas pagal jį neklausi „ko aš noriu iš gyvenimo?" Čia skamba kiek kitokie klausimai: ko iš manęs nori gyvenimas? Ką mane verčia daryti susiklosčiusios aplinkybės?

Pagal tokį požiūrį, ne mes kuriame savo gyvenimą, tai gyvenimas mus pakviečia. Svarbių atsakymų reikia ieškoti ne savo viduje, juos galima rasti išorėje. Perspektyvos pradžia yra ne autonomiškasis *aš*, bet tos konkrečios aplinkybės, į kurias gyvenimas tave įmetė. Ji prasideda nuo įsisąmoninimo, kad pasaulis jau seniai egzistavo iki tavęs ir egzistuos dar ilgai po tavęs, o tavo trumpam gyvenimo tarpsniui į konkrečią vietą, su konkrečiomis problemomis ir poreikiais tave įmetė likimas, istorija, atsitiktinumas, evoliucija arba Dievas. Tavo užduotis išsiaiškinti tam tikrus dalykus: kaip tave supantį pasaulį paversti pilnatvišku? Ką jame reikia pataisyti? Kokias užduotis reikia atlikti? Kaip sakė rašytojas Frederikas Bikneris (Frederick Buechner): „Kur mane supančiame pasaulyje labiausiai reikalingi mano talentai ir kuo užsiimdamas galėčiau patirti daugiausiai džiaugsmo?"

Apie tokį pašaukimą rašė Viktoras Franklis (Viktor Frankl) savo žymiojoje knygoje „Žmogus ieško prasmės" (*Man's Search for Meaning*), kuri buvo išleista 1946 metais. Franklis buvo žydų kilmės Vienos psichiatras, kurį 1942 metais suėmė naciai ir išsiuntė į getą, o paskui į koncentracijos stovyklas. Stovyklose jis neteko žmonos, motinos ir brolio. Kalėdamas didžiąją laiko dalį Franklis turėjo kloti geležinkelio bėgius. Jis neplanavo, kad jo gyvenimas pasisuks tokia linkme. Šis užsiėmimas tikrai nebuvo jo aistra ar svajonė. Pats jis niekada nebūtų to pasirinkęs. Tačiau viskas susiklostė būtent taip. Ir jis suprato, kad nuo to, kaip reaguos į šias aplinkybes, priklauso tai, kokiu žmogumi jis taps.

„Iš tikrųjų buvo svarbu ne tai, ko mes tikėjomės iš gyvenimo, – rašė jis, – o greičiau ko gyvenimas tikėjosi iš mūsų.

Užuot klausę, kokia yra gyvenimo prasmė, turėjome atkreipti dėmesį į tai, kokius klausimus mums užduoda gyvenimas – kiekvieną dieną ir kiekvieną valandą."[11] Franklis suprato, kad likimas jam pateikė moralinę ir intelektualinę užduotis. Gyvenimas jam skyrė misiją.

Moralinė užduotis buvo kentėti deramai, būti vertam savo kančios. Nuo jo nepriklausė tai, kiek jis kenčia ir ar jam teks savo dienas baigti dujų kameroje, ar numirti pakelėje, ir kada tai įvyks, tačiau jis galėjo kontroliuoti savo požiūrį į kančias. Naciai stengėsi nužmoginti ir įžeidinėti aukas, ir kai kurie kaliniai pasidavė dvasiškai žlugdomi arba nugrimzdo į buvusio laimingo gyvenimo prisiminimus. Tačiau kai kurie atsilaikė prieš tokį pažeminimą ir tapo brandesni. Franklis suprato: „Žmogus gali atsilaikyti prieš tokias patirtis paversdamas jas vidinėmis pergalėmis." Žmogus galėjo kovoti su pažeminimu, kad ir mažais veiksmais įtvirtindamas savo orumą, nebūtinai tam, kad pakeistų savo išorinį gyvenimą ar galutinį likimą, bet kad sustiprintų savo vidinius asmenybės ramsčius. Jis galėjo, kaip sakė Franklis, „laikytis tam tikros vidinės nuostatos", griežtai kontroliuoti savo vidinę būseną, sistemingai ginti savo orumą.

„Kančia tapo užduotimi, nuo kurios mes nenorėjome nusisukti", – rašė jis[12]. Supratęs gyvenimo jam padiktuotą užduotį, jis suprato ir savo gyvenimo prasmę bei galutinį tikslą ir kad karas jam suteikė galimybę suvokti tą tikslą. O supratus tų įvykių prasmę išgyventi pasidarė lengviau. Nyčė (Friedrich

Nietzsche) tvirtino: „Tas, kuris žino, dėl ko gyvena, gali iškęsti beveik viską."

Kita Franklio užduotis buvo iš esamų aplinkybių pasisemti išminties, kuria galėtų pasidalyti su likusiu pasauliu. Likimas jam suteikė nepaprastą galimybę tyrinėti žmogų, gyvenantį pačiomis baisiausiomis sąlygomis. Jis turėjo galimybę pasidalyti savo pastabomis su kitais kaliniais ir suprato, kad išgyvenęs galės visą savo likusį gyvenimą dalytis šiomis žiniomis už kalėjimo ribų.

Kai jausdavosi turįs jėgų, kalbėdavosi su kaliniais, skatindavo juos rimtai žiūrėti į savo gyvenimą ir jį vertinti bei stengtis išlaikyti vidinę stiprybę. Siūlydavo net ir tokiomis aplinkybėmis, kai siekiama sunaikinti meilę, nukreipti mintis aukštyn, į mylimų žmonių paveikslus, saugoti, dalytis ir puoselėti meilę čia nesančiai žmonai ar vaikui, ar vienam iš tėvų, ar draugui, net jeigu į kitas stovyklas išsiųstų mylimų žmonių jau nebėra tarp gyvųjų. Tarp žvyro, suodžių ir lavonų žmogus vis tiek turėjo galimybę pakilti aukščiau: „Iš savo ankšto kalėjimo aš pašaukiau Dievą, ir jis man atsakė suteikdamas laisvės ir erdvės."

Franklis rašė, kad žmogus vis tiek galėjo su džiaugsmu ir aistringai mylėti savo artimuosius, taigi suprasti, ką iš tikrųjų reiškia žodžiai „angelai panirę į nesibaigiančius apmąstymus apie begalinę didybę".

Potencialiems savižudžiams jis sakydavo, kad gyvenimas nenustojo jais tikėti ir kad jais vis dar bus tikima ateityje.

Išsijungus šviesoms, tamsoje jis kalbėdavo kitiems kaliniams, kad juos kas nors stebi – draugas, žmona, kas nors gyvas ar miręs, arba Dievas, – kas nenori būti nuviltas[13]. „Gyventi – tai prisiimti atsakomybę įveikti gyvenimo sunkumus ir atlikti užduotis, kurias jis nuolat pateikia", – padarė išvadą jis[14].

Nedaugeliui teko gyventi tokiomis sunkiomis ir ekstremaliomis sąlygomis, bet mes visi esame apdovanoti gabumais, įgūdžiais, talentais ir savybėmis, kurių nebūtinai esame verti. Ir visi kartais patenkame į tokias aplinkybes, kurios skatina imtis veiksmų – ar tai būtų skurdas, kančia, ar šeimos poreikiai, ar galimybė perduoti kokią nors žinią. Tokios aplinkybės suteikia nepaprastą galimybę pateisinti savo dovanas.

Sugebėjimas atrasti savo pašaukimą priklauso nuo to, kiek aštrios jūsų akys ir ausys, ar jos pakankamai jautrios, kad suprastų, kokią misiją jums skiria tam tikros gyvenimo aplinkybės. Žydų Talmude sakoma: „Neprivalai užbaigti darbo, bet ir negali atsisakyti jį pradėti."

PAŠAUKIMAS

Franklis, kaip ir Perkins, turėjo pašaukimą. Pašaukimas – ne karjera. Rinkdamasis karjerą žmogus ieško darbo galimybių ir erdvės tobulėjimui. Rinkdamasis karjerą jis ieško finansinės ir psichologinės naudos. Jeigu darbas ar karjera tau netinka, ieškai kito.

Pašaukimo pasirinkti negali. Pašaukimas yra kvietimas. Paprastai žmonės jaučia, kad čia jie neturi pasirinkimo. Jų gyvenimas būtų ne jų, jeigu jie užsiimtų kažkuo kitu. Kartais pakvietimas išgirstamas kuo nors pasipiktinus. Fransis Perkins tapo „Triangle" gaisro liudininke ir pasipiktino tuo, kad toks moralinis nusikaltimas galėjo likti nutylėtas. Kitus žmones pakviečia koks nors veiksmas. Moteris paima į rankas gitarą ir tą akimirką supranta, kad yra gitaristė. Grojimas jai nėra veikla, kuria ji užsiima; ji *yra* gitaristė. Dar kitus pakviečia Biblijos posmas ar literatūrinė ištrauka.

Vieną 1896-ųjų vasaros rytą Albertas Šveiceris (Albert Schweitzer) atsivertė Biblijos ištrauką, kurioje buvo sakoma: „Tas, kuris išgelbės savo gyvenimą, jo neteks, o tas, kuris paaukos savo gyvenimą dėl manęs, jį išgelbės." Tą perskaitęs jis suprato, kad nori mesti labai sėkmingą muzikos specialisto ir vargonininko karjerą, pereiti į mediciną ir tapti gydytoju džiunglėse.

Pašaukimą atradęs žmogus paskiria savo gyvenimą kovoti už žmonių teises arba gydyti ligas, rašyti nuostabų romaną arba vadovauti humanitarinei kampanijai ne dėl to, kad išanalizavęs pamato, jog jo išlaidos atsipirks ir duos naudos. Tokius žmones į pašaukimą atveda svarbesnės ir kilnesnės priežastys nei nauda, o atėjus sunkiam laikotarpiui jie dar stipriau į jį įsikimba. Šveiceris rašė: „Tas, kas nori daryti gera, neturėtų tikėtis, kad žmonės pašalins visus akmenis jam iš kelio, ir turi ramiai susitaikyti su savo likimu, net jeigu kiti kaip tik sugalvoja užridenti ant kelio dar kelis akmenis. Laimėti gali tik ta jėga, kuri kliūčių akivaizdoje stiprėja."[15] Svarbu atkreipti dėmesį, kaip pašaukimo jausmas smarkiai prieštarauja vyraujančiai šiuolaikinei logikai. Pašaukimas – tai nėra savo troškimų ar norų pildymas, ko tikisi dabartiniai ekonomistai. Pašaukimas – tai ne laimės paieškos, jeigu „laimė" tau reiškia gerą nuotaiką, malonias patirtis ar kovos bei skausmo vengimą. Toks žmogus tampa instrumentu, kad atliktų jam pateiktą užduotį. Jis prisitaiko prie duotos užduoties. Aleksandras Solženycinas, kuris nusprendė būti instrumentu kovoje su sovietine tironija, sakė: „Jaučiuosi laimingesnis ir saugesnis žinodamas, kad man nereikia visko planuoti ar spręsti pačiam, kad aš tik pagaląstas kardas, kuris turi sutriuškinti nešvarias jėgas, užburtas kardas, skirtas joms suskaldyti ir išsklaidyti. Padėk man, Viešpatie, nepalūžti smogiant! Nepaleisk manęs iš Savo rankų!"

Tačiau retai pamatysi, kad pašaukimą atradę žmonės būtų liūdni. Visų pirma, jie su džiaugsmu imasi savo veiklos. Šiandien puikiai žinoma detektyvų autorė Doroti L. Sejers (Dorothy L. Sayers), kuri savo laiku buvo ir gerbiama mokslininkė bei teologė, atskirdavo siekį tarnauti visuomenei ir siekį dirbti mylimą darbą. Ji rašė, kad tie, kurie siekia tarnauti visuomenei, dažnai prasčiau atlieka savo darbą dėl to, kad ne iki galo atsiduoda vienai užduočiai vienu metu, ir visai nesvarbu, ar tas darbas yra romano rašymas, ar duonos kepimas. Bet jeigu dirbi mylimą darbą – jeigu stengiesi bet kokią užduotį atlikti kuo geriau – tada patirsi didelį pasitenkinimą ir galiausiai visuomenei būsi naudingesnis, negu sąmoningai būtum to siekęs. Tą galima matyti žmonėse, kurie atrado savo pašaukimą – juose matyti tam tikras susižavėjimas, iš jų sklinda didžiulis noras tobulai atlikti šokį ar tobulai vadovauti organizacijai. Jie džiaugiasi dėl to, kad jų vertybės harmoningai dera su jų elgesiu. Jie visiškai užtikrinti savo veiksmais ir tai išvaiko nuovargį net ir sunkiausiomis dienomis.

Gaisras „Triangle Shirtwaist" fabrike buvo ne vienintelis, tačiau reikšmingiausias įvykis, kuris Fransis Perkins padėjo atrasti gyvenimo tikslą. Jai teko akis į akį susidurti su siaubu. Ir, kaip ir daugeliui žmonių, tas pagrįstas pasipiktinimas jai suteikė nuožmaus ryžto. Svarbu buvo ne tik tai, kad gaisras pareikalavo tiek daug aukų – galų gale juk tų žmonių nebegali sugrąžinti; gaisras taip pat tapo „išpuolio prieš žmogiškumo normas simboliu". Su žmonėmis turėtų būti elgiamasi pagal visuotinius principus, turėtų būti gerbiamas jų, kaip gyvų būtybių, orumas, o šiuo atžvilgiu su jais buvo pasielgta neteisingai. Jeigu žmogus pajunta tokį pasipiktinimą, vadinasi, jis atrado savo pašaukimą.

NEGAILESTINGA VAIKYSTĖ

Perkins gimė Bikon Hilio rajone Bostone 1880 metų balandžio 10 dieną. Jos protėviai atvyko į JAV didžiosios puritonų migracijos laikotarpiu septynioliktojo amžiaus viduryje ir pirmiausia įsikūrė Masačusetse, o paskui persikėlė į Meino valstiją. Vienas jų, Džeimsas Otisas (James Otis), buvo maištingas JAV nepriklausomybės karo didvyris. Kitas, Oliveris Otisas Hovardas (Oliver Otis Howard), prieš įkurdamas istorinį Hovardo universitetą Vašingtone, į kurį buvo priimami visų rasių žmonės, buvo JAV pilietinio karo generolas. Hovardas apsilankė Perkinsų namuose, kai Fransis buvo penkiolikos metų. Per karą jis neteko rankos, taigi Fransis teko būti jo raštininke[16].

Perkinsai jau daug amžių užsiiminėjo ūkininkyste ir plytų gamyba, daugiausia prie Damariskotos upės Portlando rytuose, Meino valstijoje. Fransis motina buvo kilusi iš didžiulės Binų giminės. Perkinsai auklėjo dukrą pagal jankiams būdingą tradiciją: ji išaugo taupi, nuoširdi ir negailestingai sąžininga. Fredas Perkinsas vakarais skaitydavo graikų poeziją ir su draugais deklamuodavo graikų pjeses. Jis pradėjo mokyti Fransis graikų kalbos gramatikos, kai jai buvo septyneri ar aštuoneri metai. Fransis motina buvo griežta, meniškos prigimties ir užsispyrusi moteris. Kai Fransis buvo dešimties, motina nusivedė ją į skrybėlių parduotuvę. Tuo metu madingos buvo siauros ir aukštos skrybėlės su plunksnomis ir kaspinėliais. Tačiau Suzan Bin Perkins (Susan Bean Perkins) ant Fransis galvos užmaukšlino žemą, paprastą, trikampę skrybėlaitę. Tai, ką ji pasakė paskui, parodo didžiulį skirtumą tarp tuometinio ir dabartinio vaikų auklėjimo. Šiandien mes vaikams nuolat kartojame, kokie jie nuostabūs, o tais laikais tėvai daug dažniau atvirai ir nuoširdžiai parodydavo vaikams jų ribotumus ir silpnybes, tad šiais laikais tai gali pasirodyti žiauru:

„Štai, brangioji, tavo skrybėlė, – pasakė motina. – Visada turėtum dėvėti panašią skrybėlę. Tavo veidas labai platus. Tarp skruostikaulių platesnis negu viršuje. Ties kakta tavo galva siauresnė nei prie skruostų. Ir labai greitai pereina į smakrą. Todėl tavo skrybėlės niekada neturėtų būti platesnės už skruostikaulius. Niekada nenešiok siauresnės, nes atrodysi juokingai."[17]

Naujosios Anglijos jankių kultūros griežtumą šiek tiek sušvelnino pasaulinės kultūros įtaka, bet tais laikais ji vis tiek išsiskyrė reiklumu. Jankiai buvo santūrūs, savarankiški, emociškai užgrūdinti visuotinės lygybės šalininkai. Kartais tas emocinis griežtumas virsdavo šaltumu. Tačiau kartais tą griežtumą motyvuodavo ir jį atmiešdavo aistringa meilė ir švelnumas. Naujieji anglai paprastai labai gerai suvokdavo savo nuodėmingumą ir garbino Dievą, kuris savo meilę išreikšdavo suvaržymais ir pataisymais. Jie sunkiai dirbdavo ir nesiskųsdavo.

Vieną vakarą Perkins, tuo metu jau jauna moteris, nulipo laiptais žemyn vilkėdama naują šventinę suknelę. Tėvas jai pasakė, kad ji atrodo kaip tikra moteris. Perkins vėliau prisiminė: „Net jeigu man kada nors ir pasisekė atrodyti gražiai – tik perspėju, nesakau, kad man kada nors tai pavyko – tėvas niekada nebūtų man to pasakęs. Tai būtų prilygę nuodėmei."[18]

Jankiai sujungė, kaip būtų galima pavadinti, socialinį konservatyvumą su politiniu liberalumu. Asmeniniame gyvenime jie buvo linkę laikytis tradicijų ir nepalenkiami, tačiau kartu jie pasitikėjo visuomenės užuojauta ir vyriausybės veiksmais. Jie tikėjo, kad kiekvienas žmogus turi prisiimti kolektyvinę atsakomybę palaikyti „gerą tvarką". Net aštuonioliktojo amžiaus viduryje Naujosios Anglijos kolonijose valstybiniai ir vietinės vyriausybės mokesčiai buvo dukart didesni negu Pensilvanijos ar Virdžinijos kolonijose. Taip pat jie nepaprastai tikėjo švietimu. Paskutinius 350 metų Naujosios Anglijos mokyklos yra vienos geriausių visose JAV. Naujųjų anglų mokslo laimėjimai iki šiol yra vieni didžiausių šalyje[19].

Perkins tėvai matė, kad Fransis išprususi, nors niekada negaudavo gerų pažymių. Ji iš prigimties neieškodavo žodžio kišenėje, ir tas gražbyliavimas mokykloje jai padėdavo išsisukti. 1902 metais Fransis įstojo į Maunt Holjoko koledžą. Koledžų ir apskritai švietimo įstaigų taisyklės tuo metu labai skyrėsi nuo dabartinių. Šiandien studentai gyvena bendrabučiuose, galima sakyti, niekieno neprižiūrimi. Niekas nesikiša į jų asmeninį gyvenimą. Tais laikais studentai buvo suvaržyti apribojimų, kurie dabar gali pasirodyti absurdiški, bet taip norėta įskiepyti nuolankų elgesį, kuklumą ir pagarbą. Štai kelios taisyklės iš Holjoko koledžo pagarbaus elgesio kodekso Perkins studijų laikais: „Pirmakursės turi laikytis pagarbios tylos vyresniųjų studenčių akivaizdoje. Stovykloje sutikusi vyresniojo kurso studentes pirmakursė turi pagarbiai nusilenkti. Nė viena naujokė negali dėvėti ilgo sijono ar vaikščioti aukštyn sušukuotais plaukais iki metų vidurio egzaminų."[20] Perkins ištvėrė visus tuos suvaržymus ir vargus ir tapo viena iš klasės žvaigždžių, o paskutiniais metais buvo išrinkta klasės prezidente.

Šiandien mokytojai dažniausiai ieško stipriųjų mokinių mąstymo pusių, kad galėtų jas ugdyti. Tačiau praeitame amžiuje jie ieškodavo moralinių savo studentų silpnybių, kad galėtų jas pašalinti. Lotynų kalbos dėstytoja Ester Van Diman (Esther Van Dieman) nusprendė, kad Perkins mėgsta tinginiauti ir per mažai iš savęs reikalauja. Van Diman naudodavo lotynų kalbos gramatiką taip, kaip rikiuotės instruktorius priverstinį maršą – kaip būdą išmokyti savo studentus mokytis. Ji versdavo Perkins mokytis ištisas valandas, kad toji nė karto nesuklysdama atmintinai išvardytų lotynų kalbos veiksmažodžių laikus. Nusivylimas ir monotoniškas darbas privesdavo Perkins iki ašarų, bet vėliau ji įvertino tokią priverstinę discipliną: „Pirmą kartą supratau, kas yra valia."[21]

Perkins patiko istorija ir literatūra, bet sunkiai sekėsi chemija. Vis dėlto jos chemijos mokytoja Neli Goldveit (Nellie Goldthwaite) paskatino ją rinktis chemiją kaip pagrindinį dalyką. Esą, jeigu ji sugebės silpniausią dalyką mokytis kaip pagrindinį, tai ją užgrūdins, ir ji vėliau bus pajėgi susidoroti su bet kokiais gyvenimo sunkumais. Goldveit skatino Perkins rinktis sunkiausius kursus, net jeigu tai ir reikštų, kad gaus tik vidutinius įvertinimus. Perkins priėmė šį iššūkį. Goldveit tapo jos akademine patarėja. Po daugelio metų, per kas ketvirtį vykstantį mokyklos mokinių susitikimą, Perkins pasakė vienai studentei: „Paskutinių kursų studentai turėtų visas savo jėgas skirti tiksliųjų mokslų disciplinoms, kurios lavina žmogaus protą, jį stiprina ir tobulina, paverčia įrankiu, su kuriuo žmogus gali įveikti bet ką."[22]

Maunt Holjoko koledžas buvo viena tų mokymo įstaigų, kurios palieka neišdildomą žymę studentų gyvenimuose. Priešingai nei šiuolaikiniuose universitetuose, šiame koledže nebuvo linkstama lavinti Adomui I būdingo pažinimo įgūdžių. Jame siekta ne tik išmokyti žmones mąstyti. Ir ne tik padėti studentėms abejojant savo prielaidomis. Be viso to, koledžas sėkmingai atliko svarbesnį vaidmenį: padėjo paauglėms suaugti. Šiame koledže buvo mokoma savikontrolės. Jame studentės atrado naujų pomėgių. Koledžas įžiebdavo jaunoms moterims moralinę aistrą, įdiegdavo suvokimą, kad žmonės įsivėlę į gėrio ir blogio tinklą ir kad gyvenimas yra epinė šių dviejų jėgų kova. Daugybė žmonių šioje mokykloje aiškino studentėms, kad beprasmišką ir neįsimintiną gyvenimą gyvenantys žmonės gali vengti kovos, bet norint gyventi prasmingai reikia pulti į kovą; kad didžiausios pagarbos dažniausiai nusipelno tie, kurie gyvena kančioje, išbandydami moralinę drąsą, patirdami pasipriešinimą ir pajuoką, ir kad tą kovą tęsiantys žmonės galiausiai jaučiasi laimingesni nei tie, kurie ieško tik malonumų.

Koledže buvo aiškinama, kad šios kovos didvyriai nėra susireikšminusios, šlovės besivaikančios sielos; tai greičiau didvyriai, kurie pasirinko atsižadėjimo kelią ir atsidavė kokiam nors daug pastangų reikalaujančiam pašaukimui. Kritikuojant tuščius užuojautos proveržius bei savitikslį pasiaukojimą buvo siekiama su šaknimis išrauti studenčių idealizmą. Čia buvo akcentuojama, kad tarnystė yra ne tai, ką atlieki iš geros širdies, o tai, ką atiduodi kaip atlygį už gyvenimo dovaną.

Koledže studentės buvo mokomos, kokiais konkrečiais būdais galima gyventi taip stabiliai ir didvyriškai tarnaujant. Per daugybę metų Maunt Holjokas išsiuntė šimtus moterų misionieriškai veiklai ir tarnybai į šiaurės vakarų Iraną, Natalį pietinėje Afrikoje ir Maharaštrą vakarinėje Indijoje. Mokyklos įkūrėja Meri Lion (Mary Lyon) savo studentes skatino sakydama: „Darykite tai, ko niekas daugiau nenori daryti; eikite ten, kur niekas daugiau nenori eiti.“

1901 metais naująja prezidente tapo Meri Vulei (Mary Woolley), kuri buvo viena pirmųjų Brauno universiteto absolvenčių ir Biblijos studijų žinovė. Jos straipsnis „Koledžo studijų reikšmė moterims“ (*Values of College Training for Women*) žurnale *Harper Bazaar* atspindėjo didelių moralinių ambicijų stilių, kuriuo pasižymėjo mokyklos gyvenimas. „Charakteris yra pagrindinis dalykas, kurį reikia lavinti“, – pareiškė ji ir tęsė toliau: „Norint turėti teisingą perspektyvą, reikalinga savitvarda.“ Šiandien žodis „savitvarda“ asocijuojasi su socialines normas atitinkančiu elgesiu. Tačiau tais laikais tai reiškė

svarbesnius privalumus – stabilumą ir pusiausvyrą. „Šių savybių trūkumas dažnai yra silpnoji šarvuotės vieta, ir neužtenka vien tik gerų ketinimų, didelių tikslų ir tikrų sugebėjimų."[23] Maunt Holjoko koledžo programoje vyravo teologija ir
klasika – Jeruzalė ir senovės Graikija. Religija turėjo išmokyti studentes globos ir užuojautos etikos, o senovės graikai ir
romėnai tam tikro heroizmo, kad pačiose sunkiausiose situacijose jos sugebėtų išlikti drąsios ir nesvyruotų. Savo *Harper Bazaar* straipsnyje Vulei citavo stoikų filosofą Epiktetą:
„Gyvendamas didžių tiesų ir amžinųjų įstatymų šviesoje,
siekdamas nekintančių idealų žmogus sugeba išsaugoti kantrybę, net jeigu visas pasaulis jį ignoruoja, ir lieka ramus bei
nesugadintas, kai visas pasaulis jį giria." Perkins ir Vulei liko
draugėmis iki pat Vulei gyvenimo pabaigos.

Perkins studijų laikais socialinės evangelijos judėjimas išgyveno įtakingiausią savo laikotarpį. Judėjimo lyderiai, tarp
jų ir Valteris Raušenbušas (Walter Rauschenbusch), atsakydami į
urbanizaciją ir industrializaciją atmetė individualistinę ir privatizuotą religiją, kuri vyravo daugumoje aukštuomenės bažnyčių. Raušenbušas teigė, kad nepakanka išgydyti nuodėmės
pavienio žmogaus širdyje. Egzistuoja kai kas už individualios
nuodėmės – blogio institucijos ir visuomenės struktūros, kurios didina priespaudą ir kančią. Socialinės evangelijos judėjimo vedliai pakvietė klausytojus save išbandyti ir apsivalyti
dirbant dėl socialinių reformų. Jie teigė, kad tikrasis krikščio-

niškas gyvenimas nereiškia, kad žmogus turi melstis ir atgailauti gyvendamas kaip atsiskyrėlis. Krikščioniškas gyvenimas reiškia pasiaukojamą tarnystę – tai ir praktinis solidarumas su vargšais, ir narystė didesniame judėjime, kur dirbama tam, kad būtų atkurta Dievo karalystė žemėje.

Būdama kurso prezidente Perkins padėjo išrinkti savo kurso šūkį: „Būk tvirta". Visa versija, kurią Perkins perskaitė savo kurso draugėms per paskutinį maldos susitikimą, yra ištrauka iš Pirmojo laiško korintiečiams. „Todėl, mano mylimieji broliai, būkite tvirti ir nepajudinami, vis uoliau dirbkite Viešpaties darbą ir žinokite, kad jūsų triūsas ne veltui Viešpatyje."

Perkins, kuri buvo išmokyta dėl savo lyties ir ūgio save laikyti prastesne, ir kitos moterys Maunt Holjoko koledže įsitikino, kad gali atlikti ką nors didvyriško. Tačiau šią užduotį koledžui pavyko įgyvendinti paradoksaliu būdu. Čia jai nebuvo sakoma, kad ji yra nuostabi ir turi didvyrei tinkamų savybių. Čia ją privertė atsisukti į savo įgimtas silpnybes. Koledžas nustūmė ją žemyn. Nustūmė žemyn, o paskui išmokė stumtis aukštyn ir tolyn. Įstojusi į koledžą Perkins buvo miela ir iškalbinga, mažutė ir žavi mergina. O jį baigdama buvo stipresnė, tvirtesnė, deganti aistringu noru tarnauti ir akivaizdžiai netelpanti į siaurą buržuazinį pasaulį, kuriame užaugo. Į dukters koledžo baigimo ceremoniją atvykusi Fransis Perkins motina nusiminusiu balsu pareiškė: „Aš nebeatpažįstu savo dukters Fanės. Nesuprantu. Ji man svetima."[24]

ŠVELNUS KIETUMAS

Perkins žinojo, kad nori gyventi didvyriškai, bet baigus koledžą jai buvo sunku atrasti savo vaidmenį. Dėl patirties stokos ji negalėjo dirbti socialinio darbo; agentūros jos ne-įdarbindavo. Ji pamėgino dirbti mokytoja mergaičių iš pasiturinčių šeimų mokykloje Leik Foreste, Ilinojaus valstijoje, bet mokytojavimas jos neįkvėpė. Galiausiai pradėjo važinėti į Čikagą ir prisijungė prie Halo bendruomenės namų.

Halo namai buvo bendruomenės namai, kurių bendrasavininkė Džeinė Adams (Jane Addams) tuo metu vadovavo Amerikos socialinėms reformoms. Namai buvo skirti suteikti moterims naują darbų pasirinkimą aptarnavimo srityje, turtingiesiems ir vargšams suvienyti ir bendruomeniškumo jausmui, kurį sužlugdė industrializacija, atkurti. Šis modelis buvo sukurtas pagal Toinbio namus Londone, kur pasiturintys ir išsilavinę žmonės organizuodavo draugiškus susitikimus su skurstančiaisiais taip pat, kaip organizuotų tarpusavio susitikimus.

Pasiturinčios moterys kartu su vargšais ir darbininkais gyveno Halo namuose, kur dirbo konsultantėmis, padėjėjomis ir patarėjomis, taip pat dalyvavo projektuose, skirtuose nepasiturinčiųjų gyvenimui gerinti. Jos siūlė darbo mokymus, vaikų priežiūros, taupomojo banko paslaugas, anglų kalbos ir netgi dailės pamokas.

Šiandien socialinė tarnyba kartais naudojama tam, kad užlopytų mūsų nesugebėjimą kalbėti apie vidinį gyvenimą.

Neseniai vienos prestižinės parengiamosios mokyklos direktorei uždaviau klausimą, kaip jos įstaigoje ugdomas mokinių charakteris. Atsakydama ji man papasakojo apie tai, kiek valandų mokiniai dirba socialinį darbą. Tai yra, paklausus apie vidinius dalykus, ji ėmė kalbėti apie išorinius. Jos prielaida, regis, tokia – jeigu apsiimi mokyti neturtingus vaikus, tampi geru žmogumi.

Ir taip toliau. Dauguma šiandien turi didelių moralinių ir altruistinių siekių, bet neturėdami vidinės vertybių sistemos yra linkę moralinius klausimus pakeisti išteklių paskirstymo klausimais. Kaip pasitarnauti kuo daugiau žmonių? Kaip padaryti povcikį? O blogiausia iš visų – kaip aš, toks nuostabus, galiu padėti tiems, kuriems pasisekė ne taip, kaip man?

Halo namų atmosfera buvo visai kitokia. Įstaigos įkūrėjai turėjo tam tikrą teoriją, kaip ugdyti tiek vargšus aptarnaujančiųjų, tiek pačių vargšų charakterį. Adams, kaip ir daugelis jos amžininkų, savo gyvenimą paskyrė skurstančiųjų globai, tačiau užuojauta jai kėlė didelį įtarimą. Jai nepatiko, kad užuojauta neturi formos, kad užuojautą reiškiantys žmonės lieja savo sentimentus skurstantiems, bet tai neduoda jokių praktinių rezultatų. Be to, jai buvo nepriimtina, kaip emocijos glosto savimeilę ir kad turtingieji atlikdami visuomeninį darbą jaučiasi patenkinti savimi. Natanielis Hotornas (Nathaniel Hawthorne) rašė: „Geranoriškumas yra puikybės dvynys."

Adams netoleravo jokio apsimestinio nuoširdumo, kuris leistų aptarnaujančiam žmogui jaustis viršesniam už tuos, kuriems tarnaujama.

Kaip ir visose sėkmingai dirbančiose pagalbą teikiančiose organizacijose, norėta, kad darbuotojai mėgtų savo darbą, kad jiems patiktų tarnauti žmonėms. Adams norėjo, kad jie pasilaikytų savo sentimentus ir negailestingai kovotų su bet kokiu pranašumo jausmu. Halo namuose socialiniams darbuotojams buvo liepiama *susimažinti*. Jiems buvo liepiama susilaikyti nuo užuojautos ir stengiantis išsiaiškinti tikruosius kiekvieno žmogaus poreikius sistemingai ugdyti kantrybę. Socialinė darbuotoja turėjo būti praktinė patarėja, panašiai kaip šiuolaikinis verslo konsultantas – nagrinėti pasirinkimus, pasiūlyti draugystę ir patarimus, bet niekada neleisti, kad jos nuomonė darytų įtaką naudos gavėjų sprendimams. Turėjo leisti, kad skurstantys žmonės patys spręstų apie savo gyvenimą ir netaptų priklausomi nuo kitų.

Adams pastebėjo reiškinį, kuris dažnas ir šiais laikais: dauguma žmonių baigia universitetą energingi, gyvybingi ir drąsūs, o sulaukę trisdešimties tampa liūdnesni, ciniškesni. Jų ambicijos subliūkšta. Dienoraštyje „Dvidešimt metų Halo namuose" (*Twenty Years at Hull House*) Adams rašė, kad studentės studijų metu mokomos aukotis ir užmiršti save, pirmenybę teikti visuomenės naudai, o ne savo *ego*. Tačiau baigus mokslus joms liepiama pasirūpinti savimi, ištekėti ir, galbūt, padaryti karjerą. O iš tikrųjų tų jaunų moterų prašoma užgniaužti savo norą ištaisyti neteisybę ir sumažinti kančias. „Mergina praranda kažką gyvybiškai svarbaus, į ką ji turi teisę, – rašė Adams. – Ji suvaržyta ir nelaiminga, o vyresnieji nesuvokia situacijos, ir štai – turime visas sudedamąsias tragedijos dalis."[25] Halo namus Adams įsivaizdavo ne tik kaip vietą, kur padedama vargšams; tai buvo vieta, kur pasiturintieji galėjo pasiaukoti kilniam tikslui. Ji rašė: „Galutinis atlygis už žygdarbį yra virš vykdytojo galvos."[26]

Perkins stengėsi kuo daugiau laiko praleisti Halo namuose, iš pradžių pasilikdavo ten tik savaitgaliais, o vėliau ir ilgesniam laikui. Iš ten išėjus jos požiūris buvo labiau metodiškas – reikia rinkti duomenis. Ji jau žinojo, kaip susigaudyti skurdo pasaulyje. Be to, buvo drąsesnė. Kita jos darbovietė buvo Halo namų auklėtinių įkurtoje organizacijoje Filadelfijoje. Apsišaukėlių įdarbinimo agentūros viliodavo imigrantes moteris į pensionus, kartais apsvaigindavo narkotikais ir priversdavo tapti prostitutėmis. Pačiai Perkins teko akis į akį susidurti su sąvadautojais kreipiantis dėl darbo, ir ji demaskavo 111 tokių vietų. Tada, 1909 metais, jau turėdama šiokios tokios patirties, ji prisijungė prie Florens Keli (Florence Kelley) Niujorko nacionalinėje vartotojų lygoje. Keli buvo Perkins didvyrė ir įkvėpėja. „Ji buvo ūmi, nuožmi, ryžtinga ir tikrai nepanaši į švelnią šventąją, – vėliau rašė Perkins. – Ji gyveno ir dirbo kaip misionierė, nesikratė didelės aukos ir milžiniškų pastangų. Ji buvo be galo emocinga ir nepaprastai religinga, nors dažnai tą išreikšdavo gan neįprastais būdais."[27]

Dirbdama lobiste Vartotojų lygoje Perkins kovojo prieš vaikų darbą ir panašų žiaurų elgesį.

Niujorke ji prisijungė prie bohemiško Grenič Vilidžo rajono sambūrio, kuriam priklausė Džekas Ridas (Jack Reed), vėliau prisijungęs prie Rusijos revoliucijos, Sinkleris Luisas (Sinclair Lewis), kuris kažkada pusiau juokais jai pasipiršo, ir Robertas Mozesas (Robert Moses), kuris priklausė kontrkultūrai, tačiau tuo pat metu ir toliau siekė tapti įtakingiausiu ir svarbiausiu Niujorko inžinieriumi.

UŽDARUMAS

Sulig kiekvienu žingsniu – Maunt Holjoko koledže, Halo namuose – Perkins ryžtas stiprėjo, tačiau tuo pat metu ji virto vis didesne idealiste, vis karštesne kovotoja už savo tikslą. „Triangle" fabriko gaisras paskatino visiškai pasiduoti šioms savo aistroms.

Jungtinių Tautų ambasadorė JAV Samanta Pauer (Samantha Power) labai įžvalgiai pastebi, kad kai kurie žmonės patenka į „pavojų" kovodami dėl kokio nors tikslo. Tai reiškia, kad priiminėdami sprendimus jie kovoja už savo pačių reputaciją ir savo pačių tapatybę. Jie aktyviai siekia savo tikslo iš dalies dėl to, kad tai daug ką pasako apie juos, ir nori, kad šio proceso metu jų emocijos, tapatybė ir pasididžiavimas sulauktų patvirtinimo. Po gaisro Perkins nebuvo „pavojuje". Ji įsidarbino lobiste Olbanyje ir ėmė kovoti už tai, kad valstybės įstatymų

leidėjai įteisintų darbininkų saugumą. Ji pamiršo savo išanks-
tinius nusistatymus, kurie būdingi aukštesniajam Niujorko
socialiniam sluoksniui. Ji pamiršo aristokratišką progresy-
viosios politikos manieringumą. Siekdama žengti pirmyn ji
galėjo dirbti su bet kuo ir beatodairiškai ieškoti kompromiso.
Jos mentorius Alas Smitas (Al Smith), kylanti Niujorko politi-
kos figūra, jai pasakė, kad pažangioji aukštuomenė netrukus
praras susidomėjimą bet kokiu motyvu. Jis jai sakė, kad no-
rint, jog kas nors iš tiesų pasikeistų, turi dirbti su nesąžinin-
gais įstatymų leidėjais ir storžieviais partijų nariais. Turi būti
praktiškas, ir noras išlipti švariam turi būti nustumtas į antrą
planą. Perkins sužinojo, kad puolusiame pasaulyje būtent tie
„sugadinti" žmonės dažniausiai padeda padaryti daugiausia
gero. Olbanyje ji ėmė artimai dirbti su „Tammany Hall" po-
litinės mašinos nariais, į kuriuos kultūringų žmonių sluoks-
niuose, iš kur ji buvo kilusi, buvo žiūrima su siaubu.

Olbanyje Perkins taip pat perprato vyresnio amžiaus vy-
rus. Vieną dieną valdžios rūmuose jai stovint prie lifto iš jo
išlipo storžieviškas nedidukas senatorius vardu Hju Frolis
(Hugh Frawley) ir ėmė pasakoti konfidencialias slapto skyriaus
derybų detales bei skųstis, kad buvo priverstas atlikti kažką
gėdingo. Apimtas gailesčio sau jis sušuko: „Žinai, kiekvienas
vyras turi motiną."

Perkins turėjo aplanką pavadinimu „Pastabos apie vyrišką
mąstyseną" ir ten užsirašė šį nutikimą. Tai turėjo didelės įta-
kos jos politiniam išsilavinimui: „Šis atsitikimas man parodė,

kad politiniame gyvenime vyrai paiso moterų nuomonės tada, kai jos jiems asocijuojasi su motinyste. Bent 99 procentai iš jų pažįsta ir gerbia savo motinas. Tai primityvus ir pirminis požiūris. Pasakiau sau, kad taip galiu pasiekti ko reikia. Taigi, elkis, renkis ir prisiderink prie vyrų taip, kad jiems nesąmoningai primintum jų motiną."[28]

Perkins tada buvo žvali, bet toli gražu ne patraukli trisdešimt trejų metų amžiaus moteris. Iki tol ji rengdavosi pagal įprastą to meto madą. Bet po šio įvykio pradėjo rengtis kaip motina. Ėmė vilkėti niūrias juodos spalvos sukneles su baltais raišteliais prie apykaklės. Nešiojo perlų vėrinį, juodą trikampę skrybėlę ir elgėsi kaip solidi moteris. Spauda pastebėjo pokyčius ir pradėjo ją vadinti „motina Perkins" dėl to, kaip ji elgėsi su daugiau nei šešiasdešimčia įstatymų leidėjų. Ji nekentė tos pravardės, bet pamatė, kad šis metodas pasiteisina. Perkins pamynė savo seksualumą, moteriškumą ir netgi dalį savo tapatybės tam, kad laimėtų pagyvenusių vyrų pasitikėjimą. Šiandien būtų galima ginčytis dėl tokios taktikos, nes šiais laikais nepriimtina, kad moterys, norėdamos pelnyti pasisekimą, save slopintų, tačiau trečiajame dešimtmetyje tai buvo būtina.

Be visų kitų projektų Perkins įnirtingai kovojo už įstatymą, kad darbo savaitė apsiribotų 54 darbo valandomis. Ji stengėsi susidraugauti su valstybės aparatų vadovais, kad priverstų juos paremti šį įstatymo projektą. Šie darė viską, kad ją apgautų ir pergudrautų, bet Perkins sulaukė palaikymo iš

eilinių darbuotojų. Valstybės aparato politikas Timas Saliva-
nas (Timothy Sullivan), pramintas Didžiuoju Timu, jai prisipa-
žino: „Mano sesuo buvo neturtinga mergina ir išėjo dirbti, kai
buvo labai jauna. Man gaila tų jaunų mergaičių, kad jos turi
dirbti tiek, kiek sakote. Norėčiau joms padėti. Norėčiau padėti
jums."[29]

Atėjus laikui balsuoti už 54 valandų darbo savaitę įstatymų
leidėjai nuo šio įstatymo atleido vieną didžiausių, tačiau poli-
tiškai įtakingiausių pramonių – konservų fabrikus. Įstatymo
projekto rengėjai daug mėnesių reikalavo, kad niekam nebūtų
taikomos lengvatos. Įstatymai turėjo galioti visoms pramonės
šakoms, ypač konservų pramonei. Lemiamą akimirką Per-
kins stovėjo įstatymų leidimo salės pakraštyje. Ji turėjo čia
pat nuspręsti, ar priimti įstatymo projektą su tokiais dideliais
trūkumais, ar jį iš principo atmesti. Jos kolegos triukšmingai
įrodinėjo, kad projektą reikia atmesti. Tačiau ji pasirinko pusę
kepalo. Perkins pareiškė įstatymo leidėjams, kad jos organi-
zacija pasiruošusi remti šį įstatymą. „Tai mano atsakomybė.
Aš tą padarysiu, o jei reikės, leisiuosi būti už tai pakarta."[30]
Daugelis progresyvizmo šalininkų buvo išties pasipiktinę.
Tačiau atkaklioji Perkins mentorė Florens Keli visiškai pritarė
jos sprendimui. Po šio įvykio Perkins pagarsėjo kaip „pusės
kepalo mergina" tiek viešajame, tiek asmeniniame gyvenime,
kaip žmogus, kuris paims tiek, kiek duoda aplinkybės[31].

Maždaug tuo metu ji sutiko Polą Vilsoną (Paul Wilson) –
išvaizdų, aukštos kilmės progresyvistą, kuris tapo artimu

Niujorko reformistų mero Džono Purojaus Mitčelo (John Purroy Mitchel) pagalbininku. Vilsonas įsimylėjo Perkins ir palengva užkariavo jos širdį. „Kol tu nepasirodei mano gyvenime, – rašė jam Perkins, – aš buvau vieniša – šalta, nepatyrusi ir baikšti, nors išorėje to nebuvo matyti. <...> Tu kažkokiu būdu įsiveržei į mano širdį, ir aš nebegalėjau tavęs paleisti."[32]

Jų romanas buvo keistas. Perkins rašė Vilsonui romantiškus, nuoširdžius ir aistringus laiškus. Tačiau su savo draugais ir bendradarbiais ji bendravo nepaprastai santūriai, o praėjus daug metų neigė kada nors išgyvenusi stiprias emocijas. Jiedu susituokė 1913 metų rugsėjo 26 dieną Malonės bažnyčioje žemutiniame Manhatane. Jaunavedžiai į ceremoniją nekvietė draugų ir niekam iš anksto nepranešė apie savo vestuves. Perkins ir Vilsonas informavo savo artimuosius, tačiau per vėlai, kad šie spėtų atvykti. Perkins pati viena pasipuošė savo bute Veiverlio skersgatvyje ir tikriausiai pati atėjo į bažnyčią. Liudininkais buvo eiliniai žmonės, kurie tuo metu lankėsi bažnyčioje. Po ceremonijos nebuvo nei šventinių pietų, nei pasisėdėjimo prie arbatos.

Apie savo sprendimą ištekėti vėlyvame amžiuje ji kalbėjo dalykišku tonu, panašiai kaip kalbėtum skirdamas žmogui susitikimą su dantų gydytoju. „Man buvo būdingas Naujosios Anglijos išdidumas, – po daug dešimtmečių sakė Perkins. – Nedegiau dideliu noru ištekėti. Tiesą pasakius, tai įvyko nenoromis. Buvau nebe vaikas, o suaugusi moteris. Niekada nenorėjau ištekėti. Man labiau patiko gyventi su vienais pakinktais."[33] Tačiau žmonės nuolat klausinėjo, kada ji susiras vyrą. Perkins nusprendė išvengti tokių klausimų ir pagalvojo: „Polą Vilsoną gerai pažįstu. Man jis patinka. <...> Man patinka jo draugai ir kompanija, tai kodėl gi neištekėjus ir neišmetus viso to iš galvos."

Pirmieji santuokos metai buvo gana laimingi. Šeima gyveno prabangiame name Vašingtono aikštėje, netoli nuo tos vietos, kur Perkins gėrė arbatą, kai užsiliepsnojo „Triangle" fabrikas. Vilsonas dirbo mero raštinėje. Perkins ir toliau dirbo visuomeninį darbą. Jų namai tapo tuometinių politinių aktyvistų centru.

Netrukus padėtis ėmė blogėti. Džonas Mitčelas neteko savo pareigų. Vilsonas užmezgė romaną su aukštuomenės dama, ir tai sukėlė didžiulį triukšmą, bet vėliau apie tai daugiau nebuvo užsiminta. Perkins ėmė dusinti santuoka, ir ji paprašė skyrybų. „Padariau kelias baisias klaidas, – rašė Perkins Vilsonui. – Tapau kitu žmogumi, dirbu nebe taip veiksmingai, o dvasinis pajėgumas išblėso."[34]

Tada ji pastojo. Berniukas mirė netrukus po gimdymo. Perkins skaudžiai išgyveno šią netektį, bet apie tai irgi buvo vengiama kalbėti. Vėliau Perkins tapo savanoriškos organizacijos – Motinystės centro asociacijos – atsakingąja sekretore ir siekė sumažinti motinų bei kūdikių mirtingumo rodiklius. Ji turėjo ir dukterį Suzaną, kurią taip pavadino antrojo Plimuto kolonijos gubernatoriaus žmonos garbei.

Perkins norėjo susilaukti antro vaiko, tačiau 1918 metais Vilsonui pasireiškė psichinė liga. Atrodo, kad jis sirgo maniakine depresija. Jis nepajėgdavo pasipriešinti jokiam spaudimui. Vėliau Perkins sakė: „Jo nuotaika nuolat svyruodavo. Jis kartais būdavo prislėgtas, kartais susijaudinęs." Nuo 1918 metų būdavo tik labai trumpų periodų, kai jis sugebėdavo pakenčiamai prisitaikyti prie gyvenimo. Kartą ligai paūmėjus Vilsonas investavo viso gyvenimo santaupas į aukso schemą ir iš jos iškrito. Kartais Perkins bijodavo pasilikti su juo viena, nes vyrui užeidavo agresyvūs įniršio priepuoliai, ir jis buvo už ją daug stipresnis. Vėlesniais dešimtmečiais jis didžiąją laiko dalį praleisdavo beprotnamiuose ir ligoninėse, kur Perkins jį aplankydavo savaitgaliais. Būdamas namuose jis nepajėgė prisiimti jokios atsakomybės. Jį prižiūrėdavo slaugė, kuri dar kitaip buvo vadinama sekretore. „Jis darėsi nebepanašus į žmogų, – rašė Perkins biografas Džordžas Martinas (George Martin). – Galėjai kalbėti jam, bet ne su juo."[35]

Tada pradėjo reikštis jos iš Naujosios Anglijos kultūros perimtas uždarumas. Šeimos turto praradimą ji vadino „tuo nelaimingu atsitikimu" ir suprato, kad dabar jai teks dirbti ir išlaikyti šeimą. Ji nustūmė tokius „nelaimingus atsitikimus" į antrą planą. „Aš jų iki galo neišgyvenau ir patyriau emocinį išsekimą."[36] Kelis ateinančius dešimtmečius ji stengėsi apsaugoti savo asmeninį gyvenimą ir paslėpti jį nuo svetimų akių. Tai iš dalies buvo jankių auklėjimo vaisius. Tačiau ji buvo uždara ir dėl savo filosofinių įsitikinimų. Anot jos, asmeninės emocijos yra per daug painus dalykas, kad būtų keliamos viešumon; Perkins tikriausiai pasibaisėtų šiais laikais vyraujančia apsinuoginimo kultūra.

Tarp dviejų filosofinių polinkių, kuriuos socialinė kritikė Rošelė Gerstein (Rochelle Gurstein) vadina uždarumo ir viešumo partijomis, vyksta nuolatinė kova. Uždarumo partija tvirtina, kad į viešumą iškeltos gležnos vidinio pasaulio emocijos yra demoralizuojamos ir užsiterša. Viešumo partija teigia, kad tai, kas slepiama, kelia įtarimų ir geriau apie viską kalbėti ir diskutuoti atvirai. Perkins, be abejo, priklausė uždarumo partijai. Ji pritarė įsitikinimui, kad viešai demonstruojamas slaptas jausmas ar motyvas visada atrodys pernelyg supaprastintas arba paaiškintas pernelyg racionaliai. Ji pritarė tiems, kurie tiki, kad viešai demonstruojami ir apibendrintomis frazėmis išsakyti sudėtingi, subtilūs, prieštaringi, paradoksalūs ir mįslingi asmeniniai jausmai virsta banaliais. Blogiausia yra pasakoti labai asmeniškus dalykus menkai pažįstamiems arba visai nepažįstamiems žmonėms. Tokias asmeniškas emocijas geriau reikšti patikimoje ir artimoje aplinkoje, kitaip jos gali būti sutryptos. Todėl žmonės turėtų su derama pagarba žiūrėti į asmeninius jausmus ir tai, kas privatu, pasilaikyti sau. Perkins palaikė vyriausybę, kai reikėjo padėti skurstantiems ir ginti silpnuosius, bet nepaprastai piktinosi, jeigu vyriausybė pamindavo privatumo teisę.

Ši filosofija turėjo savo kainą. Perkins neturėjo ypatingo polinkio į savistabą. Jai nesisekė kurti artimų santykių.

Jos asmeninis gyvenimas nebuvo itin laimingas. Sunku pasakyti, kas būtų buvę, jeigu jos vyras nebūtų tiek laiko praleidęs psichiatrinėse ligoninėse, tačiau vis dėlto panašu, kad visuomeninis pašaukimas vis tiek būtų nustelbęs jos energiją ir sugebėjimą kurti artimus asmeninius santykius. Ji buvo sutverta viešoms kampanijoms. Ji nemokėjo deramai atsakyti į meilę, mylėti ar pasirodyti pažeidžiama. Net ir rūpinimasis savo dukterimi dažnai primindavo moralinio tobulinimo kampaniją, ir tai atsisukdavo prieš ją pačią. Fransis save kontroliavo geležiniu kumščiu ir to paties tikėjosi iš dukters. Tačiau jos duktė Suzana paveldėjo siautulingą tėvo temperamentą. Nuo tada, kai Perkins su šešiolikmete dukra persikėlė į Vašingtoną dirbti Ruzvelto administracijoje, jos retai kada gyveno kartu. Suzana visą gyvenimą kentė sunkius depresijos priepuolius. Ji ištekėjo už vyro, kuris įsivėlė į skandalingą romaną. 1940 metais buvo panaši į hipę, nors šis terminas atsirado tik po dvidešimties metų. Priklausė įvairioms kontrkultūrinėms grupėms. Ją buvo apėmusi obsesija rumunų skulptoriui Konstantinui Brankušiui (Constantin Brancusi). Suzana darė viską, kad šokiruotų kultūringą visuomenę ir padarytų gėdą savo motinai. Kartą Perkins pakvietė dukterį į visuomeninį renginį ir labai prašė atvykti deramai apsirengus. Suzana apsivilko akį rėžiančią žalios spalvos suknelę, plaukus susirišo į viršų, o galvą ir kaklą papuošė ryškiomis gėlėmis.

Perkins prisipažino: „Pradėjau liguistai daryti prielaidas, kad esu kitų žmonių – savo vyro, dukters – nervinio išsekimo priežastis. Tai mane gąsdina ir slegia."[37] Suzana niekada nedirbo įprasto darbo, ir Fransis ją išlaikė. Net ir sulaukusi septyniasdešimt septynerių metų Fransis perrašė savo Niujorke nuomojamą butą dukrai, kad toji turėtų kur gyventi. Ji buvo priversta dirbti, kad galėtų apmokėti dukters sąskaitas. Bet kokia dorybė gali turėti savą trūkumą. Uždarumas gali pasiduoti abejingumui. Perkins nebuvo emociškai pažeidžiama bendraudama su savo artimaisiais. Visuomeninis pašaukimas niekada iki galo neatlygino už jos vienatvę asmeniniame gyvenime.

PAREIGA

Niujorko gubernatorius Alas Smitas buvo pirmoji ir didžiausia Perkins politinė meilė. Jis buvo lojalus, draugiškas, iškalbingas ir mokėjo bendrauti su paprastais žmonėmis. Be to, Smitui padedant įvyko pirmasis didelis Perkins proveržis į vyriausybę. Jis ją paskyrė į Pramonės komisiją, kuri reguliavo darbo sąlygas visoje Niujorko valstijoje. Perkins gaudavo 8 000 JAV dolerių atlyginimą per metus, kas tuo metu buvo dideli pinigai, ir pateko į patį didžiųjų streikų ir pramonininkų ginčų vidurį. Negana to, kad buvo vienintelė, retai vyrų pasaulyje sutinkama moteris, dar ir papuolė į vyriškiausią vyrų pasaulio sritį. Perkins vykdavo į fabrikų miestelius ir ten atsidurdavo darbo tiekėjų ir ryžtingai nusiteikusių korporacijų vadovų įnirtingų ginčų centre. Jos prisiminimuose nerasi, kad ji girtųsi tokiu drąsiu ir, sakytum, netgi beatodairišku elgesiu. Jai tai tebuvo darbas, kurį reikėjo atlikti. Jos gyvenimo aprašymuose labai svarbus yra žodis „kažkas". Kartais ji sakydavo „aš padariau", bet daug dažniau pasakydavo formaliai ir senamadiškai: „Kažkas tą padarė..."

Šiais laikais žodžio „kažkas" vartojimas mums atrodo formalus ir manieringas. Tačiau Perkins taip kalbėjo tiesiog norėdama išvengti pirmojo asmens įvardžio. Ji tokiu būdu norėjo pasakyti, kad bet koks padorus žmogus būtų buvęs priverstas pasielgti taip, kaip tam tikromis aplinkybėmis pasielgė ji.

1910-aisiais ir 1920-aisiais metais Olbanyje Perkins turėjo galimybę dirbti su Franklinu Delano Ruzveltu. Jis jai nepaliko gero įspūdžio. Ruzveltas pasirodė paviršutiniškas ir kiek įžūlus. Jis turėjo įprotį kalbėdamas loštelėti galvą atgal. Vėliau, jau tapus prezidentu, tas gestas asocijavosi su pasitikėjimu savimi ir žvaliu optimizmu. Tačiau kai jis buvo jaunas, Perkins atrodė, kad tas įprotis daro jį pasipūtėlišką.

Ruzveltas dingo iš Perkins gyvenimo, kai susirgo poliomielitu. Sugrįžęs jis jai atrodė pasikeitęs. Nors beveik niekada nekalbėjo apie savo ligą, Perkins jautė, kad liga „išgydė jo šiek tiek išdidžią laikyseną"[38].

Vieną dieną, kai Ruzveltas grįžinėjo į politiką, Perkins sėdėjo ant scenos ir stebėjo, kaip jis klibikščiuoja link pakylos sakyti kalbos. Atsistojęs prie tribūnos jis pasirėmė ant rankų, o jos nepaliaujamai drebėjo. Perkins suprato, kad, kai jis pabaigęs kalbą išeis iš už tribūnos, kažkas turės paslėpti jo keistus judesius. Ji mostelėjo už savęs sėdinčiai moteriai ir, kalbai pasibaigus, jos abi nuskubėjo prie Ruzvelto apsimesdamos, kad nori jį pasveikinti, o iš tikrųjų savo sijonais jį užstojo. Metams bėgant tai tapo įprasta rutina.

Perkins žavėjosi, su kokiu dėkingumu ir nuolankumu Ruzveltas priima pagalbą. „Pradėjau suprasti, ką didieji religijos mokytojai turėjo galvoje, sakydami, kad nuolankumas yra didžiausia dorybė, – rašė ji vėliau, – ir jeigu pats nesugebi jo išmokti, tuomet Dievas tave to išmokys pažemindamas. Tik nuolankus žmogus gali tapti iš tikrųjų didis. Taikydamasis prie neišvengiamų aplinkybių Franklinas Ruzveltas turėjo tapti nuolankus ir įgyti vidinės stiprybės, dėl to jis ir tapo iš tiesų didžiu žmogumi."³⁹

Tapęs Niujorko gubernatoriumi Ruzveltas pasiūlė Perkins pramonininkų įgaliotinės postą. Ji negalėjo apsispręsti, ar priimti šį pasiūlymą, nes abejojo, ar sugebės tinkamai administruoti Pramonės komisijos veiklą. Perkins parašė Ruzveltui: „Manau, kad mano visuomeninio darbo sugebėjimai geriau atsiskleistų Departamento teisinėje ir įstatymų leidimo srityje, o ne tvarkant administracinius reikalus." Tą dieną, kai Ruzveltas pateikė šį darbo pasiūlymą, ji jam pasiūlė per dieną viską apsvarstyti dar kartą ir pasitarti su kitais. „Jeigu kas nors pasakys, kad mane skirti būtų neišmintinga arba kad man bus per sunku bendrauti su vadovais, tuomet tiesiog pamirškite apie šiandieną. <...> Aš niekam apie tai neprasitarsiu, kad nesumenkinčiau jūsų padėties."⁴⁰

Ruzveltas atsakė: „Jūs labai maloni, bet aš savo nuomonės nepakeisiu." Jis buvo labai patenkintas, kad į tokį aukštą postą paskyrė moterį, o Perkins, kaip visuomenės tarnautojos, reputacija buvo pavyzdinė. Biografas Džordžas Martinas rašė: „Ji buvo gera, gal net daugiau nei gera administratorė, bet kaip teisėja ar įstatymų leidėja ji buvo tiesiog ypatinga. Ji pasižymėjo kritišku požiūriu ir nepriklausomai nuo situacijos nepaprastai gerai jausdavo, kas yra teisinga. Ji visada buvo pasiruošusi naujoms idėjoms, bet niekada nepamiršdavo moralinės įstatymo paskirties ir žmonijos gerovės."[41]

Tapęs prezidentu Ruzveltas paprašė Perkins tapti jo socialinių reikalų sekretore. Ji ir vėl priešinosi. Pereinamuoju laikotarpiu pasklido gandai apie galimą jos naująjį paskyrimą, todėl Perkins parašė Franklinui Ruzveltui laišką, kuriame sakė, kad tikisi, jog tai netiesa. „Cituojama, kad jūs sakėte, jog žiniasklaida dėl kabineto postų klysta 80 procentų. Rašau norėdama pasakyti, kad nuoširdžiai tikiuosi, jog esu tarp tų 80 procentų klaidingų spėjimų. Mane „pamalonino" padėkos laiškai ir visa kita, tačiau dėl jūsų paties ir JAV gerovės manau, kad į šią poziciją turėtų būti paskirtas žmogus iš kurios nors organizuotų darbininkų grupės – kad būtų nustatytas tvirtas principas, jog prezidento patarėjų gretose yra darbininkų atstovas."[42] Dar ji užsiminė apie šeimynines problemas, kurios, kaip ji baiminosi, gali blaškyti dėmesį. Ruzveltas atsakė trumpai, nusiuntęs jai juodraščio lapelį su užrašu: „Apsvarsčiau jūsų patarimą ir nesutinku."[43]

Perkins močiutė jai sakydavo, kad jeigu tau kas nors atidaro duris, visada turi pro jas žengti. Taigi, Perkins išdėstė Ruzveltui savo sąlygas, pagal kurias ji sutinka tapti jo darbo reikalų sekretore. Jai tapus kabineto nare, prezidentas turėtų įsipareigoti remti platų socialinių garantijų politikos rinkinį: masiškai mažinti nedarbą, palaikyti milžinišką viešųjų darbų programą, mažiausio darbo užmokesčio įstatymus, socialinių senatvės draudimo garantijų programą ir vaikų darbo panaikinimą. Ruzveltas jai pasakė: „Įsivaizduoju, kad dėl šių klausimų man nuolat neduosite ramybės." Ji patvirtino, kad taip ir bus.

Perkins buvo viena iš vos dviejų pagrindinių Ruzvelto patarėjų, dirbusių su juo visą jo prezidentavimo laikotarpį. Ji tapo viena iš nepailstančių „Naujojo kurso" (New Deal) programos šalininkų. Jos vaidmuo kuriant socialinės apsaugos sistemą buvo labai svarbus. Ji buvo viena iš varomųjų jėgų „Naujojo kurso" darbų programose – Civilinės apsaugos korpuse, Federalinėje darbų agentūroje ir Viešųjų darbų administracijoje. Ji patvirtino pirmąjį mažiausio darbo užmokesčio įstatymą ir pirmąjį viršvalandžių įstatymą Sąžiningo darbo standartų aktu. Ji rėmė įstatymų prieš vaikų darbą leidimą ir nedarbo draudimo įstatymus. Per Antrąjį pasaulinį karą ji priešinosi moterų šaukimui į kariuomenę, nes nujautė, kad ilgainiui moterims bus naudingiau užimti šauktinių vyrų atlaisvintas darbo vietas.

Perkins puikiai perkando Frankliną Ruzveltą. Po jo mirties ji išleido biografinę apybraižą pavadinimu „Ruzveltas, kurį pažinojau" (*The Roosevelt I Knew*), kuri iki šiol yra viena įžvalgiausių charakterio apžvalgų, kada nors parašytų apie vyrą. Perkins rašė, kad visada Ruzveltui priėmus sprendimą vyraudavo „jausmas, kad žmogaus sprendimas niekada nėra galutinis. Žmogus gali drąsiai žengti žingsnį, kuris šiandien atrodo teisingas, nes jeigu jis nepasiteisins, jį galima rytoj pakeisti." Ruzveltas buvo improvizatorius, o ne planuotojas. Jis žengdavo žingsnį, tada jį taisydavo, vėl žengdavo žingsnį ir taisydavo. Po truputį imdavo ryškėti dideli pokyčiai.

„Tokia mąstysena būdinga žmogui, – toliau rašė ji, – kuris yra ne tiek kūrėjas, kiek instrumentas. Izraelio pranašai jį būtų pavadinę Viešpaties instrumentu. Šių laikų pranašai jo mąstyseną galėtų paaiškinti tik psichologijos, apie kurią jie žino apgailėtinai mažai, sąvokomis."[44] Perkins sugalvojo, kaip elgtis su žmogumi, kuris linkęs keisti savo nuomonę ir pasirinktą kryptį priklausomai nuo to, kurį patarėją sutiko paskutinį. Prieš susitikdama su prezidentu ji pasiruošdavo puslapio ilgio atmintinę, kurioje išvardydavo konkrečius pasirinkimus. Jie kartu peržvelgdavo jos planą, ir Ruzveltas pasakydavo, kam teikia pirmenybę. Tada Perkins priversdavo jį pakartoti, ką jis sakė: „Ar jūs patvirtinate, kad galiu tuo pasirūpinti? Ar tikrai?"

Jie dar šiek tiek padiskutuodavo, ir Perkins antrą kartą pakartodavo jo sprendimą: „Ar tikrai sutinkate su pirmuoju punktu? Gal geriau antras ir trečias? Ar suprantate, kad elgsimės štai taip ir kas tam prieštaraus?" Šis pratimas buvo skirtas tam, kad Ruzveltas prisimintų būtent tą sprendimą. Tada ji trečią kartą paklausdavo, ar jis tiksliai prisimena, ką nusprendė ir ar supranta, kokio tai sulauks pasipriešinimo. „Ar gerai? Ar vis tiek gerai?" Perkins ne visada sulaukdavo Franklino Ruzvelto palaikymo, kai jai to reikėjo. Jis buvo pernelyg nepastovus politikas, kad nuolat rodytų ištikimybę žemiau stovintiems. Daugelis kabineto vyrų nemėgo Fransis. Viena iš priežasčių buvo tai, kad susirinkimuose ji nesiliaudavo kalbėjusi. Ji tikrai nebuvo populiari tarp spaudos atstovų. Dėl savo uždarumo ir noro apsaugoti savo vyrą ji nesisukiodavo tarp žurnalistų ir niekada neprarasdavo budrumo. Reporteriai, savo ruožtu, jai nereiškė simpatijų.

Per daugybę metų darbas ją išsekino. Jos reputacija silpo. Ji du kartus siuntė Ruzveltui atsistatydinimo laišką, bet jis jį abu kartus atmetė. „Fransis, tu negali išeiti. Negali dabar ant manęs to užkrauti, – prašė Ruzveltas. – Nežinau, kas tave galėtų pakeisti. Prie nieko kito negalėsiu priprasti. Ne dabar! Pasilik ir nieko nesakyk. Tu viską darai gerai."

1939 metais ji tapo apkaltos proceso taikiniu. Byla buvo iškelta uosto krovikui Hariui Bridžesui (Harry Bridges) iš Australijos, kuris vadovavo visuotiniam San Fransisko streikui. Bridžeso kritikai jį apšaukė komunistu ir reikalavo deportuoti už pražūtingą veiklą. Sugriuvus Sovietų Sąjungai ir iš naujo atvertus bylas pasirodė, kad jie buvo teisūs. Bridžesas buvo komunistų agentas, slapyvardžiu Rosis[45].

Tačiau tuo metu tai nebuvo akivaizdu. Deportacijos klausimas buvo svarstomas Darbo reikalų departamente, ir jo nagrinėjimas buvo vilkinamas. 1937 metais paaiškėjo daugiau įkalčių prieš Bridžesą, o 1938 metais departamentas pradėjo deportacijos teismo procesą. Procesas nutrauktas teismo sprendimu, kuris po to buvo apskųstas Aukščiausiajam Teismui. Vilkinimas įaudrino Bridžeso kritikus, tarp kurių buvo verslo grupės ir konkuruojančių sąjungų vadovai. Jie daugiausia kritikavo Perkins. Kodėl darbo reikalų sekretorė dangstė pražūtingą veiklą? Vienas kongresmenas apkaltino ją pačią esant Rusijos žyde ir komuniste. 1939 metų sausį J. Parnelis Tomasas (J. Parnell Thomas) iš Naujojo Džersio pateikė jai kaltinimus. Spauda apie tai rašė kandžiai. Franklinas Ruzveltas galėjo stoti jos ginti, bet saugodamasis, kad ryšiai su Perkins nepakenktų jo reputacijai, jis ją paprasčiausiai paliko likimo valiai. Tylėjo ir dauguma jos sąjungininkų Kongrese. Moterų klubų federacija irgi atsisakė ją ginti. New York Times išspausdino dviprasmišką vedamąjį straipsnį. Visi manė, kad ji tikrai yra komunistė, ir niekas nenorėjo tapti jos persekiotojų taikiniu. Jai ištikimi liko tik demokratų partijos štabo politikai.

Perkins senelė jai sakydavo, kad socialinių nelaimių akivaizdoje „visiems reikia elgtis taip, lyg nieko nebūtų įvykę". Perkins ir toliau dirbo. Apie tą periodą ji pasakoja keistai dėliodama žodžius, bet jie daug pasakantys. „Žinoma, jeigu būčiau nors truputį pravirkusi arba pradėjusi nors kiek savęs gailėtis, būčiau neatlaikiusi, – vėliau sakė ji. – Tokie jau mes, naujieji anglai, esame. Mes neatlaikome, jeigu pradedame taip elgtis. Tokios savybės kaip sąžiningumas, sugebėjimas blaiviai mąstyti ir priimti sprendimus, taip pat imtis veiksmų, kurie būtų pagrįsti mano pačios asmenine patirtimi ir man naudingi – visa tai, kas man suteikia tvirtą pagrindą, būtų subyrėję, ir aš būčiau netekusi vidinio atspirties taško, kuris padeda tikėti, kad vedama Dievo darau tai, ką reikia daryti."[46]

Kalbant paprastai, Perkins žinojo, kad viduje yra pažeidžiama. Jeigu būtų atleidusi kumštį, kuriuo ji laikė save suspaudusi, viskas galėjo sugriūti. Perkins ne vienus metus dažnai važiuodavo į Visų Šventųjų vienuolyną Keitonsvilyje, Merilando valstijoje. Ji ten nuvykdavo dviems ar trims dienoms, o atvykusi melsdavosi penkis kartus per dieną, valgydavo paprastą maistą ir prižiūrėdavo daržus. Ten būdama ji dažniausiai išvis nekalbėdavo, ir grindų valyti atėjusios vienuolės kartais turėdavo valyti aplink ją, nes ji melsdavosi klūpodama ant kelių. Apkaltos proceso krizės metu Perkins važiuodavo į vienuolyną, kai tik galėdavo. „Pamačiau, kad įprotis tylėti yra vienas gražiausių dalykų pasaulyje, – rašė ji draugei. – Jis saugo žmogų nuo tuščio pasaulio pagundų, nuo noro replikuoti, žarstyti savo sąmojį, piktai prieštarauti. <...> Tai tikrai nepaprastai veikia žmogų."[47]

Kartu ji mąstė apie skirtumą, kurio anksčiau nesureikšmindavo. Jeigu žmogus atiduoda vargšui batus, ar jis tą daro dėl vargšo, ar dėl Dievo? Žmogus turėtų tą daryti dėl Dievo, nusprendė ji. Vargšas dažnai neparodys dėkingumo, ir tau tik suspaus širdį, jeigu tikėsiesi čia pat sulaukti emocinio atlygio už savo darbą. Tačiau jeigu tą darysi dėl Dievo, niekada nereikės nusivilti. Tikrajam savo pašaukimui tarnaujantis žmogus nėra priklausomas nuo palaikymo. Jam nėra taip svarbu, kad darbas atsipirktų kiekvieną mėnesį ar kiekvienais metais. Žmogus su tokiu pašaukimu dirba, nes žino, kad daro tikrai gerą darbą, o ne dėl rezultatų, kuriuos jis gali duoti.

1939 metų vasario 8 dieną Perkins pagaliau susitiko su savo kaltintojais. Ji stojo prieš Teismo rūmų komitetą, kuris svarstė jai pateiktus kaltinimus. Ji pasakė ilgą ir išsamią kalbą apie administracinius procesus prieš Bridžesą, jų priežastis ir teisinius suvaržymus, kurie trukdo pateikti tolesnius kaltinimus. Paskui ėjo daugybė klausimų – nuo skeptiškų iki kandžių. Kai oponentai mesdavo jai piktus kaltinimus, ji prašydavo jų pakartoti klausimą, nes tikėjo, kad žmogus negali antrą kartą būti nepadorus. Fotografai pasistengė, kad Perkins atrodytų išsekusi ir pavargusi, tačiau komitetui padarė įspūdį tai, kaip nuodugniai ji buvo susipažinusi su bylos detalėmis.

Kovo mėnesį komitetas pagaliau nusprendė, kad kaltinimams nepakanka faktų. Perkins buvo išteisinta, bet bylos ataskaita buvo neaiški ir dviprasmiška. Spauda neparodė didelio susidomėjimo, ir jos reputacija buvo sugadinta ilgam. Kadangi negalėjo atsistatydinti, dar šešerius metus tarnavo administracijoje, daugiausia likdama užnugaryje. Perkins šį periodą išgyveno stojiškai, niekada viešai neparodė savo sil-

pnumo ar gailesčio sau. Pasibaigus darbo vyriausybėje termi-
nui ji galėjo parašyti prisiminimus ir ten išdėstyti savo versiją,
bet tą daryti atsisakė.

Per Antrąjį pasaulinį karą Perkins dirbo administracijos
įgaliotine konfliktams spręsti. Ji reikalavo iš Ruzvelto, kad
būtų imtasi veiksmų padėti Europos žydams. Jai kėlė nerimą
tai, kaip vyriausybė savo veiksmais ėmė kėsintis į privatumą
ir civilines teises. Po Franklino Ruzvelto mirties 1945 metais
Perkins pagaliau buvo išleista iš kabineto, nors prezidentas
Trumanas prašė jos pasilikti Valstybės tarnybos komisijo-
je. Vietoj prisiminimų knygos ji parašė knygą apie Ruzveltą.
Knyga atnešė sėkmę, tačiau joje labai nedaug jos autobiogra-
fijos.

Iki gyvenimo pabaigos Perkins neteko patirti tikro as-
meninio džiaugsmo. 1957 metais jaunas darbo ekono-
mistas pakvietė ją dėstytojauti į Kornelio universitetą.
Jos atlyginimas buvo apie 10 000 JAV dolerių per metus –
tik truputį didesnis už tai, ką ji gaudavo prieš kelis dešimtme-
čius, kai buvo Niujorko pramonės komisijos įgaliotinė, tačiau
jai reikėjo pinigų, kad galėtų sumokėti už dukters psichinės
sveikatos priežiūrą.

Iš pradžių ji gyveno gyvenamuosiuose viešbučiuo-
se Itakoje, o vėliau jai pasiūlė nedidelį kambarį Teljurai-
do studentų name, kuris buvo tarsi brolijos namai, skir-
ti grupei gabiausių Kornelio studentų. Perkins labai apsi-
džiaugė gavusi pakvietimą. „Jaučiuosi kaip jaunoji vestuvių

naktį!"[48] – sakė ji savo draugams. Ten apsigyvenusi ji su jaunuoliais gurkšnodavo burboną ir visą dieną turėdavo kentėti jų muziką[49]. Pirmadieniais Perkins dalyvaudavo namo gyventojų susirinkimuose, nors retai kada tardavo žodį. Ji visiems išdalijo septynioliktojo amžiaus ispanų jėzuitų kunigo Baltazaro Graciano (Baltasar Gracian) knygos „Gyvenimiškos išminties menas" (*The Art of Worldly Wisdom*) kopijas, kur buvo rašoma apie tai, kaip keliaujant galios koridoriais išlikti doram ir sąžiningam. Perkins artimai susidraugavo su jaunu profesoriumi Alanu Blumu (Allan Bloom), kuris bandė išgarsėti kaip knygos „Amerikietiško proto griūtis" (*The Closing of the American Mind*) autorius. Kai kuriems jaunuoliams buvo sunku suprasti, kaip ši mažutė, žavi ir kukli senutė galėjo atlikti tokį svarbų istorinį vaidmenį.

Perkins nemėgo lėktuvų ir keliaudavo autobusu viena, kartais turėdavo persėsti keturis ar penkis kartus, kad nuvyktų į laidotuves ar į paskaitą. Ji bandė sunaikinti kai kuriuos savo dokumentus, siekdama sutrukdyti ateities biografams. Keliaudama savo rankinėje veždavosi testamento kopiją, kad jeigu staiga numirtų, „niekam nesukeltų rūpesčių"[50]. Perkins mirė 1965 metų gegužės 14 dieną viena ligoninėje, sulaukusi aštuoniasdešimt penkerių metų amžiaus. Jos karstą nešė keli vaikinai iš Teljuraido bendrabučio, tarp jų ir Polas Volfovicas (Paul Wolfowitz), kuris vėliau dirbo Reigano ir Bušo administracijose. Dvasininkas perskaitė ištrauką „Būk tvirtas" iš Pirmojo laiško korintiečiams, kurį Perkins skaitė Maunt Holjoko koledžo baigimo ceremonijoje daugiau nei prieš šešiasdešimt metų.

Pažvelgę į Perkins koledžo kurso albumą, išvysite mažutės, mielos ir nedrąsios merginos nuotrauką. Matant tokią pažeidžiamą veido išraišką sunku įsivaizduoti, kad ji sugebės ištverti tiek sunkumų – psichines vyro ir dukters negalias, sunkius jos, kaip vienintelės moters, išbandymus išskirtinai vyriškame pasaulyje, dešimtmečius trukusias politines kovas ir neigiamus spaudos atsiliepimus.

Taip pat sunku įsivaizduoti, kad visų tų sunkių išmėginimų akivaizdoje ji sugebės tiek daug pasiekti. Jaunystėje Perkins žinojo savo silpnybes – tingumą, gražbyliavimą – ir ryžosi paskirti savo gyvenimą visiškam pasiaukojimui. Ji pamynė savo tapatybę, kad galėtų siekti tikslo. Ji ėmėsi kiekvieno naujo iššūkio ir išliko tokia pat tvirta, kaip ir jos devizas. Perkins atitiko savo biografijos, kurią parašė Kirstin Daunei (Kirstin Downey), pavadinimą „Moteris, stovėjusi už „Naujojo kurso" (The Woman Behind the New Deal).

Viena vertus, ji buvo aistringa liberalų aktyvistė, ką įprasta matyti ir šiais laikais. Tačiau aktyvizmą ji derino su santūriu tradiciškumu, abejone ir puritonišku jautrumu. Ji drąsiai reiškėsi politikos ir ekonomikos srityse, tačiau buvo konservatyvi moralės klausimais. Ji nuolat, nors ir nestipriai, save disciplinuodavo, kad nepradėtų sau nuolaidžiauti, savęs šlovinti arba, iki gyvenimo pabaigoje įvykusios apkaltos, per daug galvoti apie save. Tiesus ir uždaras Perkins būdas trukdė jos asmeniniam gyvenimui ir pavertė ją netinkama viešiesiems ryšiams. Tačiau tai jai padėjo gyventi pašaukto žmogaus gyvenimą, tarnauti savo pašaukimui. Perkins pati nesirinko tokio gyvenimo dėl to, kad ją pakvietė būtinybė. Savo pašaukimui tarnaujantis žmogus nesirenka tiesaus kelio į savo siekių išpildymą. Jis pasiruošęs paaukoti tai, kas jam brangiausia ir, pamiršęs apie save ir pasinėręs į savo veiklą, atranda tikslą, kuris jį apibūdina ir suteikia pilnatvės. Paprastai užduotys, kurių pareikalauja toks pašaukimas, yra didesnės už gyvenimą. Beveik visuomet reikia įsilieti į istorinės reikšmės vyksmą. Už savo gyvenimo trumpumą turi atsilyginti prisiimdamas istorinės reikšmės atsakomybę. 1952 metais Rainholdas Niburas (Reinhold Niebuhr) rašė:

Per vieną gyvenimą negali pasiekti tobulybės jokioje srityje; todėl mus turi gelbėti viltis. Dabartiniame istorijos kontekste negali iki galo pamatyti tikrosios to, kas tikra, gražu ar gera, prasmės; todėl mus turi gelbėti tikėjimas. Kad ir kokia dorybinga būtų mūsų veikla, vieni mes negalime pasiekti nieko; todėl mus gelbėja meilė. Joks dorybingas poelgis mūsų draugui ar priešininkui neatrodo toks dorybingas, koks atrodo mums patiems. Todėl mus gali išgelbėti aukščiausia meilės forma – atleidimas[51].

PERGALĖ PRIEŠ SAVE

IDA STOVER EIZENHAUER (IDA STOVER EISENHOWER) GIMĖ 1862 METAIS ŠENANDOA SLĖNYJE VIRDŽINIJOJE VIENUOLIKOS VAIKŲ ŠEIMOJE. Jos vaikystę lydėjo daugybė negandų. Jaunystėje į jų namus įsiveržė Sąjungos armijos kareiviai, kurie persekiojo du Idos paauglius brolius. Jie gąsdino sudeginsiantys tvartą, išnaršė visą miestelį ir apylinkes. Idai nebuvo nė penkerių metų, kai mirė motina, o tėvas paliko šį pasaulį, kai jai buvo vienuolika.

Vaikai išsibarstė po įvairiuose kraštuose gyvenančius tolimus giminaičius. Idą priglaudė didelė šeimyna, ir ji tapo virėjos padėjėja – kepdavo pyragus, tešlainius ir mėsą, adydavo kojines ir lopydavo drabužius. Tačiau ji nebuvo iš tų, kuriai reikėtų užuojautos. Ida nuo pat pradžių buvo sumani ir energinga, drąsiai skynėsi kelią per visus sunkumus. Ji buvo darbo nualinta našlaitė, tačiau miestelio žmonių prisiminimuose išliko kaip nutrūktgalvė, tvirta ir drąsi mergaitė, kuri be balno prašuoliuodavo per miestelį ant skolinto arklio, o vieną kartą nukrito ir susilaužė nosį.

Tuo metu mergaitės mokykloje paprastai mokydavosi ne daugiau nei aštuonerius metus, tačiau Ida jau ankstyvoje paauglystėje pati per šešis mėnesius atmintinai išmoko 1 365 Biblijos posmus ir pasižymėjo milžinišku polinkiu tobulinti tiek savo Adomą I, tiek Adomą II. Vieną dieną, kai Idai buvo penkiolika metų, jos globėjai išvyko į šeimyninę išvyką ir paliko ją namuose vieną. Ji susikrovė daiktus, išslinko iš namų ir pėsčiomis nukeliavo į Virdžinijos miestą Stantoną. Ten susirado kambarį ir darbą bei užsirašė į vietinę vidurinę mokyklą. Ją baigusi dvejus metus dėstė, o sulaukusi dvidešimt vienerių paveldėjo 1 000 JAV dolerių palikimą. Už 600 JAV dolerių (šiais laikais tai daugiau nei 10 000 JAV dolerių) ji nusipirko juodmedžio fortepijoną, kurį brangino visą gyvenimą. Likusią palikimo dalį Ida skyrė mokslui. Ji prisijungė prie į vakarus keliaujančių menonitų karavano, nors pati nepriklausė menonitų judėjimui, ir kartu su broliu įsikūrė netoli skambiai pavadinto Leino universiteto Lekomptone, Kanzaso valstijoje. Tais metais, kai Ida įstojo į universitetą, kartu su ja mokėsi keturiolika naujokų, o paskaitos vykdavo gyvenamojo namo svetainėje.

Ida mokėsi muzikos. Fakulteto ataskaitose nurodoma, kad ji neišsiskyrė ypatingais gabumais, tačiau buvo nepaprastai darbšti ir sunkiu darbu užsitarnaudavo gerus įvertinimus.

Kurso draugams ji atsiskleidė kaip linksma, visuomeniška ir nepaprastai optimistiškos prigimties asmenybė ir buvo išrinkta sakyti baigimo ceremonijos kalbą[1]. Leine ji sutiko ir savo temperamentingąją priešingybę, griežtą ir užsispyrusį vaikiną vardu Deividas Eizenhaueris (David Eisenhower). Neaišku kaip, bet jiedu įsimylėjo vienas kitą ir kartu nugyveno visą likusį gyvenimą. Jų vaikai neprisiminė, kad tėvai nors kartą būtų rimtai susiginčiję, nors Deividas suteikdavo Idai tam pakankamai priežasčių.

Jiedu susituokė nedidelėje bažnyčioje, kuri priklausė ortodoksų sektai „River Brethren", propaguojančiai paprastą aprangą, blaivybę ir pacifizmą Nors jaunystėje buvo avantiūristė, Ida pasiryžo gyventi griežtai, tačiau nebūtinai paklusniai. „River Brethren" sektos moterys galvas turėjo dengti gobtuvais. Vieną dieną Ida su drauge nusprendė, kad nebenori jų nešioti. Bažnyčia jas atstūmė, ir jos buvo priverstos sėdėti gale, atskirai nuo visų. Tačiau ilgainiui laimėjo ir buvo priimtos atgal į bendruomenę, nors ir nenešiojo gobtuvų. Tikėjimo klausimais Ida buvo griežta, bet gyvenime ji mėgo pajuokauti ir buvo geros širdies.

Deividas kartu su partneriu Miltonu Gudu (Milton Good) atidarė parduotuvę netoli Abilino miestelio Kanzase. Parduotuvei bankrutavus Deividas pranešė šeimos nariams, kad Gudas pavogė visus parduotuvės pinigus ir pabėgo. Jis melavo, taip norėdamas išsaugoti savo vardą, o sūnūs juo patikėjo. Tačiau iš tikrųjų Deividas Eizenhaueris buvo atsiskyrėlis ir sunkiai sukalbamas žmogus. Jis greičiausiai metė verslą arba susikivirčijo su savo partneriu. Verslui žlugus Deividas paliko besilaukiančią Idą su naujagimiu sūnumi ir išvyko į Teksasą. Istorikas Džinas Smitas (Jean Smith) rašo: „Deivido sprendimas uždaryti parduotuvę ir palikti nėščią žmoną yra nesuvokiamas. Jis neturėjo kito darbo ar profesijos, į ką galėtų atsisukti."[2] Galiausiai Deividas rado darbą geležinkelio dirbtuvėse. Ida nusekė paskui jį į Teksasą ir įsikūrė šalia bėgių stovinčioje lūšnoje, kur gimė Dvaitas. Ida buvo dvidešimt aštuonerių, kai juos ištiko visiška krizė. Jiems buvo likę 24,15 JAV dolerių grynais ir keli daiktai, neskaičiuojant fortepijono Kanzase, negana to, Deividas neturėjo jokių tinkamų darbo įgūdžių[3].

Į pagalbą atskubėjo didžiulė Eizenhauerių šeimyna. Kažkas Deividui pasiūlė darbą Abilino pieninėje, visa šeima persikėlė atgal į Kanzasą ir vėl tapo vidurinės klasės atstovais. Ida išaugino penkis berniukus, kurie visi be išimties tapo sėkmės lydimais žmonėmis ir jautė jai didelę pagarbą visą gyvenimą. Vėliau Dvaitas savo motiną pavadino „nuostabiausiu žmogumi, kurį kada nors pažinojau".[4] Savo memuaruose „Laisvai" (At Ease) Eizenhaueris atskleidė, kaip jis ją dievino, nors jo prozai paprastai būdingas santūrumas: „Net ir po trumpo susitikimo negalėjai pamiršti Idos ramybės, atviros šypsenos, švelnumo ir pakantumo visiems, nepaisant tvirtų religinių įsitikinimų ir griežto jos pačios elgesio. O sūnums, kurie turėjo privilegiją su ja praleisti vaikystę, ji paliko neišdildomus prisiminimus."[5]

Namuose nebuvo geriama, lošiama kortomis ar šokama. Taip pat niekas atvirai nedemonstruodavo meilės. Dvaito tėvas buvo tylus, paniuręs ir užsispyręs žmogus, o Ida buvo šilta ir praktiška. Tačiau buvo ir Idos knygos, jos mokymas ir atsidavimas mokslui. Dvaitas uoliai skaitė klasikinę istoriją apie Maratono ir Salamino mūšius ir apie tokius didvyrius kaip Periklis ir Temistoklis. Ida turėjo ir kitą asmenybės pusę – ji buvo kupina gyvybės, mėgo juokauti ir cituoti aforizmus, kuriuos pasakydavo tvirtai ir ryžtingai: „Dievas dalija kortas, o mes jomis žaidžiame", „Skęsk arba plauk", „Išlik arba pražūk". Šeima kiekvieną dieną melsdavosi ir skaitydavo Bibliją, visi penki broliai skaitydavo paeiliui, o suklydus teisė skaityti pereidavo kitam. Nors Dvaitas vėliau nebuvo religingas, jis puikiai išmanė biblinę metafiziką ir atmintinai cituodavo Biblijos posmus. Nors pati Ida buvo labai pamaldi, ji tikėjo, kad religiniai įsitikinimai yra kiekvieno sąžinės reikalas, ir jų negali primesti kitiems.

Prezidentinių Eizenhauerio kampanijų metu Abilinas buvo vaizduojamas kaip idiliškas Amerikos kaimas iš dailininko Normano Rokvelio (Norman Rockwell) paveikslų. Tačiau iš tikrųjų pagarbus ir padorus elgesys slėpė atšiaurią atmosferą. Iš sparčiai augančio miestelio Abilinas be jokio pereinamojo laikotarpio virto Biblijos juostos* dalimi, iš kekšyno į pedantiškų mokytojų namus. Viktorijos laikų moralę

---

* Angl. *Bible Belt* – regionas JAV pietryčiuose ir centrinėje dalyje, kuriame susitelkę konservatyvūs protestantai. (Red. past.)

sustiprino puritoniškas griežtumas ir, kaip pasakė vienas istorikas, į Ameriką atėjo šv. Augustino mokymas. Eizenhaueris vėliau apskaičiavo, kad Ida iš pradžių augino berniukus 833 kvadratinių pėdų ploto name. Svarbiausias dalykas buvo taupumas, o kasdienė pamoka buvo disciplina.

Tuo metu medicina dar nebuvo tokia pažengusi kaip dabar, o nelaimingų atsitikimų ir sunkesnių pasekmių galimybė buvo daug didesnė, nes aplink buvo daug aštrių įrankių ir žmonės dirbo sunkų fizinį darbą. Vienais metais skėriai sunaikino visą derlių[6]. Paauglystėje Dvaitas pasigavo kojos infekciją ir neleido, kad gydytojai amputuotų koją, nes tai būtų reiškę galą jo futbolininko karjerai. Jis tai prarasdavo, tai vėl atgaudavo sąmonę ir liepė vienam broliui miegoti jo kambaryje ant slenksčio, kad užmigus gydytojai nenupjautų jam kojos. Kartą Dvaitas prižiūrėdamas savo trejų metų brolį Erlą ant palangės paliko atlenktą kišeninį peiliuką. Erlas norėjo jį paimti, bet peilis išslydo iš rankos, pataikė jam į akį ir ją pažeidė. Dvaitą visą gyvenimą lydėjo kaltės jausmas dėl šio nutikimo.

Būtų galima parašyti ištisą istoriją apie tai, kokią įtaką kultūrai ir tikėjimui turėjo dažni vaikų mirties atvejai. Tikriausiai vyravo visuotinis jausmas, kad didelė kančia yra visai šalimais, kad gyvenimas yra trapus ir pilnas nepakeliamų sunkumų. Po sūnaus Polo netekties Ida, ieškodama asmeniškesnės ir šiltesnės tikėjimo išraiškos, atsivertė į sektą, kuri vėliau tapo Jehovos liudininkais. Eizenhaueris vėliau ir pats neteko savo pirmagimio sūnaus Daudo Dvaito, kuris šeimoje buvo vadinamas Ikiu, ir ši patirtis visam laikui aptemdė jo gyvenimą. Praėjus keliems dešimtmečiams jis rašė: „Tai buvo didžiausias nusivylimas ir nelaimė mano gyvenime, kurios niekada negalėsiu pamiršti. Šiandien tą prisiminus, net ir dabar, kai apie tai rašau, užplūsta toks pat staigus ir siaubingas netekties skausmas, kaip ir tada, tą ilgą ir niūrią 1920-ųjų dieną, iškart po Kalėdų."7

Gyvenimo trapumas ir negailestingumas reikalavo tam tikros disciplinos. Nedidelis slystelėjimas galėjo baigtis nelaime, nes iš socialinės aplinkos negalėjai tikėtis jokios smūgį švelninančios pagalbos; bet kurią akimirką galėjo ištikti mirtis, sausra, pakirsti liga ar išdavystė; todėl svarbiausias dalykas buvo stiprus charakteris ir disciplina. Gyvenimas atrodė taip: nuolatinis nesaugumo jausmas, reikalaujantis būti santūriam, slapukauti, neparodyti savo jausmų ir elgtis apdairiai, kad kiltų kuo mažiau pavojų. Tokios kultūros žmonės jautė moralinį pasibjaurėjimą viskam, kas galėtų daryti gyvenimą dar pavojingesnį, pavyzdžiui, skoloms ar nesantuokiniams vaikams. Juos labiausiai domino veikla, kuria užsiimdami žmonės tampa atsparesni.

Visus savo vaikus Ida Eizenhauer auklėjo taip, kad jie vertintų mokslą, nors tuo metu tam buvo teikiama daug mažiau reikšmės nei dabartiniais laikais. 1897 metais į pirmąją klasę kartu su Dvaitu atėjo du šimtai vaikų, o vidurinę mokyklą su juo baigė tik trisdešimt vienas. Išsimokslinimas nedarė didelės įtakos, nes ir neturėdamas mokslinio laipsnio galėjai gauti gerą darbą. Ilgalaikiam stabilumui ir sėkmei pasiekti buvo daug svarbiau, kad žmogus turėtų nusistovėjusius įpročius, mokėtų dirbti, saugotųsi tingėjimo ir nuolaidžiavimo sau. Toje aplinkoje disciplinuoto darbo etika atliko svarbesnį vaidmenį nei įstabus protas.

Eizenhaueris buvo maždaug dešimties, kai vieną Helovino vakarą jo vyresniems broliams buvo leista eiti pas kaimynus prašyti saldumynų. Tais laikais tai buvo daug rizikingesnė pramoga nei dabar. Dvaitas irgi norėjo eiti kartu su jais, bet tėvai neleido, nes jis buvo per mažas. Jis kiek įmanydamas jų maldavo, o pamačius, kad broliai išeina, jį apėmė nevaldomas pyktis. Jį išpylė raudonis, o plaukai pasišiaušė. Verkdamas ir šaukdamas Dvaitas išbėgo į kiemą ir ėmė iš visų jėgų kumščiais trankyti į obels kamieną, kol nusidraskė odą ir rankos pasruvo krauju.

Tėvas jį gerai papurtė, išplakė su karijos rykšte ir nusiuntė miegoti. Maždaug po valandos Dvaitas vis dar kūkčiojo įsikniaubęs į pagalvę, kai į kambarį atėjo motina ir tyliai atsisėdo į supamąją kėdę prie lovos. Po kiek laiko ji pacitavo posmą iš Biblijos: „Tas, kuris nugalėjo save, yra didingesnis už tą, kuris nugalėjo miestą."

Tepdama ir tvarstydama sūnaus žaizdas ji perspėjo jį saugotis viduje degančio pykčio ir neapykantos. Neapykanta yra tuščias dalykas, pasakė ji, tik žeidžiantis tą, kuris jai davė prieglobstį. Ji pasakė, kad iš visų berniukų jam labiausiai reikia mokytis kontroliuoti savo aistras.

Sulaukęs septyniasdešimt šešerių metų Eizenhaueris rašė: „Tą pokalbį visada prisimindavau kaip vieną vertingiausių savo gyvenimo akimirkų. Mano jaunatviškam protui atrodė, kad ji su manimi kalbėjo ištisas valandas, nors tai truko gal penkiolika ar dvidešimt minučių. Jai bent jau pavyko mane įtikinti, kad buvau neteisus, ir man palengvėjo tiek, kad aš galėjau užmigti."[8]

Eizenhaueris užaugo moralinės ekologijos aplinkoje, kur idėja „nugalėti save" atliko labai svarbų vaidmenį. Jos pagrindas yra suvokimas, kad giliai viduje visi esame iš prigimties dvilypės asmenybės. Esame morališkai smukę, bet kartu ir nepaprastai apdovanoti. Visi turime nuodėmingąją prigimties pusę – savanaudišką, apgaulingą ir apgaudinėjančią save – tačiau kita mūsų prigimties pusė sukurta pagal Dievo paveikslą ir siekia dvasingumo ir dorybės. Pagrindinė mūsų gyvenimo drama yra vidinis vertybių konfliktas, kasdienės mūsų pastangos nugalėti nuodėmę ir susikurti tvirtą charakterį, kuris būtų giliai įaugusių, griežta drausme pagrįstų įpročių rinkinys, tvirtas nusiteikimas daryti gera. Pagal šią pasaulėžiūrą svarbiausias gyvenimo tikslas yra nugalėti vidines nuodėmes, nes nuo to priklauso žmogaus brandumas ir savigarba. Ugdyti Adomą II yra būtina norint sukurti sėkmės lydimą Adomą I.

NUODĖMĖ

Šiandien žodis „nuodėmė" nebeturi galios. Dabar jis dažniausiai girdimas tada, kai kalbama apie desertus, nuo kurių auga svoris. Paprastai žmonės savo kasdieniuose pokalbiuose neužsimena apie individualią nuodėmę. Jeigu jie išvis kalba apie žmogiškąjį blogį, tai tas blogis dažniausiai kyla iš visuomenės struktūros – lygybės, priespaudos, rasizmo ir taip toliau – bet ne iš žmogaus krūtinės.

Mes atsisakėme nuodėmės idėjos pirmiausia dėl to, kad nusisukome nuo sugedusios žmogaus prigimties paveikslo. Aštuonioliktame ir netgi devynioliktame amžiuose daugelis žmonių buvo įpratę save vertinti neigiamai. Tai atskleidžia senoji puritonų malda „Aš vis tiek nusidedu": „Amžinasis Tėve, nors esi neįsivaizduojamai geras, aš esu niekšas, niekam tikęs, apgailėtinas ir aklas..." Šiuolaikiniam mentalitetui tai paprasčiausiai per sunku.

Antra vertus, žodis „nuodėmė" dažnai ir daug kur buvo naudojamas siekiant paskelbti karą malonumui, net ir tokiems įprastiems malonumams kaip seksas ir pramogos. Nuodėmė buvo naudojama kaip dingstis gyventi be džiaugsmo ir griežtai. Žodis „nuodėmė" buvo pasitelkiamas siekiant užgniaužti kūno aistras, taip pat gąsdinti paauglius masturbacijos pavojais.

Be to, žodžiu „nuodėmė" piktnaudžiavo teisuoliški ir kietaširdžiai bambekliai, kuriems kėlė nerimą tai, ką yra apibūdinęs H. L. Menkenas (Henry Louis Mencken) – kad kas nors kur nors mėgaujasi savimi – ir įtardami, kad žmogus kažką daro ne taip, jie visada buvo pasiruošę pliaukštelėti liniuote per krumplius. Žodžiu „nuodėmė" piktnaudžiavo šiurkštūs ir valdingi tėvai, kuriems atrodė, kad jie turi išmušti ydas iš savo vaikų. Juo piktnaudžiavo tie, kurie dėl vienų ar kitų priežasčių garbina kančią, kurie tiki, kad tik rūsčiai save tramdydamas žmogus gali tapti iš tikrųjų pranašesnis ir geras.

Tačiau iš tikrųjų be tokių žodžių kaip „nuodėmė", kaip ir be žodžių „pašaukimas" ar „siela", išsiversti neįmanoma. Tai vienas iš žodžių – o šioje knygoje jų bus daug – kuriuos būtina sugrąžinti ir pritaikyti šiuolaikiniame kontekste.

Nuodėmė yra neatsiejama mūsų psichinės sanklodos dalis, nes ji primena, kad gyvenimas yra vertybių klausimas. Kad ir kiek besistengtume įrodinėti, kad žmogaus protas yra nulemtas cheminių reiškinių, kad ir kiek besistengtume elgesį susiaurinti iki minios instinkto, kuris fiksuojamas dideliais duomenimis, kad ir kiek besistengtume nuodėmę keisti moralės principų neatspindinčiais žodžiais, tokiais kaip „klaida", „paklydimas" ar „silpnybė", svarbiausi dalykai gyvenime vis tiek yra susiję su asmenine atsakomybe ir moraliniu pasirinkimu: būti drąsiam ar bailiam, nuoširdžiam ar apgaudinėjančiam, užjaučiančiam ar beširdiškam, ištikimam ar išdavikiškam. Šiuolaikinė kultūra bando pakeisti nuodėmę tokiomis sąvokomis kaip *klaida* ar *nejautrumas* arba panaikinti tokius žodžius kaip „dorybė", „charakteris", „blogis" ir „yda", tačiau dėl to gyvenimas netampa mažiau moralus; tai tik reiškia, kad nepaslepiamą moralės esmę užmaskavome tuščiais žodžiais. Tai tik reiškia, kad apie šiuos pasirinkimus galvojame ir kalbame netiesiogiai, ir dėl to kasdieniame gyvenime daromės vis aklesni moralės gairėms.

Nuodėmė yra neatsiejama mūsų psichinės sanklodos dalis dar ir dėl to, kad nuodėmė yra kolektyvinė, o klaida yra individualus dalykas. Žmogus daro klaidas, tačiau mus visus kamuoja tokios nuodėmės kaip savanaudiškumas ir neapdairumas. Nuodėmė yra mums įgimtas dalykas ir perduodama iš kartos į kartą. Mes visi esame nusidėjėliai. Suvokti nuodėmę reiškia iš visos širdies užjausti kitus, kurie nusideda. Tai reiškia prisiminti, kad jeigu nuodėmė kelia pavojų visiems, tai ir sprendimai yra bendri. Su nuodėme kovojame bendrai, bendruomenėse ir šeimose, o padėdami kitiems kovoti su nuodėmėmis, kovojame su savosiomis.

Be to, nuodėmės idėja yra būtina, nes ji iš esmės yra teisinga. Pavadinti žmogų nusidėjėliu nereiškia sakyti, kad jo širdyje yra kažkokia juoda dėmė. Tai reiškia, kad jo, kaip ir mūsų visų, prigimtyje yra kažkas iškreipto. Norime daryti viena, bet darome kita. Norime to, ko neturėtume norėti. Nė vienas nenori būti beširdis, bet kartais tokie esame. Niekas nenori savęs apgaudinėti, bet mes visą laiką ieškome racionalių pasiteisinimų. Niekas nenori būti žiaurus, bet visi kartais leptelime ką nors, dėl ko vėliau tenka gailėtis. Nenorime būti abejingais stebėtojais, nusidėti dėl to, kad kažką praleidome, bet, kaip pasakė poetė Margarita Vilkinson (Marguerite Wilkinson), visi darome „nepadaryto gėrio" nuodėmę. Mūsų sielose tikrai pilna dėmių. Ta pati ambicija, kuri mus skatina kurti naują kompaniją, kartu žadina norą būti materialistais ir išnaudotojais. Tas pats geismas, dėl kurio gimsta vaikai, atveda ir prie neištikimybės. Tas pats pasitikėjimas, kuris skatina drąsą ir kūrybingumą, gali privesti prie savęs aukštinimo ir pasipūtimo. Nuodėmė nėra kažkas demoniško. Tai tik ydingas polinkis viską iškreipti, trumpalaikius dalykus vertinti labiau nei ilgalaikius, mažesnius labiau nei didesnius. Vis kartojama nuodėmė stiprėja ir virsta prisirišimu prie mažesnių meilės objektų. Kitaip tariant, nuodėmė pavojinga dėl to, kad ji minta savimi. Pirmadienį padaręs nedidelį moralinį kompromisą, antradienį būsi labiau linkęs daryti kitus, didesnius kompromisus. Žmogus pradeda meluoti sau ir netrukus jau nesugeba atskirti, kada sau meluoja, o kada ne. Kitą žmogų apima savęs gailėjimosi nuodėmė, noras būti teisia auka, o tai užvaldo lygiai taip pat, kaip ir pyktis ar godumas.

Žmonės retai kada netikėtai padaro didelę nuodėmę. Iki to reikia nueiti tam tikrą kelią. Jie nekontroliuoja savo pykčio. Jie negali atsisakyti alkoholio ar narkotikų. Jie nesugeba užjausti. Korupcija augina korupciją. Nuodėmė yra bausmė už nuodėmę.

Paskutinė priežastis, dėl kurios nuodėmė yra neatsiejama mūsų psichinės sanklodos dalis, yra tai, kad be jos bet kokia

charakterio ugdymo metodika netenka prasmės. Nuo neat-
menamų laikų žmonės tapdavo šlovingi pasiekę didingų ma-
terialių tikslų, bet savo charakterį jie ugdė kovodami su nuo-
dėmėmis. Tvirtumas, stabilumas ir savigarba ateina tada, kai
žmogus nugali ar bent jau kovoja su savo demonais. Atmetęs
nuodėmės idėją geras žmogus nebeturi su kuo kovoti. O mo-
raliniai raumenys nesutikdami pasipriešinimo subliūkšta.
Su nuodėme kovojantis žmogus supranta, kad kiekviena
diena kupina moralinių galimybių. Kartą teko sutikti darb-
davį, kuris kiekvieno kandidato į darbo vietą klausdavo:
„Papasakokite atvejį, kai kada nors pasakėte tiesą, ir tai jums
pakenkė." Jis iš tikrųjų klausė, ar teisinga jų meilės objektų
hierarchija, ar meilė tiesai jiems svarbiau už meilę karjerai.

Jeigu tokiose vietose kaip Kanzaso valstijos miestas Abi-
linas nekovosi su didelėmis nuodėmėmis, gali susidurti su
pražūtingais praktiniais padariniais. Dėl tingėjimo gali žlugti
ūkis; godumas ir svaigalai gali sugriauti šeimą; geismas gali
sužlugdyti jauną moterį; tuštybė gali privesti prie pernelyg di-
delio išlaidavimo, skolų ir bankroto.

Tokiose vietose žmonės turėjo supratimą ne tik apie nuo-
dėmę, bet ir apie skirtingas nuodėmių rūšis bei įvairius bū-
dus kiekvienos iš jų atsikratyti. Vienos nuodėmės, tokios kaip
pyktis ir geismas, yra tarsi laukiniai žvėrys. Su jomis kovoja-
ma įpročiu susilaikyti. Kitos nuodėmės, tokios kaip pasityčio-
jimas ir nepagarba, yra tarsi dėmės. Jų atsikratoma atleidžiant,
atsiprašant, atgailaujant, atsilyginant ir atliekant apsivalymo

apeigas. Dar kitos, tokios kaip vagystė, yra tarsi skola. Jos ištaisomos tik grąžinus tai, ką esi skolingas visuomenei. Neištikimybės, kyšininkavimo ir apgavystės nuodėmės yra labiau išdavystė nei nusikaltimas; jos griauna socialinę tvarką. Pusiausvyrą visuomenėje galima atstatyti tik po truputį iš naujo įsipareigojant santykiams ir atkuriant pasitikėjimą. Pasipūtimo ir puikybės nuodėmė kyla dėl iškreipto noro įgyti prestižą ir pranašumą. Tai išgydoma vieninteliu vaistu – turi nusižeminti prieš kitus.

Kitaip tariant, ankstesniais laikais žmonės paveldėdavo didžiulį moralės žodyną ir moralės priemonių rinkinį, kuris buvo kuriamas daug amžių ir perduodamas iš kartos į kartą. Tai buvo praktinis palikimas, kaip ir tam tikros kalbos mokymasis, kurį žmonės galėjo panaudoti stodami į savo moralinę kovą.

CHARAKTERIS

Ida Eizenhauer buvo linksmas ir nuoširdus žmogus, tačiau labai saugojosi smukti. Namuose ji draudė šokti, lošti kortomis ir vartoti alkoholį, nes puikiai žinojo, kokia galinga yra nuodėmė. Savikontrolė yra greitai pailstantis raumuo, todėl geriau jau iš anksto vengti pagundos, negu bandyti jai atsispirti tada, kai ji užpuola.

Ida buvo nepaprastai mylinti ir šilta motina. Vaikams ji suteikdavo daugiau laisvės, negu paprastai šiais laikais suteikia kiti tėvai. Tačiau ji reikalavo, kad vaikai ugdytų įprotį nuolat, nors ir po truputį save kontroliuoti. Šiais laikais sakydami, kad žmogus save kontroliuoja, dažniausiai iškeliame tai kaip trūkumą. Tai reiškia, kad jis įsitempęs, susivaržęs arba nepažįsta savo tikrųjų emocijų. Taip yra dėl to, kad mes gyvename saviraiškos kultūroje. Esame linkę pasitikėti savo vidiniais impulsais ir nepasitikėti išorinėmis jėgomis, kurios siekia tuos impulsus nuslopinti. Tačiau ankstesnės moralės ekologijos sekėjai nebuvo linkę pasitikėti savo vidiniais impulsais. Anot jų, tie impulsai sutramdomi išsiugdytais įpročiais.

1877 metais psichologas Viljamas Džeimsas (William James) parašė trumpą traktatą pavadinimu „Įprotis" (Habit). Jis rašė, kad jeigu stengiatės gyventi normalų gyvenimą, jūsų nervinė sistema turi tapti jūsų sąjungininku, o ne priešu. Tam tikri įpročiai turi įaugti taip giliai, kad taptų natūralūs ir instinktyvūs. Džeimsas rašė, kad norint išsiugdyti kokį nors įprotį – tarkime, valgyti sveiką maistą arba visada sakyti tiesą – reikia pradėti nuo „kuo tvirtesnio ir ryžtingesnio apsisprendimo". Naujojo įpročio pradžią paverskite ypatingu gyvenimo įvykiu. O tada „niekada nedarykite išimties", kol tas įprotis neįsitvirtins. Užtenka vieną kartą paslysti, ir didžioji dalis pastangų save kontroliuoti nueina veltui. Reikia naudotis kiekviena proga, kada gali tą įprotį praktikuoti. Praktika yra kasdienė nemokama savidisciplinos treniruotė. Laikykitės nusistatytų taisyklių. „Tokį asketizmą galima prilyginti draudimo mokesčiui, kurį žmogus moka už savo turtą. Dabartinę akimirką tas mokestis neduoda jokios naudos ir visko gali būti, kad jis niekada neatsipirks. Tačiau kilus gaisrui šis mokestis gali išgelbėti nuo pražūties." Viljamas Džeimsas ir Ida Eizenhauer kiekvienas savaip bandė įdiegti stabilumą, kuris ateina su laiku. Jeilio universiteto teisės dėstytojas Antonis T. Kronmanas (Anthony T. Kronman) teigė, kad „charakteris yra nusistovėję polinkiai – įsitvirtinę jausmai ir norai".9 Tai labai aristoteliška idėja. Jeigu gerai elgsiesi, ilgainiui tapsi geras. Pradėk elgtis kitaip, ir tavo mąstymo įpročiai po truputį pasikeis.

Ida pabrėždavo mažų žingsnių reikšmingumą ugdant savikontrolę. Svarbu laikytis etiketo taisyklių sėdint prie stalo, einant į bažnyčią apsirengti geriausiais sekmadieniniais drabužiais, o paskui laikytis šabo, laiškus rašyti formaliu stiliumi, taip išreiškiant pagarbą, valgyti paprastą maistą, vengti prabangos. Tarnaujant kariuomenėje uniforma turi būti tvarkinga, o batai nublizginti. Jeigu esi namuose, reikia palaikyti tvarką. Discipliną reikia treniruoti užsiimant paprastomis veiklomis.

Tuometinės kultūros žmonės žinojo ir tai, kad charakterį puikiai ugdo fizinis darbas. Abiline visiems, pradedant verslininkais, baigiant ūkininkais, kasdien tekdavo dirbti fizinį darbą – riebalais tepti vežimų ašis, kasti anglį, sijoti krosnies pelenus nuo nesudegusių anglies gabalų. Eizenhaueris užaugo namuose, kur nebuvo tekančio vandens ir berniukai ūkio darbus pradėdavo su aušra – keldavosi penktą ryto, kurdavo rytinę ugnį, semdavo vandenį iš šulinio – ir tęsdavo visą dieną – nešdavo tėvui pietus į pieninę, lesindavo vištas, kasmet užkonservuodavo iki penkių šimtų kvortų vaisių, skalbimo dieną virindavo skalbinius, augino kukurūzus, kuriuos paskui turėdavo parduoti, atsiradus vandentiekiui kasdavo griovius, o miestelyje įvedus elektrą išvedžiodavo laidus. Dvaitas užaugo kitaip nei šiuolaikiniai vaikai. Šiais laikais vaikams nereikia dirbti tiek daug fizinių darbų, kuriuos tekdavo atlikti Dvaitui, tačiau jie neturi tokios laisvės, kad atlikę savo užduotis galėtų lakstyti po miškus ir miestą. Dvaitas turėdavo atlikti daugybę jam pavestų darbų, bet taip pat galėjo laisvai bastytis po miestą.

Dvaito tėvas Deividas Eizenhaueris gyveno tokį griežtai disciplinuotą gyvenimą be jokio džiaugsmo. Sakoma, kad jis buvo skrupulingai sąžiningas, griežtas, šaltas ir teisingas žmogus. Po bankroto jis apskritai bijojo skolintis ar nors truputį paslysti. Vadovaudamas savo kompanijai reikalaudavo, kad jo darbuotojai kiekvieną mėnesį sutaupytų po 10 procentų savo atlyginimo. Jie turėdavo pranešti, ką darė su tais 10 procentų – ar padėjo į banką, ar investavo į vertybinius popierius. Kiekvieną mėnesį jis užsirašydavo jų atsakymus ir jeigu darbuotojų ataskaita jo netenkino, jis juos atleisdavo.

Tėvas, regis, niekada neatsipalaiduodavo, neidavo su berniukais medžioti ar žvejoti ir, galima sakyti, apskritai su jais nežaisdavo. Vienas iš Dvaito brolių Edgaras jį prisiminė taip:

„Jis buvo užsispyręs žmogus ir laikėsi griežtų elgesio principų. Gyvenimas jam buvo labai rimtas uždavinys, ir jis būtent taip ir gyveno – viską blaiviai ir deramai apmąstydamas."[10] Ida, atvirkščiai – nuolat šypsodavosi. Jai visada norėjosi šiek tiek paišdykauti, sulaužyti savo dorybės principus, tam tikromis aplinkybėmis ji netgi leisdavo sau truputį išgerti. Ida, regis, suprato tai, ko nesuprato jos vyras – kad norint išsiugdyti charakterį negalima pasikliauti vien savikontrole, įpročiais, darbu ir pasiaukojimu. Protas ir valia yra paprasčiausiai per silpni, kad visą laiką nugalėtų troškimus. Žmonės yra stiprūs, bet nėra nepriklausomi. Siekiant nugalėti nuodėmę, reikia pagalbos iš išorės.

Idos charakterio ugdymo metodika turėjo ir švelniąją pusę. Laimei, meilė yra mūsų prigimties dėsnis. Tokie žmonės kaip Ida supranta, kad meilė irgi gali padėti kurti charakterį. Mums ne visada pavyksta atsispirti savo norams, o švelnioji charakterio ugdymo strategija paremta idėja, kad nukreipę dėmesį į didesnius meilės objektus mes galime pakeisti ir pertvarkyti savo norus. Sutelkime dėmesį į meilę savo vaikams. Arba į meilę savo šaliai. Arba į meilę skurstantiems ir užguitiems. Arba į meilę gimtajam miestui ar mokslo įstaigai. Aukotis dėl tokių dalykų yra malonu. Gera tarnauti tam, ką myli. Dalijimasis teikia džiaugsmą, nes žmogui gera matyti, kaip žydi ir klesti tai, ką jis myli.

Netrukus pradedi geriau elgtis. Tėvai, sutelkę dėmesį į meilę savo vaikams, kiekvieną dieną vežios juos į renginius, kelsis vidury nakties jiems susirgus, viską mes, jeigu vaikus ištiks krizė. Mylintis žmogus nori aukotis, nori, kad jo gyvenimas būtų auka jo meilės objektui. Jeigu žmogų motyvuoja tokie jausmai, jis bus ne taip linkęs nusidėti.

Ida parodė, kad galima būti griežtai ir gerai, disciplinuotai ir mylinčiai, žinoti savo nuodėmes, bet kartu nepamiršti atleidimo, dosnumo bei malonės galimybės. Po daugelio metų, kai Dvaitas Eizenhaueris davė prezidento priesaiką, Ida paprašė, kad jis atsiverstų Antrosios Biblijos Kronikų knygos 7 puslapį, 14 eilutę: „Jeigu mano tauta, vadinama mano vardu, nusižemins, melsis, ieškos mano veido ir nusigręš nuo savo nedorų kelių, aš išgirsiu savo dangaus buveinėje, atleisiu jų nuodėmes ir atgaivinsiu jų kraštą."* Veiksmingiausias būdas kovoti su nuodėme yra gyventi džiaugsmingai ir su meile. Taip reikėtų dirbti ir savo darbą, nesvarbu, ar jis prestižinis, ar ne. Kaip kažkas pažymėjo – Dievui patinka prieveiksmiai.

SAVIKONTROLĖ

Dvaitas greičiausiai priklausė tai kategorijai žmonių, kurie tiki, kad religija yra naudinga visuomenei, bet patys nėra religingi. Nėra įrodymų, kad jis kada būtų aiškiai pajutęs Dievo malonę ar susimąstęs apie biblinį išganymą. Tačiau paveldėjo motinos plepumą ir jausmą, kad savo prigimtį reikia nuolat

* *Biblija*. Vertė A. Rubšys, Č. Kavaliauskas, LVK, 1998, 2 Kr 7, 14.

tramdyti ir stengtis nugalėti. Tiesiog tas savybes taikė pasaulietiškai.

Dvaitas nuo mažens buvo padūkęs. Abiline jį prisimindavo dėl vaikystėje vykdavusių didžiulių peštynių. Vest Pointo
karo akademijoje buvo įžūlus, maištingas ir nedrausmingas
mokinys. Jis gavo ne vieną drausminę nuobaudą už lošimą,
rūkymą ir nepagarbą. Baigiant akademiją jo drausmė buvo
įvertinta 125-ta vieta iš 164. Kartą jis buvo pažemintas iš ser
žanto laipsnio iki eilinio už tai, kad šventėje pernelyg energingai šoko. Karininko karjeros ir prezidentavimo laikais taip
pat glumindavo savo nevaldomu temperamentu, su kuriuo
jo tėvams teko susidurti tą Helovino vakarą. Dvaitui kylant
karinėje tarnyboje jo pavaldiniai išmoko pastebėti grėsmingai artėjančio įniršio ženklus, pavyzdžiui, tam tikrą veido išraišką, kuri perspėdavo apie neišvengiamą pykčio protrūkį ir
keiksmų laviną. Eizenhaueris, kurį Antrojo pasaulinio karo
žurnalistas praminė „piktuoju ponu Smūgiu", bet kada galėjo
netikėtai užsiplieksti[11]. „Atrodė, kad žiūri į Besemerio krosnį", – prisiminė vienas jo padėjėjas Braisas Harlou (Bryce Harlow). Karo laikų Dvaito gydytojas Hovardas Snaideris (Howard
Snyder) prieš prasidedant vienam iš Eizenhauerio protrūkių
pastebėjo „ties smilkiniais it stygas iššokusias susipynusias
kraujagysles". Eizenhauerio biografas Evanas Tomasas (Evan
Thomas) rašė: „Dvaito pavaldiniams jo pyktis kėlė pagarbią
baimę."[12] Jo sekretorius Tomas Stefensas (Tom Stephens) pastebėjo, kad būdamas blogos nuotaikos prezidentas paprastai

vilkėdavo rudos spalvos drabužius. Stefensas matydavo Eizenhauerį pro biuro langą. „Šiandien rudas kostiumas!" – sušukdavo jis perspėdamas savo komandą[13].

Dvaitas, kaip ir daugelis mūsų, viduje buvo susiskaldžiusi asmenybė ir greičiausiai elgėsi ypač budriai, nes jo prigimtis buvo labiau susiskaldžiusi nei daugumos žmonių. Jis buvo kariuomenės keiksmažodžių žinovas, bet beveik niekada nesikeikdavo prie moterų. Jis nusisukdavo, jeigu kas nors nešvankiai pajuokaudavo[14]. Vest Pointo akademijoje Dvaitas gaudavo papeikimus už rūkymą koridoriuose, o karui baigiantis surūkydavo po keturis pakelius cigarečių per dieną. Tačiau vieną dieną jis lyg niekur nieko metė rūkyti: „Aš paprasčiausiai sau įsakiau." Vėliau, 1957 metais skaitydamas kasmetinę Jungtinių Valstijų padėties ataskaitą, jis pasakys: „Laisvės apibūdinimas yra galimybė save disciplinuoti."[15]

Jo vidinė kančia kartais sukeldavo konvulsijas. Baigiantis Antrajam pasauliniam karui jį kankino įvairiausi kūno skausmai. Naktimis, alinamas nemigos ir nerimo, gulėdavo žiūrėdamas į lubas, gerdavo ir rūkydavo; jį vargino gerklės uždegimas, mėšlungio priepuoliai, šokinėjantis kraujo spaudimas. Tačiau jis pasižymėjo ypatingu sugebėjimu save tramdyti, ką būtų galima pavadinti kilnia veidmainyste. Dvaitas nemokėjo slėpti emocijų. Jo veidas buvo nepaprastai išraiškingas. Vis dėlto jis kasdien užsidėdavo apgaulingą ramaus pasitikėjimo savimi ir kaimiško nuoširdumo kaukę. Jis atrodė linksmas ir gyvas žmogus. Evanas Tomasas rašo, kad Dvaitas prisipažino savo anūkui Deividui, jog toji šypsena „atsirado ne patikėjus kokia nors geros savijautos filosofija, o dėl to, kad Vest Pointo akademijoje jį nokautavo bokso treneris. „Niekada nenugalėsi priešininko, – pasakė treneris, – jeigu atsikėlęs po nokauto nesugebėsi šypsotis".[16] Jam atrodė, kad norint vadovauti armijai ir laimėti karą būtina sudaryti ramus ir savimi pasitikinčio žmogaus įspūdį:

> Aš tvirtai nusprendžiau, kad mano viešos kalbos ir manieros visuomet spinduliuos tik džiaugsmingą pergalę, ir jeigu kada bent kiek pasijusiu apimtas pesimizmo ar nusivylimo, paliksiu tai savo pagalvei. Kad šis sprendimas virstų realybe, laikiausi taisyklės tą praktikuoti kiek tik tai fiziškai įmanoma. Visuomet stengdavausi su šypsena bendrauti su visais – nuo generolo iki eilinio, paplekšnoti kiekvienam per petį ir parodyti nuoširdų susidomėjimą jų problemomis[17].

Eizenhaueris prisigalvojo gudrybių, kaip iš galvos išvyti mintis apie tai, ką iš tikrųjų jaučia. Pavyzdžiui, dienoraščiuose sudarydavo sąrašus žmonių, kurie jį įžeidė, kad taip galėtų sutramdyti savo pyktį jiems. Pajutęs kylančią neapykantos bangą neleisdavo, kad ši jį užvaldytų. „Pyktis negali laimėti. Jis net nesugeba aiškiai mąstyti", – rašė Dvaitas savo dienoraštyje[18]. Kitąkart jis ant popierėlio užrašydavo žmogaus, kuris jį įžeidė, vardą ir tada išmesdavo į šiukšliadėžę – tai buvo dar vienas simbolinis būdas atsikratyti emocijų. Eizenhaueris nebuvo nuoširdus žmogus. Jis buvo aistringas vyras, kuris, kaip ir jo motina, gyveno dirbtinai save varžydamas.

ORGANIZACIJOS ŽMOGUS

1911 metų birželio 8 dieną Ida išleido Dvaitą iš Abilino į Vest Pointo akademiją. Ji ir toliau išliko aistringa pacifistė, ryžtingai besipriešinanti kareivių šaukimui, tačiau savo sūnui pasakė: „Tai tavo pasirinkimas." Ji išlydėjo jo traukinį ir grįžusi namo užsidarė savo kambaryje. Berniukai girdėjo, kaip ji rauda už durų. Dvaito brolis Miltonas vėliau jam prisipažino, kad tai buvo pirmas kartas, kai jis girdėjo mamą verkiant[19]. 1915 metais Dvaitas baigė Vest Pointo akademiją. Taigi, jo karjeros pradžia praėjo Pirmojo pasaulinio karo šešėlyje. Jis buvo išmokytas kautis, bet niekada gyvai nedalyvavo karo veiksmuose, kurie turėjo užbaigti visus karus. Jis net nebuvo išvykęs iš Jungtinių Valstijų. Tuos metus jis praleido mokydamas kareivius, treniruodamas futbolininkus ir kurdamas strategijas. Dvaitas įnirtingai siekė, kad jį išsiųstų į karo lauką, ir 1918 metų spalio mėnesį, kai jam buvo dvidešimt aštuoneri, sulaukė šaukimo. Lapkričio 18 dieną Dvaitas turėjo išplaukti į Prancūziją. Karas, kaip žinome, baigėsi lapkričio 11-ąją. Jam tai buvo kartus smūgis. „Įsivaizduoju, kad visą likusį gyvenimą teks aiškintis, kodėl mes nepatekome į tą karą", – skundėsi jis savo laiške kitam karininkui. Tada jis davė sau nebūdingą beatodairišką priesaiką: „Prisiekiu Dievu, kad aš už tai atsilyginsiu."[20]

Ta priesaika neišsipildė tuoj pat. 1918 metais Eizenhaueris prieš kitą savo paskyrimą gavo pulkininko leitenanto laipsnį. Ateinančius dvidešimt metų, iki pat 1938-ųjų jis nebuvo nė karto paaukštintas. Per karą daugybė karininkų buvo paaukštinti, o kariuomenėje, kurios apimtis ir vaidmuo trečiojo dešimtmečio Amerikos gyvenime mažėjo, nebuvo tiek daug galimybių kilti aukštyn. Dvaito karjera sustojo, o jo civilių brolių karjera šovė aukštyn. Sulaukęs keturiasdešimties jis buvo mažiausiai pasiekęs iš visų Eizenhauerių šeimos berniukų. Jis buvo vidutinio amžiaus. Savo pirmąją žvaigždę Dvaitas gavo tik sulaukęs penkiasdešimt vienerių. Niekas nesitikėjo, kad jis pasieks kažką ypatingo.

Tarpukario metais Dvaitas buvo pėstininkų karininkas, futbolo treneris ir štabo karininkas, su pertraukomis mokėsi Pėstininkų tankų mokykloje, Vadų ir štabo mokykloje ir galiausiai Karo koledže. Kartkartėmis išliedavo susierzinimą dėl biurokratinės painiavos organizacijoje, dėl to, kaip ji stabdė jo galimybes ir švaistė jo talentus. Tačiau apskritai Dvaito reakcija buvo stebėtinai santūri. Jis tapo klasikiniu Organizacijos Žmogumi. Nuo Idos elgesio taisyklių jam buvo labai nesunku pereiti prie karinio elgesio kodekso. Jo norai prisitaikė prie grupės interesų.

Vienuose iš savo atsiminimų Eizenhaueris rašė, kad sulaukęs trisdešimties jis suprato, jog „kariuomenėje svarbiausia išmokti, kad kareivio vieta yra ten, kur jam nurodė vyresnieji".[21] Jam tai buvo visai nesudėtinga užduotis. „Mano geriausias vaistas būdavo nuleisti garą be pašalinių akių ir imtis duotos užduoties."[22]

Dirbdamas štabo karininku – tai buvo ne pats žaviausias ir geidžiamiausias vaidmuo – Eizenhaueris išmoko darbo tvarkos, eigos, komandinio darbo ir organizavimo subtilybių. Jis perprato paslaptis, kaip tapti sėkmės lydimu žmogumi organizacijoje. „Atėjęs į naują punktą išsiaiškinu, kas yra stipriausias ir pajėgiausias žmogus poste. Savo įsitikinimus nustumiu į šoną ir darau viską, ką galiu, kad pareklamuočiau jo idėjas."[23] Vėliau, dirbdamas „At Ease" kareivių centre jis rašė: „Visuomet stenkis artimai bendrauti ir mokytis iš tų, kurie žino daugiau nei tu, daro geriau nei tu ir mato aiškiau nei tu." Dvaitas fanatiškai tikėjo pasiruošimu: „Planai yra niekas, bet planavimas yra viskas", – sakydavo jis. „Pasikliauk planavimu, bet niekada nepasitikėk planais."

Jis geriau perprato save. Ir ėmė su savimi nešiotis nežinomo poeto eilėraštį:

Paimki kibirą, pripilk į jį vandens,
Įkiški ranką iki riešo.
O dabar ištrauk; skylė, kuri ten liks
Parodys, kiek tavęs ilgėsis. <...>

Šio keisto pavyzdžio moralas toks:
Daryki ką gali geriausia,
Didžiuokis savimi, bet atsimink –
Nė vieno nėra nepakeičiamo![24]*

* Pažodinis vertimas. (Vert. past.)

MENTORIAI

1922 metais Eizenhaueris buvo išsiųstas į Panamą, kur prisijungė prie 20-osios pėstininkų brigados. Panamoje praleisti dveji metai jam buvo naudingi dėl dviejų dalykų. Pirmiausia, Dvaitas pakeitė aplinką po savo pirmagimio sūnaus Ikio netekties. Antra, susipažino su generolu Foksu Konoru (Fox Connor). Istorikas Džinas Edvardas Smitas rašė: „Foksas Konoras buvo tikras santūrumo įsikūnijimas: šaltakraujis, ramaus balso, labai formalus ir mandagus – generolas, kuris mėgo skaityti, puikiai išmanė istoriją ir gebėjo įžvelgti karinį talentą."[25] Konoras niekada neapsimetinėdavo. Dvaitas iš jo išmoko vieną taisyklę – „Visada rimtai žiūrėk į savo darbą, bet niekada į save."

Foksas Konoras buvo idealus nuolankaus vado pavyzdys. „Visiems vadams, kuriais aš nuoširdžiai žavėjausi, buvo būdingas nuolankumas, – vėliau rašė Eizenhaueris. – Mano įsitikinimu, kiekvienas lyderis turėtų būti pakankamai nuolankus, kad sugebėtų viešai prisiimti atsakomybę už savo pavaldinių, kuriuos jis pats išsirinko, klaidas, taip pat mokėtų viešai įvertinti jų pergales." „Konoras, – toliau tęsė jis, – buvo praktiškas karininkas, jis gerai jausdavosi tiek svarbiausių regiono žmonių draugijoje, tiek su bet kuriais kitais pulko vyrais. Jis niekada dėl nieko nesipuikuodavo ir buvo atviriausias bei nuoširdžiausias mano kada nors sutiktas žmogus. <...> Daug metų jam jaučiau didesnį prierašumo jausmą, nei kam kitam, net ir savo giminaičiams."[26]

Be to, Konoras atgaivino Dvaito meilę klasikai, karinei strategijai ir pasaulio istorijai. Dirbti Konoro pavaldiniu Eizenhaueriui buvo „tarsi karinių reikalų ir humanitarinių mokslų doktorantūra, kurią pajvairino pastabos ir pokalbiai su žmogumi, kuris yra patyręs žmonių ir jų elgesio žinovas. <...> Tai buvo įdomiausias ir vertingiausias mano gyvenimo periodas." Dvaito vaikystės draugas Edvardas Švedas Hazletas (Edward „Swede" Hazlett) lankydamasis Panamoje atkreipė dėmesį, kad Eizenhaueris „uždengtoje antrojo štabo aukšto verandoje įsirengė neišbaigtą darbo kambarį ir čia leisdavo savo laisvalaikį prie rašymo lentos ir tekstų, iš naujo nagrinėdamas senųjų meistrų žygius".[27]

Tuo pat metu Dvaitą be galo sujaudino žirgo vardu Juodis treniravimas. Savo prisiminimuose jis rašė:

> Iš savo patirties su Juodžiu – o prieš tai ir su tariamai nekompetentingais naujokais Kolto kareivinėse – tvirtai įsitikinau, kad mes pernelyg dažnai atsilikusį vaiką nurašome kaip beviltišką, nevikrų gyvulį kaip bevertį, o nualintą lauką kaip neatgaivinamą. Taip elgiamės dėl to, kad nenorime skirti laiko ir pastangų įrodyti, jog esame neteisūs: įrodyti, kad sunkus berniukas gali tapti puikiu žmogumi, kad gyvulys gali pasiduoti treniruojamas, kad laukas gali vėl tapti derlingas[28].

Generolas Konoras pasirūpino, kad Eizenhaueris įstotų į Vadų ir štabo mokyklą Fort Levenverte, Kanzaso valstijoje. Iš 245 karininkų jis ją baigė pirmasis. Jo, kaip ir Juodžio, nereikėjo nurašyti.

1933 metais Dvaitas buvo vienas jauniausių kada nors Karo koledže besimokiusių karininkų absolventų ir buvo paskirtas asmeniniu generolo Daglaso Makarturo (Douglas Mac-Arthur) asistentu. Ateinančius keletą metų Eizenhaueris su Makarturu daugiausia dirbo Filipinuose, kur jie padėjo šaliai pasiruošti nepriklausomybei. Daglasas Makarturas mėgo elgtis teatrališkai. Dvaitas jį gerbė, bet negalėjo pakęsti jo pasipūtimo. Makarturą jis apibūdino kaip „aristokratą, o kalbant apie mane – aš tik prasčiokas".[29] Dirbti su Makarturu Eizenhaueriui buvo didžiausias jo temperamento išbandymas. Nedideli jų darbo kambariai ribojosi, ir juos skyrė tik plonos medinės durys. Eizenhaueris prisimena: „Kviesdamas mane į savo darbo kambarį jis būtinai turėdavo garsiai šaukti[30]. Makarturas buvo ryžtingas, malonios išvaizdos ir turėjo vieną įprotį, kuris mane visada erzindavo. Ką nors prisimindamas arba pasakodamas istorijas jis apie save kalbėdavo trečiuoju asmeniu."[31]

Dvaitas keletą kartų prašėsi atleidžiamas iš šių pareigų. Makarturas atmetė prašymą tvirtindamas, kad Filipinuose Eizenhaueris dirba daug svarbesnį darbą palyginti su tuo, ką jis, kaip paprastas pulkininkas leitenantas, veiktų Amerikos kariuomenėje.

Dvaitas nusivylė, bet liko su Makarturu dar šešerius metus dirbti užkulisiuose, kur ant jo pečių krisdavo vis daugiau ir daugiau organizacinių darbų[32]. Jis išlaikė pagarbą savo vado laikysenai, tačiau galiausiai ėmė nekęsti Makarturo už

tai, kad jam svarbesnis jis pats, o ne organizacija. Po vieno
įsimintinesnio Makarturo egotizmo pasireiškimo Eizenhau-
eris išsiliejo savo dienoraščio puslapiuose:

> Prisipažįstu, man sunku suvokti, kaip po to, kai su juo išdirbau
> aštuonerius metus, parašiau kiekvieną jo publikuojamą žodį,
> laikiau jo paslaptis, saugojau, kad jis nepasirodytų kaip visiškas
> asilas, stengiausi siekti jo interesų, o pats laikiausi užnugary-
> je, jis staiga atsisuka prieš mane. Jam tikriausiai patiktų, jeigu
> sėdėtų karaliaus soste su padlaižiais aplink, o nuo visų paslėp-
> tame rūsyje tuo tarpu sėdėtų krūva vergų, kurie dirbtų už jį ir
> atliktų tai, kas viešai būtų pristatoma kaip nuostabus jo paties
> laimėjimas. Jis kvailas, bet dar blogiau, kad jis elgiasi kaip dė-
> mesio reikalaujantis kūdikis[33].

Eizenhaueris ištikimai ir nuolankiai tarnavo Makarturui
stengdamasis perprasti, ką jo vyresnysis galvoja, pritardavo
generolo pažiūroms, efektyviai ir laiku atlikdavo nurodytas
užduotis. Galiausiai jis sulaukė vyresniųjų karininkų – tarp
jų ir Makarturo – paaukštinimo. Ir kai per Antrąjį pasauli-
nį karą Dvaitas susidūrė su didžiuoju savo gyvenimo iššū-
kiu, jam labai pravertė įgūdis užgniaužti savo aistras. Karas
Dvaitui niekada nekėlė romantiško jaudulio, kaip jo ilgame-
čiam kolegai Džordžui S. Patonui (George S. Patton). Jis į karą
žiūrėjo kaip į eilinę sunkią pareigą, kurią reikia atlikti. Išmo-
ko nekreipti dėmesio į susižavėjimą ir jaudulį keliantį karo
heroizmą, o vietoj to susitelkti į nuobodžius, pasaulietiškus
uždavinius, kurie vėliau ir taps pergalės priežastimi. Pavyz-

džiui, išsaugoti draugystę su žmonėmis, kurie tau gali atrodyti nepakenčiami. Sukurti pakankamai išsilaipinimo būdų, kad būtų galima vykdyti amfibinius įsiveržimus. Logistika. Eizenhaueris buvo sumanus karo vadas. Jis užgniaužė savo nepasitenkinimą, kad išsaugotų tarptautinį aljansą. Jis griežtai ribojo nacionalinius nusistatymus, kurių turėjo kaip ir visi kiti, idant skirtingos armijos sugebėtų išlikti toje pačioje komandoje. Įvertinimus už pergales jis perleisdavo savo pavaldiniams, o viename plačiausiai pasaulio istorijoje nuskambėjusių nepaviešintų jo pranešimų norėjo pats prisiimti kaltę už nesėkmes. Tas pranešimas turėjo būti paviešintas tuo atveju, jeigu būtų nepavykęs D dienos išsilaipinimas. „Mūsų išsilaipinimas... nepavyko... ir aš atšaukiau karius, – rašė jis. – Mano sprendimas pulti šiuo metu ir šioje vietoje rėmėsi pačia patikimiausia gauta informacija. Kariai, pilotai ir jūrininkai padarė viską, ką gali padaryti drąsa ir besąlygiškas atsidavimas. Jeigu ir galima kam nors priekaištauti dėl šio bandymo, aš esu vienintelis, kuris nusipelnė visų kaltinimų."

Drausmingas ir disciplinuotas Eizenhauerio gyvenimas turėjo ir trūkumų. Jis nebuvo idėjų žmogus. Jis nebuvo kūrybingas mąstytojas. Jis nebuvo puikus karo strategas. Savo prezidentavimo laikotarpiu dažnai neatkreipdavo dėmesio į pačias svarbiausias to meto istorines tendencijas – pradedant civilinių teisių judėjimu, baigiant makartizmo grėsme. Jis nemokėjo mąstyti abstrakčiai. Nestojęs ginti generolo Džordžo K. Maršalo (George C. Marshall), kuris buvo puolamas dėl savo patriotizmo, Eizenhaueris pasielgė negarbingai ir dėl to vėliau labai gailėjosi ir gėdijosi. Visą laiką save dirbtinai varžydamas jis kartais elgdavosi šaltai, kai reikėjo elgtis šiltai, negailestingai praktiškai, kai galantiškas ir romantiškas elgesys būtų buvęs priimtinesnis. Karo pabaigoje jis labai negražiai pasielgė su savo meiluže Kei Samersbi (Kay Summersby). Samersbi tarnavo Eizenhaueriui ir, reikia manyti, mylėjo jį sunkiausiu jo gyvenimo periodu. O jis su ja net neatsisveikino gyvai. Vieną dieną ji sužinojo, kad jos vardas išbrauktas iš jo kelionių sąrašo. Ji gavo nuo Dvaito šaltą, ant oficialaus armijos blanko atspausdintą raštelį: „Esu tikras, kad supranti, jog pats labai kremtuosi, kad esu priverstas tokiu būdu nutraukti tokius brangius santykius, tačiau taip nutiko dėl priežasčių, kurių negaliu kontroliuoti. <...> Tikiuosi, kad retkarčiais man parašysi – mane visada domins, kaip tau sekasi."[34] Jis buvo taip įpratęs paminti savo emocijas, kad tą akimirką sugebėjo užgniaužti net ir menkiausią užuojautos ar dėkingumo kibirkštėlę moteriai, su kuria jį ilgą laiką siejo artimi santykiai.

Eizenhaueris kartais suvokdavo savo trūkumus. Prisimindamas savo didvyrį Džordžą Vašingtoną jis pasakė: „Dažnai jausdavau didžiulį norą, kad Gerasis Viešpats būtų mane apdovanojęs tokiu sugebėjimu įžvelgti svarbius dalykus, tokia stipria valia ir neapsimestine proto bei dvasios didybe, kokia pasižymėjo jis."[35]

Tačiau kai kuriems žmonėms geriausia mokykla yra gyvenimas; jis juos išmoko būtent tokių pamokų, kurių prireiks vėliau. Eizenhaueris niekada nebuvo itin ryški asmenybė, bet suaugus jam buvo būdingos dvi išskirtinės savybės, kurios buvo formuojamos dar vaikystėje ir kurias laikui bėgant pats ugdė. Pirmoji savybė buvo savo antrojo veido kūrimas. Šiandien mes visi įpratę gyventi pagal autentiškumo dvasią. Esame įpratę tikėti, kad „tikrasis aš" yra tai, kas mums priimtiniausia ir įgimta. Tai reiškia, kad kiekvienas žinome tam tikrą sąžiningą būdą, kaip gyventi šiame pasaulyje, ir turėtume likti ištikimi tam autentiškam vidiniam *aš* ir nepasiduoti išoriniam spaudimui. Gyventi dirbtinai, kai išorinis elgesys neatitinka vidinės prigimties, reiškia gyventi meluojant, apgaudinėjant ir neteisingai.

Eizenhaueris laikėsi kitokios filosofijos. Pagal ją, žmogui įprasta apsimetinėti. Iš pradžių mes visi esame žaliava – vieni geresnė, kiti prastesnė – ir mūsų prigimtis turi būti išgenėta, apipjaustyta, suformuota, sutramdyta, išpurenta ir dažnai suvaržyta, o ne išstatyta viešai. Asmenybė gimsta ją ugdant. Pagal šį požiūrį, tikrasis *aš* yra tai, ką sukūrei iš savo prigimties, o ne tik tai, kokia ta prigimtis buvo pradžioje.

Eizenhaueris nebuvo nuoširdus žmogus. Jis slėpė tai, ką galvoja. Net jeigu savo užgaulias mintis ir užrašydavo į dienoraštį. Apie senatorių Viljamą Noulandą (William Knowland) jis rašė: „Šiuo atveju, atrodo, nėra galutinio atsakymo į klausimą „kur yra žmogaus kvailumo riba?"[36] Tačiau viešumoje jis užsidėdavo mielo, optimistiško, žavaus ir paprasto žmogaus kaukę. Eidamas prezidento pareigas jis nebijojo pasirodyti kvailesnis, negu yra iš tikrųjų, jeigu tai galėjo padėti atlikti reikiamą užduotį. Jis mielai prikąsdavo liežuvį, jeigu tai galėjo padėti paslėpti jo tikruosius planus. Kaip vaikystėje jis išmoko užgniaužti savo pyktį, taip suaugęs išmoko nuslėpti savo ambicijas ir sugebėjimus. Jis turėjo pakankamai senovės istorijos žinių, žavėjosi nepaprastai išradingu senovės Atėnų vadu Temistokliu, tačiau niekada apie tai neprasitarė. Jis nenorėjo pasirodyti protingesnis už kitus ar nors kiek pranašesnis už vidutinį amerikietį. Jis labiau stengdavosi sužavėti žmones savo paprastumu ir menku išsilavinimu. Prezidentavimo laikotarpiu Eizenhaueris vadovaudavo susitikimams, kuriuose būdavo detaliai svarstomi įslaptinti klausimai, duodavo aiškius ir konkrečius nurodymus, ką reikia daryti. O tada eidavo į spaudos konferenciją ir kalbėdavo žaismingai regzdamas sakinius, kad nuslėptų savo planus. Arba tiesiog apsimesdavo, kad ta tema jam pernelyg paini: „Tai tiesiog per sudėtinga tokiam kvailiui kaip aš."[37]

Dvaito paprastumas buvo strateginis ėjimas. Po Eizenhauerio mirties viceprezidentas Ričardas Niksonas prisiminė: „Dvaitas buvo daug sudėtingesnis ir suktesnis žmogus, negu dauguma įsivaizdavo, ir aš tą sakau pačia geriausia prasme. Nevaržomas siauros mąstysenos vieną problemą jis visuomet svarstydavo iš kelių požiūrio taškų. <...> Jo protas dirbo greitai ir sklandžiai."[38] Dvaitas garsėjo kaip geras pokerio žaidėjas. Evanas Tomasas rašė: „Už plačios, atviros kaip Kanzaso dangus Dvaito šypsenos slypėjo didelė paslaptis. Jis buvo garbingas, bet kartais nesuprantamas, iš-oriškai malonus, tačiau viduje verdantis pykčiu."[39]

Kartą prieš spaudos konferenciją jo spaudos sekretorius Džimas Hagertis (Jim Hagerty) informavo Eizenhauerį apie padėtį Formozos sąsiauryje, kuri darėsi vis keblesnė. Dvaitas nusišypsojo ir pasakė: „Nesijaudink, Džimai, jeigu kas nors apie tai paklaus, aš juos supainiosiu." Kaip ir buvo galima nuspėti, tą klausimą uždavė žurnalistas Džozefas Haršas (Joseph Harsch). Eizenhaueris geranoriškai atsakė:

> Apie karą žinau du dalykus: labiausiai kintantis veiksnys kare yra žmogaus prigimtis su savo kasdienėmis apraiškomis; tačiau vienintelis nekintantis veiksnys kare yra žmogaus prigimtis. O kitas dalykas, tai kad visi karai stebina tuo, kaip jie prasidėjo ir kaip jie vyko. <...> Taigi, manau, kad jums reikia palaukti, o kartais net ir prezidentui geriausia yra laukti ir melstis[40].

Po konferencijos Tomasas rašė: „Eizenhaueris pats juokavo, kad rusų ir kinų vertėjus tikriausiai ištiko priepuolis, kai jie bandė savo vadovams paaiškinti, ką jis norėjo pasakyti."[41]

Žmonėms buvo sunku iš tikrųjų pažinti Dvaitą dėl jo įgimto dvilypumo. „Nepavydžiu, kad jums teks bandyti perprasti tėtį, – pasakė Džonas Eizenhaueris biografui Evanui Tomasui. – Man ir pačiam nepavyko to padaryti." Po Eizenhauerio mirties jo našlės Meimės paklausė, ar ji gerai pažinojo savo vyrą. „Nesu tikra, kad kas nors būtų jį gerai pažinojęs", – atsakė ji[42]. Tačiau gebėjimas susivaldyti padėjo Eizenhaueriui kontroliuoti savo įgimtus potraukius ir įveikti užduotis, kurias jam skyrė karinė vadovybė ir istorija. Jis atrodė paprastas ir atviras, tačiau jo paprastumas buvo tikras meno kūrinys.

NUOSAIKUMAS

Nuosaikumas buvo kita Eizenhauerio savybė, kuri visiškai susiformavo jam sulaukus brandaus amžiaus. Nuosaikumo dorybė paprastai suprantama neteisingai. Pirmiausia reikėtų išsiaiškinti, kas nėra nuosaikumas. Tai nėra vidurio taškas tarp dviejų priešingybių, kuriame gali patogiai įsitaisyti. Tai ir ne nuobodi pusiausvyra. Nepakanka vien santūraus charakterio, pasireiškiančio prieštaringomis aistromis ar konkuruojančiomis idėjomis.

Atvirkščiai, nuosaikumas paremtas suvokimu, kad konfliktai yra neišvengiami. Jeigu manai, kad pasaulyje viskas tarpusavyje dera, tuomet tau nėra reikalo būti nuosaikiam. Jeigu manai, kad visos tavo asmeninės savybės tarpusavyje dera ir sudaro paprastą harmoningą visumą, tuomet nereikia savęs stabdyti, gali drąsiai visa jėga siekti saviraiškos ir augimo. Jeigu manai, kad visos moralinės vertybės nukreiptos viena linkme arba kad visus politinius tikslus galima pasiekti iškart, žygiuojant tiesiai viena kryptimi, tau taip pat nėra reikalo būti nuosaikiam. Gali nieko nelaukdamas leistis tiesos link.

Nuosaikumas paremtas idėja, kad ne viskas tarpusavyje dera. Politikoje greičiausiai atsiras konkurencija tarp teisėtai prieštaraujančių interesų. Filosofijoje greičiausiai kils nesutarimų tarp nesutampančių dalinių tiesų. Asmenybėje greičiausiai vyks kova tarp vertingų, tačiau nesuderinamų savybių.

Savo nuostabioje knygoje „Apie nuosaikumą" (On Moderation) Haris Kloras (Harry Clor) rašė: „Mūsų sielos arba dvasios susiskaldymas yra pagrindinė priežastis, dėl ko mums reikalingas nuosaikumas." Pavyzdžiui, Eizenhauerį kurstė aistra, o saugojo savikontrolė. Nei vienas, nei kitas impulsas nebuvo visiškai beverčiai, bet nė vienas nebuvo itin malonus. Teisėtas Eizenhauerio įniršis kartais jį pastūmėdavo elgtis teisingai, tačiau kartais galėjo ir apakinti. Savikontrolė jam leido dirbti ir atlikti pareigą, tačiau galėjo ir paversti beširdžiu.

Nuosaikumu pasižymintis žmogus turi nesuskaičiuojamą daugybę prieštaringų sugebėjimų. Jis gali užsidegti tiek iš vienos, tiek iš kitos pusės, ir aistringai pykti, ir aistringai trokšti tvarkos, darbe gali pasireikšti jo apoloniškasis, o laisvalaikiu dioniziškasis pradas, jis gali tvirtai tikėti, taip pat stipriai abejoti, būti tiek Adomu I, tiek Adomu II.

Iš pradžių nuosaikiam žmogui gali būti būdingas toks pasidalijimas ir tokie prieštaringi polinkiai, bet norėdamas gyventi darnų gyvenimą jis turi atrasti pusiausvyrą ir suderinti daugelį dalykų. Nuosaikus žmogus nuolat stengiasi kurti laikinus planus, kurie atitiktų konkrečią esamą situaciją ir jam ar jai padėtų atrasti pusiausvyrą tarp noro jaustis saugiai ir noro rizikuoti, tarp laisvės troškimo ir poreikio save varžyti. Jis žino, kad šios priešybės iki galo nesuderinamos.

Atsižvelgęs tik į vieną taisyklę arba tik į vieną požiūrį negalėsi išspręsti svarbių klausimų. Susivaldymas primena buriavimą per audrą: jeigu laivas pakrypsta į dešinę pusę, reikia perkelti svorį į vieną pusę, jeigu į kairiąją, perkelti svorį į kitą pusę – reikia taikytis, taikytis ir taikytis prie aplinkybių, kad laivas išlaikytų pusiausvyrą.

Eizenhaueris tą suprato intuityviai. Eidamas antrąją prezidento kadenciją jis dalijosi savo apmąstymais su vaikystės draugu Švedu: „Aš kaip laivas, kuris vėjo ir bangų mėtomas bei daužomas vis tiek plūduriuoja ir nepaisydamas nuolatinių kurso pokyčių ir vingių sugeba toliau laikytis užsibrėžto kurso ir, nors ir lėtai bei skausmingai, stumtis į priekį."[43]

Kloras tvirtina, kad nuosaikumu pasižymintis žmogus žino, jog negali turėti visko. Tarp priešininkų tvyro įtampa, ir turi tiesiog susitaikyti, kad tavo gyvenimas niekada nebus švarus ir tobulas, paskirtas vienai tiesai ar vienai vertybei. Nuosaikusis neturi didelių ambicijų kažką pasiekti viešajame gyvenime. Bet kurioje situacijoje pasitaikantys paradoksai trukdo atrasti aiškų ir galutinį sprendimą. Suteikiant didesnę laisvę didėja savivalės tikimybė. Jeigu drausmini savivalę, visada reikės apriboti laisvę. Tokie kompromisai neišvengiami.

Nuosaikus žmogus tegali tikėtis, kad sugebės išlaikyti pusiausvyrą ir atsitraukti, kad išsiaiškintų prieštaringus požiūrius ir įvertintų kiekvieno privalumus. Nuosaikusis supranta, kad politinės kultūros yra susiklosčiusios konfliktų sprendimo tradicijos. Egzistuoja amžina įtampa tarp lygybės ir asmeninių laimėjimų, tarp centralizacijos ir decentralizacijos, tarp tvarkos ir laisvės, tarp bendruomenės ir individualizmo. Nuosaikusis nesistengia spręsti šių ginčų. Galutinių sprendimų nėra. Nuosaikus žmogus tegali tikėtis pasiekti pusiausvyrą, kuri atitiks dabartinės akimirkos poreikius. Jis netiki, kad egzistuoja koks nors visiems laikams tinkamas politinis sprendimas (tai atrodo akivaizdu, tačiau ideologai nuolat nepaiso šios taisyklės daugybėje šalių). Abstraktūs sumanymai nuosaikiam žmogui nekelia susižavėjimo, nes jis supranta, kad įstatymus reikia leisti atsižvelgiant į žmogaus prigimtį ir aplinką, kurioje jis gyvena.

Nuosaikus žmogus tegali tikėtis sugebėti save disciplinuoti, kaip sakė Maksas Vėberis (Max Weber), vienoje sieloje suderinti šiltą aistrą su šaltakraujiška pusiausvyra. Jis nori aistringai siekti savo tikslo, tačiau apgalvotai rinktis priemones jam įgyvendinti. Pats nuosaikiausias apdovanotas narsa ir tinkamu charakteriu jai prisijaukinti. Pats nuosaikiausias skeptiškai vertina uolumą, nes skeptiškai vertina save. Jis nepasitiki aistringa jėga ir drąsiu atvirumu, nes žino, kad politikoje blogio poveikis nusveria gėrio poveikį – nuostolis, kurį padaro neteisingas lyderių poelgis, yra didesnis negu nauda, gauta jiems pasielgus teisingai. Todėl tinkamas požiūris yra atsargumas, o savo ribų suvokimas yra išminties pagrindas.

Tuo metu ir daug metų po to daugeliui žmonių Eizenhaueris atrodė emociškai tuščias neišmanėlis, mėgstantis vakarietiškus romanus. Istorikai jį pamėgo tada, kai buvo pradėta labiau vertinti jo vidines pastangas. O jo kalba, kurią pasakė savo prezidentavimo karjeros pabaigoje, iki šiol yra puikus praktiškai taikomo nuosaikumo pavyzdys.

Eizenhauerio kalba buvo pasakyta viešajai retorikai ir moralei lemiamu metu. 1961 metų sausio 20 dieną Džonas F. Kenedis pasakė inauguracinę kalbą, kuri paženklino kultūrinio pokyčio pradžią. Kenedžio kalba buvo skirta naujai istorinei krypčiai pažymėti. Viena karta, vienas amžius ėjo į pabaigą, o kita karta, kaip jis pasakė, „pradės nuo pradžių". Bus „nauji siekiai" ir „naujų įstatymų pasaulis". Jis tikino, kad galimybės yra neribotos. „Mirtingos žmogaus rankos pajėgios panaikinti visas žmogiškojo skurdo formas", – paskelbė jis. Kenedis kvietė veikti nevaržomai. „Mes sumokėsime bet kokią kainą, ištversime bet kokias kliūtis, stosime akistaton su bet kokiais sunkumais." Jis kvietė klausytojus ne tik ištverti sunkumus, bet ir juos panaikinti: „Kartu ištyrinėkime žvaigždes, užkariaukime dykumas, išnaikinkime ligas." Tai buvo savimi visiškai pasitikinčio žmogaus kalba. Ji įkvėpė milijonus viso pasaulio žmonių ir nuo tada įtvirtino naują politinės retorikos stilių ir pavyzdį.

Tačiau trimis dienomis anksčiau Eizenhaueris pasakė kalbą, kuri įkūnijo nykstančią pasaulėžiūrą. Kenedis pabrėžė neribotas galimybes, o Eizenhaueris perspėjo dėl puikybės. Kenedis aukštino drąsą, o Eizenhaueris aukštino apdairumą. Kenedis ragino tautą drąsiai žengti pirmyn, o Eizenhaueris kvietė išlaikyti pusiausvyrą.

Jo kalboje dažnai pasikartojo žodis „pusiausvyra" – reikia atrasti pusiausvyrą tarp besivaržančių prioritetų, „pusiausvyrą tarp privačios ir viešosios ekonomikos, pusiausvyrą tarp kainos ir norimų pranašumų, pusiausvyrą tarp to, kas tikrai būtina, ir pageidaujamų patogumų, pusiausvyrą tarp pagrindinių mūsų, kaip šalies, poreikių ir individualių pareigų; pusiausvyrą tarp dabartinių veiksmų ir būsimos šalies gerovės. Sveika nuovoka siekia pusiausvyros ir pažangos; šių dalykų stoka ilgainiui priveda prie disbalanso ir nusivylimo."

Eizenhaueris perspėjo žmones netikėti, kad ką nors galima pataisyti iškart. Jis sakė, kad amerikiečiai niekada neturėtų tikėti, jog „kokiomis nors įspūdingomis ir brangiomis priemonėmis galima stebuklingai išspręsti visas esamas problemas". Jis perspėjo saugotis žmogaus silpnybių, ypač polinkio į trumparegiškumą ir savanaudiškumą. Jis prašė, kad jo tėvynainiai „vengtų pasiduoti impulsui gyventi šia diena, dėl savo patogumo ir naudos graibstyti neįkainojamus rytojaus turtus". Nuo mažens išlaikęs taupumo dvasią jis priminė šaliai, kad negalime „įkeisti savo anūkų materialinio turto, nerizikuodami, kad jie praras ir savo politinį bei dvasinį palikimą".

Žymiausias jo perspėjimas buvo apie perdėtą galios susitelkimą ir kaip nekontroliuojama galia gali privesti šalį prie žlugimo. Pirmiausia jis perspėjo apie tai, ką vadino kariniu-pramoniniu kompleksu – „didelio masto ilgalaikės ginkluotės pramonę". Dar jis perspėjo dėl „mokslo ir technologijų elito" – galingo vyriausybės finansuojamo ekspertų tinklo, kuris gali susivilioti susilpninti piliečių įtaką. Kaip ir šalies įkūrėjų, jo politikos pamatas buvo grįstas nepasitikėjimu tuo, ką gali padaryti nekontroliuojamą galią įgiję žmonės. Jis perdavė išmintingą įžvalgą, kad lyderiai paprastai pasiekia daugiau rūpindamiesi tuo, ką paveldėjo, negu naikindami esamą ir kurdami kažką naujo.

Taip kalbėti galėjo žmogus, kuris buvo išmokytas kontroliuoti savo impulsus ir kuris vėliau pasimokė iš gyvenimo. Taip kalbėti galėjo žmogus, kuris matė, ką sugeba žmonės, ir savo kailiu patyrė, kad žmogaus problema yra jis pats, ir kuris suprato, kad siekdamas pagerinti gyvenimą žmogus pirmiausia turi nugalėti tamsiąją savo prigimties pusę. Taip kalbėjo žmogus, kuris savo patarėjams sakydavo: „Darykime savo klaidas iš lėto", nes geriau palaipsniui atrasti sprendimą, o ne skubėti kažkur prieš laiką. Tą jam prieš daug metų įdiegė motina savo auklėjimu. Šio gyvenimo tikslas buvo ne saviraiška, o susivaldymas.

KOVA

TĄ 1906 METŲ BALANDŽIO 1 DIENOS NAKTĮ, KAI DOROTEI DEI (DOROTHY DAY) BUVO AŠTUONERI, JI GYVENO OUKLANDE, KA-LIFORNIJOS VALSTIJOJE. Kaip ir įprasta, mergaitė prieš miegą sukalbėjo maldas. Šeimoje ji vienintelė buvo religinga ir tapo, kaip ji vėliau rašė, „šlykščiai, išdidžiai pamaldi"[1]. Po daug metų savo dienoraštyje ji rašė, kad visuomet jautė amžiną dvasinį pasaulį. Pradėjo drebėti žemė. Pasigirdus bildėjimui jos tėvas įskubėjo į vaikų kambarį, pasičiupo abu jos brolius ir išskubėjo į lauką pro pagrindines duris. Motina pagriebė iš Dorotės rankų mažylę jos seserį. Tėvams kažkodėl pasirodė, kad Dorotė gali pati savimi pasirūpinti. Jie ją paliko vieną jos žalvarinėje lovoje, kuri slidinėjo pirmyn atgal ant nušveistų grindų. Tą naktį, kai San Fransiske įvyko žemės drebėjimas, Dorotė pajuto, kad ją aplankė Dievas. „Žemė pavirto jūra, kuri iš visų jėgų siūbavo namą", - prisiminė ji². Dorotė girdėjo, kaip jai virš galvos vandens saugykloje ant stogo teliūškuoja vanduo.

Tie pojūčiai „siejosi su mano įsivaizdavimu, kad Dievas yra didžiulė Jėga, gąsdinantis beasmenis Dievas, ištiesta Ranka, kuri bando sugriebti mane, Savo vaiką, bet ne iš meilės."³ Namas po žemės drebėjimo atrodė baisiai. Ant grindų buvo pilna indų šukių, visur mėtėsi knygos, žvakidės ir lubų bei kamino nuolaužos. Miestas irgi skendo griuvėsiuose ir kurį laiką buvo apimtas skurdo ir nepritekliaus. Tačiau netrukus Bėjaus rajono gyventojai susiėmė. „Krizės metu žmonės mylėjo vieni kitus, - po daug metų savo prisiminimuose rašė Dei. - Atrodė, kad juos suvienijo krikščioniškas solidarumas. Tai priverčia susimąstyti apie tai, kaip nelaimės akimirką žmonės galėtų rūpintis vieni kitais iš gailesčio ir meilės, neteisdami vienas kito."

Kaip pasakė rašytojas Polas Elis (Paul Elie): „Tas įvykis išpranašavo jos gyvenimą", - krizę, Dievo artumo jausmą, parodė, kas yra skurdas, vienatvės ir apleistumo jausmas ir kaip tą jausmą užpildo meilė ir bendrystė, ypač tada, kai susivienija tie, kuriems labiausiai reikalinga pagalba⁴.

Dei nuo mažens buvo aistringa idealistė. Taip pat kaip pagrindinei Džordžo Elioto romano „Midlmarčo miestelis" (Middlemarch) veikėjai Dorotėjai, jai iš prigimties norėjosi, kad jos gyvenimas būtų idealus. Jos netenkino paprasta laimė, gera nuotaika, mėgavimasis įprastais malonumais, kuriuos teikia draugystė ir sėkmė. Eliotas rašė: „Jos liepsna tuoj pat sudegindavo tas šviesos pakuras; ir, maitinama iš vidaus, siekė kažkokio beribio pasitenkinimo, kažko, kas niekada neleistų nuobodžiauti ir su džiaugsmu suvokus, kad egzistuoja gyvenimas anapus, dingtų nusivylimas savimi." Dei jautė dvasinio heroizmo poreikį, jai reikėjo transcendentinio tikslo, dėl kurio galėtų pasiaukoti.

VAIKIŠKI ŽYGIAI

Dorotės tėvas dirbo žurnalistu, tačiau po žemės drebėjimo, per kurį sudegė laikraščio spaustuvė, jis neteko darbo. Šeimos turtas virto griuvėsiais. Dei patyrė žeminantį šeimos nuosmukį į skurdą. Tėvas perkėlė šeimą į Čikagą ir ten pradėjo rašyti romaną, kuris niekada nebuvo išleistas. Jis buvo nedraugiškas, įtarus žmogus, drausdavo vaikams be leidimo išeiti iš namų ar į svečius kviestis draugus. Dei prisiminė, kad per sekmadienio pietus tvyrodavo niūri tyla ir girdėdavosi tik kramtymas. Jos motina stengėsi kiek galėdama, tačiau, patyrusi keturis persileidimus, vieną naktį puolė į isteriją ir sudaužė visus namuose esančius indus. Kitą dieną ji elgėsi lyg niekur nieko. „Aš pervargau", – paaiškino ji vaikams.

Persikėlusi į Čikagą Dei pastebėjo, kad jos šeimoje ne tokie šilti santykiai kaip aplinkinėse šeimose. „Mes niekada nesilaikydavome už rankų. Visada buvome drovūs ir vieni, ne taip kaip italai, lenkai, žydai ar kiti mano draugai, kurie savo meilę reikšdavo atvirai ir spontaniškai." Ji eidavo į bažnyčią giedoti kartu su kaimynų šeimomis. Vakarais Dorotė klaupdavosi ant kelių ir savo pamaldumu varydavo į neviltį seserį. „Aš kankindavau seserį savo ilgomis maldomis. Klūpėdavau tol, kol paskausdavo kelius, aš sušaldavau ir sustirdavau. Ji maldaudavo, kad lipčiau į lovą ir pasekčiau jai pasaką." Vieną dieną Dorotė ilgai kalbėjosi su savo geriausia drauge Meri Harington (Mary Harrington) apie kažkurį šventąjį. Vėliau, rašydama savo atsiminimus, Dei negalėjo tiksliai prisiminti apie kurį, bet prisiminė „didingo entuziazmo jausmą ir kaip širdis vos nesprogo iš noro atrasti tokį didelį siekį. Nuolat prisimenu vieną posmą iš Psalmyno: „Suteik man imlią širdį, o Viešpatie, kad galėčiau laikytis Tavo įsakymų." <...> Mane iš prigimties traukė dvasiniai nuotykiai ir jaudinančios patirtys."[5]

Tais laikais tėvams atrodė nebūtina užsiimti su savo vaikais. Dei prisimena, kaip ji ištisas valandas laiminga žaisdavo su draugais pakrantėje, įlankoje gaudydavo ungurius, lakstydavo į apleistą lūšną ant pelkės krašto, kurdavo fantazijų pasaulį ir įsivaizduodavo, kad jie ten amžinai vieni gyvens. Ji prisiminė ir kaip vasaros atostogų metu apimdavo ilgas, nepakeliamas nuobodulys. Ji stengdavosi jį išblaškyti darbuodamasi namuose ir skaitydama. Dorotė skaitė Čarlzą Dikensą (Charles Dickens), Edgarą Alaną Po, Tomo Kempiečio „Kristaus sekimą" ir kitas knygas.

Paauglystėje ji pajuto susidomėjimą seksu. Dorotė iškart suprato, kad tai ją labai jaudina, tačiau ji buvo mokoma, kad seksas yra pavojingas ir blogas dalykas. Vieną popietę penkiolikmetė Dei buvo parke su savo mažyliu broliu. Oras buvo nuostabus. Viskas alsavo gyvybe, o aplink ją, tikriausiai, buvo berniukų. Ji parašė laišką savo geriausiai to meto draugei, kuriame kalbėjo apie „šelmišką jaudulį širdyje". Kitoje pastraipoje ji teisuoliškai sau prieštarauja: „Negerai tiek daug galvoti apie žmogišką meilę. Visi tie jausmai ir geismai, kuriuos jaučiame, yra seksualinis geismas. Suprantu, kad tokiame amžiuje turime tam polinkį, bet manau, kad tai nepadoru. Tai kūniška, o Dievas yra dvasiška būtybė."

Nuostabiuose savo memuaruose pavadinimu „Ilga vienatvė" (*The Long Loneliness*) ji paviešina to laiško ištraukas. Prisimindama tuos laikus Dorotė tęsė: „Kokia aš silpna. Puikybė man neleidžia to rašyti, o užrašius ant popieriaus mane išpila raudonis, tačiau aš prisimenu visas savo senas meiles. Tai kūno geiduliai, ir aš suprantu, kad neišsižadėjus visų savo nuodėmių man nepavyks pasiekti dangaus karalystės."

Laiškas pilnas susireikšminimo ir papunkčiui išdėstytų savo teisumo įrodymų, ko ir galima tikėtis iš per anksti subrendusio paauglio. Ji suprato pagrindinę savo religijos idėją, bet neturėjo supratimo apie žmogaus prigimtį ir malonę. Vis dėlto buvo matyti, kad ji turi ir didelių dvasinių siekių. „Gal tas nerimas praeitų, jeigu mažiau skaityčiau. Skaitau Dostojevskį." Ji ryžtasi nugalėti savo troškimus: „Tik sunkiai ir nuožmiai kovodami su nuodėme ir tik ją nugalėję galime patirti džiaugsmo ir ramybės palaimą. <...> Turiu labai daug dirbti, kad nugalėčiau savo nuodėmes. Aš nuolat stengiuosi, saugausi, nepaliaujamai meldžiuosi, kad nugalėčiau fizinius pojūčius ir tapčiau visiškai dvasinga."

Prisimindama šį laišką, kurį įkopusi į penktąją dešimtį ji paviešino savo knygoje „Ilga vienatvė", Dei prisipažino, kad „jis buvo pilnas pompastikos, tuštybės ir veidmainystės. Rašiau apie tai, kas mane labiausiai domino, apie kūno ir dvasios konfliktą, tačiau rašiau drovėdamasi ir bandydama save apgauti, kad esu tikra rašytoja."⁶ Vis dėlto tas laiškas atskleidžia tam tikras savybes, dėl kurių Dei vieną dieną taps viena labiausiai įkvepiančių dvidešimtojo amžiaus religinių asmenybių ir visuomenės veikėjų: nenumaldomą troškimą būti tyrai, polinkį stipriai save kritikuoti, norą paskirti savo gyvenimą didingam tikslui, polinkį susitelkti į sunkumus, o ne mėgautis paprastais jai prieinamais malonumais, įsitikinimą, kad net jei ir suklys, bet vis tiek kovos iš visų jėgų, Dievas galiausiai išpirks jos klaidas.

BOHEMA

Dei puikiai sekėsi lotynų ir graikų kalbos, ir dėl to ji tapo viena iš trijų vidurinės mokyklos mokinių, laimėjusių koledžo stipendiją. Įstojusi į Ilinojaus universitetą ji turėjo dirbti valytoja ir lyginti drabužius, kad galėtų susimokėti už kambarį ir maistą, o studijos jos nedomino. Norom nenorom Dorotė pasinėrė į veiklą, kuri, kaip ji tikėjosi, padarys jos gyvenimą įdomų ir įspūdingą. Ji parašė esė apie tai, ką reiškia tris dienas neturėti ką valgyti, ir buvo priimta į rašytojų klubą. Tada prisijungė prie socialistų partijos, metė religiją ir darė viską, kad įžeistų tikinčiuosius. Dorotė nusprendė, kad malonūs mergavimo laikai baigėsi. Atėjo laikas kariauti su visuomene.

Po kelių metų Ilinojuje, sulaukusi aštuoniolikos, Dei nusprendė, kad koledžo gyvenimas jos netenkina. Ji persikėlė į Niujorką ir tapo rašytoja. Vienatvės kamuojama ten ištisus mėnesius klajojo po miestą: „Tame milžiniškame mieste, kur gyvena septyni milijonai žmonių, man nepavyko susirasti draugų; neturėjau darbo, buvau atskirta nuo savo bičiulių. Miesto triukšme tvyranti tyla mane slėgė. Net spaudė gerklę nuo savo pačios tylėjimo, nuo to kankinančio jausmo, kad neturiu su kuo pasikalbėti; širdį slėgė neišsakytos mintys; norėjosi raudoti, kad nubaidyčiau vienatvę."[7]

Šiuo vienatvės laikotarpiu ji pasipiktino Niujorko skurdu – čia skurdas buvo kitoks nei Čikagoje. „Visi turi pereiti kažką panašaus į atsivertimą, – vėliau rašė ji, – atsivertimą į idėją, mintį, troškimą, svajonę, viziją – neturėdami vizijos žmonės miršta. Paauglystėje perskaičiusi Aptono Sinklerio „Džiungles" ir Džeko Londono „Kelią" aš pradėjau užjausti vargšus, norėjau mylėti ir visada būti su vargšais ir kenčiančiais – pasaulio darbininkais. Atsisukau į mesianistinę proletariato idėją." Tuo metu žmonės labai domėjosi Rusija. Rusų rašytojai skatino dvasines idėjas. Rusijos revoliucija įžiebė jaunųjų radikalų ateities vizijas. Artimiausia Dorotės koledžo draugė Reina Saimons (Rayna Simons), siekdama tapti tos ateities dalimi, persikėlė į Rusiją ir ten po kelių mėnesių mirė nuo ligos. 1917 metais Dorotė dalyvavo mitinge, kur buvo iškilmingai paminėta Rusijos revoliucija. Ji pajuto dvasinį pakylėjimą; masių pergalė tapo ranka pasiekiama. Galiausiai Dorotė ėmė dirbti radikalų laikraštyje *The Call* už penkis dolerius per savaitę. Ji rašė apie darbo neramumus ir apie fabrikų darbininkų gyvenimą. Vieną dieną ji imdavo interviu iš Levo Trockio, o kitą dieną iš milijonieriui dirbančio liokajaus. Laikraščio gyvenimas buvo labai įtemptas. Įvykiai ją smarkiai paveikė, ir ji per daug apie tai nesusimąstydama leidosi nešama kartu su jais.

Nors Dei buvo labiau aktyvistė nei estetė, ji prisijungė prie bohemos, kuriai priklausė Malkolmas Kaulis (Malcolm Cowley), poetas Alenas Teitas (Allen Tate) ir rašytojas Džonas Dos Pasosas (John Dos Passos). Ji artimai susidraugavo su radikalų rašytoju Maiklu Goldu (Michael Gold). Jiedu ištisas valandas vaikštinėdavo palei Rytų upę smagiai šnekučiuodamiesi apie perskaitytas knygas ir apie savo svajones. Kartais Goldas linksmai uždainuodavo hebrajiškai arba jidiš kalba. Ji palaikė artimus, tačiau platoniškus santykius su dramaturgu Judžinu O'Nilu (Eugene O'Neill), kurį, kaip ir ją, kankino vienatvės, religijos ir mirties klausimai. Dei biografas Džimas Forestas (Jim Forest) rašo, kad Dorotė kartais paguldydavo girtą ir iš baimės drebantį O'Nilą į lovą ir laikydavo jį už rankos tol, kol jis užmigdavo. Jis prašė, kad ji su juo permiegotų, bet ji nesutiko.

Dei protestavo, remdama darbininkų klasę. Tačiau svarbiausi jos gyvenimo konfliktai vyko viduje. Ji pradėjo skaityti su dar didesne aistra, ypač Tolstojaus ir Dostojevskio kūrybą. Dabar sunku įsivaizduoti, kaip rimtai tuometiniai žmonės žiūrėjo į knygų skaitymą ar bent jau kaip rimtai į tai žiūrėjo Dei ir kiti – svarbūs kūriniai buvo laikomi išmintį skleidžiančia literatūra, buvo tikima, kad didžiųjų menininkų įžvalgos prilygsta apreiškimui, ir žmonės stengėsi kurti savo gyvenimą pagal knygose vaizduojamų didvyriškų ir ypatingų sielų pavyzdžius. Dei skaitė taip, tarsi nuo to priklausytų visas jos gyvenimas.

Šiandien menininkai ne taip dažnai laikomi pranašais, o romanai – apreiškimo forma. Literatūrą pakeitė pažinimo mokslai, nes be galo daug žmonių nori daugiau sužinoti apie pačius save. Tačiau Dostojevskis Dorotę „jaudino iki pat gelmių". „*Nusikaltimo ir bausmės* scena, kai jauna prostitutė skaito Raskolnikovui Naująjį Testamentą nujausdama, kad jo nuodėmės yra daug didesnės negu jos pačios; apsakymas *Sąžiningas vagis*; ištraukos iš *Brolių Karamazovų*; Mitios atsivertimas kalėjime, Didžiojo inkvizitoriaus legenda – visa tai mane tiesiog užbūrė." Ją nepaprastai traukė scena, kur „Senelis Zosima karštai kalba apie tokią meilę Dievui, kuri pasireiškė meile broliui. Tai jaudinanti istorija apie atsivertimą į meilę, o pati knyga, taip piešdama religiją, turėjo daug bendra su mano vėlesniu gyvenimu."[8] Skaitydama rusų romanus ji labai įsijausdavo į veikėjų išgyvenimus. Dorotė daug gerdavo ir buvo nuolatinė barų lankytoja. Malkolmas Kaulis rašė, kad ji labai patiko gangsteriams, nes sugebėdavo išgerti daugiau už juos, nors tuo ir sunku patikėti žinant jos smulkų sudėjimą. Triukšmingas jos gyvenimas neapsiėjo ir be tragedijų. Perdozavęs heroino ant Dorotės rankų mirė jos draugas Luisas Holadėjus (Louis Holladay)[9]. Savo prisiminimuose Dei rašo apie tai, kaip ji vieną apkartusį ir tvankų butą keisdavo į kitą, tačiau, kad ir kokia savikritiška būtų, nutyli apie tam tikrus bjaurius savo gyvenimo epizodus. Ji nepasakoja apie savo paleistuvavimą, tiesiog vadina tą laikotarpį „ieškojimo laikotarpiu" ir tik miglotai užsimena apie „nuodėmės liūdesį, neapsakomą nuodėmės niūrumą".[10]

1918 metų pavasarį, kai miestą ir pasaulį apėmė mirtina gripo epidemija, ji ėmė savanoriauti „King's County" ligoninėje. (Nuo 1918 m. kovo iki 1920 m. birželio mėnesio epidemija pasiglemžė daugiau nei 50 milijonų gyvybių.)[11] Ji kasdien pradėdavo darbą 6 valandą ryto ir dirbdavo po dvylika valandų, keisdavo patalynę, tuštindavo pacientų puodus, leisdavo injekcijas, darydavo klizmas ir prausdavo ligonius. Ligoninė veikė kaip karinis dalinys. Jeigu į palatą įeidavo vyriausioji seselė, visos seselės sustodavo kaip po komandos „ramiai". „Man patiko gyventi tvarkingai ir disciplinuotai. O ankstes-

nis mano gyvenimas, atvirkščiai, atrodė padrikas ir tuščias", –
prisiminė ji. „Tie metai ligoninėje padėjo suvokti viena – kad
vienas sunkiausių dalykų šiame pasaulyje yra susiimti ir save
disciplinuoti."[12] Ligoninėje ji sutiko korespondentą vardu Lionelis Moizas
(Lionel Moise). Jųdviejų santykiai buvo labai audringi. „Tu kie-
tas, – geidulingai rašė ji Lioneliui. – Aš tave įsimylėjau, nes
esi kietas." Dorotė pastojo. Jis liepė jai pasidaryti abortą, ir
ji pakluso (savo prisiminimuose ji apie tai irgi neužsimena).
Po to, kai jis ją paliko, vieną naktį ji savo bute atsuko šildytuvo
dujų čiaupą ir bandė nusižudyti. Ją laiku surado kaimynas.

Prisiminimuose Dei rašo, kad metė darbą ligoninėje, nes
ilgainiui tapo abejinga kančiai, o be to, jai nelikdavo laiko ra-
šyti. Ji nepasakoja apie tai, kad sutiko tekėti už dvigubai vy-
resnio, iš šiaurės vakarų kilusio turtuolio Berklio Tobio (Ber-
keley Tobey). Jie kartu iškeliavo į Europą, o kelionei pasibaigus
Dorotė jį paliko. Prisiminimuose ji apie tai kalba kaip apie
savarankišką kelionę, gėdydamasi, kad pasinaudojo Tobiu
dėl to, kad galėtų išvykti į Europą. „Nenorėjau rašyti apie tai
ir dėl to jaučiau gėdą, – vėliau Dei sakė žurnalistui Dvaitui
Makdonaldui (Dwight MacDonald). – Jaučiausi taip, tarsi būčiau
juo pasinaudojusi, ir man buvo gėda."[13]

Šalia viso to, Dorotė du kartus pateko už grotų – pirmą
kartą 1917 metais, būdama dvidešimties, ir 1922 metais, kai
buvo dvidešimt penkerių. Pirmą kartą ją suėmė dėl politinio
aktyvizmo. Dei tapo aktyvia moterų teisių gynėja; ją suėmė

už dalyvavimą proteste dėl lygių moterų teisių priešais Baltuosius rūmus, ir ji kartu su kitomis protestuotojomis buvo nuteista trisdešimt dienų kalėti. Kalinės pradėjo bado streiką, tačiau alkio kankinamą Dei netrukus apėmė sunki depresija. Jos solidarumas su išalkusiomis maištininkėmis dingo ir viskas ėmė rodytis neteisinga ir beprasmiška. „Joks tikslas nebeteko prasmės. Nebemačiau prasmės būti radikale. Aplink save mačiau vien tamsą ir tuštumą. <...> Užplūdo šlykštus jausmas, kad žmogaus pastangos, beviltiška kančia, galingųjų triumfas – visa tai yra beprasmiška. <...> Blogis laimėjo. Buvau menkas, save apgaudinėjantis, susireikšminęs, netikras ir dirbtinis, teisėtai paniekintas bei nubaustas padaras."[14]

Kalėjime ji paprašė Biblijos ir pradėjo į ją gilintis. Kitos kalinės jai papasakojo apie izoliacijos kameras, į kurias kalinčios moterys uždaromos iki šešių mėnesių. „Tie šlykštūs dalykai, kuriuos sužinojau apie tai, kaip žmonės gali elgtis vieni su kitais, mane taip stipriai sužeidė, kad aš niekada nebeišgysiu."[15]

Dei priešinosi neteisybei, bet tą darė neturėdama tvirto dvasinio pagrindo. Ji, regis, net ir tada nesąmoningai jautė, kad be tikėjimo jos aktyvizmas pasmerktas žlugti.

Antrasis įkalinimas sudavė dar didesnį emocinį smūgį. Ji nuvažiavo pas savo narkomanę draugę į jos butą Skid Rou gatvėje. Draugė gyveno name, kuriame buvo įsikūrusi radikali sąjunga – viešnamis ir Pirmojo pasaulinio karo dalyvių buveinė. Policija atliko kratą name ieškodama nusikaltėlių. Dei

ir jos draugę policininkai palaikė prostitutėmis. Prieš išvežant
į kalėjimą jos buvo priverstos pusnuogės stovėti gatvėje.
Dei tapo tuometinės Raudonosios isterijos auka. Tačiau ji
jautėsi ir savo neapdairumo bei dorumo stokos auka. Areš-
tą ji priėmė kaip kaltinimą už savo palaidą gyvenimo būdą.
„Nesvarbu kuo būčiau kaltinama, nemanau, kad kada nors
labiau kentėsiu iš gėdos, gailesčio ir paniekos sau, negu ken-
tėjau tada. Ne tik dėl to, kad buvau pagauta, demaskuota, pa-
smerkta, viešai pažeminta, bet ir dėl to, kad supratau, jog aš
viso to nusipelniau."[16]

Šie epizodai atspindi jos ypatingą sugebėjimą save ana-
lizuoti ir vertinti. Po daug metų prisimindama praeitį Dei
peržvelgė savo skandalingą gyvenimą. Jis jai atrodė kaip tam
tikra puikybės forma, bandymas sau pačiai įvardyti, kas yra
gerai, o kas blogai, neatsižvelgiant į platesnę perspektyvą.
„Kūno gyvenimas man rodėsi geras ir pilnatviškas, ir norė-
josi maištauti prieš tas žmonių taisykles, kurios man atrodė
sukurtos kitiems pavergti. Stiprieji galėjo kurti savo taisykles,
gyventi savo gyvenimus; iš tiesų jie buvo anapus gėrio ir blo-
gio. Kas buvo gėris, o kas buvo blogis? Visai nesunku kuriam
laikui paminti sąžinę. Patenkintas kūnas turi savas taisykles."

Tačiau Dei jautėsi ne tik pasimetusi paviršutiniškų aistrų,
audringų romanų, kūniško tenkinimosi ir savanaudiškumo
pasaulyje. Didžiulis dvasinis alkis ją vertė būti nepaprastai sa-
vikritiška. Tą alkį ji apibūdindavo žodžiu „vienišumas". Dau-
geliui tai asocijuojasi su vienatve. O Dei tikrai buvo vieniša ir

dėl to kentėjo. Tačiau žodis „vienišumas" jai reiškė ir dvasinę izoliaciją. Ji jautė, kad egzistuoja kažkokia dvasinė priežastis arba būtybė, arba veikla, ir kad ji nenusiramins tol, kol to neatras. Ji nesugebėjo gyventi tik paviršutiniškai – dėl malonumų, sėkmės, net dėl tarnystės – jai trūko stipraus ir visiško atsidavimo kokiai nors šventai misijai.

GIMDYMAS

Dvidešimtmetė Dei blaškėsi į visas puses, ieškodama savo pašaukimo. Ji išbandė politiką. Dalyvavo protestuose ir mitinguose. Tačiau tai nesuteikė pasitenkinimo. Skirtingai nuo Fransis Perkins, ji netiko politikai, kur apstu kompromisų, savanaudiškumo, pilkų atspalvių ir purvinų rankų. Jai reikėjo atrasti tokią vietą, kur būtų reikalingas vidinis atsidavimas, savęs atsižadėjimas, pasiaukojimas kokiam nors tyram tikslui. Jai buvo nesmagu prisiminti savo jaunystės aktyvizmą, į kurį ji žiūrėjo savikritiškai. „Nežinau, ar aš tikrai nuoširdžiai mylėjau vargšus ir norėjau jiems tarnauti. <...> Norėjau dalyvauti piketuose, sėsti į kalėjimą, rašyti, daryti poveikį kitiems ir palikti žymę pasaulyje. Kiek visame tame buvo ambicijų ir kiek savęs ieškojimo."[17]

Tada Dei pasuko literatūros keliu. Ji parašė romaną „Vienuoliktoji mergelė" (*The Eleventh Virgin*) apie savo sujauktą ankstesnį gyvenimą; juo susidomėjo vienas Niujorko leidėjas ir viena Holivudo studija nusipirko teises į jį už 5 000 JAV dolerių[18]. Tačiau tokia literatūra nenumalšino jos ilgesio, ir jai galiausiai pasidarė gėda dėl savo knygos – vėliau Dei sugalvojo nupirkti visas egzistuojančias jos kopijas.

Ji tikėjosi, kad jos ilgesį nustelbs romantiška meilė. Dorotė įsimylėjo Forsterį Baterhamą (Forster Batterham), ir jie nesusituokę apsigyveno Staten Ailande, name, kurį Dei nusipirko už pajamas, gautas už romaną. „Ilgoje vienatvėje" ji romantiškai vadina Forsterį anarchistu, anglų kilmės palikuoniu ir biologu. Tačiau tikrovė buvo daug nuobodesnė. Jis dirbo fabrike, gamino matuoklius; užaugo Šiaurės Karolinoje ir baigė Džordžijos technologijos institutą; domėjosi radikalų politika[19]. Tačiau Dei jį nuoširdžiai mylėjo. Ji mylėjo jį dėl jo įsitikinimų, dėl to, kad jis buvo užsispyrusiai prie jų prisirišęs, dėl jo meilės gamtai. Net ir paaiškėjus, kad jie nesutaria dėl esminių dalykų, ji vis tiek maldaudavo, kad jis ją vestų. Dei vis dar buvo aistringa, seksuali moteris, o jos geismas Forsteriui buvo nesumeluotas. „Aš tavęs taip noriu, kad man labiau skauda, nei malonu", – rašė ji laiške, kuris buvo išspausdintas po jos mirties. „Tas kerintis alkis verčia tavęs norėti labiau už viską pasaulyje. Ir jaustis taip, tarsi neišgyvensiu, kol tavęs vėl nepamatysiu." 1925 metų rugsėjo 21 dieną, per vieną jųdviejų išsiskyrimą, ji jam rašė: „Pasisiuvau gražius ir erotiškus nėriniuotus naktinius marškinius, taip pat kelias poras naujų kelnaičių, kurios, esu tikra, tave sudomins. Labai daug apie tave galvoju ir kasnakt tave sapnuoju, ir jeigu mano sapnai veiktų per atstumą, esu tikra, kad negalėtum užmigti."

Skaitant apie tai, kaip Dei su Baterhamu gyveno atsiskyrę Staten Ailande, kur jiedu kartu skaitydavo, kalbėdavosi, mylėdavosi, susidaro įspūdis, kad jie, kaip ir daugelis jaunų, neseniai įsimylėjusių porų, bandė sukurti tai, ką Šeldonas Vanaukenas (Sheldon Vanauken) pavadintų „švytinčia užkarda" – aptvertą, nuo pasaulio atskirtą sodą, kur jųdviejų meilė gali išlikti tyra. Toji švytinti užkarda galų gale nebepajėgė sutalpinti Dei ilgesio. Jai nepakako gyvenimo su Baterhamu, ilgų pasivaikščiojimų su juo pakrante pakrante. Jai norėjosi daugiau. Be kita ko, jai norėjosi vaikų. Namas be vaikų jai atrodė tuščias. 1925 metais, būdama dvidešimt aštuonerių, ji labai apsidžiaugė sužinojusi, kad laukiasi. Baterhamas sureagavo kitaip. Jis, kaip šiuolaikinis, save radikalu tituluojantis vyras, nematė prasmės į pasaulį paleisti dar daugiau žmonių. Ir tikrai netikėjo buržuazine santuokos institucija, todėl niekada nesutiko jos vesti.

Laukdamasi Dorotė pamatė, kad apie gimdymą daugiausia rašė vyrai. Ji nusprendė tą ištaisyti. Netrukus po gimdymo ji pasidalijo patirtimi savo esė, kuri vėliau buvo išspausdinta žurnale *The New Masses*. Dei vaizdžiai aprašė fizinius gimdymo sunkumus:

Kūną nutvilkė žemės drebėjimas. Mano dvasia tapo mūšio lauku, kuriame tūkstančiai buvo išskersti pačiu baisiausiu būdu. Mano sukelto skubėjimo ir audringų konvulsijų įkarštyje lyg per miglą išgirdau tylų gydytojo balsą ir mintyse atsakiau šnabždančiai seselei. Nuo minties, kad tuoj gausiu eterio, užplūdo didžiulė dėkingumo banga.

Kai gimė duktė Tamara, ją užplūdo begalinis dėkingumas: „Tokia išaukštinta kūrėja kaip tada, kai man į rankas padavė mano vaiką, nebūčiau galėjusi pasijusti nei parašiusi puikiausią knygą, nei sukūrusi gražiausią simfoniją, nei nutapiusi patį nuostabiausią paveikslą, nei išdrožusi pačią dailiausią skulptūrą." Jai norėjosi kažkam dėkoti. „Joks žmogus nepajėgtų priimti ar sulaikyti tokio meilės ir džiaugsmo pliūpsnio, koks dažnai užplūsdavo mane vaikui gimus. Taip gimė poreikis garbinti, dievinti."²⁰ Tačiau kam dėkoti? Ką garbinti? Jausmas, kad Dievas realus ir amžinas, ją dažniausiai užplūsdavo ilgų pasivaikščiojimų metu, kai melsdavosi. Jai buvo sunku melstis atsiklaupus, tačiau vaikštant iš jos, regis, liete liejosi dėkingumo, garbinimo ir nuolankumo žodžiai. Pasivaikščiojimas galėdavo prasidėti kančia, o baigtis džiaugsmu.

Dei nesistengė atsakyti į klausimą, ar Dievas egzistuoja. Ji paprasčiausiai suvokė, kad egzistuoja kažkas anapus jos. Ji pradėjo tikėti, kad egzistuoja kažkas svarbaus, kas nepriklauso nuo žmogaus valios, kas suteikia gyvenimui pavidalą. Jos radikalusis gyvenimo etapas buvo pilnas kovos ir tarpininkavimo; dabar jos gyvenime atsirado paklusnumas. Ji atsidavė Dievo valiai. Vėliau ji rašė supratusi, kad „kilniausia, ką žmogus sugeba šiame gyvenime daryti, tai garbinti, dievinti, dėkoti ir melstis".²¹ Gimus vaikui prasidėjo jos transformacija iš išsibarsčiusios asmenybės į vientisą, iš nelaimingos bohemos moters į moterį, kuri atrado savo pašaukimą.

DEI NEŽINOJO, KAIP JAI IŠREIKŠTI SAVO TIKĖJIMĄ. Ji nepriklausė jokiai bažnyčiai. Jai nepatiko teologija ar tradicinės religijos doktrinos. Tačiau ji jautėsi taip, tarsi Dievas ją persekiotų. „Kaip gali nebūti Dievo, – klausė ji Forsterio, – kai aplinkui tiek daug gražių dalykų?" Ji atsisuko į katalikų bažnyčią. Dorotė susidomėjo ne bažnyčios istorija ar popiežiaus autoritetu, bažnyčios politine ar socialine padėtimi. Ji nieko nežinojo apie katalikų teologiją, o apie pačią bažnyčią žinojo tik tiek, kad tai neprogresuojanti ir reakcinga politinė jėga. Ją patraukė žmonės, o ne dogma. Ją patraukė katalikai imigrantai, kuriuos ji užstojo ir kuriems tarnavo – jų skurdas, jų orumas, jų bendruomeniška dvasia ir kilnus elgesys su tais, kurie nieko neturi. Dorotės draugai sakė, kad norint garbinti Dievą, visai nebūtina kreiptis į religinę instituciją, ir jau tikrai ne į tokią smunkančią kaip katalikų bažnyčia, tačiau radikalės patirtis ją išmokė kuo artimiau save sieti su kenčiančiais, prisijungti prie jų tikslo, o tai reiškė prisijungti ir prie jų bažnyčios.

Ji matė, kad dėl katalikybės jau susitvarkė daugelio nepasiturinčių miesto šeimų gyvenimas. Jie tapo ištikimais katalikais. Žmonės plūsdavo į bažnyčias sekmadieniais ir šventinėmis dienomis, džiaugsmo ir liūdesio akimirkomis. Katalikų tikėjimas galėtų lygiai taip pat sutvarkyti jos ir, kaip ji tikėjosi, jos dukters gyvenimą. „Visi mes trokštame tvarkos, o pagal Jobo knygą, pragaras ir yra tokia vieta, kur tvarkos nėra. Jaučiau, kad „priklausymas" bažnyčiai įneštų tvarkos į [Tamaros] gyvenimą, ir žinojau, kad man ir pačiai jos trūksta."²²

Suaugusios Dorotės tikėjimas buvo šiltesnis ir džiaugsmingesnis negu tai, ką ji patyrė paauglystėje. Ją nepaprastai traukė šešioliktojo amžiaus ispanų mistikė ir vienuolė šventoji Teresė Avilietė, kurios patirtys buvo labai panašios į Dorotės patirtis: nepaprastai dvasinga vaikystė, pasibaisėjimas suvokus savo nuodėmingumą, retos akimirkos, kurias būtų galima pavadinti seksualine ekstaze, apimančia Jo akivaizdoje, didžiulis troškimas pakeisti žmonių visuomenę ir tarnauti vargšams.

Teresė gyveno atsižadėjusio žmogaus gyvenimą. Ji miegodavo po viena vilnone antklode. Vienuolyne nebuvo šildymo, krosnis stovėjo tik viename kambaryje. Ji ištisas dienas melsdavosi ir atgailaudavo. Vis dėlto jos siela kartu buvo ir nerūpestinga. Dei nepaprastai patiko tai, kad tą dieną, kai atėjo į vienuolyną, šventoji Teresė vilkėjo rausvos spalvos suknelę. Ją žavėjo ir tai, kad vieną dieną Teresė apstulbino kitas vienuoles išsitraukusi kastanjetes ir pradėjusi šokti. Kai Teresė tapo vyriausiąja Motinėle, pajutusi, kad vienuoles apima slogi nuotaika, liepdavo virėjoms paruošti joms po kepsnį. Ji sakė, kad gyvenimas yra lyg „nejaukioje užeigoje praleista naktis", tad kodėl gi nepasistengus, kad jis taptų kiek malonesnis.

Dei palengva virto katalike, tačiau nepalaikė artimų santykių su kitais praktikuojančiais katalikais. Kartą eidama gatve ji sutiko vienuolę ir paprašė jos nurodymų. Vienuolė apstulbo išgirdusi, kad Dei visai nieko nežino apie katalikų mokymą, ir ją už tai išbarė, tačiau pasveikino atvykus. Dei ėmė kiekvieną savaitę lankyti mišias; eidavo į jas net ir nenorėdama. Ji savęs klausdavo: „Ar aš renkuosi bažnyčią, ar savo valią?" Dorotė nusprendė, kad ji vis tiek rinksis bažnyčią, o ne savo valią, nors sekmadienio rytais jai daug maloniau skaityti laikraščius.

Ilgainiui kelias pas Dievą atvedė prie išsiskyrimo su Forsteriu. Forsteriui rūpėjo faktai, jis buvo skeptiškas ir praktiškas žmogus. Jis savo gyvenimą kūrė materialioje visatoje ir savo įsitikinimų laikėsi taip pat aistringai, kaip Dei ilgainiui ėmė tikėti dieviškuoju pradu.

Jų skyrybos užtruko ir buvo labai skaudžios. Vieną dieną pietaujant Forsteris uždavė Dei klausimą, kurį jai užduodavo daugelis jos draugų radikalų: ar ji išprotėjo? Kas ją stumia į tokią archajišką ir atsilikusią organizaciją kaip bažnyčia? Kas tas paslaptingas žmogus, kuris ją taip papirkinėja?

Dei nustebo, su kokia aistra ir nuožmumu jis uždavinėjo šiuos klausimus. Kiek patylėjusi ji ramiai atsakė: „Tai Jėzus. Manau, kad tai Jėzus Kristus mane stumia į katalikybę."[23]

Forsteris išbalo ir nutilo. Jis nesujudėjo. Tik sėdėjo įsmeigęs į ją akis. Ji paklausė, ar jie galėtų pratęsti pokalbį apie religiją. Jis nieko neatsakė, net nelinktelėjo ir nepapurtė galvos. Tik sunėrė rankas ant stalo, ir Dei prisiminė, kad taip elgdavosi mokyklinukai norėdami parodyti mokytojai, kokie jie geri. Taip pasėdėjęs kelias sekundes pakėlė sunertas rankas ir

trenkė į stalą, aplink pažerdamas puodelius ir indus. Dei iš-
sigando, kad jis nesusivaldys ir puls ją tomis sunertomis ran-
komis. Tačiau jis to nepadarė. Tik atsistojo ir pasakė Dei, kad
jai negerai su galva. Tada apėjo aplink stalą ir išėjo iš namų²⁴.
Po šių epizodų jų tarpusavio meilė ar geismas neišblėso.
Dei ir toliau prašė, kad Forsteris ją vestų ir taptų tikru Tama-
ros tėvu. Net ir po to, kai iš tikrųjų jo išsižadėjo dėl bažnyčios,
Dorotė jam rašė: „Kiekvieną naktį tave sapnuoju – kad guliu
tavo glėbyje ir jaučiu tavo bučinius, ir man tai tikra kanky-
nė, tačiau tuo pat metu ir taip saldu. Aš tave myliu labiau už
viską šiame pasaulyje, bet negaliu nepaisyti savo religinio pa-
šaukimo, kuris mane kankina tol, kol nepradedu elgtis taip,
kaip tikiu esant teisinga."²⁵ Paradoksalu, tačiau Dorotės meilė
Forsteriui praskynė kelią jos tikėjimui. Meilė jam pralaužė
kiautą, ir jos suminkštėjusi ir jautri širdis tapo atvira kitoms
meilėms. Meilė Forsteriui jai buvo pavyzdys. Dei rašo: „Dievą
pažinau dėl pilnatviškos – tiek fizinės, tiek dvasinės – mei-
lės."²⁶ Tai daug brandesnis suvokimas palyginti su jos paau-
glystės polinkiu skirti pasaulį dvi dalis – į kūną ir į dvasią.

ATSIVERTIMAS

Atsivertimas buvo niūrus ir nelinksmas procesas. Dei savo
būdu pati sau apsunkino gyvenimą. Ji nuolat save kritikavo
ir abejojo savo motyvais ir elgesiu. Jai buvo sunku atsisaky-
ti ankstesniojo radikalumo ir visiškai atsiduoti bažnyčiai, ko

reikalavo naujasis gyvenimas. Vieną dieną, einant į paštą, ją užplūdo panieka naujajam tikėjimui. „Esi patenkinta savimi, ir tas pasitenkinimas savimi tave stingdo. Esi biologinis sutvėrimas. Kaip ir karvė. Malda tau kaip opijus liaudžiai." Ji nenustojo kartoti frazės: „Opijus liaudžiai." Tačiau eidama toliau suprato, kad meldžiasi ne tam, kad pabėgtų nuo skausmo. Ji meldėsi dėl to, kad jautėsi laiminga ir norėjo padėkoti Dievui už savo laimę[27]. 1927 metų liepos mėnesį Dorotė pakrikštijo Tamarą. Po krikštynų vyko šventė ir Forsteris atsinešė kelis pagautus omarus. Tačiau jis ir vėl visa tai pavadino paistalais, jiedu su Dei susiginčijo ir Forsteris išėjo.

Dorotė oficialiai įstojo į bažnyčią 1928 metų gruodžio 28 dieną. Ta akimirka jai nesuteikė paguodos. „Nepajutau ramybės, džiaugsmo, nepatikėjau, kad tai, ką darau, yra teisinga. Tai tebuvo žingsnis, kurį turėjau žengti, užduotis, kurią turėjau atlikti."[28] Priimant sakramentus – Krikštą, Atgailą, Šventąją Komuniją – jai atrodė, kad ji veidmainiauja. Ji kartodavo judesius, be emocijų klaupdavosi ant kelių. Dei bijojo, kad ją kas nors perpras. Baiminosi dėl to, kad išduoda vargšus ir pereina į pralaiminčiąją istorijos pusę, ten, kur išsirikiavę turto, galingųjų ir elito šalininkai. „Ar neabejoji savimi? – klausė ji savęs. – Kas čia per maivymasis? Ką tu čia vaidini?"

Kaip visuomet savikritiška, Dei ištisus mėnesius ir metus abejojo savimi svarstydama, ar jos tikėjimas pakankamai stiprus ir praktiškas: „Kiek nedaug, kiek mažai tenuveikiau nuo tada, kai tapau katalike, galvojau aš. Kokia aš egocentriška, savimi patenkinta ir kaip man trūksta bendruomeniškumo!

Vasara, kurią praleidau tyliai skaitydama, melsdamasi ir pasinėrusi į save, atrodo nuodėminga, kai pamačiau savo brolius, kovojančius ne dėl savęs, o dėl kitų."[29] Pasirinkdama religiją ji pasirinko sunkų kelią. Vyrauja nuomonė, kad religija palengvina žmonių gyvenimą, suteikia jiems paguodžiantį jausmą, kad juos visą laiką lydi mylintis ir visažinis tėvas. Dei susidūrimas su religija buvo visai kitoks. Jai tai buvo sudėtingas vidinis konfliktas, panašus į tai, apie ką Josefas Soloveičikas rašo žymiojoje savo knygos „Žmogus pagal Halachą" (*Halakhic Man*) išnašoje. Štai sutrumpinta tos išnašos versija:

> Ši populiari pasaulėžiūra tvirtina, kad religinė patirtis yra rami ir tvarkinga, švelni ir trapi; tai užburiantis šaltinis apkartusioms sieloms ir ramybės telkinys nerimstančiai dvasiai. Žmogus, „atėjęs iš lauko, nuvargęs" (Pradžios knyga 25, 29), iš gyvenimo mūšio lauko ir žygių, iš pasaulietiško gyvenimo, kuriame apstu dvejonių ir baimių, prieštaravimų ir atmetimo, prilimpa prie religijos kaip kūdikis prie motinos, ir jos glėbys atrodo it „prieglobstis protui, lizdas pamestoms maldoms", ten jis randa paguodą po patirtų nusivylimų ir sielvarto. Toks Žano Žako Ruso stiliaus požiūris buvo būdingas visam romantizmo laikotarpiui nuo pat jo augimo pradžios iki galutinių (tragiškų!) apraiškų šiuolaikinio žmogaus sąmonėje. Todėl religinių bendruomenių atstovai linkę religiją vaizduoti žėrinčiomis ir akinančiomis spalvomis, kaip poetinę utopiją, paprastumo,

pilnatvės ir ramybės karalystę. Šis požiūris iš esmės yra klaidingas ir apgaulingas. Žmogiškoji patirtis rodo, kad pati giliausia ir aukščiausia religinė sąmonė, kuri persmelkia iki pat gelmių ir pakelia iki pat aukštumų, nėra tokia paprasta ir patogi. Ji kaip tik nepaprastai sudėtinga, negailestinga ir paini. Kuo sudėtingesnė, tuo didingesnė. *Homo religiosis* sąmonė svaidosi karčiais kaltinimais sau pačiai ir tuoj pat apgailestauja, nepaprastai griežtai vertina savo norus ir troškimus, bet čia pat į juos pasineria, paniekinamai šmeižia savo pačios savybes, jas plaka, tačiau kartu ir leidžiasi jų pavergiama. Ją nuolat kamuoja dvasinės krizės, dvasiniai pakilimai ir nuopuoliai, prieštaravimas, kylantis iš įsitikinimų ir jų paneigimo, savęs išsižadėjimo ir savęs pripažinimo. Pradžioje religija yra įnirtingas ir triukšmingas žmogaus sąmonės srautas, lydimas krizių, skausmų ir kančių, o ne malonės ir gailestingumo prieglobstis prislėgtoms ir nusivylusioms sieloms ar užburiantis šaltinis sugniuždytiems.

Savo religinės kelionės pradžioje Dei sutiko tris įsimylėjusias moteris, kurios neturėjo intymių santykių su vyrais, už kurių norėjo ištekėti, nors buvo akivaizdu, kad jos to labai nori. Pamačiusi, kaip jos aukojasi, Dei pajuto, „kad katalikybė yra turtinga, tikra ir nuostabi. <...> Mačiau, kaip jos kovoja su moraliniais iššūkiais, su principais, pagal kuriuos gyvena, ir toks jų elgesys man atrodė tikrai kilnus."[30]

Dei kasdien eidavo į mišias, o tai reiškė, kad reikėdavo keltis auštant. Ji visą dieną melsdavosi vienuolyno ritmu. Kiekvieną dieną skirdavo laiko religinėms disciplinoms, skaitydavo šventraščius, kalbėdavo rožinį. Badaudavo ir eidavo išpažinties.

Tie ritualai galėjo pavirsti į tokią pat rutiną, kaip muzikantui gamos grojimas, tačiau Dei ši rutina, net jei ir nuobodi, atrodė būtina: „Be bažnyčios sakramentų, pirmiausia Komunijos, vadinamosios Viešpaties Vakarienės, tikrai nemanau, kad pajėgčiau visa tai tęsti. <...> Ne visada tą darau dėl to, kad jaučiu poreikį, ar dėl to, kad tai kelia man džiaugsmą, ar iš dėkingumo. Po 38 metų beveik kasdien eidamas Komunijos žmogus gali priprasti prie rutinos, tačiau tai tokia pati rutina, kaip kasdien valgyti."[31] Tokia rutina suteikė jos gyvenimui dvasinį centrą. Nuo padriko jaunystės gyvenimo ji judėjo link pilnatvės.

EVANGELIJA GYVAI

Dei įkopė į ketvirtą dešimtį. Didžioji depresija kando visu pajėgumu. 1933 metais ji pradėjo leisti laikraštį „Katalikiškas darbininkas" (*The Catholic Worker*), kuriuo buvo siekiama mobilizuoti darbininkus ir taikant Katalikų bažnyčios socialinį mokymą kurti visuomenę, kurioje žmonėms būtų ne taip sunku būti geriems. Tai buvo ne tik laikraštis; tai buvo judėjimas, kurio šalininkai įsikūrė nutriušusiuose žemutinio Manhatano biuruose ir dirbo neatlygintinai. Per trejus metus laikraščio tiražas pasiekė 150 000 ir jis buvo platinamas penkiuose šimtuose visos šalies parapijų[32].

Laikraštis turėjo ir labdaros valgyklą, kuri kiekvieną rytą pamaitindavo iki pusantro tūkstančio žmonių. Jis rėmė daugelį nakvynės namų skurstantiems ir per 1935–1938 metų laikotarpį suteikė beveik penkiasdešimt tūkstančių naktų laikinoje buveinėje. Kartu su savo kolegomis Dei suorganizavo ir įkvėpė atidaryti daugiau nei trisdešimt nakvynės namų JAV ir Anglijoje. Jie ilgainiui įkūrė ir įkvėpė žemės ūkio bendruomenes nuo Kalifornijos iki Mičigano ir Naujojo Džersio, organizuodavo protesto žygius ir renginius. Iš dalies tai buvo pastangos sukurti bendruomenę, išgydyti žmogaus egzistenciją lydinčią vienatvę.

Atsiskyrimą Dei laikė nuodėme: atsiskyrimą nuo Dievo, atskirtį tarp žmonių. Bendrystės nuotaika – žmonių ir dvasios susijungimas – buvo šventas dalykas. *Katalikiškas darbininkas* sujungė šias temas. Tai buvo laikraštis, bet kartu ir aktyvistų pagalbos organizacija. Šis religinis leidinys skatino ir ekonominius pokyčius. Jame buvo rašoma ne tik apie vidinį gyvenimą, bet ir apie politinį radikalizmą. Jis suvedė turtinguosius ir skurstančius. Jis sujungė teologiją ir ekonomiką, materialinius ir dvasinius interesus, kūną ir sielą.

Dei ir toliau norėjo likti radikalė, ieškoti pačios socialinių problemų esmės. Laikraštis buvo katalikiškas, tačiau ji pati laikėsi personalizmo filosofijos, kuri teigia kiekvieno žmogaus orumą, nes kiekvienas yra sukurtas pagal Dievo paveikslą. Dei buvo personalizmo šalininkė ir įtariai žiūrėjo į stambias organizacijas, ar tai būtų vyriausybė, ar korporacija.

Nepasitikėjimą jai kėlė net ir didelė filantropija. Savo bendradarbius ji nuolat skatino „būti mažus": pradėk dirbti ten, kur gyveni, imkis nedidelių konkrečių darbų aplink save. Stenkis sumažinti įtampą savo darbo vietoje. Pamaitink žmogų, kuris stovi priešais tave. Remiantis personalizmo filosofija, mes visi turime tvirtą asmeninį įsipareigojimą gyventi paprastai, rūpintis savo brolių ir seserų poreikiais ir dalytis jų laime bei kančia. Personalistas atiduoda visą save, kad pasitarnautų kitam žmogui. Tai įmanoma tik artimai bendraujant nedidelėje bendruomenėje.

Dei visą savo gyvenimą, iki pat mirties 1980 metų lapkričio 29 dieną, buvo katalikiška darbininkė, dirbo laikraščiui, dalijo duoną ir sriubą vargšams bei psichinę negalią turintiems žmonėms. Ji parašė vienuolika knygų ir daugiau nei tūkstantį straipsnių. Tarnystė buvo nuobodus darbas. Tuo metu nebuvo nei kompiuterių, nei kopijavimo įrenginių. Darbuotojai kas mėnesį turėdavo atspausdinti dešimtis tūkstančių adresų etikečių, kad galėtų išsiųsti prenumeruojamus laikraščius. Žurnalistai patys pardavinėdavo laikraštį gatvėje. Dei jautė, kad nepakanka vien rūpintis skurstančiais, „reikia su jais gyventi, reikia dalytis jų kančia. Atsisakyti savo privatumo ir psichinio, dvasinio, taip pat ir fizinio patogumo".[33] Ji ne tik lankė prieglaudas ir nakvynės namus, bet ir pati gyveno nakvynės namuose kartu su tais, kuriems tarnavo.

Tai buvo varginantis darbas – reikėjo nuolat pilstyti kavą ir sriubą, ieškoti pinigų, rašyti straipsnius laikraščiui. Vieną dieną savo dienoraštyje Dei rašė: „Pusryčiams stora sausos duonos riekė ir labai prasta kava. Diktuoju tuzinus laiškų. Smegenis aptraukė rūkas. Neturiu jėgų užlipti laiptais. Liepiau sau šiandien visą dieną gulėti lovoje, bet vis galvoju, kad serga ne mano kūnas, o siela. Aplink mane šlykšti netvarka, triukšmas, žmonės, ir aš nebejaučiu vidinės vienatvės ar skurdo dvasios."[34]

Kartais galvojame, kad šventieji, arba tie, kurie gyvena kaip šventieji, yra nežemiški, kad jie gyvena aukštesnėje dvasinėje realybėje. Tačiau gan dažnai jų gyvenimas yra daug žemiškesnis negu daugumos paprastų žmonių. Jie daug tvirčiau stovi ant žemės, daug labiau pasinėrę į purvinas, praktines aplinkinių žmonių problemas. Dei su savo kolegomis miegodavo nešildomuose kambariuose. Dėvėjo paaukotus drabužius. Dirbo be atlygio. Paprastai didžiąją dienos dalį Dei neturėdavo kada galvoti apie teologiją, jos galvoje sukdavosi mintys apie tai, kaip išvengti vienos ar kitos finansinės krizės arba kaip kuriam nors žmogui suorganizuoti gydymą. 1934 metais ji dienoraštyje aprašė savo vienos dienos veiklą, šventų ir pasaulietinių užsiėmimų mišinį: ji atsikėlė, nuėjo į mišias, pagamino darbuotojams pusryčius, atsakė į laiškus, sutvarkė apskaitą, skaitė kažkokią literatūrą, parašė įkvepiančią žinutę, kurią reikėjo padauginti rotatoriumi ir išdalyti. Tada atėjo pagalbinis darbininkas, kuris dvylikos metų mergaitei ieškojo drabužių jos Sutvirtinimo sakramentui; paskui atėjo neseniai prisijungęs žmogus ir norėjo pasidalyti savo religiniais užrašais; tada atėjo fašistas, norėdamas sukiršinti gyventojus; tada atvyko studentas su paveikslais, vaizduojančiais šv. Kotryną Sienietę, ir taip toliau. Atmosfera priminė vokiečių gydytojo misionieriaus Alberto Šveicerio ligoninę Afrikos džiunglėse. Šveiceris dirbti savo ligoninėje nesamdydavo idealistų ar doruolių, kurie galvodavo, kad jie nepaprastai pasitarnauja pasauliui. Jis nieku gyvu neįdarbindavo tų, kurie ruošdavosi „dirbti kažką ypatingo". Jis norėjo dirbti tik su tais, kurie pasiruošę nuolat tarnauti ir nusiteikę dalykiškai atlikti tai, kas reikalinga. „Tik tas, kuriam jo pasirinkimas atrodo kaip savaime suprantamas dalykas, o ne kažkas ypatinga, ir kuriam nekyla minčių apie heroizmą, kuris galvoja tik apie pareigą, kurios imasi su blaiviu entuziazmu, gali būti toks dvasinis pionierius, kokie reikalingi pasauliui."[35]

Dei iš prigimties nebuvo sociali asmenybė. Ji buvo rašytojo tipo žmogus, mėgo laikytis nuošaliai, ir jai dažnai norėdavosi vienatvės. Tačiau beveik kiekvieną dieną ji prisiversdavo būti tarp žmonių. Dauguma iš tų, kuriems tarnavo, turėjo psichinių sutrikimų arba kentė nuo alkoholizmo. Barniai buvo neišvengiami. Pasitaikydavo storžievių, nepadorių ir nepraustaburnių svečių. Nepaisydama viso to, ji vis tiek sėdėdavo prie stalo ir skirdavo dėmesio priešais ją stovinčiam žmogui. Nesvarbu, ar jis būdavo girtas, ar nesugebėdavo rišliai reikšti minčių, Dei rodė pagarbą ir klausėsi kiekvieno.

Ji nešiodavosi užrašų knygeles ir laisvą minutę į jas rašydavo savo dienoraštį, nesibaigiančią virtinę straipsnių, esė ir reportažų. Kitų žmonių nuodėmės buvo proga susimąstyti apie dar didesnes savo pačios nuodėmes. Vieną dieną ji dienoraštyje rašė: „Girtuoklystė ir visos iš to kylančios nuodėmės yra taip akivaizdžiai šlykščios ir siaubingos, ir sukelia vargšui nusidėjėliui tiek negandų, kad vien jau dėl to svarbu nieko neteisti ir nesmerkti. Užslėptos subtilios nuodėmės Dievo akyse tikriausiai atrodo dar blogiau. Turime sutelkti visą savo valią, kad sugebėtume vis labiau mylėti – su meile laikytis vienas kito. Jie mums gali pasitarnauti parodydami mūsų nuodėmių baisumą, kad mes nuoširdžiai atgailautume ir jomis bjaurėtumės."[36]

Ji saugojosi dvasinės puikybės, kad atlikdama gerą darbą netaptų pernelyg savimi patenkinta. „Kartais turiu save stabdyti, – rašė ji. – Pastebiu, kad lakstau nuo vieno žmogaus prie kito – sriubos dubenėliai ir vis daugiau sriubos dubenėlių, duonos lėkštės ir vis daugiau duonos lėkščių, ir ausyse pradeda vis garsiau gausti išalkusių žmonių padėkos. Mano ausys gali būti tokios pat alkanos, kaip kitų pilvai; kaip džiugu girdėti tas padėkas."[37] Dei tikėjo, kad puikybės nuodėmė stovi už kiekvieno kampo, o kampų daugybė net ir labdaros namuose. Tarnauti kitiems reiškia gyventi su nuolatine pagunda.

KANČIA

Jaunystėje Dei buvo perėmusi Dostojevskio nuotaiką – net ir tada, kai ją persekiojo Dievas, jos gyvenime netrūko alkoholio ir netvarkos. Tačiau, kaip pastebi Polas Elis, viduje ji buvo labiau *tolstojiška* nei *dostojevskiška*. Ji nebuvo į spąstus patekęs gyvūnas, kurį aplinkybės verčia kentėti; ji pati aistringai rinkdavosi kančią. Dauguma žmonių ieško patogumo ir palengvėjimo – ką ekonomistai vadina savanaudiškumu, o psichologai laime, – o Dei kiekviename žingsnyje rinkdavosi kitą kelią – ieškojo nepatogumų ir sunkumų tam, kad numalšintų savo ilgesį šventiems dalykams. Ji nusprendė dirbti ne pelno siekiančioje organizacijoje ne tik dėl to, kad norėjo nuveikti ką nors reikšmingo; ji siekė gyventi pagal Evangeliją, net jeigu tai reiškė, kad reikės aukotis ir kentėti.

Galvodami apie ateitį dauguma žmonių svajoja apie tai, kaip gyventi laimingiau. Tačiau atkreipkite dėmesį į tokį fenomeną. Prisimindami svarbius įvykius, dėl kurių tapo tokie, kokie yra, žmonės paprastai nekalba apie laimę. Paprastai reikšmingiausi atrodo sunkumai. Žmonės dažniausiai siekia laimės, bet jaučia, kad juos formuoja kančia.

Dei kartais buvo būdingas neįprastas, gal net iškreiptas polinkis ieškoti kančios, kaip kelio į save. Ji tikriausiai pastebėjo, kaip ir dauguma mūsų, kad žmonėms, kuriuos laikome nepaviršutiniškais, beveik visada teko išgyventi vieną ar net keletą kančios laikotarpių. Bet ji, atrodo, specialiai susirasdavo priežastį, dėl ko kentėti, nes norėjo išvengti įprastų gyvenimo malonumų, galinčių suteikti paprastą materialią laimę. Ji dažnai ieškodavo moralinio heroizmo progų, kęsdavo sunkumus, kad galėtų pasitarnauti kitiems.

Dauguma mūsų kančioje neįžvelgia nieko kilnaus. Lygiai kaip nesėkmė kartais yra paprasčiausia nesėkmė (o ne kelias tapti antruoju Stivu Džobsu (Steve Jobs)), taip ir kančia kartais yra tiesiog pragaištingas dalykas, ir tos būsenos reikia vengti arba išgyti kuo greičiau. Jeigu kančia nėra susijusi su kokiu nors didesniu tikslu, ji išsunkia arba sutriuškina žmogų. Jeigu kančia nėra kokio nors didesnio proceso dalis, ji gimdo dvejonę, nihilizmą ir neviltį.

Tačiau yra žmonių, kurie sugeba pamatyti, kad kančia yra didesnio plano dalis. Jie solidarizuojasi su tais, kurie perėjo panašius išbandymus. Aiškiai matyti, kad po sunkių išmėginimų tie žmonės tapo kilnesni. Jie pasikeitė ne dėl to, kad kentėjo, o dėl to, kaip kentėjo. Prisiminkite, kaip Franklinas Ruzveltas persirgęs poliomielitu sugrįžo gilesnis ir labiau atjaučiantis. Fizinė arba socialinė kančia dažnai suteikia žmogui galimybę pažvelgti iš kito žmogaus perspektyvos ir suprasti, ką išgyvena kiti. Pirmas svarbus dalykas, kurį padaro kančia, tai priverčia atsisukti į save. Teologas Paulas Tilichas (Paul Tillich) rašė, kad kenčiantys žmonės atsitraukia nuo įprastos gyvenimo rutinos ir pamato, kad yra ne tokie, kokius save įsivaizdavo. Skausmas, kurį žmogus patiria, tarkime, rašydamas nuostabų muzikinį kūrinį arba netekęs artimojo, pralaužia grindis, kurios, kaip jis įsivaizdavo, yra apatinės sielos grindys, ir atveria tuštumą apačioje, o tada numeta ir nuo tų grindų, atverdamas dar vieną tuštumą, ir taip toliau. Skausmo palaužtas žmogus nusileidžia į nepažįstamą teritoriją.

Kančia atveria senus užslėptus skausmus. Ji primena baugias patirtis, kurios buvo užgniaužtos, gėdingus netinkamus poelgius. Ji dažną pastūmėja skausmingai ir atidžiai ištyrinėti savo sielos požemius. Tačiau tuo pat metu kančia suteikia ir malonų jausmą, kad artėji prie tiesos. Kančia maloni tuo, kad jauti tampąs mažiau paviršutiniškas ir artėji prie esmės. Kentėdamas pradedi matyti daiktus tokius, kokie jie yra, ką šiuolaikiniai psichologai vadina „liūdnu realizmu". Kančia sudaužo visus mūsų racionalius pasiteisinimus ir iš anksto paruoštas istorijas, kuriomis bandome supaprastintai prisistatyti pasauliui.

Be to, kančia padeda aiškiau suvokti savo ribotumą, ką žmogus gali kontroliuoti, o ko ne. Kai žmonės nustumiami į tas gilesnes teritorijas, į vienišą akistatą su savimi, jie yra priversti pripažinti, kad tai, kas ten vyksta, nepriklauso nuo jų; ir vis dėlto, tinkamai pasinaudojus kančia ateina atpildas – jie pajunta, kad tapo išmintingesni ir turtingesni, nei buvo prieš tai.

Kančia, kaip ir meilė, panaikina iliuziją, kad pats gali viską kontroliuoti. Kenčiantis žmogus negali sau liepti nejausti skausmo arba liautis ilgėtis mirusio ar išėjusio. Ir netgi tada, kai pradeda sugrįžti ramybė arba kai išblėsta skausmas, lieka neaišku, iš kur atėjo tas palengvėjimas. Sveikimo procesas irgi atrodo tarsi kažkokio natūralaus arba dieviško proceso dalis, kuri nepriklauso nuo paties žmogaus. Staiga supranti, kad ten labai giliai gyvenimas susijungęs su nematomomis srovėmis ir begalinėmis grandinėmis. Kultūroje, kurioje didžiausią reikšmę turi laimėjimai, šiame Adomo I pasaulyje, kur viskas pasiekiama didžiausiomis pastangomis ir kontrole, kančia moko žmones priklausomybės. Ji moko, kad gyvenimas yra nenuspėjamas ir kad iliuzija galvoti, jog viskas priklauso nuo meritokratiškų pastangų.

Keista, tačiau kančia išmoko ir dėkingumo. Įprastai į gaunamą meilę žiūrime kaip į priežastį tenkintis (aš nusipelniau būti mylimas), tačiau kentėdami suprantame, kad tos meilės tikrai nenusipelnėme ir iš tikrųjų turėtume už ją dėkoti. Puikybės akimirkomis nesinori jaustis skolingam, tačiau nuolankumo akimirką žmogus supranta, kad meilė ir rūpestis ateina ne jo paties dėka.

Susiklosčius tokioms aplinkybėms žmonės pajunta, kad juos valdo kažkokia aukštesnė apvaizda. Abraomas Linkolnas (Abraham Lincoln) visą gyvenimą kentė depresiją, o paskui vadovavo pilietiniam karui ir ištvėręs visą su tuo susijusį skausmą suprato, kad jo gyvenimą ėmė kontroliuoti Dievo apvaizda, kad jis tebuvo nedidelis instrumentas dideliame plane.

Būtent tada, sunkumų akivaizdoje žmonės atranda pašaukimą. Jie nekontroliuoja situacijos, tačiau ir nėra bejėgiai. Jie negali nuspėti savo skausmo trajektorijos, bet nuo jų priklauso, kaip į jį reaguoti. Dažnai pajuntama didžiulė moralinė atsakomybė reaguoti tinkamai. Gali būti, kad kančios pradžioje jie klausinės „kodėl aš?" arba „kodėl blogis?" Tačiau netrukus supras, kad teisingas klausimas būtų „Ką man daryti, jeigu susidūriau su kančia, jeigu tapau blogio auka?"

Tie, kurie bando suprasti, kodėl kenčia, pajunta, kad tai susiję su kažkuo didesniu nei asmeninė laimė. Jie nesako: „Jaučiu didelį skausmą po vaiko netekties. Reikėtų papildyti savo hedonizmo sąskaitą ir nueiti į vakarėlį pasilinksminti." Malonumų ieškojimas nėra teisingas atsakas į tokį skausmą. Teisinga reakcija būtų šventumo paieškos. Kalbu ne apie griežtą religingumą. Kalbu apie tai, kad į skausmą galima žiūrėti kaip į dvasinio gyvenimo dalį ir mėginimą išpirkti blogą įvykį jį paverčiant kažkuo šventu, kaip pasiaukojimo tarnystės veiklą, kuri gali suartinti su platesne bendruomene ir amžinaisiais moraliniais poreikiais. Vaikų netektį patyrę tėvai įkuria fondus; jų miręs vaikas paliečia visiškai nepažįstamų žmonių gyvenimus. Kančia taip pat primena apie mūsų laikinumą ir priverčia pamatyti visa ko susietumą, o čia ir slypi šventumas.

Pasveikti po patirtos kančios nėra tas pats kas pasveikti po ligos. Daug žmonių patyrę kančią nepasveiksta; jie tiesiog tampa kitokie. Jie pamina asmeninės naudos logiką ir pradeda elgtis paradoksaliai. Užuot vengę meilės įsipareigojimų, kurie dažnai gali privesti prie kančios, jie dar labiau į juos pasineria. Net ir patyrę pačias blogiausias ir skaudžiausias pasekmes kai kurie leidžia sau būti dar labiau pažeidžiamiems, tokiu būdu atsiverdami gydančiai meilės jėgai. Jie dar labiau ir su dar didesniu dėkingumu pasiaukoja dėl meno, mylimų žmonių ir įsipareigojimų.

Taigi kančia tampa bauginančia dovana, kuri labai skiriasi nuo tos kitos dovanos, įprastai vadinamos laime. Pastaroji suteikia malonumą, tačiau pirmoji ugdo charakterį.

TARNYSTĖ

Metams bėgant pasklido žinia apie Dorotės Dei gyvenimo pavyzdį. Ji įkvėpė ištisas kartas jaunų katalikų, nes buvo ne tik katalikų socialinio mokymo gynėja, bet ir gyvas konkretus pavyzdys.

Katalikų socialinis mokymas iš dalies paremtas idėja, kad kiekviena gyva būtybė nusipelno vienodos pagarbos, kad benamio narkomano siela yra tokia pat neįkainojama, kaip ir daugybės pagyrų sulaukusio pirmūno. Jis paremtas įsitikinimu, kad Dievas ypač myli vargšus. Izaijo knygoje sakoma: „Iš tikrųjų garbinti reiškia siekti teisingumo ir rūpintis vargšais ir atstumtaisiais." Šis mokymas pabrėžia, kad mes visi esame viena šeima. Todėl Dievo tarnai kviečiami gyventi vieningai, bendruomenėje. Dei savo organizaciją kūrė pagal šiuos principus.

Knyga „Ilga vienatvė" buvo išleista 1952 metais. Ji buvo gausiai perkama, ir yra sėkmingai spausdinama iki šiol. Pagarsėjusi Dorotės veikla ėmė traukti būrius gerbėjų į jos nakvynės namus, bet taip pat kėlė tam tikrų dvasinių iššūkių. „Pavargstu klausytis, kaip žmonės kartoja, kokia nuostabia veikla užsiimame. Labai dažnai tai toli gražu nėra taip nuostabu, kaip jiems atrodo. Kartais persidirbame arba jaučiamės pavargę ir suirzę, mums tenka klausytis šiurkščių kokio nors eilėje stovinčio žmogaus replikų, ir jei mūsų kantrybė išsekusi, galime tuoj tuoj pratrūkti."[38] Tačiau Dei vis tiek nerimavo, kad ją ir jos komandą toks dėmesys gali neigiamai paveikti. Ji dar ir dėl to jautėsi vieniša.

Dei beveik nuolat supo žmonės, tačiau ji dažnai jausdavosi atskirta nuo tų, kuriuos mylėjo. Šeima nuo jos atsiribojo, nes juos trikdė Dorotės atsidavimas katalikybei. Po Forsterio ji nepamilo jokio kito vyro ir visą likusį gyvenimą laikėsi celibato. „Turėjo praeiti daug metų, kad prabudusi nesiilgėčiau prie krūties prigludusio veido, pečius apsikabinusios rankos. Mane lydėjo netekties jausmas. Tai kaina, kurią sumokėjau."[39] Neaišku, kodėl jai atrodė, kad turi mokėti tokią kainą, kęsti vienatvę ir laikytis skaistybės įžado, tačiau ji tą darė.

Dei gyveno nakvynės namuose, ilgam išvykdavo pamokslauti, todėl turėdavo išsiskirti su dukterimi Tamara. 1940 metais savo dienoraštyje rašė: „Ištisas valandas negaliu užmigti. Siaubingai ilgiuosi Tamaros, naktimis jaučiuosi labai nelaiminga, o dienos metu liūdžiu mažiau. Naktimis mane nuolat kamuoja liūdesys ir vienatvė, ir, regis, vos atsigulus užplūsta kartėlis ir skausmas. Dieną vėl jaučiuosi pakankamai stipri dirbti dėl tikėjimo ir meilės bei gyventi ramybėje ir džiaugsme."[40]

Dei buvo vieniša motina ir vadovavo įvairiapusiškam ir daug dėmesio reikalaujančiam socialiniam judėjimui. Ji dažnai keliaudavo, o tuo tarpu Tamarą prižiūrėdavo kiti žmonės.

Dorotei dažnai atrodydavo, kad ji netikusi motina. Tamara užaugo *Katalikiško darbininko* šeimoje, o paūgėjusi išėjo mokytis į internatinę mokyklą. Šešiolikmetė Tamara įsimylėjo *Katalikiško darbininko* savanorį Deividą Henesį (David Hennessy). Dorotė pasakė dukrai, kad ji per jauna tekėti. Ji liepė metus nerašyti Deividui ir jam sugrąžinti neatplėštus laiškus. Dorotė pati rašė Deividui, reikalaudama, kad jis paliktų jos dukterį ramybėje, tačiau Deividas grąžindavo jos laiškus neperskaitytus.

Pora laikėsi savo ir galiausiai, 1944 metų balandžio 19 dieną, kai Tamarai buvo aštuoniolika, jiedu Dorotės palaiminti susituokė. Naujavedžiai persikėlė į sodybą Istone, Pensilvanijos valstijoje, kur Tamara motinai padovanojo pirmąjį iš devynių anūkų. Tamaros ir Deivido santuoka subyrėjo 1961 metų pabaigoje. Deividas ilgai neturėjo darbo ir sirgo psichine liga. Galiausiai Tamara persikėlė atgal į Staten Ailandą ir apsigyveno netoli *Katalikiško darbininko*. Žmonės ją prisimena kaip švelnią ir svetingą moterį, kurios, priešingai nei jos motinos, nekankino toks didžiulis dvasinis ilgesys. Ji priėmė žmones tokius, kokie jie yra, ir besąlygiškai juos mylėjo. Tamara mirė Naujajame Hampšyre 2008 metais, sulaukusi aštuoniasdešimt dvejų. Ji liko ištikima socialiniam darbininkų judėjimui, tačiau su motina praleido labai nedaug laiko.

POVEIKIS

Draskoma tarpusavyje besivaržančių vidinių poreikių ir pašaukimų Dei negalėjo nurimti didžiąją savo brandaus gyvenimo dalį. Buvo laikas, kai ji sugalvojo išeiti iš laikraščio. „*Katalikiškame darbininke* tenka susidurti su sunkia pasaulio realybe. Pasaulis kenčia ir miršta. Aš *Katalikiškame darbininke* nesikankinu ir nemirštu. Aš apie tai rašau ir kalbu."[41] Ji galvojo apie tai, kaip norėtų tapti nematoma, susirasti seselės darbą ligoninėje, gyvenamą kambarį kažkur kitur, geriausia netoli bažnyčios: „Ten, miesto vienatvėje, gyvendama ir dirbdama su vargšais mokyčiausi melstis, dirbti, kentėti ir tylėti."

Galiausiai ji nusprendė pasilikti. Šalia laikraščio, nakvynės namų, kaimo bendruomenės ji įkūrė ir daug kitų bendruomenių, kurios buvo jos šeima ir džiaugsmas.

„Rašymas, – viename savo straipsnyje 1950 metais rašė Dorotė, – yra bendruomeninė veikla. Mums tai yra laiškas, jis guodžia, ramina, padeda, pataria, bet to paties prašo ir iš jūsų. Tai žmogiško bendravimo dalis. Tai būdas išreikšti meilę ir rūpestį kitiems."[42]

Kankinama vidinių prieštaravimų Dei vis grįždavo prie šios temos: savo atsiskyrėliškos prigimties ir poreikio būti tarp žmonių. Ji rašė: „Šiame gyvenime vienintelis atsakas į vienatvę, kurią patiria visi, yra bendruomenė. Gyventi kartu, dirbti kartu, dalytis, mylėti Dievą ir savo brolį, gyventi su

juo bendruomenėje, kad galėtume Jam parodyti savo meilę."[43]
Knygos „Ilga vienatvė" pabaigoje, viename iš savo nuostabių
dėkingumo protrūkių, ji sušunka:

Pasijutau džiaugsmo kupina motina. Nelengva visą laiką būti
linksmai, nepamiršti savo pareigos džiaugtis. Vieni sako, kad
svarbiausias dalykas *Katalikiškame darbininke* yra skurdas. Kiti
sako, kad *Katalikiškame darbininke* svarbiausia bendruomenė.
Mes jau nebe vieni. Bet paskutinis žodis yra *meilė*. Senelio Zo-
simos žodžiais tariant, kartais būdavo baisu ir siaubinga, mūsų
tikėjimas meile buvo išmėgintas ugnimi.

Nemylėdami vienas kito negalime pamilti Dievo, o norėdami
pamilti kitus, turime vienas kitą pažinoti. Lauždami duoną pa-
žįstame Jį ir lauždami duoną pažįstame vienas kitą, ir jau esame
nebe vieni. Ten, kur yra bendrystė, ir dangus, ir gyvenimas yra
puota, net jei ir ne viskas joje tobula[44].

Iš pirmo žvilgsnio gali pasirodyti, kad Dei užsiiminėjo tokia
pat socialine tarnyste, kokia šiais laikais užsiimti kviečiami
jauni žmonės – dalijo sriubą, teikė pastogę. Tačiau iš tiesų jos
gyvenimo pamatai ir motyvai buvo visai kitokie palyginti su
daugeliu šių dienų geradarių.

Katalikiško darbininko judėjimas siekė palengvinti vargšų
kančias, tačiau tai nebuvo pagrindinis tikslas ar esminis prin-
cipas. Pagrindinė idėja buvo sukurti pavyzdį, kaip atrodytų
pasaulis, jeigu krikščionys iš tikrųjų gyventų pagal Evangeli-
jos nurodymus ir mylėtų. Judėjimo tikslas buvo ne tik padėti
vargšams, bet ir atkreipti dėmesį į savo pačių nuosmukį, ku-

riam jie tarnavo. „Vakare einu į lovą uosdama purvinų kūnų tvaiką. Nėra jokio privatumo, – rašė Dei savo dienoraštyje. – Bet Kristus gimė ėdžiose, o tvarte paprastai visada nešvaru ir smirda. Jeigu tą turėjo iškentėti Švenčiausioji Motina, tai kodėl aš negaliu iškęsti."[45]

Žurnalistas Jišai Švarcas (Yishai Schwartz) rašė, kad Dei „kiekvienas svarbus veiksmas tapo svarbus tik dėl to, kad buvo susijęs su Viešpačiu." Kiekvieną kartą, kai ji surasdavo kam nors drabužį, jai tai prilygo maldai. Dei piktinosi „dalijamos labdaros" idėja, nes ji žemina ir rodo nepagarbą vargšams. Kiekvienas tarnystės veiksmas jai reiškė nuolankumo gestą vargšams ir Dievui bei vidinio poreikio patenkinimą. Švarcas rašo, kad Dei atrodė būtina „priimti skurdą kaip asmeninę dorybę", įsileisti skurdą kaip būdą pasiekti bendrystę su kitais ir priartėti prie Dievo. Socialinę veiklą atsieti nuo maldos reikštų atsieti ją nuo jos tikslo keisti gyvenimą. Tai reikštų atimti iš savęs malonumą pamatyti Dievo veidą ir pasijusti išsivadavusiam iš materialių prisirišimų. Tai reikštų atimti iš savęs džiaugsmą būti „nepaperkama siela", kaip sakė Viljamas Džeimsas.

Visi, Dorotės Dei dienoraščiuose perskaitę apie vienatvę, kančią ir skausmą, kuriuos jai teko patirti, pradeda į viską žvelgti blaiviau. Argi Dievas iš tiesų reikalauja tiek išmėginimų? Gal ji atsisakė pernelyg daug paprastų pasaulio teikiamų malonumų? Tam tikra prasme taip, ji atsisakė per daug. Tačiau kita vertus, toks klaidingas įspūdis susidaro dėl perdėto pasitikėjimo jos dienoraščiais ir tuo, ką ji rašė. Kaip būdinga daugeliui žmonių, Dei dienoraščiuose vyrauja liūdnesnė nuotaika nei jos kasdieniame gyvenime. Ji nerašydavo, kai jausdavosi laiminga; ji užsiimdavo veikla, kuri ją darė laimingą. Ji rašydavo tada, kai jausdavosi slegiama, ir dienoraštis jai padėdavo apmąstyti skausmo priežastis.

Skaitant jos dienoraščius susidaro įspūdis, kad juos rašė kenčiantis žmogus, tačiau pasiklausę gyvų pasakojimų įsivaizduojame moterį, kuri visą laiką gyveno vaikų ir artimų draugų apsuptyje, kuria buvo žavimasi ir kuri gyveno rūpestingoje bendruomenėje. Viena Dei gerbėja Meri Leitrop (Mary Lathrop) pasakė: „Ji pasižymėjo sugebėjimu turėti nepaprastai daug artimų draugų. Iš tiesų nepaprastai. Visi tie santykiai buvo ypatingi, ją supo labai daug draugų – žmonių, kurie ją mylėjo ir kuriuos mylėjo ji."[46]

Kiti prisimena, kad ji be galo mėgo muziką ir viską, kas jaudina sielą. Katlin Džordan (Kathleen Jordan) rašė: „Dorotė ir jos įstabus grožio pajutimas. <...> Aš pertraukdavau ją operos valandėlės metu [kai per radiją klausydavosi Metropolitano operos]. Įėjusi pamatydavau, kad ji beveik ekstazėje. Tai man padėjo suprasti, ką jai reiškė tikroji malda. <...> Ji sakydavo: „Prisimink, ką sakė Dostojevskis: „Grožis išgelbės pasaulį." Mes tą joje matydavome. Ji neatskyrė paprastų dalykų nuo antgamtiškų."[47]

NANETĖ

1960 metais buvo praėję daugiau nei trisdešimt metų po to, kai Dorotė paliko Forsterį Baterhamą. Beveik visus tuos metus jis pragyveno su nekalta ir žavinga moterimi vardu Nanetė. Nanetei susirgus vėžiu Forsteris vėl kreipėsi į Dorotę, kad ši padėtų jai prieš mirtį. Dei, savaime aišku, sutiko net nesusimąsčiusi. Ji kelis mėnesius didžiąją dienos dalį kasdien praleisdavo su Nanete Staten Ailande. Dei pasakoja savo dienoraštyje: „Nanetei labai sunku. Ji ne tik jaučiasi prislėgta, jai dar ir skauda visą kūną. Šiandien ji tik gulėjo ir gailiai verkė. Aš nieko negalėjau padaryti, galėjau tik būti šalia ir nieko nesakyti. Pasakiau, kad labai sunku ją paguosti, kad kančios akivaizdoje galima tik tylėti, o ji karčiai atsakė: „Taip, mirties tyla." Pasakiau, kad sukalbėsiu rožinį."[48]

Dei elgėsi taip, kaip elgiasi jautrūs žmonės kitiems patekus į bėdą. Kiekvienam kartais tenka guosti žmones, išgyvenančius kokį nors sukrėtimą. Dauguma nežinome, kaip elgtis tokiose situacijose, tačiau yra žmonių, kurie žino. Pirmiausia, jie tiesiog ateina. Jie padeda būdami šalia. Antra, jie nelygina. Jautrus žmogus supranta, kad kiekvieno kančia yra unikali ir jos nereikia lyginti su kitų kančiomis. Trečia, jie atlieka ką nors praktiško – pagamina pietus, nuvalo dulkes kambaryje, išplauna rankšluosčius. Ir galiausiai, jie stengiasi nesumenkinti to, kas vyksta. Jie nebando nuraminti dirbtiniais, saldžiais palinkėjimais. Jie nesako, kad skausmas išeis į gera.

Jie neieško pagražinimų. Jie elgiasi taip, kaip tragedijos ir sukrėtimo akivaizdoje elgiasi išmintingos sielos. Jie būna pasyvūs aktyvistai. Nekelia triukšmo, mėgindami išspręsti tai, kas neišsprendžiama. Jautrus žmogus leidžia kenčiančiam kentėti oriai. Jis leidžia pačiam žmogui įvardyti, kas su juo vyksta. Jis tiesiog būna kartu skausmo ir tamsos kupinomis naktimis, yra praktiškas, žmogiškas, paprastas ir atviras.

Forsteris, kita vertus, viso to išbandymo laikotarpiu elgėsi siaubingai. Jis vis pabėgdavo, palikdavo Nanetę su Dorote ir kitais globėjais. „Forsterio būsena yra apgailėtina, – rašė Dei savo dienoraštyje, – jis atkakliai vengia būti su Nanete. Nanetė visą dieną jaučiasi labai prastai, jai siaubingai ištinusios kojos ir pilvas. Vėliau vakare ji šaukė, kad eina iš proto, ir nesiliovė rėkusi."[49]

Dei kentėjo kartu su Nanete ir stengėsi nepykti ant Forsterio. „Man su juo taip trūksta kantrybės, kai matau, kaip jis nuolat nuo jos bėga, kaip savęs gailisi ir verkšlena, kad tampu atšiauri, ir turiu labai stengtis, kad tą nugalėčiau. Jis taip bijo ligos ir mirties."

1960 metų sausio 7 dieną Nanetė paprašė, kad ją pakrikštytų. Kitą dieną ji mirė. Dei prisiminė jos paskutines valandas: „Šįryt 8.45 Nanetė mirė po dviejų dienų agonijos. „Kryžius buvo lengvesnis negu visa tai, – pasakė ji. – Koncentracijos stovyklose žmonės kentėjo štai taip", – pasakė ji rodydama rankomis. Ji mirė ramiai, po nedidelio kraujo išsiliejimo. Nežymiai šypsodama, ramiai ir taikiai."

IŠKILMINGA APOTEOZĖ

Baigiantis septintajam dešimtmečiui radikalizmas įgijo pa-
greitį, o Dei aktyviai dalyvavo taikos ir daugelyje kitų poli-
tinių to meto judėjimų, tačiau jos požiūris į gyvenimą labai
skyrėsi nuo tuometinių radikalų. Jie propagavo issivadavimą,
laisvę ir savarankiškumą. Ji propagavo nuolankumą, tarnys-
tę ir atsidavimą. Atviro seksualumo ir palaidos moralės gar-
binimas Dorotę vesdavo iš kantrybės. Ji tiesiog pasibjaurėjo,
kai kažkokie jaunuoliai pasiūlė pilstyti sakramentinį vyną į
popierinius puodelius. Ji nesutiko su kontrkultūros dvasia ir
skųsdavosi kaprizingu jaunimu: „Matydama visą tą maištavi-
mą pradedu ilgėtis nuolankumo – jaučiu jam alkį ir troškulį."

1969 metais savo dienoraštyje ji rašė, kad nesutinka su tais,
kurie siekia kurti bendruomenę nesilaikydami nusistovėju-
sios Bažnyčios tvarkos. Dei visą laiką matė Katalikų bažnyčios
trūkumus, bet suprato, kad struktūra yra būtina. Aplinkiniai
radikalai matė tik trūkumus ir norėjo viską atmesti. „Atrodo,
kad suaugę žmonės ką tik pamatė, jog jų tėvai klydo, ir tai
juos taip pritrenkė, kad jie nori panaikinti namų instituciją ir
pereiti prie „bendruomenės". <...> Jie save vadina „jaunaisiais
suaugusiais", bet man tai primena iš paauglystės amžiaus ir jai
būdingos romantikos neišaugusius žmones."

Dei tiek metų teko kovoti su prieglaudų trūkumais, kad
ji ilgainiui tapo realiste. Viename interviu ji sakė: „Negaliu
pakęsti romantikų. Man reikia religingų realistų." Aplinkui

besireiškiantis aktyvizmas jai atrodė pernelyg lengvas ir nuolaidžiaujantis sau. Jai teko sumokėti siaubingą kainą už galimybę tarnauti visuomenei ir praktikuoti savo tikėjimą – ji išsiskyrė su Forsteriu, atitolo nuo savo šeimos. „Man Kristus atsiėjo ne trisdešimt sidabrinių, o mano širdies kraują. Šiame turguje pigiai neapsipirksime."

Visi aplinkui garbino gamtą ir natūralią žmogaus prigimtį, tačiau Dei tikėjo, kad žmogus iš prigimties yra sugedęs ir kad jį galima išgelbėti tik tramdant natūraliuosius impulsus. „Norint, kad augtume, mus reikia genėti, – rašė ji, – o žmogui paprastai skauda, kai jį pradedi genėti. Bet norėdami atsikratyti tos ydos, turime rinktis dorybę, jeigu renkamės Kristų, naują žmogų, vienoks ar kitoks skausmas yra neišvengiamas. Ir kaip gera manyti, kad nors žmogus ir nuobodus, apatiškas, jis tikrai auga dvasiniame gyvenime."

Septintojo dešimtmečio pabaigoje buvo labai dažnai vartojamas žodis „kontrkultūra", tačiau Dei gyveno pagal tikrąją kontrkultūrą – kultūrą, kuri priešinosi ne tik tuometinės kultūros vertybėms – verslumui, materialios sėkmės garbinimui – bet ir žiniasklaidos aukštinamoms Vudstoko kontrkultūros vertybėms – prieštaravimui įstatymams, hedonizmui, išskirtiniam dėmesiui į išsilaisvinusį žmogų ir skatinimui „užsiimti savais reikalais". Išoriškai atrodė, kad Vudstoko kontrkultūra priešinasi vyraujančioms vertybėms, tačiau kaip paaiškėjo vėlesniais dešimtmečiais, tai tebuvo atvirkštinė didžiojo *Aš* kultūros versija. Tiek kapitalizmas, tiek Vudstokas propagavo savęs išlaisvinimą ir saviraišką. Komercinėje visuomenėje save išreikšdavai apsipirkdamas ir kurdamas „gyvenimo būdą". Vudstoko kultūroje save išreikšdavai nusimesdamas suvaržymus ir save aukštindamas. Buržuazinei komercijos kultūrai pavyko susivienyti su septintojo dešimtmečio bohemos kultūra būtent dėl to, kad abi palaikė asmens laisvę, abi skatino matuoti savo gyvenimą pagal pasitenkinimo lygį.

Dei gyvenimas, atvirkščiai, buvo skirtas atsisakyti savęs ir galiausiai pakilti anapus savojo *aš*. Gyvenimo pabaigoje ji kartais pasirodydavo televizijos pokalbių laidose. Jose ji atrodo be galo paprasta, atvira ir dvelkianti ypatinga ramybe. Knyga „Ilga vienatvė" ir kiti jos rašiniai buvo tarsi vieša išpažintis, kuri visą laiką traukė žmones. Ji labai atvirai kalbėjo apie savo vidinį gyvenimą, ko niekada nedarė Fransis Perkins ir Dvaitas Eizenhaueris. Ji buvo uždarumo priešingybė. Tačiau jos išpažintys buvo skirtos ne tik tam, kad ji galėtų atsiskleisti. Išpažindama save ji norėjo parodyti, kad mūsų visų problemos galiausiai yra vienodos. Jišai Švarcas rašo: „Išpažinties paskirtis yra parodyti visuotines tiesas konkrečiais pavyzdžiais. Stebėdamas save ir bendraudamas su kunigu atgailaujantis žmogus panaudoja savo patirtis tam, kad peržengtų savo gyvenimo ribas. Todėl išpažintis yra asmeninis moralės veiksmas, turintis viešą moralinį tikslą. Mąstydami apie asmeninius sprendimus mes geriau suprantame žmonijos problemas ir kovas – žmonijos, kurią sudaro milijardai individų, ieškančių savų sprendimų." Dei išpažintys buvo ir teologinės. Jos bandymas suprasti save ir žmoniją iš tikrųjų buvo bandymas suprasti Dievą. Ji niekada nepasiekė visiškos dvasinės ramybės ir pasitenkinimo savimi. Dei mirties dieną į paskutinį jos dienoraščio puslapį buvo įdėtas atvirukas su išraižyta šventojo Efremo Siriečio atgailos malda, kuri prasideda taip: „O, Viešpatie ir mano gyvenimo šeimininke, išvaduok mane iš tingulio, baimės, galios troškimo ir tuščiažodžiavimo. O vietoj to apdovanok savo tarną tyrumo, nuolankumo, kantrybės ir meilės dvasia."

Vis dėlto laikui bėgant ji tikrai įgijo vidinį atsparumą. Tarnaudama kitiems Dei atrado tam tikrą stabilumą, kurio jai trūko jaunystėje. O galiausiai liko dėkingumas. Dorotė norėjo, kad ant jos antkapio būtų užrašyta *Deo gratias*. Gyvenimo pabaigoje ji sutiko Harvardo vaikų psichiatrą Robertą Kolsą (Robert Coles), kuris tapo jos draugu ir patikėtiniu. „Viskas tuoj baigsis", – pasakė ji jam. Ir papasakojo, kaip bandė parašyti literatūrinį savo gyvenimo aprašymą. Ji visą laiką rašė, ir būtų buvę natūralu parašyti atsiminimus. Vieną dieną ji atsisėdo tikėdamasi kažką tokio sukurti. Dorotė pasakojo Kolsui, kas nutiko:

Bandau pažvelgti atgal; bandau prisiminti gyvenimą, kurį man suteikė Dievas; aną dieną užrašiau žodžius „gyvenimas, kurį prisimenu" ir ruošiausi parašyti santrauką apie save, prisiminti, kas man buvo svarbiausia – bet negalėjau. Tiesiog sėdėjau ir galvojau apie Dievą, apie tai, kaip Jis aplankė mus prieš daug amžių, ir pasakiau sau, kad man labiausiai pasisekė dėl to, kad aš tiek daug gyvenime apie Jį galvojau!

Kolsas rašė: „Išgirdau, kaip jai bekalbant nutrūko balsas, o akys truputį sudrėko, bet ji tuoj pat pakeitė temą ir ėmė kalbėti apie savo didžiulę meilę Tolstojui."[50] Ši akimirka atspindi ramią apoteozę, akimirką, kai po viso jos nudirbto darbo ir pasiaukojimo, visų jos pastangų rašyti ir pakeisti pasaulį audra pagaliau nurimsta ir užplūsta begalinė ramybė. Adomas I atsigula priešais Adomą II. Vienatvė baigiasi. Savikritikos ir kovos kupino gyvenimo kulminacijoje stojo dėkingumas.

SAVITVARDA

DŽORDŽAS KATLETAS MARŠALAS (GEORGE CATLETT MARSHALL) GIMĖ 1880 METAIS IR UŽAUGO JUNJONTAUNE, PENSILVANIJOS VALSTIJOJE. Junjontaunas buvo nedidelis anglies kasyklų miestelis, kuriame gyveno apie tris su puse tūkstančio žmonių ir kuris kaip tik tuo metu dėl industrializacijos pradėjo keistis. Maršalo tėvas buvo klestintis verslininkas – Džordžas gimė, kai tėvui buvo trisdešimt penkeri – ir gana įtakingas miestelio žmogus. Džordžas didžiavosi savo sena pietiečių kilmės šeima. Juos siejo giminystės ryšiai su Aukščiausiojo Teismo teisėju Džonu Maršalu (John Marshall). Jo tėvas buvo kiek šaltas ir santūrus žmogus, ypač namuose, kur jis atliko dvaro šeimininko vaidmenį.

Sulaukęs vidutinio amžiaus Maršalo tėvas pardavė savo anglies verslą ir gautus pinigus investavo į Lurėjaus urvų nekilnojamojo turto projektą Virdžinijoje, kuris netrukus bankrutavo. Jis neteko viso per dvidešimt metų įgyto turto. Po šio įvykio tėvas atsiribojo nuo pasaulio ir ėmėsi tyrinėti šeimos genealogiją. Prasidėjo šeimos nuosmukis. Džordžas Maršalas vėliau prisimins, kaip jie keliaudavo į viešbučio virtuvę prašyti šunims tinkamo maisto likučių ir kartais pasitaikančio troškinio. Jis prisimins, kad tai buvo „skaudi ir žeminanti" patirtis, „juoda mano vaikystės dėmė".[1]

Maršalas nebuvo gabus ir nepriekaištingas berniukas. Tėvas užrašė jį į vietinę vidurinę mokyklą, kai jam buvo devyneri. Nuo pokalbio su mokyklos direktoriumi profesoriumi Li Smitu (Lee Smith) priklausė, ar jį priims į mokyklą, ar ne. Direktorius uždavė daug paprastų klausimų, kad galėtų įvertinti Maršalo intelektą ir pasiruošimą, bet Maršalas niekaip neįstengė į juos atsakyti. Jis tėvo akivaizdoje dvejojo ir mykė, mikčiojo ir muistėsi bandydamas surasti tinkamus žodžius. Daug vėliau, jau po to, kai Antrajame pasauliniame kare vadovavo JAV ginkluotosioms pajėgoms, buvo valstybės sekretoriumi ir laimėjo Nobelio taikos premiją, Maršalas niekaip negalėjo pamiršti to skaudaus epizodo, kai viešai nuvylė savo tėvą. Jis prisiminė, kad tėvas „labai smarkiai krimtosi"[2] dėl patirtos gėdos.

Mokytis Maršalui nesisekė. Ilgainiui jam ėmė kelti siaubą bet koks viešas pasirodymas, jis pradėjo nepaprastai bijoti tapti kitų mokinių pajuokos objektu, ir tai išsivystė į slegiantį drovumą, kuris neišvengiamai privedė prie dar daugiau nesėkmių ir pažeminimo. Vėliau Maršalas prisimins: „Man nepatiko mokykla. Iš tikrųjų aš net nebuvau prastas mokinys. Aš tiesiog nebuvau mokinys, o mano mokslo pasiekimai buvo liūdnas reikalas."[3] Vaikystėje jis buvo išdykęs ir nenuorama. Jo sesuo Mari pavadino jį „klasės bukagalviu" ir tą pačią naktį savo lovoje aptiko varlę. Jeigu į namus užsukdavo nelauktų svečių, Džordžas nuo stogo apmėtydavo tuos nieko neįtariančius žmones vandens bombomis. Vis dėlto jis buvo išradingas. Pasigaminęs plaustą pradėjo nedidelį verslą – plukdydavo juo mergaites per upelį[4].

Baigęs pradinę mokyklą Maršalas norėjo sekti savo vyresniojo brolio Stiuarto, kuris buvo šeimos išrinktasis, pėdomis ir stoti į Virdžinijos karo institutą. Vėliau, duodamas interviu savo nuostabiam biografui Forestui Pougui (Forrest Pogue), jis prisiminė žiaurų brolio atsakymą:

> Tuo metu, kai meldžiau, kad mane leistų į Virdžinijos karo institutą, išgirdau Stiuarto pokalbį su motina; jis stengėsi ją perkalbėti, kad manęs ten neleistų, nes jam atrodė, kad aš užtrauksiu gėdą šeimos vardui. Mane tai paveikė labiau negu mokytojai, tėvų spaudimas ar dar kas nors. Būtent tada nusprendžiau nušluostyti jam nosį. Galiausiai aš pasiekiau daugiau negu brolis. Tai buvo pirmas kartas, kai man tai pavyko, ir pirmą kartą iš tikrųjų išmokau pamoką. Didžiulis noras tapti sėkmės lydimam užvaldė išgirdus tą pokalbį; tai paveikė mane psichologiškai ir turėjo įtakos mano karjerai[5].

Ši savybė būdinga daugumai kuklių ir nepaprastai daug pasiekusių žmonių. Tai nereiškia, kad jie buvo išskirtinai talentingi ar gabūs. Savamokslių milijonierių pažymių svertinis vidurkis yra mažiau nei B. Tačiau lemiamą gyvenimo akimirką jiems kažkas pasakė, kad yra per kvaili ką nors pasiekti, ir jie nusprendė įrodyti, kad tie niekšai klysta.

Netiesa, kad Maršalo šeima jo nemylėjo ir visiškai nepalaikė. Nors tėvas nuolat nusivildavo savo sūnumi, motina juo džiaugėsi, besąlygiškai mylėjo ir skatino. Kad galėtų sūnų išleisti į koledžą, ji pardavė paskutinį šeimos turtą ir žemės sklypą Junjontaune, kur tikėjosi pasistatyti namą[6]. Mokykloje ir namuose patirtas pažeminimas padėjo Maršalui suprasti, kad jis neturėtų tikėtis daug pasiekti dėl įgimto talento. Jam gali pasisekti tik atkakliai ir sunkiai dirbant bei mokantis savidisciplinos. Patekęs į Virdžinijos karo institutą (atrodo, kad jį priėmė be stojamųjų egzaminų), Maršalas atrado gyvenimo būdą ir disciplinos modelį, kuris jam buvo visiškai prie širdies.

Maršalas atvyko į Virdžinijos karo institutą 1897 metais ir jam iškart patiko pietietiškos instituto tradicijos. Mokyklos moralės normos sujungė keletą senų tradicijų: riterišką pasiaukojimą tarnybai ir etiketui, stojišką ryžtą kontroliuoti emocijas ir klasikinį garbės kodeksą. Čia buvo gajūs prisiminimai apie pietiečių riteriškumą: apie anksčiau institute dėstytojavusį JAV pilietinio karo generolą Stounvolą Džeksoną (Stonewall Jackson); apie 241 kadetą, tarp kurių buvo ir penkiolikmečių, kurie 1864 metų gegužės 15 dieną išžygiavo duoti atkirtį Sąjungos pajėgoms Niu Marketo mūšyje; ir apie konfederatų didvyrio Roberto E. Li (Robert E. Lee) vaiduoklį, kuris buvo žavus vyriškumo idealas.

Karo institutas išmokė Maršalą pagarbos, gebėjimo įsivaizduoti ir visą laiką prisiminti didvyrį, kurio pavyzdžiu būtų galima sekti visais įmanomais būdais ir kuris taptų etalonu, pagal kurį būtų galima vertinti save. Ne taip seniai vyko didžiulis judėjimas, siekiantis nuvainikuoti didvyrius. Net ir šiandien „autoriteto neturėjimas" dažnai suprantamas kaip komplimentas. Tačiau Maršalo jaunystėje buvo daug labiau stengiamasi ugdyti sugebėjimą reikšti deramą pagarbą. Graikų biografo Plutarcho darbai paremti prielaida, kad istorijos apie puikius žmones gali pakylėti gyvųjų ambicijas. Tomas Akvinietis teigė, kad norint gerai nugyventi gyvenimą būtina daugiau dėmesio skirti ne sau, o tiems, iš kurių imame pavyzdį, ir kiek įmanoma imituoti jų poelgius. Filosofas Alfredas Nortas Vaithedas (Alfred North Whitehead) teigė, kad „moralės lavinimas neįmanomas be nuolatinio didžių žmonių pavyzdžio". 1943 metais Ričardas Vinas Livingstonas (Richard Winn Livingstone) rašė: „Žmogus linkęs manyti, kad moralės trūkumas yra silpno charakterio pasekmė: daug dažniau taip yra dėl netinkamo idealo." Kituose, o kartais ir savyje pastebime norą būti drąsiems, darbštiems ir atkakliems, kuris baigiasi pralaimėjimu. Tačiau nepastebime subtilesnės ir daug pražūtingesnės silpnybės, kad vadovaujamės neteisingais standartais, kad niekada nežinojome, kas yra gerai."[7]

Ugdydami įprotį rodyti pagarbą – senovės didvyriams, vyresniesiems, savo gyvenimo lyderiams – mokytojai ne tik parodydavo, ką reiškia būti didžiam, bet ir stengėsi lavinti sugebėjimą žavėtis kitu žmogumi. Deramas elgesys nėra tik žinojimas, kas yra teisinga; tai ir motyvacija elgtis teisingai, emocija, kuri skatina daryti gerus darbus.

Mokyklos laikais netrūko pasakų – kartais išgalvotų arba romantizuotų istorijų – apie didžiuosius istorijos pavyzdžius – Periklį, Augustą, Judą Makabiejų, Džordžą Vašingtoną, Žaną d'Ark, Doli Madison (Dolley Madison). Džeimsas Deivisonas Hanteris (James Davison Hunter) rašė, kad charakteriui nebūtinas religinis tikėjimas. „Tačiau jam būtinas tvirtas tikėjimas šventa laikoma tiesa, kuris būtų patikimas sąmonės ir gyvenimo palydovas ir kurį stiprintų bendruomenėje įsitvirtinusios dvasinio gyvenimo normos. Todėl charakteris nepaklūsta naudos principui; jis priešinasi skubotiems sprendimams. Būtent dėl to Siorenas Kirkegoras sako, kad charakteris yra „įrėžtas".[8] Akademine prasme Karo institutas buvo vidutiniška mokslo įstaiga, o Maršalas tuo metu nebuvo geras studentas. Tačiau čia buvo aukštinami didvyriai, kurie buvo prilyginami šventiesiems. Be to, mokykla neabejotinai išugdė tvirtos savidisciplinos įpročių. Visą savo brandų gyvenimą Maršalas nepaprastai norėjo būti nepriekaištingas visose įmanomose srityse. Priešingai nei patariama šiais laikais, jis tikrai daug laiko skyrė „nereikšmingiems dalykams". Karo institutas mokė ir atsižadėti, lavino sugebėjimą atsisakyti mažų malonumų dėl didelių. Jauni, daugiausia privilegijuotų sluoksnių vyrai ateidavo į šią įstaigą sutvirtėti, atsižadėti patogumų, kuriais galbūt mėgautųsi namuose, ir įgyti atsparumo, kurio jiems prireiks garbingoje gyvenimo kovoje. Maršalą sudomino asketizmo kultūra ir jos griežtumas. Pirmakursiai studentai turėdavo miegoti prie plačiai atvertų didžiulių bendrabučio langų ir žiemą kartais pabusdavo apsnigti.

Likus savaitei iki mokslo metų pradžios Maršalas susirgo vidurių šiltine ir buvo priverstas atvykti į institutą savaite vėliau nei kiti kadetai. Pirmakursiams ir taip nebuvo lengva, o po ligos išbalęs Maršalo veidas ir šiaurietiška tarsena atkreipė nepageidaujamą vyresniųjų dėmesį. Jis buvo pravardžiuojamas „jankių žiurke" ir „mopsu", nes turėjo truputį riestą nosį. „Žiurkė" Maršalas ištisas dienas turėjo dirbti nemalonius darbus, dažniausiai valyti tualetus. Vėliau kalbėdamas apie tą laikotarpį jis neprisiminė, kad jam būtų kilęs noras maištauti ar piktintis tokia tvarka. „Manau, kad į tokius dalykus žiūrėjau filosofiškiau nei dauguma kitų vaikinų. Tai buvo sandorio dalis, ir vienintelis dalykas, ką galėjai daryti, tai kiek įmanoma su tuo susitaikyti."[9]

Per vieną krikštynų ritualą, savo žiurkės kadencijos pradžioje, Maršalas turėjo daryti pritūpimus virš į grindų skylę įkišto šautuvo durtuvo. Šis išmėginimas vadinosi „sėdėjimu ant begalybės", ir tai buvo priėmimo ritualas. Stebint vyresnių kursų studentams jis stengėsi išsilaikyti ir nenukristi ant smaigalio. Bet galiausiai neišlaikė ir krito. Krito ne tiesiai, o ant šono, ir viskas baigėsi tuo, kad Maršalas susižeidė dešinį sėdmenį – žaizda buvo gili, bet pagydoma. Tokios žiaurios krikštynos buvo draudžiamos net ir pagal to meto standartus, todėl vyresnių kursų studentai nuskubėjo su juo į medicinos centrą baimindamiesi, kaip jis sureaguos. Tačiau Maršalas neišdavė savo kankintojų ir iškart pelnė viso korpuso pagarbą, nes ištvermingai tylėjo. Vienas jo kurso draugas pasakė: „Po to įvykio niekam neberūpėjo jo tartis. Jis galėjo kalbėti nors ir olandų kalba, niekam nebūtų rūpėję. Jį priėmė."[10]

Mokytis Maršalui nesisekė ir Karo institute. Tačiau jam puikiai sekėsi rikiuotės mokymai, palaikyti tvarką, organizuoti, tiksliai vykdyti darbą, kontroliuoti save ir vadovauti. Jis įsisavino disciplinos estetiką, išmoko taisyklingos laikysenos, tiesiai stovėti, saliutuoti, žvelgti tiesiai, nepriekaištingai išsilyginti drabužius, ir jo kūno laikysena dabar buvo išorinė vidinės savikontrolės išraiška. Pirmaisiais ar antraisiais metais žaisdamas futbolą Maršalas sunkiai susižeidė dešinės rankos raiščius, bet atsisakė kreiptis į gydytoją. Esą savaime sugis (per ateinančius dvejus metus), todėl neverta kreipti į tai dėmesio[11]. Vienas svarbiausių Karo instituto kadeto dienos ritualų buvo saliutavimas vyresniesiems, o kadangi pakėlus dešinę ranką aukščiau alkūnės Maršalą nudiegdavo stiprus skausmas, galima įsivaizduoti, kad tie dveji metai jam turėjo būti tikrai nelengvi.

Šiandien toks įmantrus formalumas išėjęs iš mados. Dabar mūsų laikysena yra natūralesnė, esame labiau atsipalaidavę.

Vengiame atrodyti nenatūralūs. Tačiau kariškos Maršalo aplinkos žmonės buvo linkę manyti, kad didžiais žmonėmis negimstama, o tampama, ir kad jais tampama treniruojantis. Pagal šį požiūrį vidinis pokytis prasideda nuo išorės. Savikontrolė ugdoma muštru. Mandagumas ugdomas reiškiant pagarbą. Drąsa ugdoma priešinantis baimei. Kontroliuodamas veido išraiškas žmogus išmoksta tvardytis. Veiksmas eina pirma dorybės. Visa tai buvo reikalinga emocijoms nuo elgesio atskirti, laikinų jausmų įtakai sumažinti. Žmogus gali jausti baimę, bet jai nepasiduos. Jis gali norėti saldumynų, bet mokės sutramdyti tą norą. Pasak stoikų, emocija daug dažniau reikėtų nepasikliauti, nei pasikliauti. Emocija eikvoja tavo jėgas, todėl nepasitikėk norais. Nepasitikėk pykčiu, net ir liūdesiu bei skausmu. Į emocijas reikia žiūrėti kaip į ugnį: naudingos, kai griežtai kontroliuojamos, tačiau neprižiūrimos tampa naikinančia jėga.

Tokio tipo žmonės stengiasi kontroliuoti savo emocijas nuolat įjungdami etiketo stabdžius. Tam ir reikalingos visos tos griežtos Viktorijos laikų manieros. Jos padėjo kontroliuoti emocines išraiškas, kad žmogus būtų ne toks pažeidžiamas. Dėl to vieno į kitą buvo kreipiamasi taip formaliai. Tokio tipo žmonės – o Maršalas visą gyvenimą buvo vienas iš jų – sąmoningai buvo rūstūs ir atšiaurūs. Maršalas su panieka žiūrėjo į teatrališką Napoleono ar Hitlerio elgesį ir netgi į nenatūralią su juo dirbusių generolų Daglaso Makarturo ir Džordžo S. Patono laikyseną.

„Kartais jam trūko subtilumo, – rašė vienas Maršalo biografas. – Žmogus, kuris sugebėjo kontroliuoti savo temperamentą, augo kontrolę pakeisdamas savikontrole, kol galiausiai savo noru ėmėsi laikytis tokių suvaržymų, kurie pirmą kartą su jais susidūrus jam atrodė nepakeliami."[12]

Maršalas nebuvo linksmas, emocionalus ar mąslus žmogus. Jis nerašė dienoraščio, nes galvojo, kad jį rašydamas per daug dėmesio skirs sau ir savo reputacijai arba galvos apie tai, ką apie jį ateityje galvos kiti. 1942 metais jis pasakė Roberto E. Li biografui Daglasui Sautolui Frimanui (Douglas Southall Freeman), kad dienoraščio rašymas gali nesąmoningai paskatinti „saviapgaulę arba abejones priimant sprendimus", o kare jis turėjo visiškai susitelkti į „pergalės reikalą"[13]. Maršalas niekada nesutiko rašyti autobiografijos. Žurnalas *The Saturday Evening Post* kartą pasiūlė jam daugiau nei milijoną JAV dolerių už tai, kad papasakotų savo istoriją, bet jis atsisakė. Maršalas nenorėjo sukelti keblumų sau ar kitiems generolams[14].

Pagrindinis Karo instituto uždavinys buvo išmokyti Maršalą, kaip valdyti kontroliuojamą galią. Pagrindinė mintis buvo tai, kad galia sustiprina polinkius – šiurkštų žmogų paverčia šiurkštesniu, o valdingą žmogų dar valdingesniu. Kuo aukščiau žmogus kyla, tuo mažiau galimybių sutikti žmonių, kurie suteiks nuoširdų atsakomąjį ryšį ar sutramdys netinkamas to žmogaus savybes. Todėl savitvardos, kartu ir emocinės savitvardos įgūdžius geriausia ugdyti jaunystėje. „Virdžinijos karo institute išmokau savikontrolės ir disciplinos taip, kad šie įgūdžiai manyje tiesiog įsišaknijo", – vėliau prisimins jis.

Paskutiniais metais institute Maršalui buvo suteiktas aukščiausias instituto laipsnis, pirmojo kapitono vardas. Per visus ketverius metus jis negavo nė vienos drausminės nuobaudos. Jis įgijo atšiauraus valdingumo, kuris visam laikui paženklino jo asmenybę. Jam puikiai sekėsi visa, kas susiję su karo tarnyba, ir jis buvo neabejotinas savo klasės lyderis.

Karo instituto prezidento Džono Vaiso (John Wise) rekomendaciniame laiške Maršalo laimėjimai buvo įvertinti unikaliu tos mokyklos tonu: Maršalas buvo „vienas geriausių per daugelį metų šiame fabrike paruoštų patrankų mėsos gabalėlių".[15]

Maršalas stebėtinai ankstyvame amžiuje sugebėjo išsiugdyti drausmingą protą, ir juo paprastai žavėjosi tiek karininkai vyrai, tiek karininkės moterys. Ciceronas (Marcus Tullius Cicero) „Tuskulo pokalbiuose" rašė: „Tas žmogus, kad ir kas jis būtų, kurio protas visada ramus ir suvaldytas, kuris atranda pasitenkinimą savyje, nepalūžta nelaimės akivaizdoje ir iš išgąsčio nesužlunga, kuris nedega jokiais troškimais ir kuris nepasiduoda nežabotam ir beprasmiškam jauduliui, tas žmogus pasižymi išmintimi, kurios mes siekiame, ir tas žmogus yra laimingas."

TARNYBA

Sėkmės lydimų žmonių gyvenime visada ateina ta įdomi akimirka, kai jie pirmą kartą išmoksta dirbti. Maršalui tai nutiko

Virdžinijos karo institute. Norint gauti paskyrimą į JAV kariuomenę, Maršalui reikėjo politinio palaikymo. Jis nuvyko į Vašingtoną ir nuėjo į Baltuosius rūmus nesusitaręs dėl susitikimo. Nusigavus į antrąjį aukštą vienas prižiūrėtojas jam pasakė, kad neįmanoma taip paprastai įsiveržti vidun ir susitikti su prezidentu. Tačiau Maršalas prasmuko į Ovalinį kabinetą su didesne grupe žmonių ir, šiems išėjus, papasakojo prezidentui Makinliui (William McKinley) apie savo padėtį. Neaišku, ar Makinlis prie to prisidėjo, bet 1901 metais Maršalui buvo leista laikyti stojamąjį kariuomenės egzaminą ir 1902 metais jis praėjo komisijos patikrinimą.

Maršalas, kaip ir Eizenhaueris, subrendo vėlai. Jis dirbo profesionaliai, tarnavo kitiems, tačiau įspūdingai neiškilo. Jis buvo toks vertingas patarėjas, kad vyresnieji kartais jį sulaikydavo, kad nesuburtų savo komandos. Vienas generolas rašė: „Pulkininkas leitenantas Maršalas pasižymi ypatingu sugebėjimu dirbti su personalu. Abejoju, ar šiandien kariuomenės mokymuose ar praktikoje yra jam lygių."[16] Jis taip puikiai dirbo nuobodžius, antraplanius kariuomenės darbus, ypač tai, kas buvo susiję su logistika, kad niekas nė nesistengė jo išsiųsti į karo frontą. Sulaukęs trisdešimt devynerių, baigiantis jo tarnybai Pirmajame pasauliniame kare, vis dar buvo tik laikinasis pulkininkas leitenantas, o kare dalyvavę jaunesni vyrai jį pralenkė. Jis skaudžiai kankinosi dėl kiekvieno tokio nusivylimo.

Tačiau Maršalas palengva įgijo vis daugiau įgūdžių. Per antrosios pakopos mokymus Fort Levenverte Maršalas tapo savamoksliu, taip atsilygindamas už savo tuometinius apgailėtinus akademinius pasiekimus. Jis buvo kilnojamas į Filipinus ir į JAV pietus bei centrinę dalį, kur ėjo inžinerijos karininko, ginkluotės karininko, stovyklos intendanto, tiekimo karininko ir kitų nereikšmingų personalo pozicijų pareigas. Kiekviena diena ėjo kasdienės rutinos ir mažų pasiekimų ritmu. Tačiau pastabumas detalėms ir ištvermė jam pasitarnaus ateityje. Vėliau jis pastebėjo: „Tikrai geras vadas nugali visus sunkumus, o žygiai ir mūšiai yra ne kas kita, kaip ištisa virtinė sunkumų, kuriuos reikia nugalėti."[17]

Maršalas pamynė savo egoizmą: „Kuo mažiau sutinki su vyresniųjų taisyklėmis, tuo daugiau energijos turi skirti jų laimėjimams." Biografai iššniukštinėjo visą jo gyvenimą, ir labiausiai stebina tai, ko jie neaptiko – nė vienos akivaizdžios moralinės nesėkmės. Jis priėmė daug prastų sprendimų, tačiau neužfiksuotas nė vienas atvejis, kad jis būtų buvęs neištikimas, išdavęs savo draugus, smarkiai sumelavęs arba apvylęs save ar kitus.

Net ir nesulaukdamas paaukštinimų Maršalas pamažu įgijo legendinio organizacijos ir administracijos žinovo reputaciją. Tai nebuvo pati žaviausia karinės tarnybos gyvenimo pusė. 1912 metais Maršalas JAV organizavo 17 000 karininkų ir eilinių manevrus. 1914 metais per mokymų pratybas Filipinuose jis sėkmingai vadovavo puolančiosioms pajėgoms, kurias sudarė 4 800 vyrų, ir taktiškai pergudravo bei nugalėjo gynybines pajėgas.

Per Pirmąjį pasaulinį karą Maršalas tarnavo Amerikos ekspedicinių pajėgų (AEF) Prancūzijoje 1-osios divizijos štabo viršininko padėjėju. Tai buvo pirmoji į Europą išsiųsta amerikiečių armijos divizija ir, priešingai įsigalėjusiam įsitikinimui, Maršalas ten susidūrė su didesniu pavojumi ir turėjo išvengti daugiau šūvių, sviedinių ir dujų atakų nei daugelis kitų amerikiečių kare. Jo užduotis buvo informuoti AEF štabą apie fronto linijos atsargas, poziciją ir vyrų dvasinę būklę. Daugiausia laiko jis praleido fronte arba šalia fronto linijos Prancūzijoje, šokinėdamas į apkasus, tikrindamas kareivius ir užsirašinėdamas, ko jiems labiausiai trūksta.

Vos saugiai grįžęs į štabą, iškart pateikdavo ataskaitą vadui ir puldavo kurti strategijos kitam masiniam vyrų perkėlimui į fronto linijas ir iš jų. Vienos operacijos metu jis suorganizavo 600 000 kareivių ir 900 000 tonų atsargų bei amunicijos perkėlimą iš vieno sektoriaus į kitą fronto dalį. Tai buvo pati sudėtingiausia karo logistikos problema ir Maršalo atliktas darbas virto legenda. Jis laikinai pelnė „Burtininko" pravardę.

1917 metų spalio mėnesį Maršalo padalinys sulaukė vyriausiojo karo vado, generolo Džono Peršingo (John Pershing), praminto Juoduoju Džeku, vizito. Peršingas užsipuolė padalinį dėl prastų mokymų ir rezultatų, priekaištaudamas tiesioginiam Maršalo vadui generolui Viljamui Sibertui (William Sibert) ir Siberto štabo viršininkui, kuris atvyko vos prieš dvi dienas. Maršalas, tuo metu kapitonas, nusprendė, kad atėjo laikas vadinamajam „pasiaukojimo ėjimui". Jis žengtelėjo į priekį ir pabandė generolui paaiškinti esamą situaciją. Jau ir taip pasipiktinęs Peršingas nutildė Maršalą ir nusisuko. Tada Maršalas žengė žingsnį, kuris galėjo sugriauti jo karjerą. Jis suėmė Peršingo ranką mėgindamas jį sulaikyti. Ir ėmė karštai žerti pagyvenusio vyro kaltinimams prieštaraujančius argumentus, daugybę faktų apie paties Peršingo štabo klaidas, apie prastą tiekimą, netinkamą karinių pajėgų vietą, motorizuoto transporto stoką ir kitas kliūtis, kurių negalima ignoruoti. Stojo ilga tyla, visi buvo apstulbinti Maršalo įžūlumo. Peršingas prisimerkęs pažvelgė į jį ir gindamasis atsakė: „Na, turėtumėte įvertinti ir tuos sunkumus, su kuriais tenka susidurti mums.“

Maršalas atšovė: „Taip, generole, bet mes jų patiriame kiekvieną dieną, daugybę kartų per dieną ir visas problemas privalome išspręsti iki vakaro.“

Peršingas nieko neatsakė ir piktai išžygiavo lauk. Kolegos padėkojo Maršalui ir įspėjo, kad jo karjera žlugusi. Tačiau Peršingas, atvirkščiai, prisiminė tą jaunuolį, jį pasamdė ir tapo svarbiausiu jo mokytoju.

Maršalas apstulbo, kai sulaukė laiško, kuriuo buvo kviečiamas prisijungti prie generolo komandos jo štabe Šomone. Jis labai laukė paaukštinimo, kad galėtų vesti vyrus į mūšį. Vis dėlto tuoj pat susikrovė daiktus ir atsisveikino su vyrais, kuriuos pažinojo daugiau nei metus. Šalia karo ataskaitų Maršalas su jam nebūdingu jausmingumu aprašė savo išvykimą:

Buvo sunku išlikti ramiam žiūrint į tuos vyrus, su kuriais daugiau nei metus taip artimai bendravau Prancūzijoje. Mes buvome išbandymų įkaitai, ir tie išmėginimai, regis, mus labai suartino. Matau juos ir dabar – sustojusius plačiame mūsų štabo tarpduryje. Jų draugiški pokštai ir šiltas atsisveikinimas man lipant į kadilaką paliko stiprų įspūdį, ir aš nuvažiavau nedrįsdamas galvoti apie tai, kada ir kur mes kitąkart susitiksime[18].

Po šešių dienų 1-oji divizija stojo į didžiulę kontrataką, kuri privertė vokiečių armiją atsitraukti, o per septyniasdešimt dvi valandas dauguma tada tarpduryje stovėjusių vyrų ir visi vyresnieji karininkai, bataliono vadas ir keturi 1-osios divizijos leitenantai žuvo arba buvo sužeisti.

1918 metais Prancūzijoje Maršalas buvo per plauką nuo brigados generolo laipsnio. Karas baigėsi, ir jam teko ilgus aštuoniolika metų laukti savo pirmosios žvaigždės. Grįžęs namo jis penkerius metus dirbo Vašingtone Peršingo pavaldiniu kanceliarijoje. Tarnaudamas vyresniesiems karininkams, pats sulaukė vos kelių paaukštinimų. Visą tą laiką Maršalas buvo atsidavęs savo profesijai ir tarnavo savo organizacijai, Jungtinių Valstijų armijai.

INSTITUCIJOS

Šiandien retai sutiksi žmogų, kuriam būtų būdinga institucinė galvosena. Mūsų laikais vyrauja institucinis nerimas, žmonės linkę nepasitikėti didelėmis organizacijomis. Iš dalies dėl to, kad teko būti tų organizacijų nesėkmių liudininkais, ir iš dalies dėl to, kad didžiojo *Aš* amžiuje svarbiausias vaidmuo tenka individui. Mes sveikiname žmogaus pasirinkimą eiti ten, kur norisi, gyventi taip, kaip patys pasirenkame, ir neprarasti savo individualios tapatybės taikantis prie kokios nors biurokratijos ar organizacijos. Manome, kad svarbiausia gyventi kuo turtingesnį ir pilnatviškesnį asmeninį gyvenimą, ir atsižvelgdami į savo poreikius šokinėjame nuo vienos organizacijos prie kitos. Savikūros veiksmuose, dalykuose, kuriuos patys padarome ar prie kurių prisidedame, nesibaigiančiuose savo pasirinkimuose mes atrandame prasmę.

Niekas nenori būti „organizacijos žmogumi". Mums patinka pradininkai, griovėjai ir maištininkai. Tie, kurie linkę nuolat pertvarkyti ir tobulinti institucijas, sulaukia mažiau pripažinimo. Jauni žmonės pratinami galvoti, kad grupė nedidelių, tinklinių nevyriausybinių organizacijų ir visuomeninių verslininkų išspręs dideles problemas. Didelės, pagal hierarchijos principą dirbančios organizacijos yra dinozaurai.

Tokia mąstysena prisidėjo prie institucinio nuosmukio. Redaktorė Tina Braun (Tina Brown) teigia, kad jeigu visiems liepiama mąstyti nestandartiškai, reikia būti pasiruošusiems, kad ir patys standartai pradės smukti.

Institucine galvosena pasižymintys žmonės, tokie kaip Maršalas, galvoja visiškai kitaip, ir ta galvosena prasideda nuo kitokios istorinės sąmonės. Taip mąstantiems žmonėms svarbiausias dalykas yra visuomenė, kuri susideda iš ilgą laiką egzistuojančių ir iš kartos į kartą perduodamų institucijų. Žmogus negimsta tuščiame lauke su tuščia socialine lentele. Jis ateina į aplinką, kurioje jau yra daugybė įsigalėjusių institucijų, tokių kaip kariuomenė, dvasininkija, mokslo institucijos arba kokios nors profesijos, pavyzdžiui, ūkininko, statybininko, policininko arba dėstytojo.

Gyvenimas nėra klaidžiojimas atvirame lauke. Tai įsipareigojimas kelioms institucijoms, kurios įsitvirtino dar iki žmogaus gimimo ir liks po jo mirties. Tai reiškia priimti išėjusiųjų dovanas, prisiimti atsakomybę saugoti ir tobulinti instituciją, o tada patobulintą perduoti kitai kartai.

Kiekviena institucija turi tam tikras taisykles, įsipareigojimus ir savo standartus. Žurnalistika moko įpročių, kurie padeda žurnalistams išlaikyti atstumą su žmonėmis, apie kuriuos kuriamas reportažas. Mokslininkai naudojasi tam tikrais metodais, kad galėtų žingsnis po žingsnio daryti pažangą ir patikrinti gautas žinias. Mokytojai su visais savo mokiniais elgiasi vienodai ir jiems ugdyti skiria papildomai laiko. Tapdami pavaldūs institucijoms, kuriose įsitvirtiname, mes tampame tuo, kuo esame. Institucijos papročiai struktūrizuoja sielą ir dėl to tampa lengviau būti geram. Jie švelniai formuoja elgesį pagal tam tikras laiko patikrintas gaires. Laikydamiesi institucijos papročių esame nebe vieni; priklausome bendruomenei, kuri pranoksta laiką.

Tokio požiūrio vedamas organizacijos žmogus nuoširdžiai gerbia savo pirmtakus ir taisykles, kurias jis trumpam prisiėmė.

Profesinės ar institucijos taisyklės nėra praktiniai patarimai apie tai, kaip kažką daryti geriausiai. Jos giliai įaugusios į jas praktikuojančių žmonių tapatybę. Mokytojo santykis su savo darbu, sportininko santykis su savo sporto šaka, gydytojo įsipareigojimas savo veiklai nėra asmeninis pasirinkimas, kurio galima taip paprastai atsižadėti, nes dvasiniai praradimai ima viršyti dvasinę naudą. Tai gyvenimą formuojantys ir apibrėžiantys įsipareigojimai. Kaip ir pašaukimas, tai įsipareigojimai kažkam, kas pranoksta atskirą gyvenimą.

Žmogaus socialinis vaidmuo apibūdina, kas jis ar ji yra. Pasižadėjimas tarp žmogaus ir institucijos labiau primena susitarimą. Tai palikimas, kurį reikės perduoti, ir skola, kurią reikės grąžinti.

Techninės užduotys, pavyzdžiui, staliaus darbas turi ir gilią prasmę, kuri iškyla virš atliekamos užduoties. Pasitaiko ilgų periodų, kai institucijai atiduodi daugiau, negu iš jos gauni, tačiau tarnyba institucijai suteikia daugybę pasitenkinimą teikiančių įsipareigojimų ir saugią vietą pasaulyje. Ji suteikia priemones paminti savo *ego*, nuraminti iš jo kylantį nerimą ir nepaliaujamus reikalavimus.

Savo gyvenimą Maršalas priderino prie organizacijos poreikių. Tikrai nedaug pastarojo amžiaus žmonių sužadino tiek pagarbos, kiek Maršalas – net ir tada, kai buvo gyvas, net ir tarp gerai jį pažinojusių žmonių. Žinoma, visiškai laisvai šalia jo galėjo jaustis tik keletas žmonių – tarp jų ir Eizenhaueris. Visiškas atsidavimas ir savikontrolė jį atitolino nuo kitų žmonių. Vilkėdamas uniformą jis niekada sau neleisdavo elgtis laisvai ar kitiems atverti savo širdį. Jis sugebėdavo išlikti šaltakraujis bet kokiomis aplinkybėmis.

MEILĖ IR MIRTIS

Maršalas turėjo ir asmeninį gyvenimą. Tačiau jis buvo griežtai atskirtas nuo jo viešo gyvenimo. Šiandien mes darbą parsinešame į namus, atsakinėjame į darbo laiškus iš savo telefono. Tačiau Maršalo gyvenime tai buvo dvi skirtingos sritys, reiškiančios skirtingas emocijas ir elgesio įpročius. Namai buvo jo uostas negailestingame pasaulyje. Maršalo asmeninis gyvenimas sukosi aplink jo žmoną Lili.

Mokydamasis paskutiniame Karo instituto kurse Džordžas Maršalas pasipiršo Elizabet Karter Kouls (Elisabeth Carter Coles), kurią draugai vadino Lili. Jie važinėdavosi karieta, o naktimis, rizikuodamas būti išmestas, jis sėlindavo iš instituto teritorijos pabūti su ja. Džordžas buvo šešeriais metais jaunesnis už Lili, ir keletas vyresnių Džordžo kurso draugų ir paskutiniųjų Karo instituto kursų studentų – tarp jų ir vyresnysis Maršalo brolis Stiuartas – visais būdais stengėsi pelnyti jos dėmesį. Lili buvo pritrenkianti tamsiaplaukė gražuolė, gražiausia Leksingtono mergina. „Aš buvau labai įsimylėjęs", – prisiminė jis, ir tas jausmas jį lydėjo visą gyvenimą[19].

Jiedu susituokė 1902 metais, netrukus po instituto baigimo. Maršalas jautėsi nepaprastai laimingas, kad jam pavyko ją laimėti, ir visą laiką jautėsi dėkingas. Jo santykį su Lili galima apibūdinti kaip nuolatinį ir nepaprastą rūpestingumą. Netrukus po vedybų jis sužinojo, kad žmona turi skydliaukės sutrikimų, dėl ko jos širdis buvo labai silpna. Lili visą gyvenimą buvo laikoma pusiau neįgalia. Jie negalėjo rizikuoti susilaukti vaikų. Nuo įtampos ją bet kurią akimirką galėjo ištikti mirtis. Tačiau Maršalo atsidavimas ir dėkingumas žmonai tik augo.

Maršalui patikdavo jai patarnauti, nustebinti nedideliais siurprizais, komplimentais ir paguodos žodžiais, jis visą laiką atkreipdavo dėmesį į pačias mažiausias smulkmenas. Jis jai neleisdavo keltis pasiimti viršuje paliktą mezgimo krepšelį. Maršalas tarnavo savo damai kaip galantiškas riteris. Lili kartais į tai žiūrėjo kreivai šypsodama. Ji pajėgdavo daugiau, negu jam atrodė, bet rūpinimasis ja jam teikė nepaprastą malonumą.

1927 metais, kai Lili buvo penkiasdešimt trejų, jos būklė pablogėjo. Ji buvo išvežta į Valterio Rido ligoninę ir rugpjūčio 22 dieną jai atlikta operacija. Lili sveiko iš lėto, bet stabiliai. Maršalas jautėsi it žuvis vandenyje, rūpinosi kiekvienu jos poreikiu ir atrodė, kad Lili sveiksta. Rugsėjo 15 dieną jai buvo pranešta, kad kitą dieną galės grįžti namo. Ji atsisėdo rašyti mamai raštelio. Parašė žodį „Džordžas", susmuko ir mirė. Gydytojai sakė, kad jos širdies ritmas sutriko iš susijaudinimo, kad grįžta namo.

Maršalas vedė pamoką Vašingtono karo koledže. Sargybinis pertraukė paskaitą ir pakvietė jį prie telefono. Jiedu nuėjo į nedidelį kabinetą, Maršalas pakėlė ragelį, kelias akimirkas klausėsi, tada pasirėmė galvą rankomis ant stalo. Sargybinis paklausė, kuo galėtų jam padėti. Maršalas ramiai ir formaliai atsakė. „Niekuo, pone Trokmortonai, man pranešė, kad mano žmona, kuri šiandien turėjo pas mane atvykti, ką tik mirė."

Formaliai sudėlioti žodžiai, pauzė, kad prisimintų sargybinio vardą (Maršalas sunkiai prisimindavo vardus), puikiai parodė, kad jis net ir tokiomis aplinkybėmis sugebėjo sutvardyti emocijas ir save disciplinuoti.

Maršalą sukrėtė žmonos mirtis. Jis apstatė namus jos nuotraukomis, kad ji visuose kambariuose iš kiekvieno kampo žiūrėtų į jį. Lili buvo ne tik jo miela žmona, bet ir artimiausia ir, regis, vienintelė jo draugė. Tik ji turėjo privilegiją matyti, kokią naštą jis nešiojasi, ir padėti ją pakelti. Jis buvo staiga ir žiauriai paliktas vienas likimo valiai.

Generolas Peršingas, kuris pats buvo netekęs žmonos ir trijų savo dukterų, atsiuntė jam užuojautos raštelį. Maršalas atsakė, kad siaubingai ilgisi Lili: „Po dvidešimt šešerių metų artimiausios draugystės, kokios nebuvau patyręs nuo pat vaikystės, kad ir kiek besistengčiau, nežinau, kaip gyventi toliau. Manau, kad būtų lengviau, jeigu man patiktų lankytis klubuose ar turėčiau artimų draugų vyrų, kuriuos domina ne tik sportas, arba jeigu turėčiau vykdyti kokią nors kampaniją, ar spaustų kokia kita skubi pareiga, reikalaujanti sutelkti visas savo pastangas. Kad ir kaip ten būtų, aš rasiu kokią nors išeitį."[20]

Po Lili mirties Maršalas pasikeitė. Anksčiau tylus dabar jis tapo šiltesnis ir kalbesnis, tarsi taip stengdamasis sužavėti lankytojus, kad jie neišeitų ir užpildytų jo vienatvę. Su metais jis ėmė rašyti nuoširdesnius laiškus, atviriau reikšti užuojautą. Nors ir pasiaukojo tarnybai ir keletą kartų buvo visiškai pasinėręs į darbą, Maršalas niekada nebuvo darboholikas. Kadangi saugojo sveikatą, išeidavo iš darbo vėlyvą popietę ir užsiimdavo sodininkyste, eidavo jodinėti arba pasivaikščioti. Visada, jei tik būdavo įmanoma, skatindavo, net įsakydavo savo darbuotojams elgtis taip pat.

PRIVATUMAS

Maršalas buvo uždaras žmogus. Tai yra, palyginti su šiuolaikiniais žmonėmis, jis griežčiau atskirdavo asmeninį gyvenimą nuo viešo ir artimus žmones nuo visų kitų. Su artimais žmonėmis, kuriais jis pasitikėjo ir kuriuos mylėjo, Maršalas būdavo sąmojingas ir galėdavo ilgai jiems pasakoti juokingas istorijas, tačiau didesniame žmonių rate jis laikydavosi mandagumo taisyklių ir pasižymėjo santūrumu. Jis labai retai kreipdavosi į žmones vardu.

Toks elgesys skiriasi nuo „Facebooko" ir „Instagramo" amžiuje įprasto elgesio ir remiasi suvokimu, kad tam tikros asmeninės emocijos yra trapios, ir jeigu jas iškeltum į viešumą, jas sunaikintų šiurkštūs publikos žvilgsniai. Maršalas, kaip ir Fransis Perkins, laikėsi tos pačios nuomonės, kad asmeninio gyvenimo zoną galima atverti tik labai iš lėto, po to, kai ilgai pabendravus atsiranda pasitikėjimas. Asmeninio gyvenimo detalės neturėtų būti tuoj pat skelbiamos internete ar pokalbyje; jų nereikia viešinti „Twitteryje". Taktiškas Maršalo elgesys viešumoje atspindėjo jo vidinę kultūrą. Prancūzų filosofas Andrė Kontas-Spovilis (André Comte-Sponville) teigia, kad mandagumas yra būtina didžiųjų dorybių sąlyga: „Moralė yra tarsi sielos mandagumas, vidinio gyvenimo etiketas, pareigos kodeksas."[21] Tai daugybė įpročių, dėl kurių tampi atidesnis kitiems.

Maršalas buvo nepriekaištingai taktiškas, tačiau formalumas trukdė jam artimai susidraugauti su žmonėmis. Jis griežtai nepritarė paskaloms, šnairuodavo išgirdęs nepadorias istorijas ir, priešingai nei Eizenhaueris, niekada nemėgo plepių vyrų kompanijų.

Ankstyvasis Maršalo biografas Viljamas Frajus (William Frye) rašė:

Maršalas buvo iš tų susivaldžiusių ir disciplinuotų žmonių, kuriam pakako vidinio paskatinimo ir atlygio, kuriam nereikėjo nei kitų žmonių įtikinėjimų, nei įvertinimų. Tokie žmonės būna siaubingai vieniši, jiems sunku atsipalaiduoti, ką kiti gali padaryti dalydamiesi savo mintimis ir jausmais su kitais žmonėmis. Neatsižvelgiant į tai, kad jiems savęs visiškai pakanka, jie nesijaučia laimingi; ir jeigu pasiseka, jie sugeba atrasti vieną ar du žmones, su kuriais gali pajusti pilnatvę. Ne daugiau nei du – paprastai savo širdį jie atveria mylimam žmogui, o protą draugui[22].

REFORMATORIUS

Galų gale Maršalas gavo užduotį, kuri leido atsikvėpti nuo skausmo ir į kurią jis sutelkė visą savo energiją. Tų pačių metų pabaigoje jo paprašė vadovauti Pėstininkų mokyklos programai Fort Beninge, Džordžijos valstijoje. Nors Maršalas buvo konservatyvus, dirbdamas jis nesilaikė tradicijų. Jis visą gyvenimą priešinosi dusinančiam kariuomenės prisirišimui prie tradicijų. Per ketverius metus mokykloje jis iš esmės pakeitė karininkų mokymus ir kadangi jo tarnybos laikotarpiu Fort Beningo mokymus praėjo daugelis svarbiausių Antrojo pasaulinio karo karininkų, jis iš pagrindų pakeitė ir JAV kariuomenę.

Pamokų planai, pagal kuriuos buvo dėstoma iki jo atvykimo, buvo sukurti remiantis absurdiška prielaida, kad mūšyje karininkai turės visą informaciją apie savo kareivių ir priešo pozicijas. Maršalas siųsdavo kareivius į manevrus su pasenusiais žemėlapiais arba išvis be jų, sakydamas, kad tikrame kare žemėlapių arba nebus, arba jie bus prastesni nei niekam tikę. Jis sakydavo, kad svarbiausias klausimas – kada priimti sprendimą, o ne koks jis turi būti. Jis aiškino, kad laiku priimti vidutiniški sprendimai būna geresni, negu per vėlai priimti puikūs sprendimai. Iki Maršalo dėstytojai užsirašydavo savo paskaitas ir klasėje jas tiesiog perskaitydavo. Maršalas uždraudė tokią praktiką. Jis sutrumpino aprūpinimo sistemos vadovėlį nuo 120 iki 12 puslapių, kad būtų galima lengviau mokyti civilių pajėgas ir kad žemesnio rango pozicijose būtų leidžiama didesnė veiksmų laisvė. Nei jo pasisekimas, nei reformos nepaskubino gauti paaukštinimų. Armija turėjo savo vyresnumo sistemą. Tačiau ketvirtas dešimtmetis ėjo į pabaigą ir fašistų grėsmė darėsi vis akivaizdesnė, todėl imta labiau vertinti asmeninius nuopelnus. Maršalas pagaliau sulaukė ne vieno didelio paaukštinimo, pralenkdamas vyresnius, bet ne taip pasigėrėjimą keliančius vyrus iki pat Vašingtono ir galios centrų.

GENEROLAS

1938 metais Franklinas Ruzveltas surinko visą savo kabinetą ginkluotės kūrimo strategijai aptarti. Prezidentas įrodinėjo, kad ateinančiame kare didžiausią įtaką turės oro ir vandens, o ne sausumos pajėgos. Jis apėjo aplink kambarį tikėdamasis pritarimo, ir dauguma su juo sutiko. Galiausiai atsisuko į savo naująjį Generalinio štabo vado pavaduotoją Maršalą ir paklausė:

– Ar sutinki, Džordžai?

– Atleiskite, pone Prezidente, bet visiškai nesutinku.

Maršalas pateikė savo argumentus už sausumos pajėgas. Ruzveltas atrodė nustebęs ir pasakė, kad susirinkimas baigtas. Tai buvo paskutinis kartas, kai prezidentas leido sau kreiptis į Maršalą vardu.

1939 metais Ruzveltas turėjo pakeisti kadenciją baigusį JAV ginkluotųjų pajėgų Generalinio štabo vadovą, aukščiausiąjį

JAV kariuomenės pareigūną. Maršalas tuo metu pagal vyresnumą buvo trisdešimt ketvirtoje vietoje, tačiau konkursą laimėjo jis ir Hju Dramas (Hugh Drum). Dramas buvo talentingas generolas, tačiau linkęs į pompastiką; siekdamas šių pareigų jis surengė daug kainavusią kampaniją, surinko pritarimo laiškus ir spaudai parengė daugybę straipsnių su teigiamais atsiliepimais. Maršalas atsisakė kampanijos ir nesutiko, kad ją už jį ruoštų kiti. Tačiau jis turėjo įtakingų draugų Baltuosiuose rūmuose, iš kurių svarbiausias buvo Ruzvelto patikėtinis, „Naujojo kurso" kūrėjas Haris Hopkinsas. Franklinas Ruzveltas pasirinko Maršalą, nors jų asmeniniai santykiai nebuvo perdėm šilti.

Karą lydi galybė šiurkščių klaidų ir nusivylimų. Antrojo pasaulinio karo pradžioje Maršalas suprato, kad jam reikės negailestingai praretinti nekompetentingų žmonių gretas. Tuo metu jis buvo antrą kartą vedęs žavingą, elegantiškomis manieromis ir stipria asmenybe pasižyminčią buvusią aktorę Katriną Taper Braun (Katherine Tupper Brown), kuri tapo nuolatine Maršalo palydove. Jis jai pasakė: „Negaliu sau leisti sentimentų prabangos. Turiu remtis geležine logika. Sentimentus tegul pasilaiko kiti. Negaliu sau leisti supykti, man tai būtų pražūtinga – pyktis labai vargina. Mano protas visada turi būti aiškus. Negaliu sau leisti atrodyti pavargęs."[23]

Žmonių atleidimo procesas buvo žiaurus. Maršalas nutraukė šimtų savo kolegų karjerą. „Kažkada jis buvo geras mūsų draugas, bet vėliau sužlugdė mano vyrą", – tvirtino vieno vyresniojo karininko žmona po to, kai jos vyras buvo nustumtas į šalį[24]. Vieną vakarą jis pasakė Katrinai: „Aš taip pavargstu sakyti „ne", tai mane nepaprastai sekina." Organizuodamas savo departamentą grėsmingai artinantis karui Maršalas pastebėjo: „Nelengva pasakyti žmonėms, kur jie suklydo. <...> Atrodo, kad mano gyvenime kasdien pilna situacijų ir problemų, kai esu priverstas priimti sunkius, sudėtingus sprendimus."[25]

Ryškiausias Maršalo pasirodymas įvyko 1944 metais Londone, susitikime su žurnalistais. Jis įėjo į kambarį be jokių dokumentų ir liepė kiekvienam žurnalistui uždavinėti klausimus, o pats klausėsi. Sulaukęs daugiau nei trisdešimties klausimų Maršalas smulkiai paaiškino karo padėtį, užsimindamas apie platesnes vizijas, strateginius tikslus ir technines detales, sąmoningai kas kelis sakinius pažvelgdamas vis į kitą veidą. Tada, po keturiasdešimties minučių baigęs kalbėti, padėkojo žurnalistams už jų sugaištą laiką.

Antrajame pasauliniame kare buvo ir reklamuotis mėgstančių generolų, tokių kaip Makarturas ir Patonas, tačiau dauguma, tokie kaip Maršalas ir Eizenhaueris, nemėgo skelbtis. Jie buvo stropūs organizatoriai, o ne ryškūs renginių vedėjai. Maršalas nekentė generolų, kurie šūkaudavo ir trankydavo į stalą. Jam patiko paprasta, kukli uniforma, o ne puošnios uniformos, kurias mėgsta dabartiniai generolai, su krūtinę lyg afišų lentą dengiančiomis juostelių eilėmis. Tuo laikotarpiu Maršalas įgijo stulbinančią reputaciją. CBS karo korespondentas Erikas Sevareidas (Eric Sevareid) apibendrino visuotinę nuomonę apie jį: „Nerangus, neišvaizdus vyras, pasižymintis iškiliu intelektu, išskirtinai genialia atmintimi ir krikščionių šventiesiems būdingu sąžiningumu. Jį gaubianti suvaldytos jėgos aureolė versdavo kitą žmogų jaustis silpnavaliu, o jo nesavanaudiškam pasiaukojimui pareigai nedarė įtakos nei išorinis spaudimas, nei asmeninė draugystė."[26] Rūmų atstovas Semas Reibernas (Sam Rayburn) sakė, kad joks kitas amerikietis neturėjo tokios įtakos Kongrese kaip Maršalas: „Priešais mus stovi žmogus, kuris sako tokią tiesą, kokią jis ją mato." Trumano valstybės sekretorius Dinas Ačesonas (Dean Acheson) sakė: „Visi prisimindami generolą Maršalą sako, kad jis buvo nepaprastai sąžiningas žmogus."

Ne visi iškart palankiai vertino tokį sąžiningumą. Maršalas su kareiviška panieka žiūrėjo į politiką ir negalėjo pamiršti savo pasibjaurėjimo, kai kartą susitiko su prezidentu Ruzveltu jam pranešti, kad Šiaurės Afrikos invazijos planas jau paruoštas. Prezidentas sudėjo rankas apsimesdamas, kad maldauja, ir pasakė: „Prašau, pradėkite invaziją prieš prasidedant rinkimams."[27] Maršalo Generalinio štabo vado pavaduotojas Tomas Hendis (Tom Handy) vėliau viename interviu aiškino:

Nėra prasmės sakyti, kad su generolu Maršalu buvo lengva, nes taip nebuvo. Jis galėjo būti nepaprastai griežtas. Tačiau ypač Kongrese ir su britais jis turėjo didžiulę įtaką ir galią. Manau, kad Franklinas Ruzveltas jam to pavydėjo. Manau, visi žinojo, kad Maršalas neturi užslėptų ar savanaudiškų motyvų. Anglai žinojo, kad jis nesistengia primesti amerikiečių ar britų požiūrio, kad tiesiog bando laimėti karą pačiu geriausiu būdu. Kongresas žinojo, kad jis su jais kalba be užuolankų, neturėdamas politinių motyvų[28].

Ryškiausias Maršalo karjeros epizodas įvyko įpusėjus karui. Sąjungininkai planavo operaciją „Viešpats" („Overlord"), išsilaipinimą Prancūzijoje, tačiau negalėjo išrinkti pagrindinio operacijos vado. Maršalas slapčia labai norėjo šių pareigų, ir visi pripažino, kad jis tam yra tinkamiausias kandidatas. Tai turėjo būti viena ambicingiausių kada nors mėgintų karinių operacijų per visą istoriją, ir jai vadovaujantis žmogus atliktų labai svarbų vaidmenį siekdamas šio tikslo, o jo vardas dėl to patektų į istoriją. Kiti Sąjungininkų lyderiai, Čerčilis ir Stalinas, pasakė Maršalui, kad jis bus paskirtas į šias pareigas. Eizenhaueris tikėjosi, kad ši užduotis atiteks Maršalui. Ruzveltas žinojo, kad jeigu Maršalas paprašys jį paskirti, jis turės išpildyti jo norą. Jis to nusipelnė, be to, užėmė labai aukštą padėtį.

Tačiau Ruzveltas norėjo, kad Maršalas liktų pašonėje, Vašingtone, o operacijos vadas turėtų vykti į Londoną. Gali būti, kad Ruzveltui abejones kėlė ir Maršalo atšiaurumas. Operacijos vadas turėtų vadovauti politinėms sąjungoms, ir čia praverstų kiek šiltesnis priėjimas. Įsižiebė nesutarimai. Keletas senatorių aiškino, kad Maršalas reikalingas Vašingtone ir kad jo nereikėtų skirti šiai užduočiai.

Tačiau visi vis tiek manė, kad Maršalas bus paskirtas. 1943 metų lapkričio mėnesį Ruzveltas aplankė Eizenhauerį Šiaurės Afrikoje ir pasakė tik tiek: „Mes abu žinome, kas pastaraisiais pilietinio karo metais buvo Generalinio štabo vadas, bet beveik niekas daugiau to nežino. <...> Negaliu net pagalvoti, kad po penkiasdešimties metų niekas nežinos, kas buvo Džordžas Maršalas. Tai viena iš priežasčių, dėl ko noriu, kad Džordžas imtųsi didelio uždavinio – jis nusipelnė patekti į istorijos puslapius kaip didis generolas."

Tačiau Ruzveltas vis tiek dvejojo. „Pavojinga ardyti laiminčią komandą"[29], – pasakė jis. Jis nusiuntė Harį Hopkinsą išsiaiškinti, ką apie paskyrimą mano pats Maršalas. Maršalas nesileido į kalbas. Jis pasakė Hopkinsui, kad visą laiką tarnavo garbingai ir nieko neprašys. Jis „geranoriškai sutiks su bet kokiu prezidento sprendimu".[30] Po kelių dešimtmečių duodamas interviu Forestui Pougui Maršalas paaiškino savo elgesį: „Buvau ryžtingai nusprendęs nesukelti prezidentui jokių keblumų – kad jis galėtų spręsti šį klausimą turėdamas visišką laisvę rinktis tai, kas, jo nuomone, yra naudingiausia [šaliai]. <...> Tikrai nuoširdžiai norėjau išvengti to, kas taip dažnai nutikdavo kitų karų metu – kai būdavo atsižvelgiama į žmogaus jausmus, o ne į tai, kas geriausia šaliai."[31]

1943 metų gruodžio 6 dieną Ruzveltas pasikvietė Maršalą į savo kabinetą. Ruzveltas kelias minutes kalbėjo užuolankomis, užsimindamas apie ne itin svarbius dalykus. Tada paklausė Maršalo, ar jis norėtų būti paskirtas į operacijos vado pareigas. Jeigu Maršalas būtų paprasčiausiai atsakęs „taip", tas darbas greičiausiai būtų atitekęs jam. Tačiau Maršalas ir dabar nesileido įtraukiamas. Jis liepė Ruzveltui elgtis taip, kaip jam atrodo geriausia. Jis aiškino, kad jo asmeniniai jausmai niekaip neturėtų daryti įtakos sprendimui. Jis vis atsisakė vienu ar kitu būdu išreikšti, koks būtų jo paties pageidavimas. Ruzveltas pažvelgė į jį. „Na, jaučiau, kad jeigu išvyksi iš Vašingtono, aš negalėsiu ramiai miegoti." Stojo ilga pauzė. Ruzveltas pridūrė: „Tuomet tai bus Eizenhaueris."[32]

Viduje Maršalas tikriausiai pasijuto sugniuždytas. Ruzveltas pasielgė truputį netaktiškai paprašydamas, kad jis perduotų sprendimą Sąjungininkams. Maršalas, kaip Generalinio štabo vadas, buvo priverstas pats parašyti įsakymą: „Nuspręsta, kad generolas Eizenhaueris neatidėliotinai skiriamas vadovauti operacijai „Viešpats"." Jis pasielgė kilniai ir išsaugojo tą popieriaus lapelį, o tada nusiuntė jį Eizenhaueriui: „Mielas Eizenhaueri. Pamaniau, kad norėtum pasilaikyti prisiminimui. Jį paskubomis parašiau vakar po galutinio susirinkimo, ir prezidentas jį tuoj pat pasirašė. D. K. M."[33]

Tai buvo didžiausias profesinis nusivylimas Maršalo gyvenime, kurį lėmė tai, kad jis nesutiko išreikšti savo pageidavimų. Tačiau Maršalas gyveno būtent pagal tokį elgesio kodeksą.

Pasibaigus karui Europoje, ne Maršalas, o Eizenhaueris grįžo į Vašingtoną kaip šlovingas nugalėtojas. Maršalas vis tiek didžiavosi. Džonas Eizenhaueris prisimena, kaip jo tėvas sugrįžo į Vašingtoną: „Tą dieną pamačiau generolą Maršalą visiškai atsipalaidavusį. Jis stovėjo už Eizenhauerio bandyda-

mas išvengti fotoaparatų blyksčių ir švytėdamas šiltai ir tėviš-
kai žiūrėjo į Eizenhauerį ir Meimi. Tą dieną jo elgesyje nebuvo
matyti jam būdingo abejingumo. Po kiek laiko jis pasitraukė į
užnugarį ir paliko Eizenhauerį ant scenos – važiuoti su auto-
mobilių kolona Vašingtono gatvėmis, aplankyti Pentagoną.[34]
Čerčilis asmeniškai parašė Maršalui laišką, kuriame sakė:
„Jums nebuvo lemta vadovauti didžiosioms armijoms. Jūs tu-
rėjote jas sukurti, suorganizuoti ir įkvėpti."[35] Maršalą nustelbė
žmonės, kuriuos jis rėmė, o jis pats tapo žinomas tiesiog kaip
„pergalės organizatorius".

PASKUTINĖS UŽDUOTYS

Po karo Maršalas vis bandė išeiti į pensiją. 1945 metų lap-
kričio 26 dieną Pentagone įvyko kukli ceremonija, ir Marša-
las buvo išleistas iš Ginkluotųjų pajėgų štabo vado pareigų.
Jis nuvažiavo į Dodonos dvarą Lisberge, Virdžinijos valstijoje,
kurį jie įsigijo kartu su Katrina ir pavertė savo namais. Eida-
mi per saulės nutviekstą kiemą jie su džiaugsmu galvojo apie
artėjančius poilsio ir pensijos metus. Katrina lipdama į viršų
pailsėti prieš vakarienę išgirdo telefono skambutį. Po valan-
dos nusileidusi žemyn ji pamatė, kad Maršalas išbalęs guli ant
šezlongo ir klausosi radijo. Naujienų transliacijos metu nu-
skambėjo pranešimas, kad tik ką atsistatydino JAV ambasa-
dorius Kinijoje ir kad Džordžas Maršalas sutiko su prezideno-
to prašymu užimti jo vietą. Skambutis, kurį lipdama laiptais

išgirdo Katrina, buvo nuo prezidento Trumano, ir jis paprašė, kad Maršalas vyktų tuoj pat. „Ak, Džordžai, – pasakė Katrina. – Kaip tu galėjai?"[36]

Tai buvo nelengvas darbas, tačiau jiedu su Katrina praleido Kinijoje keturiolika mėnesių bandydami derybomis atitolinti neišvengiamą pilietinį karą tarp Kinijos nacionalistų ir komunistų. Skrendant namo po pirmosios nepavykusios misijos, prezidentas paprašė Maršalo, kuriam tuo metu buvo šešiasdešimt septyneri metai, dar vienos paslaugos – užimti valstybės sekretoriaus postą. Maršalas sutiko ir padėjo ragelį[37]. Dirbdamas valstybės sekretoriumi jis įvykdė Maršalo planą – nors pats jį visą laiką vadino tik oficialiu pavadinimu „Pagalbos Europai programa" – ir prezidento Ruzvelto noras, kad Maršalas patektų į istorijos puslapius, išsipildė.

Paskui jis ėjo ir kitas pareigas: Amerikos Raudonojo Kryžiaus prezidento, gynybos sekretoriaus, Elžbietos II karūnavimo JAV delegacijos pirmininko. Jo kelyje pasitaikė ir aukštumų – jis laimėjo Nobelio premiją – ir nuosmukių – tapo Džo Makarčio (Joe McCarthy) ir jo sąjungininkų kampanijos neapykantos objektu. Sulaukęs kiekvieno darbo pasiūlymo Maršalas jausdavo pareigą. Jis priėmė ir gerų sprendimų, ir blogų, pavyzdžiui, prieštaravo Izraelio valstybės įkūrimui. Jis nuolat sutikdavo imtis užduočių, kurių imtis nenorėjo.

Kai kurie žmonės, regis, ateina į šį pasaulį jausdamiesi skolingi už tą palaiminimą, kad yra gyvi. Jie supranta, kas yra apsikeitimas tarp kartų, ką jiems paliko jų pirmtakai, ką jie skolingi savo protėviams, savo įsipareigojimus ilgalaikėms moralinėms atsakomybėms.

Viena geriausių tokio požiūrio išraiškų yra laiškas, kurį savo žmonai karo pradžioje, pirmojo mūšio prie Bul-Rano išvakarėse parašė JAV pilietinio karo kareivis Salivanas Balu (Sullivan Ballou). Balu buvo našlaitis ir puikiai žinojo, ką reiškia augti be tėvo. Vis dėlto jis rašė savo žmonai, kad yra pasiruošęs mirti, kad grąžintų skolą savo protėviams:

Jeigu prireiks, aš pasiruošęs kristi mūšio lauke už savo šalį. <...> Žinau, kad Amerikos civilizacija dabar deda dideles viltis į vyriausybės pergalę ir kad mes skolingi tiems, kurie prieš mus perėjo Revoliucijos kančias ir kraują. Aš pasiruošęs – visiškai pasiruošęs – paaukoti visus šio gyvenimo džiaugsmus, kad padėčiau išsaugoti Vyriausybę, kad padėčiau grąžinti tą skolą.

Tačiau, mano brangioji žmona, žinant, kad mano džiaugsmas užtemdys beveik visą tavo džiaugsmą ir jį pakeis vien rūpestis ir skausmas – po to, kai pats tiek metų gyvenau jausdamas kartų prieglaudos skonį, tą patį siūlyti ir savo brangiems vaikams – ar tai būtų silpnumas, ar negarbinga, kad mano begalinė meilė jums, mano brangioji žmona ir vaikai, turėtų taip nuožmiai, tačiau beprasmiškai varžytis su meile šaliai? <...>

Sara, mano meilė tau nemirtinga, ji, regis, galingais saitais sujungusi mus taip, kad niekas daugiau, tik Visagalis pajėgus juos nutraukti; tačiau meilė Šaliai mane užplūsta it stiprus vėjas ir nesulaikomai tempia mane su visomis tomis grandinėmis į mūšio lauką. <...> Žinau, nors ir turiu kelis nedidelius nusiskundimus Dieviškajai Apvaizdai, tačiau kažkas man kužda – galbūt atklydusi mano mažojo Edgaro malda – kad aš grįšiu pas savo mylimuosius sveikas. Jei ne, mano mieloji Sara, niekada nepamiršk, kaip aš tave myliu, ir jeigu mūšio lauke man bus lemta išleisti paskutinį atokvėpį, tuo metu aš šnabždėsiu tavo vardą.

Kitą dieną Bul-Rano mušyje Balu buvo lemta žūti. Jis, kaip ir Maršalas, jautė, kad be įsipareigojimų visuomenei ir šaliai jam niekur kitur nepavyks pajusti išsipildymo. Mes gyvename visuomenėje, kur pabrėžiama asmeninė laimė, įvardijama kaip nevaržoma laisvė pildyti savo norus. Tačiau senosios moralės tradicijos nemiršta. Jos keliauja laiku ir naujomis aplinkybėmis vėl įkvepia žmones. Maršalo pasaulyje jau egzistavo karinės oro pajėgos ir atominė bomba, tačiau jo charakteriui didelę įtaką padarė klasikinės Graikijos ir Romos moralės tradicijos. Jo moralės normos kažkiek priminė Homerą bei klasikinį drąsos ir garbės supratimą. Jis kažką perėmė ir iš stoikų, kurie pabrėžė moralės disciplinos svarbą. Tačiau ypač vėlesniuoju savo gyvenimo laikotarpiu jis buvo panašus į senovės Atėnų Periklį, kuris įkūnijo vado didžiadvasiškumo arba sielos didybės pavyzdį.

Didžiadvasis Graikijos aukso amžiaus lyderis labai aiškiai matė savo dorybes ir suvokė savo pranašumą. Suprasdamas, kad yra apdovanotas nepaprasta sėkme, jis save priskyrė kitokiai žmonių kategorijai, palyginti su dauguma aplinkinių. Dėl to jo santykiai su aplinkiniais buvo įtempti. Visiems kitiems, išskyrus artimus draugus, jis galėjo pasirodyti uždaras ir atsiskyręs, santūrus ir išdidus. Jo elgesys su žmonėmis buvo santykinai draugiškas ir malonus, bet jis niekada iki galo neatskleisdavo savo tikrųjų jausmų, minčių ar baimių[38]. Jis slėpė savo silpnąsias vietas ir net neleisdavo sau pagalvoti, kad gali būti priklausomas nuo kitų. Robertas Folkneris (Robert Faulkner) savo knygoje „Pavyzdys didybei" (*The Case for Greatness*) rašo, kad toks žmogus nepriklausys kelioms organizacijoms, jis nebus komandos žmogus ar samdomas darbuotojas: „Jis niekada nesiima vadovauti paprastoms užduotims, ypač jeigu jam tenka antraeilis vaidmuo. Ir gali laisvai apsieiti be atsakomojo ryšio."[39] Jis mėgsta būti paslaugus, tačiau pats drovisi priimti pagalbą. Kaip pasakytų Aristotelis: „Jis nesugeba gyventi taikydamasis prie kitų."[40]

Didžiadvasis lyderis nepalaiko įprastų socialinių ryšių. Jį kankina liūdesys, kaip ir daugumą nepaprastai ambicingų žmonių, kurie dėl savo didingų tikslų paaukoja draugystę. Jis niekada negali sau leisti kvailioti ar jaustis tiesiog laimingas ir laisvas. Jis atrodo tarsi bejausmis.

Didžiadvasio lyderio prigimtis skatina jį kuo nors pasitarnauti savo žmonėms. Jis laikosi aukštesnių standartų ir save paverčia vieša institucija. Didžiadvasiškumą galima iš tikrųjų išreikšti tik viešame arba politiniame gyvenime. Politika ir karas yra vienintelės pakankamai didelės, pakankamai konkuruojančios ir pakankamai svarbios sritys, reikalaujančios didžiausio pasiaukojimo ir pažadinančios didžiausius talentus. Pagal šį apibrėžimą, tas, kuris atranda prieglobstį tik komercijos ir privataus gyvenimo karalystėje, yra ne toks svarbus kaip tas, kuris išeina į viešą areną.

Periklio laikais didžiadvasio lyderio laikysena turėjo atspindėti stabilumą ir sveiką protą. Jis turėjo būti nuovokesnis ir labiau disciplinuotas nei karšto būdo homeriški didvyriai. O svarbiausia, jis turėjo suteikti kokios nors didžiulės naudos visuomenei. Jis turėjo išgelbėti savo žmones nuo pavojaus arba juos pakeisti, kad jie galėtų prisitaikyti prie naujojo amžiaus poreikių.

Didžiadvasis žmogus nebūtinai yra geras žmogus – jis gal ne visada bus švelnus, atjaučiantis, atidus ir malonus – tačiau jis yra didis žmogus. Jis pelno didelę pagarbą, nes yra jos vertas. Jis atranda kitokios laimės rūšį, kurią graikų mąstysenos populiarintoja Edit Hamilton (Edith Hamilton) įvardija kaip „visų savo gyvybinių jėgų panaudojimą tobulėjimui, kai gyvenimas suteikia platų galimybių lauką".

MIRTIS

1958 metais Maršalas atsigulė į Valterio Rido ligoninę, kad jam nuo veido pašalintų cistą. Maršalo krikšto dukra Roza Vilson (Rose Wilson), atėjusi jo aplankyti, apstulbo pamačiusi, kaip jis staiga paseno.

– Dabar turiu tiek daug laiko prisiminimams, – pasakė jis pasakodamas, kaip vaikystėje Junjontaune ėjo su tėvu važinėtis rogutėmis.

– Pulkininke Maršalai, – atsakė ji, – man labai gaila, kad jūsų tėvas nespėjo pamatyti, koks didis yra jo sūnus. Jis jumis labai didžiuotųsi.

– Manai? – atsakė Maršalas. – Norėčiau tikėti, kad jis būtų mane palaikęs.

Maršalas vis silpo. Atrodė, kad į generolo ligą sureagavo visas pasaulis. Jam plaukė žinutės iš Vinstono Čerčilio ir generolo Šarlio de Golio (Charles de Gaulle), Mao Dzedongo (Mao Tse-tung) ir Čiang Kai-šeko (Chiang Kai-shek), Josifo Stalino ir generolo Dvaito Eizenhauerio, maršalo Tito ir feldmaršalo Bernardo Montgomerio (Bernard Montgomery)[41]. Atėjo tūkstančiai laiškų iš paprastų žmonių. Prezidentas Eizenhaueris tris kartus atėjo jo aplankyti. Jį aplankė Trumanas. Jį aplankė ir Vinstonas Čerčilis, kuriam tuo metu buvo aštuoniasdešimt ketveri. Tada Maršalas buvo komoje ir Čerčilis tik stovėjo tarpduryje ir verkė žiūrėdamas į susitraukusį kūną vyro, kurį jis kažkada pažinojo.

Maršalas mirė 1959 metų spalio 16 dieną, nesulaukęs savo aštuoniasdešimtojo gimtadienio. Buvęs Maršalo štabo vado pavaduotojas Tomas Hendis kartą paklausė, kaip turėtų atrodyti jo laidotuvės, bet Maršalas jį pertraukė. „Tau nereikia dėl to nerimauti. Aš palikau visus reikiamus nurodymus.“[42] Tie nurodymai buvo perskaityti po jo mirties. Jie buvo nepaprasti: „Palaidokite mane paprastai, kaip eilinį JAV kariuomenės karininką, kuris garbingai tarnavo savo šaliai. Jokio triukšmo. Jokių prašmatnių apeigų. Apeigos turi tęstis neilgai, svečių sąrašą sutrumpinkite iki šeimos narių. O svarbiausia, viską darykite tyliai."[43]

Laikantis jo nurodymų valstybinės laidotuvės nebuvo organizuojamos. Jo kūnas nebuvo iškilmingai šarvojamas Kapitolijaus rotundoje. Jis buvo pašarvotas Nacionalinės katedros Betliejaus koplytėlėje dvidešimt keturias valandas, kad draugai galėtų išreikšti jam pagarbą. Laidotuvėse dalyvavo Maršalo šeima, keletas kolegų ir jo senas karo laikų kirpėjas Nikolas J. Totalas (Nicholas J. Totalo), kuris kirpo generolui plaukus Kaire, Teherane, Potsdame, o vėliau ir Pentagone[44]. Paskui Majerio Forte (Fort Myer) Arlingtone, Virdžinijos valstijoje, laikantis įprastų „Liturginio maldyno" mirusiųjų laidojimo nurodymų, įvyko trumpos, paprastos apeigos, kurių metu niekas nesakė laidotuvių kalbų ir nevardijo laidojamojo dorybių.

ORUMAS

„KOMANDOS PASIRODYMO" LAIDOS LAIKAIS ŽYMIAUSIAS AMERIKOS PILIETINIŲ TEISIŲ JUDĖJIMO LYDERIS BUVO A. FILIPAS RANDOLFAS (A. PHILIPH RANDOLPH). Jis buvo vienas iš afroamerikiečių lyderių, kuris reikalavo eitynių ir jas organizavo, kuris susitiko su prezidentu ir kurio reputacija bei moralinis autoritetas padėjo suformuoti judėjimą.

Randolfas gimė 1899 metais netoli Džeksonvilio, Floridos valstijoje. Jo tėvas buvo Episkopalinės afrikiečių metodistų bažnyčios pastorius, tačiau ten gaudavo labai mažą atlyginimą, todėl turėjo dirbti siuvėju ir mėsininku, kad išlaikytų šeimą, jo žmona taip pat dirbo siuvėja.

Randolfas, kuris nebuvo religingas žmogus, prisimena: „Mano tėvas pamokslavo apie rasinę religiją. Jis kalbėjo apie savo grupės žmonių socialinę padėtį ir nuolat primindavo, kad Episkopalinė afrikiečių metodistų bažnyčia buvo pirmoji juodaodžių aktyvistų institucija Amerikoje."¹ Randolfas vyresnysis į juodaodžių organizuojamus politinius susirinkimus vesdavosi ir abu savo berniukus. Ten juos supažindindavo su sėkmės lydimais juodaodžiais. Ir vis iš naujo jiems pasakodavo apie iškilias juodaodžių istorijos asmenybes: apie Krispusą Ataksą (Crispus Attucks), Natą Ternerį (Nat Turner), Frederiką Daglasą (Frederick Douglass).

Šeima gyveno skurdžiai, bet garbingai. Jų namuose visada būdavo nepriekaištinga tvarka. Jie laikėsi senamadiškų padorumo, disciplinos ir etiketo taisyklių. Randolfo tėvai buvo puikūs oratoriai ir savo sūnų mokė tarti kiekvieną žodžio skiemenį, todėl Randolfas visą gyvenimą tokius žodžius kaip „atsakomybė" tardavo ilgai, kaip iškilmingą procesiją: „at-sako-my-bė".

Susidūrę su žeminančiu rasizmu jie laikėsi moralės kodekso ir elgdavosi mandagiai, nors toks elgesys nebuvo būdingas prastomis materialinėmis sąlygomis gyvenantiems žmonėms. Biografas Džervisas Andersonas (Jervis Anderson) rašė, kad Randolfas vyresnysis „buvo labai paprastas, savamokslis džentelmenas, kurio gyvenime buvo svarbios mandagumo, nuolankumo ir padorumo vertybės, kuris įkvėpimą rasdavo užsiimdamas religine ir socialine veikla ir buvo visiškai atsidavęs orumo idėjai."²

Mokykloje Randolfas mokėsi pas dvi baltaodes mokytojas iš Naujosios Anglijos, kurios atvyko į pietus mokyti neprivilegijuotų juodaodžių vaikų ir kurios, kaip jis vėliau sakė, buvo „dvi geriausios mokytojos pasaulyje". Lotynų kalbą ir matematiką dėstė panelė Lili Vitni (Lillie Whitney), o literatūros ir dramos jį mokė panelė Meri Nef (Mary Neff). Randolfas buvo aukštas ir sportiškas vaikinas, perspektyvus beisbolo žaidėjas, tačiau labai pamilo Šekspyrą (William Shakespeare) ir dramą, ir ta meilė išliko visą gyvenimą. Jo žmona paskutinius kelis savo gyvenimo dešimtmečius buvo prikaustyta prie neįgaliųjų vežimėlio, o Randolfas jai kasdien skaitydavo Šekspyrą.

Daugumą žmonių suformuoja aplinkybės, tačiau Randolfo tėvai, jo mokytojai ir jis pats sukūrė aplinkybes pranokstančią moralės ekologiją; jis visada elgdavosi šiek tiek iškilniau, formaliau ir daug oriau palyginti su jo aplinkos žmonėmis. Randolfas visą gyvenimą pasižymėjo teisinga ir tiesia kūno laikysena. Jo kolega ir darbo jėgos lyderis K. L. Delamsas (C. L. Dellums) sakė: „Randolfas išmoko sėdėti ir vaikščioti tiesiai. Jį labai retai kada galėjai pamatyti atsilošusį ar atsirėmusį. Kad ir kokia linksma proga pasitaikytų, apsidairai ir pamatai Randolfą tiesų, lyg su lenta nugaroje."[3]

Jis kalbėjo švelniu, žemu ir ramiu balsu. Jo akcentą žmonės apibūdino kaip aukštesniosios Bostono klasės ir Vest Indijos tarties mišinį. Jis kalbėjo bibliniu tonu ir vartojo senovinius žodžius, tokius kaip „malonėti" arba „teiktis"[4].

Randolfas kovojo su bet kokiu polinkiu į palaidumą arba moralinę tinginystę nuolat save tramdydamas – tiek mažais, tiek dideliais savęs atsižadėjimo veiksmais. Jo komanda visada stebėdavosi, kaip kelionėse prie jo limpa moterys ir kaip jis jas švelniai atstumia. Delamsas pasakojo biografui: „Nemanau, kad kada nors gyveno kitas toks žmogus, kurio moterys taip maldautų ir kurį taip persekiotų kaip jį. Jos išbandė viską, išskyrus prievartą. Mes su Vebsteriu tarpusavyje juokaudavome, kad sekiojame paskui vadą tam, kad padėtume sukontroliuoti potvynį. O tos moterys buvo nepaprastai gražios. <...> Visada būdavo gaila išvažiuoti. Mačiau, kaip jos daro viską, ką gali, kaip prašosi pas jį į viešbučio kambarį taurelės prieš miegą ar dar ko nors. Jis paprasčiausiai atsakydavo: „Atsiprašau, aš pavargęs. Šiandien buvo sunki diena. Geriau eikime miegoti." Kartais aš jam sakydavau: „Vade? Tu gal juokauji?"⁵

Randolfas nemėgo garsintis. Jis labai retai, išskyrus savo rašytiniuose darbuose, kurie kartais būdavo griežti ir polemiški, kritikuodavo kitus. Dėl jo formalumo žmonės dažnai pasijusdavo taip, tarsi jo gerai nepažinotų; net ir vienas artimiausių jo kolegų Bajardas Rastinas (Bayard Rustin) jį visada vadindavo „ponu Randolfu". Randolfo nedomino pinigai ir jam atrodė, kad asmeninė prabanga kenkia žmogaus moralei. Net ir senatvėje, kai buvo žinomas visame pasaulyje, jis iš darbo kasdien grįždavo autobusu. Vieną kartą jį apiplėšė jo namo vestibiulyje. Plėšikai surado pas Randolfą 1 dolerį 25 centus, bet jis neturėjo nei laikrodžio, nei jokių papuošalų. Aukotojai norėjo surinkti pinigų, kad palengvintų jo buitį, bet jis juos sustabdė sakydamas: „Neabejoju, kad žinote, jog aš neturiu pinigų, bet kartu ir nesitikiu jų gauti. Kad ir kaip ten būtų, nebūčiau sugalvojęs kurti judėjimo tam, kad susirinkčiau pinigų sau ir savo šeimai. Kai kuriems žmonėms lemta būti neturtingiems. Tai yra mano dalia ir dėl to aš visiškai nesigailiu."[6] Tokios Randolfo savybės kaip nepaperkamumas, santūrus oficialumas ir, svarbiausia, orumas reiškė, kad jo neįmanoma pažeminti. Jo reakcija ir vidinė būsena priklausė nuo jo paties, o ne nuo rasizmo ar liaupsių, kurių netrūko vėlesniuoju jo gyvenimo laikotarpiu. Randolfas buvo reikšmingas tuo, kad parodė tam tikrą sektiną pavyzdį, koks turėtų būti pilietinių teisių judėjimo lyderis. Jis buvo nepaprastos savitvardos žmogus ir, kaip ir Džordžas K. Maršalas, turėjo daugybę susižavėjusių gerbėjų. Redaktorius Murėjus Kemptonas (Murray Kempton) rašė: „Niekada jo nesutikusius žmones sunku įtikinti, kad A. Filipas Randolfas buvo didingiausias amžiaus žmogus visose JAV. Tačiau jį kada nors pažinojusius dar sunkiau įtikinti, kad taip nėra."

PILIETIŠKUMAS

Pagrindiniai Randolfo gyvenimo iššūkiai buvo tokie: kaip suburti netobulus žmones, kad jie virstų pokyčius nešančia jėga? Kaip kaupti galią ir kartu neleisti, kad ji tave gadintų? Net ir vienoje kilniausių amžiaus institucijų – pilietinių teisių judėjime – tokie lyderiai kaip Randolfas į save žvelgė su įtarimu, nujausdami, kad turi saugotis savo silpnybių, nuodėmingumo, kad net ir kovojant su neteisybe galima pasielgti siaubingai neteisingai.

Ne veltui pilietinių teisių lyderiams tokia svarbi buvo *Išėjimo knyga*. Joje izraeliečiai vaizduojami kaip susiskaldę, trumparegiški ir aikštingi žmonės. Jiems vadovaujantis Mozė buvo lengvai palenkiamas, inertiškas, nesivaldantis žmogus ir jautėsi esąs netinkamas šiai užduočiai. Judėjimo lyderiai turėjo imtis neišsprendžiamų *moziškų* vadovavimo dilemų: kaip suderinti aistrą su kantrybe, valdžią su galios pasidalijimu, tikslo aiškumą su abejone savimi[7].

Tai išspręsti galėjo tam tikras pilietiškumas. Šiandien „pilietišku" vadiname žmogų, kuris renka peticijas, rengia eitynes ir protestus bei viešai pasisako už visuomenės gerovę. Tačiau ankstesniais amžiais tai apibūdino žmogų, kuris pažabojo savo aistras ir laikėsi nuosaikių pažiūrų, kad pasiektų tvirtesnį sutarimą ir suartintų skirtingus žmones. Mums pilietiškumas asocijuojasi su atkakliu savo nuomonės gynimu, tačiau ankstesniais laikais jis pasireikšdavo susivaldymu ir savikontrole. Uždaras, o kartais ir atšiaurus Džordžas Vašingtonas rodė būtent tokio pilietiškumo pavyzdį[8]. Randolfas taip pat. Jis sujungė politinį radikalizmą su tradicijų laikymusi asmeniniame gyvenime.

Kartais jo patarėjams įgrisdavo jo nuolatinis mandagumas. Bajardas Rastinas sakė Murėjui Kemptonui: „Man atrodo, kad jo geros manieros kartais trukdo. <...> Kažkada dėl to pasiskundžiau, o jis man atsakė: „Bajardai, mes privalome su visais elgtis mandagiai. Gerų manierų reikia mokytis dabar. Mums jų prireiks po to, kai šitai baigsis, nes laimėję mes privalėsime jas rodyti."[9]

IŠAUKLĖTAS RADIKALAS

Randolfo karjera prasidėjo persikėlus iš Floridos į Harlemą 1911 metų balandžio mėnesį, praėjus mėnesiui po „Triangle" fabriko gaisro. Jis ėmė aktyviai reikštis teatro grupėse ir buvo panašu, kad dėl savo iškalbingumo ir charizmos jis netrukus taps Šekspyro pjesių aktoriumi, bet Randolfo tėvai pasipriešino šiam sumanymui. Jis neilgai mokėsi Sičio koledže, kur godžiai skaitydavo Karlą Marksą. Su Randolfo pagalba pradėta leisti daugybė rasinių žurnalų, kuriuose jis supažindino juodaodžių bendruomenę su marksizmu. Rusijos revoliuciją viename vedamajame straipsnyje jis pavadino „didžiausiu dvidešimtojo amžiaus pasiekimu". Randolfas priešinosi JAV stojimui į Pirmąjį pasaulinį karą, nes tikėjo, kad karas pasitarnaus tik amunicijos gamintojų ir kitų pramonininkų interesams. Jis rengė kampanijas prieš Markuso Garvio (Marcus Garvey) judėjimą „Atgal į Afriką". Įpusėjus kovai kažkas atsiuntė Randolfui dėžę su grasinamu rašteliu ir nupjauta žmogaus ranka.

Jį vis suimdavo už antivyriausybinės agitacijos įstatymo pažeidimą, tačiau tuo pat metu jis gyveno dorą miestiečio gyvenimą. Randolfas vedė gerai išauklėtą moterį iš žymios Harlemo šeimos. Sekmadienio popietėmis jie dalyvaudavo kiekvieną savaitę vykstančiose vaikštynėse. Žmonės pasipuošdavo savo geriausiais drabužiais – mūvėdavo blauzdinėmis, pasiramsčiuodavo lazdelėmis, į švarko atlapus įsisegdavo

gėles, avėdavo antkurpiais, užsidėdavo prašmatnias skrybė-
les – ir vaikštinėdavo Lenokso alėja arba 135-ąja gatve, pake-
liui sveikindamiesi ir juokaudami su kaimynais.

Trečiojo dešimtmečio pradžioje Randolfas pradėjo telkti
darbininkus. Surinkęs padavėjus, padavėjas ir kitas nepasi-
tenkinimą reiškiančias grupes jis padėjo įkurti keletą nedi-
delių profesinių sąjungų. 1925 metais į Randolfą kreipėsi keli
„Pullman" vagonų šveicoriai, kurie ieškojo charizmatiško ir
išsilavinusio lyderio, galinčio sukurti jų sąjungą. „Pullman"
kompanija gamino prabangius miegamuosius geležinkelio
vagonus, kuriuos nuomodavo geležinkeliams. Klientus aptar-
naudavo būrys livrėjomis vilkinčių juodaodžių, kurie blizgin-
davo batus, keisdavo patalynę ir nešiodavo maistą. Pasibaigus
Pilietiniam karui kompanijos įkūrėjas Džordžas Pulmanas
(George Pullman) šiam darbui pasamdė buvusius vergus, ti-
kėdamasis, kad jie bus paklusni darbo jėga. Šveicoriai nuo
1909 metų bandė sukurti sąjungą, tačiau kompanija visada
duodavo atkirtį.

Randolfas priėmė šį iššūkį ir ateinančius dvylika metų
bandė sukurti šveicorių sąjungą ir laimėti kompanijos len-
gvatų. Tuo metu, kai net mažiausia užuomina apie sąjungos
veiklą šveicoriams galėjo kainuoti darbo vietą arba grėsė būti
primuštiems, Randolfas keliavo po visą šalį, mėgindamas juos
įkalbėti stoti į sąjungą. Pagrindinis Randolfo įrankis buvo jo
elgsena. Kaip sakė vienas sąjungos narys: „Jis prikaustydavo
dėmesį. Reikėjo būti visiškam bejausmiam, kad galėtum nuo

jo atsitraukti. Šalia jo jausdavaisi kaip mokinys šalia Mokytojo. Tuo metu to gal ir nesuprasdavai, bet kai grįžęs namo pradėdavai galvoti apie tai, ką jis sakė, nebematydavai kito pasirinkimo, kaip tik tapti jo pasekėju ir viskas."[10]

Darbas ėjosi lėtai, tačiau per ateinančius ketverius metus sąjunga išaugo beveik iki septynių tūkstančių narių. Randolfas sužinojo, kad eiliniams sąjungos nariams nepatikdavo, jeigu jis kritikuodavo kompaniją, kuriai jie vis dar jautėsi ištikimi. Jie nepritarė tam, kad jis apskritai kritikuoja kapitalizmą, todėl jis pakeitė taktiką. Tai tapo kova už orumą. Be to, Randolfas nusprendė nepriimti jokių aukų iš užjaučiančių baltaodžių. Tai turėjo būti pergalė, kurią organizavo ir laimėjo patys juodaodžiai.

Prasidėjus Depresijai kompanija atsigriebė atleisdama arba gąsdindama kiekvieną už streiką balsavusį darbuotoją. 1932 metais sąjungos narių skaičius sumažėjo iki 771. Devyniuose miestuose užsidarė jų biurai. Randolfas ir štabo komanda buvo iškraustyti, nes nesumokėjo nuomos. Randolfo mėnesinis atlyginimas nuo dešimties dolerių sumažėjo iki nulio. Visada nepriekaištingas, elegantiškai apsirengęs vyras buvo priverstas nešioti nusidėvėjusius drabužius. Sąjungos aktyvistai buvo sutriuškinti nuo Kanzaso miesto iki Džeksonvilio. 1930 metais ištikimas Ouklando aktyvistas Dedas Muras (Dad Moore) likus mėnesiui iki savo mirties parašė ryžtingą laišką:

Mano nugara priremta prie sienos, bet aš geriau Mirsiu, nei Pasitrauksiu bent per colį. Aš kovoju ne dėl savęs, o dėl 12 000 durininkų ir tarnaičių, ir jų vaikų. <...> Aš buvau ant Bado Slenksčio, bet ir tada nepersigalvojau, nes kaip po nakties stoja diena, taip ir mes laimėsime. Pasakykite visiems savo rajono žmonėms, kad sektų ponu Randolfu, kaip seka Jėzumi Kristumi[11].

NESMURTINIS PASIPRIEŠINIMAS

Juodųjų spauda ir bažnyčios nusisuko nuo sąjungos, nes ji buvo pernelyg agresyvi. Niujorko meras Fiorelas La Guardija (Fiorello La Guardia) pasiūlė Randolfui darbą mieste už 7 000 JAV dolerių metinį atlyginimą, tačiau Randolfas nesutiko. 1933 metais, kai buvo išrinktas Franklinas Ruzveltas ir pasikeitė darbo įstatymai, įvykiai pakrypo kita linkme. Kompanijų vadovams vis tiek buvo sunku susitaikyti su tuo, kad norėdami išspręsti darbo ginčus jie turės susėsti su juodaodžiais šveicoriais ir jų atstovais kaip lygūs su lygiais. Kompanija ir sąjungos vadovai tik 1935 metų liepos mėnesį susitiko Čikagoje, kad pradėtų derybas. Po dvejų metų pagaliau buvo pasiektas susitarimas. Kompanija sutiko sumažinti darbo mėnesį nuo 400 iki 240 valandų ir padidinti bendrą kompanijos užmokesčio paketą iki 1 250 000 JAV dolerių per metus. Taip baigėsi viena ilgiausių ir nuožmiausių dvidešimtojo amžiaus darbininkų kovų.

Tuo metu Randolfas buvo žymiausias juodaodžių kilmės organizatorius visoje šalyje. Ryžtingai nutraukęs visas jaunystės sąsajas su marksizmu jis ateinančius metus nuožmiai kovojo, kad darbininkų judėjime neliktų sovietinių organizacijų. Tada, 1940 metų pradžioje, kai šalis mobilizavosi karui, juodaodžių bendruomenę vėl aptemdė nauja neteisybė. Fabrikai graibstyte graibstė darbininkus, kurie gamintų lėktuvus, tankus ir laivus, tačiau į darbą nepriimdavo juodaodžių.

1941 metų sausio 15 dieną Randolfas išleido pareiškimą, kviečiantį į masinį žygį Vašingtone, jeigu ir toliau bus leidžiama tęsti tokią diskriminaciją. „Mes, ištikimi Amerikos piliečiai negrai, reikalaujame teisės dirbti ir kovoti už savo šalį", – skelbė jis. Jis organizavo eitynes Vašingtono komiteto vardu ir tikėjosi į protesto žygį alėjoje surinkti dešimt, o galbūt dvidešimt ar trisdešimt tūkstančių juodaodžių.

Valstybės vadovai sunerimo dėl planuojamų eitynių. Ruzveltas pakvietė Randolfą susitikti Baltuosiuose rūmuose.

– Sveikas, Filai, – pasisveikino prezidentas, kai jiedu susitiko. – Kuriame Harvardo kurse mokeisi?

– Aš niekada nesimokiau Harvarde, pone Prezidente, – atsakė Randolfas.

– Buvau tikras, kad mokeisi. Bet kokiu atveju, mus abu sieja didžiulis dėmesys žmonių ir socialiniam teisingumui.

– Tikrai taip, pone Prezidente.

Ruzveltas ėmė juokauti ir pasakoti politinius anekdotus, bet Randolfas galiausiai jį pertraukė.

– Pone Prezidente, laikas eina. Žinau, kad esate užimtas

žmogus. Tačiau mes norime su jumis pasikalbėti apie negrų darbo problemas gynybos pramonėje.

Ruzveltas pasiūlė pakviesti keleto kompanijų vadovus ir pareikalauti, kad jie pradėtų samdyti juodaodžius.

– Mes norime daugiau, – atsakė Randolfas. – Mes norime ko nors konkretaus. <...> Norime, kad jūs išleistumėte vykdomąjį įsakymą, pagal kurį būtų privaloma leisti negrams dirbti tose gamyklose.

– Nagi, Filai, žinai, kad aš negaliu to padaryti. Jeigu išleisiu vykdomąjį įsakymą jums, tada kitos grupės pradės belstis ir prašyti, kad išleisčiau vykdomuosius įsakymus ir jiems. Kad ir kaip ten būtų, aš nieko negaliu padaryti, kol jūs neatšauksite to savo žygio. Tokie klausimai negali būti sprendžiami jėga.

– Atleiskite, pone Prezidente, bet žygio negalima atšaukti. Randolfas šiek tiek pamelavo sakydamas, kad tikisi sulaukti šimto tūkstančių dalyvių.

– Jūs negalite atvežti šimto tūkstančių negrų į Vašingtoną, – užprotestavo Ruzveltas. – Kas nors gali žūti.

Randolfas laikėsi savo. Padėtis atrodė be išeities, kol neįsiterpė susitikime dalyvavęs meras La Guardija.

– Akivaizdu, kad ponas Randolfas nesiruošia atšaukti žygio, todėl aš siūlau visiems pradėti ieškoti sprendimo[12].

Likus šešioms dienoms iki paskirtos žygio dienos Ruzveltas pasirašė prezidentinį vykdomąjį įsakymą 8802, kuriuo buvo draudžiama diskriminacija gynybos pramonėje. Randolfas atšaukė eitynes, nors tam smarkiai prieštaravo pilieti nių teisių lyderiai, kurie norėjo tuo pasinaudoti ir prastumti kitas bylas, tokias kaip diskriminaciją pačiose ginkluotose pajėgose.

Po karo Randolfas dar atviriau kovojo dėl darbininkų teisių ir segregacijos panaikinimo. Kaip visuomet, aplinkiniams didžiausią įtaką darė akivaizdūs jo moraliniai principai, charizma ir pavyzdinis nepaperkamumas tarnaujant tikslui. Tačiau jis nebuvo kruopštus administratorius. Jam būdavo sunku visą savo energiją sutelkti į vieną tikslą. Tai, kad jis kėlė beatodairišką susižavėjimą aplinkiniams, galėjo kelti grėsmę organizacijos efektyvumui.

Vienas pašalinis 1941-ųjų žygio į Vašingtoną organizacijos apžvalgininkas pastebėjo: „Nacionaliniame biure ypač pasireiškia liguistas lyderio, pono Randolfo, garbinimas. Tai trukdo veikti ir protingai laikytis užsibrėžto veiklos kurso."[13]

Tačiau Randolfas turėjo įnešti dar vieną indėlį į pilietinių teisių judėjimą. Penktajame ir šeštajame dešimtmečiuose jis buvo vienas iš nesmurtinio pasipriešinimo šalininkų, kurie tokia taktika siekė paspartinti pilietinių teisių tikslų įgyvendinimą. Mahatma Gandžio ir keleto ankstyvųjų darbininkų judėjimo taktikų veikiamas jis 1948 metais padėjo įkurti Nesmurtinio piliečių pasipriešinimo karinei segregacijai lygą[14]. Priešingai nei dauguma įsitvirtinusių pilietinių teisių grupių, kurios palaikė išsimokslinimą ir susitaikymą, o ne akistatas ir nesutarimus,

Randolfas įkalbinėjo rengti sėdimuosius streikus ir „maldos protestus". 1948 metais jis pasakė Ginkluotųjų pajėgų komiteto tarybai: „Mūsų [judėjimas] bus be pasipriešinimo. <...> Mes pasiruošę sugerti smurtą, sugerti terorizmą, susidurti su nemaloniomis pasekmėmis ir susitaikyti su tuo, kas bus."

Tokia nesmurtinė taktika reikalavo didžiulės savidisciplinos ir pasiaukojimo, kuo Randolfas pasižymėjo visą savo gyvenimą. Vienas iš Randolfo padėjėjų, kuris darė įtaką jam ir pats buvo jo veikiamas, buvo Bajardas Rastinas. Keliomis dešimtimis metų jaunesnis Rastinas turėjo daug tokių pat savybių, kaip ir jo mentorius.

RASTINAS

Bajardas Rastinas užaugo Vest Česteryje, Pensilvanijos valstijoje su savo seneliais. Paauglystėje jis sužinojo, kad žmogus, kurį jis laikė savo vyresniąja seserimi, iš tikrųjų yra jo mama. Jo tėvas turėjo priklausomybę nuo alkoholio ir nors gyveno miestelyje Rastino gyvenime nedalyvavo.

Rastinas prisiminė, kad jam „niekada neteko sutikti tokios tiesios laikysenos žmogaus kaip senelis. Nė vienas iš mūsų neprisimena, kad jis kada nors būtų buvęs negeranoriškas." Jo senelė buvo kvakerė ir viena pirmųjų vidurinę mokyklą baigusių juodaodžių moterų apygardoje. Ji įskiepijo Bajardui ramybės ir orumo poreikį bei nepalenkiamą savikontrolę.

„Žmogus tiesiog negali prarasti savitvardos" – buvo vienas mėgstamiausių jos posakių. Rastino senelė vadovavo Biblijos vasaros stovyklai, kurios metu buvo gilinamasi į *Išėjimo knygą*, ir Bajardas lankydavo stovyklą kiekvieną dieną. Jis prisiminė: „Mano senelė buvo visiškai įsitikinusi, kad siekdami juodaodžių išsilaisvinimo mes galime daug daugiau pasimokyti iš žydų patirties, o ne iš Mato, Marko, Luko ir Jono."[15]

Vidurinėje mokykloje Rastinas buvo geras sportininkas ir rašė poeziją. Kaip ir Randolfo, jo tarimas buvo taisyklingas, beveik britiškas, dėl ko pirmą kartą jį sutikęs galėjai pagalvoti, kad jis pasipūtęs. Klasės draugai erzindavo Rastiną dėl jo perdėto orumo. Vienas vidurinės mokyklos klasės draugas prisiminė: „Jis deklamuodavo Biblijos poeziją. Ir Robertą Brauningą. Jis tave sustabdydavo, tada atsistodavo ir padeklamuodavo eilėraštį."[16]

Mokydamasis vyresnėse klasėse jis tapo pirmuoju juodaodžiu mokiniu per keturiasdešimt metų, laimėjusiu vidurinės mokyklos oratorystės apdovanojimą. Vyresnėse klasėse jis surinko visos apygardos futbolo komandą, o baigiant vidurinę mokyklą buvo išrinktas sakyti klasės atsisveikinimo kalbą. Jis aistringai pamėgo operą, Mocartą, Bachą ir Palestriną, o viena mėgstamiausių jo knygų buvo Džordžo Santajanos (George Santayana) romanas „Paskutinis puritonas" (*The Last Puritan*). Taip pat skaitė Vilo ir Arielio Diurantų (Will Durant, Ariel Durant) „Civilizacijos istoriją" (*The Story of Civilization*) kuri, kaip jis sakė, buvo lyg „šviežio oro gūsis, kuris tiesiog atkemša nosį, tik tai vyko mano smegenyse".[17]

Rastinas įstojo į Vilberforso universitetą Ohajuje, o po to į Čeinio universitetą Pensilvanijoje. Besimokydamas koledže jis suprato, kad yra homoseksualus. Tai nesukėlė pernelyg didelio emocinio sąmyšio – jis augo tolerantiškoje šeimoje ir beveik visą gyvenimą gyveno neslėpdamas savo homoseksualumo – tačiau dėl to persikėlė į Niujorką, kur egzistavo bent jau pogrindžio homoseksualų kultūra ir kur į tai buvo žiūrima šiek tiek palankiau.

Harleme Rastinas vienu metu pasuko keliomis kryptimis – prisijungė prie kairiųjų organizacijų ir ėmė savanoriauti organizuojant Randolfo žygį į Vašingtoną. Jis prisijungė prie krikščionių pacifistų organizacijos, Susitaikymo draugijos (Fellowship to Reconciliation, FOR) ir netrukus tapo kylančia judėjimo žvaigžde. Pacifizmas buvo Rastino gyvenimo būdas. Tai jam padėjo siekti vidinės doros ir tuo pat metu buvo jo visuomeninių pokyčių strategija. Pasirinkti vidinės doros kelią reiškė sutramdyti pyktį ir viduje slypintį polinkį į smurtą. „Vienintelis kelias sumažinti pasaulio trūkumus, tai sumažinti juos savyje", – sakydavo Rastinas[18]. Vėliau savo laiške Martinui Liuteriui Kingui jis rašė, kad pacifizmas, kaip pokyčių strategija, „stovi ant dviejų kolonų. Viena yra pasipriešinimas, nuolatinis karinis pasipriešinimas. Blogio nešėjas turi jausti nuolatinį spaudimą, kad visai neturėtų laiko ilsėtis. Antroji priešina gerą valią ir blogą valią. Taigi nesmurtinis pasipriešinimas yra jėga prieš vangumą savo pačių gretose."[19]

Bebaigdamas trečią dešimtį Rastinas keliavo po visą šalį kaip FOR atstovas ir audrino publiką. Jis nuolat rengdavo pilietinio nepaklusnumo akcijas ir netrukus tapo legenda pacifistų ir pilietinių teisių atstovų rate. 1942 metais Nešvilyje jis pareikalavo, kad viešajame autobuse jam būtų leista važiuoti baltųjų dalyje. Vairuotojas iškvietė policiją. Pasirodė keturi policininkai ir pradėjo jį mušti, o Rastinas visą tą laiką išliko pasyvus ir elgėsi kaip Gandis. FOR narys Deividas Makreinoldsas (David McReynolds) vėliau prisiminė: „Jis buvo ne tik populiariausias FOR lektorius, bet ir genialus taktikas. FOR ruošė Bajardą, kad jis taptų Amerikos Gandžiu."[20]

1943 metų lapkritį, gavęs šaukimą į kariuomenę, Rastinas nusprendė verčiau boikotuoti ir sėsti į kalėjimą, negu sutikti tarnauti vienoje iš žemės ūkio darbų stovyklų, kur siųsdavo tuos, kurių moraliniai įsitikinimai prieštaravo ėmimui į karinę tarnybą. Tuo metu vienas iš šešių federalinio kalėjimo kalinių buvo nuteistas už savo įsitikinimus. Jie save laikė smogiamuoju pacifizmo ir pilietinių teisių būriu. Kalėjime Rastinas agresyviai prieštaravo segregacinėms kalėjimo taisyklėms. Jis reikalavo, kad jam būtų leista valgyti „tik baltųjų" valgyklos dalyje. Laisvalaikiu jis įsikurdavo „tik baltųjų" kamerų bloko dalyje. Kartais toks susimaišymas suerzindavo kitus kalinius. Vieną kartą Rastiną ėmė persekioti baltaodis kalinys ir su šluotkočiu mušti jį per galvą ir kūną. Rastinas ir vėl laikėsi *gandiškos* nesipriešinimo pozicijos. Jis nesiliovė kartojęs: „Tu negali manęs sužeisti." Šluota galiausiai sulūžo. Rastinui buvo sulaužytas riešas, o jo galva nusėta mėlynėmis.

Žinia apie Rastino žygdarbį netrukus pasklido ir už kalėjimo ribų, apie tai sužinojo spauda ir aktyvistų grupės. Vašingtono Federalinio kalėjimų biuro pareigūnai, vadovaujami Džeimso Beneto (James Bennett), įtraukė Rastiną į „pagarsėjusių nusikaltėlių" sąrašą, į tą pačią kategoriją kaip Alą Kaponę (Al Capone). Jo biografas Džonas D'Emilijas (John D'Emilio) rašė: „Visus 28 Rastino įkalinimo mėnesius Benetui plūste plūdo laiškai nuo jo pavaldinių, kuriuose jie maldavo patarimo, kaip elgtis su Rastinu, ir nuo Rastino rėmėjų iš išorės, kurie stebėjo, kaip su juo elgiamasi."[21]

PALEISTUVAVIMAS

Rastinas elgėsi didvyriškai, tačiau kartu jis buvo pasipūtęs ir piktas, o kartais beatodairiškas, ir tai neatitiko jo skelbiamų įsitikinimų. 1944 metų spalio 24 dieną jis pajuto turįs parašyti laišką prižiūrėtojui ir atsiprašyti už savo elgesį drausminio svarstymo metu. „Man labai gėda, kad praradau savitvardą ir elgiausi stačiokiškai", – rašė jis[22]. Be to, jis gyveno palaidą seksualinį gyvenimą. Rastino laikais homoseksualai gyveno pogrindyje, gėjai ir lesbietės sulaukdavo viešo nepritarimo.

Tačiau Rastinas taip aktyviai ieškojo partnerių, kad tai kėlė nerimą net ir jo meilužiams. Savo agitacinių turų metu tiek prieš kalėdamas, tiek išėjęs iš kalėjimo jis nuolat bandydavo ką nors suvilioti. Vienas ilgalaikis jo partneris skundėsi, kad „visai neatrodydavo juokinga vieną dieną grįžus namo aptikti jį lovoje su kitu".[23] Kalėjime jis skandalingai pagarsėjo savo seksualiniais polinkiais ir kelis kartus buvo pagautas atliekant oralinį aktą kitiems kaliniams.

Galų gale kalėjimo vadovybė sušaukė drausminį svarstymą. Mažiausiai trys kaliniai paliudijo, kad matė Rastiną užsiiminėjantį oraliniu seksu. Iš pradžių Rastinas melavo ir įnirtingai neigė jam mestus kaltinimus. Vadovybė pranešė, kad už nusižengimą jis bus perkeltas į vienutę. Tai išgirdęs Rastinas rankomis ir kojomis apsivijo sukamąją kėdę, ėmė priešintis prižiūrėtojams ir buvo izoliuotas.

Žinia apie šį incidentą pasklido tarp aktyvistų visos šalies mastu. Sužinoję, kad Rastinas yra gėjus, kai kurie rėmėjai liko nepatenkinti, nors jis pats niekada to neslėpė. Jiems buvo pikčiausia dėl to, kad jo seksualinė veikla prieštaravo disciplinuoto, didvyriško disidento pavyzdžiui, kurį Rastinas stengėsi įkūnyti. Judėjime, kuris skatino savo lyderius būti taikius, santūrius ir patiems stengtis apsivalyti, Rastinas buvo piktas, pasipūtęs, pasileidęs ir nuolaidžiavo savo silpnybėms. FOR vadovas ir Rastino mentorius A. J. Mastis (A. J. Muste) jam parašė piktą laišką:

Tu kaltinamas siaubingai neetišku elgesiu, ir tai ypač smerktina žmogui, kuris, kaip tu, tvirtina esąs lyderis ir – tam tikra prasme – turįs moralinį pranašumą. Be to, tu apgavai visus, kartu ir savo sąjungos narius bei labiausiai atsidavusius draugus. <...> Tu vis dar nematai tikrojo savęs. Tavyje, koks buvai ir vis dar esi, nėra nieko, ką būtų galima gerbti, ir turėtum negailestingai išrauti viską, kas tau trukdo tą pamatyti. Tik taip gali užgimti tikrasis *tu* – per ugnį, didžiulį skausmą ir vaikišką nuolankumą. < ...> Prisimink 51 psalmę: „Pasigailėk manęs, Dieve, iš savo gerumo, iš savo begalinio gailestingumo sunaikink mano maištingus darbus. Vėl nuplauk ir nuplauk mano kaltę, nuvalyk nuo manęs mano nuodėmę! <...> Tau nusidėjau – tiktai tau – ir padariau, kas pikta tavo akyse. <...> Sukurk man tyrą širdį, Dieve, ir atnaujink manyje ištikimą dvasią."²⁴*

Kitame savo laiške Mastis aiškiai pasakė, kad jis prieštarauja ne Rastino homoseksualumui, o jo paleistuvavimui: „Kaip siaubinga ir pigu, jeigu santykiai nekontroliuojami, neturi formos."

Kaip menininkas, kuris turėdamas pačią laisviausią viziją ir galingiausią kūrybinį polėkį paklūsta griežčiausiai disciplinai, lygiai taip ir mylintysis turi suvaldyti savo impulsus, kad pasiektų „discipliną, kontrolę ir pastangas suprasti kitą žmogų".

Mastis toliau kalbėjo apie paleistuvystę: „Mes artėjame prie meilės parodijos ir neigimo, nes meilė reiškia gilumą, tai reiškia suprasti daugiau nei įprasta... tai reiškia apsikeitimą gyvybiniu krauju, ir kaip tą galima daryti su begaliniu skaičiumi žmonių?"

* Ps 51, 3–12.

Iš pradžių Rastinas priešinosi griežtai Masčio nuomonei, bet po kelių savaičių izoliacijos galų gale pasidavė ir parašė ilgą, nuoširdų atsakymą:

Kai aiškiai pamačiau, kad mūsų rasinės diskriminacijos kampanijos sėkmė neišvengiama, mano elgesys nustojo tobulėti. <...> Tapęs lyderiu piktnaudžiavau negrų man rodomu pasitikėjimu; priverčiau juos suabejoti moraliniu nesmurto pagrindu; įskaudinau ir apvyliau savo draugus visoje šalyje. <...> Esu išdavikas (pagal mūsų supratimą) lygiai taip pat, kaip armijos kapitonas savavališkai atskleidęs karines pozicijas mūšyje. <...> Iš tikrųjų buvau atsidavęs savajam „ego". Galvojau, kad didžiai kovai skiriu savo jėgas, savo laiką, savo energiją. Kad stodamas už nesmurtinio pasipriešinimo vairo atiduodu savo balsą, savo sugebėjimus, savo ryžtą. Nesugebėjau nuolankiai priimti Dievo man suteiktų dovanų. <...> Dabar matau, kad [tai] atvedė pirmiausia prie išdidumo ir puikybės, o tada prie silpnybės, apsimetinėjimo ir nuosmukio[25].

Po kelių mėnesių Rastinas buvo išleistas namo su jį lydinčiu sargu aplankyti savo mirštančio senelio. Pakeliui jis susitiko savo kolegę aktyvistę ir seną draugę Helen Vinemor (Helen Winnemore). Vinemor prisipažino mylinti Rastiną ir norinti būti jo gyvenimo partnere, suteikti jam heteroseksualius santykius ar bent jau priedangą, kad jis galėtų toliau tęsti savo darbą. Rastinas apibendrintai savais žodžiais atpasakojo Vinemor pasiūlymą savo ilgamečiam meilužiui Deivisui Platui (Davis Platt):

Dabar, kadangi tikiu, kad po to, kai susigrąžinsi savo galią tarnauti ir gelbėti kitus, toji galia bus didžiulė, ir kadangi tikiu, kad šiuo metu tau labiausiai reikia tikros meilės, tikro supratimo ir pasitikėjimo, nesigėdydama prisipažįstu, kad tave myliu ir noriu eiti su tavimi per ugnį ir per vandenį, atiduoti viską, ką turiu, kad tavo kilni širdis gyvuotų ir žydėtų. Žmonės privalo pamatyti tą kilnumą, kuris galbūt priklauso tau, ir šlovinti tavo kūrėją. Bajardai, tęsė ji, tiesą pasakius, meilė, kurią tau jaučiu ir su džiaugsmu siūlau, skirta ne tik man ar tau, bet visai žmonijai, kuriai būtų naudinga tai, ką duotų tokia sąjunga – ir tada mes ilgam nutilome[26].

Rastiną sujaudino Vinemor pasiūlymas. „Aš niekada nebuvau susidūręs su tokia nesavanaudiška moters meile. Niekas niekada nėra siūlęs tokios paprastos ir besąlygiškos aukos." Jis nepriėmė Vinemor pasiūlymo, bet jį palaikė Dievo siųstu ženklu. Prisimindamas tą pokalbį jis pajusdavo „sunkiai suvokiamą džiaugsmą – šviesos blykstelėjimą teisinga kryptimi – naują viltį... netikėtą įvertinimą iš naujo... šviesą kelyje, kuriuo žinau turįs keliauti".[27]

Rastinas prisiekė pažaboti savo pasipūtimą ir pykčio dvasią, nes tai trukdė jo pacifistinei veiklai. Jis permąstė savo seksualinį gyvenimą. Ir iš esmės sutiko su Masčio kritika dėl palaido gyvenimo būdo. Rastinas pradėjo labai stengtis dėl savo santykių su ilgalaikiu mylimuoju Deivisu Platu, parašė jam daugybę ilgų, atvirų laiškų tikėdamasis, kad nuoširdžia meile paremti santykiai padės nugalėti geismą ir paleistuvystę.

Rastinas išbuvo kalėjime iki 1946 metų birželio mėnesio. Išleistas jis iškart tapo aktyviu pilietinių teisių judėjimo nariu. Šiaurės Karolinoje Rastinas kartu su kitais aktyvistais atsisėdo segregacinio autobuso priekyje, už tai jie buvo sumušti ir beveik nulinčiuoti. Redinge, Pensilvanijos valstijoje, jis privertė viešbučio vadybininką atsiprašyti po to, kai administratorius jam nedavė kambario. Sent Pole, Minesotos valstijoje, jis tęsė sėdimąjį streiką tol, kol jam davė kambarį. Traukinyje iš Vašingtono į Luisvilį jis nuo pusryčių iki pietų meto sėdėjo valgomojo vagono viduryje, nes padavėjai atsisakė jį aptarnauti.

Kai A. Filipas Randolfas atšaukė pasipriešinimo kampaniją, Rastinas šiurkščiai sukritikavo savo mentorių už tai, kad tas išleido pareiškimą, kuris buvo tiesiog „išsisukinėjimas, padlaižūniškas meilikavimas".[28] Jis labai greitai dėl to susigėdo ir dvejus ateinančius metus vengė Randolfo. Kai jiedu pagaliau vėl susitiko, jis drebėjo „iš susijaudinimo, laukdamas jo keršto". Randolfas nuleido viską juokais ir toliau bendravo lyg niekur nieko.

Rastinas leidosi į agitacinius turus po pasaulį ir vėl tapo žvaigžde. Jis ir vėl kiekviename žingsnyje bandė suvilioti vyrus. Galiausiai Platas išmetė jį iš jųdviejų buto. O 1953 metais, kai Rastinas viešėjo Pasadinoje, kur turėjo sakyti kalbą, buvo suimtas apie trečią valandą nakties. Du apygardos policininkai suėmė Rastiną už nepadorų elgesį, kai aptiko jį automobilyje oraliniu būdu tenkinantį du vyrus.

Rastinas buvo nuteistas šešiasdešimčiai dienų kalėjimo, ir savo reputacijos po to niekada iki galo nesusigrąžino. Jam teko atsiriboti nuo aktyvistų organizacijų. Tada jis nesėkmingai bandė įsidarbinti žurnalistu leidykloje. Socialinis darbuotojas jam pasiūlė susirasti tualetų ir koridorių valytojo darbą ligoninėje.

UŽKULISIAI

Vieni žmonės po skandalo bando atsigauti pradėdami ten, kur buvo, ir paprasčiausiai tęsia savo gyvenimą. Kiti visiškai apsinuogina ir pradeda iš pat pradžių. Rastinas galiausiai suprato, kad jo naujasis vaidmuo yra tarnauti kilniam tikslui, tačiau liekant antrame plane.

Jis po truputį vėl grįžo į pilietinių teisių judėjimą. Nuo šiol nebe pagrindinio oratoriaus, lyderio ir organizatoriaus vaidmeniu, o daugiausia pasilikdamas šešėlyje – jis dirbdavo užkulisiuose, nelaukdamas įvertinimo, perleisdamas šlovę kitiems, tokiems kaip jo draugas ir protežė Martinas Liuteris Kingas. Rastinas jaunesnysis rašė Kingui kalbas, per Kingą skleidė idėjas, supažindino Kingą su darbininkų lyderiais, skatino jį kalbėti apie ekonomiką ir apie pilietinių teisių problemas, mokė jį nesmurtinio pasipriešinimo ir Gandžio filosofijos bei Kingo vardu vieną po kitos organizuodavo akcijas. Rastinui teko svarbus vaidmuo Montgomerio autobusų boikote. Kingas parašė apie tai knygą, bet Rastinas paprašė iš jos išbraukti visas užuominas apie jį. Paprašytas pasirašyti kokį nors viešą pareiškimą dėl vienos ar kitos pozicijos, jis paprastai atsisakydavo. Net ir antraplanis jo vaidmuo buvo pažeidžiamas. 1960 metais Niujorko pastorius ir kongresmenas Adamas Kleitonas Pauelas (Adam Clayton Powell) pareiškė, kad jeigu Kingas ir Rastinas nepaklus jo reikalavimams dėl tam tikro taktinio ėjimo, jis paskelbs, kad jie yra meilužiai. Randolfas įtikinėjo Kingą likti su Rastinu, nes tokie kaltinimai skambėjo absurdiškai. Kingas dvejojo. Rastinas įteikė atsistatydinimo iš Pietinės krikščionių vadovybės asociacijos pareiškimą, tikėdamasis, kad Kingas jį atmes. Tačiau, didžiam jo nusivylimui, Kingas ramiai jį pasirašė. Jis nutraukė ir asmeninius santykius su Rastinu, nustojo jam skambinti prašydamas patarimų, tik retkarčiais nusiųsdavo mandagų raštelį, taip bandydamas nuslėpti savo sprendimą nutraukti su juo ryšius.

1962 metais Rastinui suėjo penkiasdešimt metų ir niekas jo neprisiminė. Iš visų svarbiausių pilietinių teisių lyderių tik Randolfas tvirtai laikėsi išvien su Rastinu. Vieną dieną jiems vaikštinėjant Harleme Randolfas prisiminė Antrojo pasaulinio karo laikotarpio žygį į Vašingtoną, kuris taip ir neįvyko. Rastinas iškart pajuto, kad atėjo metas išpildyti tą svajonę ir suorganizuoti „masinį išsilaipinimą" šalies sostinėje. Rastinas tikėjo, kad žygiai ir protestai pietuose pradėjo purtyti senosios tvarkos pamatus. Išrinkus Džoną F. Kenedį prezidentu Vašingtonas vėl tapo aktualia vieta eitynėms. Atėjo laikas masine akistata priversti vyriausybę imtis veiksmų.

Iš pradžių didžiosios pilietinių teisių organizacijos, tokios kaip Miestų lyga ir Nacionalinė spalvotųjų žmonių pažangos asociacija reagavo skeptiškai arba visai nepalankiai. Jie nenorėjo erzinti įstatymų leidėjų ir administracijos narių. Konfrontacinis žygis galįs tapti kliūtimi prieiti prie įtakingų žmonių ir daryti įtaką iš vidaus. Be to, pilietinių teisių judėjimuose jau ilgą laiką požiūriai iš esmės išsiskirdavo ne tik diskusijose apie strategiją, bet smarkiai skyrėsi nuomonės ir dėl moralės bei žmogaus prigimties.

Deividas L. Čapelis (David. L. Chappell) savo knygoje „Vilties akmuo" (*A Stone of Hope*) įrodinėja, kad iš tikrųjų egzistavo du žmogaus teisių judėjimai. Pirmajame susitelkė labai išsilavinę šiauriečiai. Šios grupės žmonių požiūris į istoriją ir žmogaus prigimtį dvelkė optimizmu. Jiems buvo savaime suprantama, kad istorijos eiga yra laipsniškas augimas, nuolatinis mokslinių ir psichologinių žinių kaupimas, didesnės gerovės siekis, augantis pažangių įstatymų skaičius ir švelnus perėjimas nuo barbariško prie padoraus elgesio.

Jie tikėjo, kad rasizmas yra toks akivaizdus Amerikos steigimo dokumentų pažeidimas, kad pagrindinis žmogaus teisių aktyvistų darbas yra apeliuoti į žmonių nuovoką ir į geruosius žmogaus prigimties angelus. Augant išsimokslinimo lygiui, kylant sąmoningumui, gerovei ir ekonominėms galimybėms vis daugiau žmonių po truputį pradės suprasti, kad rasizmas yra neteisingas dalykas, kad skirstyti žmones neteisinga, ir sukils, kad tai nugalėtų. Išsilavinimo lygis, gerovė ir socialinis teisingumas kils kartu. Visi geri dalykai tarpusavyje dera ir vienas kitą pastiprina.

Šios stovyklos žmonės buvo linkę tikėti dialogu, o ne akistata, susitarimu, o ne agresija, ir geranoriškumu, o ne politine jėga.

Čapelis teigia, kad buvo ir antroji stovykla, atsiradusi iš biblinių pranašų tradicijos. Jos lyderiai, tarp jų Kingas ir Rastinas, citavo Jeremiją ir Jobą. Jie įrodinėjo, kad šiame pasaulyje teisieji kenčia, o neteisūs klesti. Teisumas nebūtinai garantuoja pergalę. Žmogus pačia savo esme yra nusidėjėlis. Jis stengsis pateisinti neteisybę, kuri jam yra naudinga. Jis neatsisakys savo privilegijų, net jei ir pavyks jį įtikinti, kad jos pragaištingos. Net ir teisingu keliu einančius žmones gali gadinti jų pačių teisumas, jie gali nesavanaudišką judėjimą paversti savo tuštybei tarnaujančiu instrumentu. Juos gali sugadinti tiek įgyta galia, tiek bejėgiškumas.

Kingas paskelbė, kad visatoje „išsikerojęs" blogis. „Šio akivaizdaus fakto nesugeba pamatyti tik apsimetėlis optimistas, kuris nenori žvelgti gyvenimo tikrovei į akis."[29] Šios realistų stovyklos šalininkai, kurių dauguma buvo religingi pietiečiai, jautė panieką šiaurietiškam tikėjimui laipsniška natūralia pažanga. Kingas tęsė: „Tokį optimizmą diskreditavo žiauri įvykių eiga. Vietoje garantuotos išminties ir elgesio pažangos žmogus susiduria su nuolatine galimybe ne tik labai greitai vėl virsti gyvuliu, bet ir prieiti iki tokio sąmoningo žiaurumo, koks nebūdingas jokiam kitam gyvūnui."[30] Šios stovyklos nariai teigė, kad optimistai užsiiminėja stabmeldyste. Jie garbina žmogų, o ne Dievą, o kai garbina Dievą, tai tėra Dievas, turintis tas pačias, tik ištobulintas žmogiškąsias savybes. Dėl to jie pervertina žmogaus geros valios, idealizmo ir užuojautos galią bei savo pačių kilnius ketinimus. Jie pernelyg nuolaidžiauja sau, yra pernelyg patenkinti savo dorybėmis ir pernelyg naiviai žiūri į savo priešininkų ryžtą. Randolfas, Kingas ir Rastinas pasižymėjo griežtesniu požiūriu į savo kovą. Segregacijos šalininkai nenusileis, o geros valios žmonių neįkalbėsi veikti, jeigu jiems tai bus rizikinga. Patys pilietinių teisių aktyvistai negalėjo pasikliauti savo geranoriškumu arba valios jėgomis, nes labai dažnai iškreipdavo ir savo tikslą. Norint pasiekti nors kokią pažangą nepakako vien prisijungti prie judėjimo, turėjai jam visiškai atsiduoti, paaukoti savo asmeninę laimę bei pasitenkinimą ir, galbūt, gyvenimą. Toks požiūris, žinoma, kurstė didžiulį ryžtą, kuriuo tikrai negalėjo pasigirti dauguma optimistiškesnių pasaulietinio požiūrio besilaikančių sąjungininkų. Kaip pasakė Čapelis: „Ryžto, kurio liberalams trūko, bet reikėjo, pilietinių teisių aktyvistai sėmėsi iš neliberalių šaltinių."[31] Biblinis požiūris neapsaugojo realistų nuo skausmo ir kančios, tačiau parodė, kad kančia ir skausmas yra neišvengiami ir atperkami.

Viena iš tokio požiūrio pasekmių buvo tai, kad biblinėmis tiesomis besiremiantys realistai buvo daug agresyvesni.

Žinodami, kad žmogus iš prigimties nuodėmingas, jie buvo tikri, kad žmonių pakeisti neįmanoma vien stiprinant švietimą, keliant sąmoningumą ar didinant galimybes. Klaidinga pasitikėti istoriniais procesais, žmonių institucijomis ar žmogiškuoju gerumu. Rastinas sakė, kad Amerikos juodieji „su baime ir nepasitikėjimu žiūri į viduriniosios klasės idėją apie ilgalaikius švietimo ir kultūrinius pokyčius".[32] Pokyčiai įvyksta tik dėl nuolatinio spaudimo ir prievartos. Kitaip tariant, tie bibliniai realistai buvo ne Tolstojaus, o Gandžio pasekėjai. Jie netikėjo, kad pakanka atsukti kitą skruostą ar bandyti palenkti žmones vien draugyste ir meile. Neprievarta jiems atskleidė daugybę taktikų, kuriomis pavyko išlaikyti nuolatinę puolimo būseną. Jie nuolat rengdavo protestus, eitynes, sėdimuosius streikus ir galėjo imtis kitų veiksmų, kurie priverstų oponentus elgtis prieš savo valią. Neprievarta leido bibliniams realistams negailestingai demaskuoti savo priešininkų niekšybes, priversti, kad šios nuodėmės atsisuktų prieš pačius priešininkus, nes jos pasireikšdavo vis žiauresnėmis formomis. Jie vertė savo priešus daryti bloga, nes buvo pasiruošę sugerti blogį. Rastinas pritarė idėjai, kad norint sugriauti nusistovėjusią tvarką reikia eiti į kraštutinumus. Jėzus jam buvo „tas fanatikas, kurio primygtinis reikalavimas mylėti sudrebina pačius stabilios visuomenės pamatus".[33] Arba, kaip pasakė Randolfas: „Jaučiu moralinę pareigą trikdyti Džimo Krou (Jim Crow) Amerikos sąžinę ir neleisti jai nurimti."[34]

Net ir tokių akistatų įkarštyje, savo didžiausios sėkmės akimirkomis Randolfas, Rastinas ir kiti pilietinių teisių aktyvistai nepamiršo, kad jų karingi veiksmai gali pakenkti jiems patiems. Savo didžiausios sėkmės akimirkomis jie suprato, kad juos gali sugadinti jų pačių teisuoliškumas, nes jų tikslas teisingas; kad juos gali sugadinti pasitenkinimas savimi, nes jie sėkmingai juda į priekį siekdami tikslo; kad jie gali pradėti elgtis piktai ir neapgalvotai, kai viena grupė susirems su kita; kad gali tapti kategoriški ir primityvūs naudodami propagandą, kad mobilizuotų savo pasekėjus; kad plečiantis auditorijai juos gali užvaldyti puikybė; kad konfliktui vis stiprėjant ir didėjant neapykantai priešams jų širdys gali sukietėti; kad įgydami vis didesnę galią jie bus priversti priimti moraliai abejotinus sprendimus; kad kuo labiau jie keis istoriją, tuo stipriau juos užvaldys puikybė.

Rastinas gyveno labai nedisciplinuotą lytinį gyvenimą ir į neprievartą žiūrėjo kaip į priemonę, kuria protestuotojas gali pasinaudoti tam, kad apsisaugotų nuo tokių pavojų. Dėl to nesmurtiniai protestai skiriasi nuo paprastų protestų. Juose būtina nuolat save kontroliuoti. *Gandiškasis* protestuotojas stodamas į rasinį maištą negali naudoti fizinės jėgos, pavojaus akivaizdoje privalo išlikti ramus ir komunikabilus, su meile žvelgti į tuos, kurie nusipelnė neapykantos. Tam reikia fiziškai save disciplinuoti, sąmoningai ir iš lėto pasitikti pavojų, pasipylus smūgiams rankomis uždengti galvą. Reikia tramdyti emocijas, atsispirti norui piktintis, į nieką nežiūrėti su pagieža ir visą laiką būti geranoriškam. Ir svarbiausia, reikia sugebėti sugerti kančią. Kaip sakė Kingas, norėdami išsivaduoti iš priespaudos tiek ilgai kentėję žmonės turėjo patirti dar didesnę kančią: „Nepelnyta kančia yra išpirkimas."[35]

Neprievartos taktika yra ironiškas kelias: silpnieji gali pasiekti pergalę kentėdami; engiamieji neturi priešintis, jeigu nori nugalėti savo engėją; tuos, kurie stovi teisybės pusėje, gali gadinti jų pačių teisuoliškumas. Tokia paradoksalia logika vadovaujasi tie, kurie aplink save mato morališkai smukusį pasaulį. Tokia logika būdinga amžiaus vidurio mąstytojui Rainholdui Niburui. Jis darė įtaką Randolfui, Rastinui ir Kingui, jie mąstė panašiai. Niburas teigė, kad nuodėmingos prigimties apniktas žmogus pats sau yra problema. Žmogus nepajėgia suvokti, kokią reikšmę turi jo veiksmai žvelgiant iš platesnės perspektyvos. Mes paprasčiausiai negalime suvokti ilgos savo poelgių pasekmių grandinės ar netgi savo impulsų kilmės. Niburas prieštaravo šiuolaikinio žmogaus lengvabūdiškumui, jo moraliniam prisitaikėliškumui visuose frontuose. Jis priminė skaitytojams, kad mes niekada nesame tokie dorybingi, kaip mums patiems atrodo, o mūsų motyvai niekada nėra tokie švarūs, kaip patys galvojame.

Net ir pripažįstant savo silpnybes ir trūkumus, tęsė Niburas, svarbu ryžtingai kovoti su blogiu ir neteisybe. Pakeliui svarbu pripažinti, kad mūsų motyvai nėra tyri, ir kad ir kokią galią įgytume ir kokia galia naudotumės, ji mus galiausiai vis tiek sugadins.

„Mes imamės ir toliau privalome imtis moraliai rizikingų veiksmų, kad išsaugotume savo civilizaciją", – rašė Niburas Šaltojo karo įkarštyje. „Mes turime naudotis savo galia. Tačiau neturėtume tikėti, kad visuomenei visiškai nerūpės tai, kaip ji naudojama, nei taikstytis net ir su menkiausiu įsikišimu ir aistromis, iškreipiančiomis galios panaudojimą įteisinantį teisingumą."[36]

„Taip elgiantis, – tęsė jis, – turi būti naivus kaip balandis ir gudrus kaip žaltys. Didžiausia ironija tai, kad jokioje kovoje negalėtume būti dorybingi, jeigu iš tikrųjų būtume tokie tyri, kokiais apsimetame."[37] Jeigu tikrai būtume tokie tyri, negalėtume panaudoti galios taip, kaip būtina norint pasiekti gerų rezultatų. Tačiau jeigu nenustoji savimi abejoti ir į save žiūri su įtarimu, gali pasiekti dalinių pergalių.

KULMINACIJA

Iš pradžių Rastinui ir Randolfui buvo sunku suvienyti pilietinių teisių lyderius žygiui į Vašingtoną. Tačiau nuotaika pasikeitė po to, kai 1963 metų pavasarį Birmingame, Alabamos valstijoje, įvyko audringi protestai. Visas pasaulis matė, kaip Birmingamo policija siundo šunis ant paauglių mergaičių, leidžia vandens patrankas ir stumdo berniukus į sienas. Tie vaizdai mobilizavo Kenedžio administraciją paruošti pilietinių teisių įstatymus ir Rastinas su Randolfu įtikino beveik visus pilietinių teisių judėjimo narius, kad atėjo laikas masiniam susibūrimui šalies sostinėje. Pagrindinis žygio organizatorius Rastinas norėjo būti vadinamas oficialiu žygio vadu. Tačiau lemiamo susirinkimo metu Rojus Vilkinsas (Roy Wilkins) iš NAACP paprieštaravo: „Jis turi per daug randų." Kingas svyravo, kol galų gale įsiterpė Randolfas ir pareiškė, kad jis pats bus žygio vadas. Taip jis įgysiąs teisę pasirinkti savo pavaduotoją ir galėsiąs juo paskirti Rastiną, kuris ir būtų pagrindinis organizatorius, tik nenaudotų savo vardo. Vilkinsas buvo pergudrautas.

Rastinas organizavo viską nuo transporto sistemų iki tualetų ir garsiakalbių išdėstymo. Siekdamas išvengti akistatos su Vašingtono policija, jis surinko tą dieną laisvadienį turinčių juodaodžių policininkų korpusą ir išmokė juos priešintis nenaudojant smurto. Jie turėjo apsupti eitynių dalyvius ir saugoti nuo konfliktų.

Likus dviems savaitėms iki žygio, segregacijos šalininkas senatorius Stromas Termondas (Strom Thurmond) užlipo į Senato tribūną ir iškoneveikė Rastiną, kad jis yra seksualinis iškrypėlis. Jis parodė Kongresui Pasadinos policijos įspėjimo kvitą. Džonas D'Emilijas savo žymiojoje biografinėje knygoje „Prarastas pranašas" (Lost Prophet) pažymi, kad Rastinas per vieną akimirksnį ir visai netikėtai tapo vienu ryškiausių Amerikos homoseksualų.

Randolfas šoko ginti Rastino: „Man kelia nerimą tai, kad šioje šalyje yra žmonių, kurie prisidengę krikščioniškos moralės skraiste pasiruošę sudarkyti patį paprasčiausią kitų žmonių padorumą, privatumą ir nuolankumą tam, kad galėtų persekioti kitus."[38] Iki žygio buvo likusios tik dvi savaitės, todėl kiti žmogaus teisių gynėjai neturėjo kito pasirinkimo, kaip irgi užstoti Rastiną. Taip jau išėjo, kad Termondas padarė Rastinui didžiulę paslaugą.

Šeštadienį prieš eitynes Rastinas išleido paskutinį pareiškimą, kuriame apibendrino savo griežtai kontroliuojamos agresijos politiką. Žygis, skelbė jis, bus „tvarkingas, bet ne pataikūniškas. Išdidus, bet ne pasipūtėliškas. Taikus, bet ne baikštus."[39] Tą dieną pirmasis kalbėjo Randolfas. Tada ugningą ir karingą kalbą rėžė Džonas Luisas (John Lewis), po kurios milžiniška minia ėmė šėlti. Dainavo Mahalija Džekson (Mahalia Jackson), o Kingas pasakė kalbą „Aš turiu svajonę". Baigdamas jis uždainavo senos negrų religinės giesmės priedainį: „Pagaliau laisvi! Pagaliau laisvi! Dėkoju Visagaliui Dievui, mes pagaliau laisvi!" Tada ant pakylos užlipo Rastinas, kuris buvo ceremonijos vedėjas, ir dar kartą pristatė Randolfą. Randolfas privertė minią prisiekti toliau tęsti kovą: „Prisiekiu neatsipalaiduoti, kol nepasieksim pergalės. <...> Prisiekiu visa savo širdimi, protu ir kūnu, nepaisydamas asmeninės aukos siekti taikos visuomenėje socialiniu teisingumu."

Rastinas ir Randolfas susitiko po žygio. Vėliau Rastinas prisimins: „Pasakiau jam: „Pone Randolfai, jūsų svajonė, regis, išsipildė." O kai pažvelgiau jam į akis, jo skruostais riedėjo ašaros. Kiek pamenu, tai buvo vienintelis kartas, kai jis nepajėgė paslėpti savo jausmų."[40]

Paskutiniaisiais savo gyvenimo dešimtmečiais Rastinas kovojo savais būdais, daug dirbo siekdamas panaikinti rasinę segregaciją Pietų Afrikoje, 1968 metais stojo kovoti už žmogaus teises Niujorke lemtingojo mokytojų streiko metu, gynė integruotos visuomenės idealus nuo tokių nacionalistiškai nusiteikusių veikėjų, kaip Malkolmas X (Malcolm X). Vėlyvuoju savo gyvenimo laikotarpiu jis atrado ramybę palaikydamas ilgalaikius santykius su Valteriu Niglu (Walter Naegle). Rastinas beveik niekada viešai nekalbėdavo apie asmeninį gyvenimą, bet viename interviu pasakė: „Svarbiausia yra tai, kad po tiek metų ieškojimo aš pagaliau atradau tvirtus, ilgalaikius santykius su žmogumi, su kuriuo mane sieja viskas. <...> Tiek metų ieškojau jaudinančio sekso užuot ieškojęs man tinkančio žmogaus."

A. Filipo Randolfo ir Bajardo Rastino istorija yra istorija apie tai, kaip netobuli žmonės naudojasi galia morališkai smukusiame pasaulyje. Juos vienijo bendra pasaulėžiūra, jie suvokė, kad egzistuoja tiek socialinė, tiek asmeninė nuodėmė, kad žmogaus gyvenimą vagoja ir tamsos gijos. Jie išmoko – Randolfas iškart, o Rastinas laikui bėgant – susikurti vidinę vertybių sistemą savo chaotiškiems impulsams suvaldyti. Abu suprato, kad su nuodėme reikia kovoti netiesiogiai, aukojantis, nukreipiant gyvenimą kita linkme nuo blogų polinkių. Jie laikėsi nepaprastai oriai. Tačiau tokia laikysena darė juos agresyvius išoriškai. Jie suprato, kad dramatiški pokyčiai labai retai kada įvyksta maloniai įkalbinėjant. Socialinės nuodėmės duris turi užkalti tie, kurie suvokia, kad yra neverti būti tokie drąsūs.

Jų galios filosofija skirta žmonėms, kurie nepaprastai tiki savimi ir kartu nepaprastai skeptiškai vertina save.

MEILĖ

„ŽMOGAUS GYVENIMAS, MANAU, – RAŠĖ DŽORDŽAS ELIO-
TAS*, – TURI BŪTI TVIRTAI SUAUGĘS SU KOKIU NORS GIMTO-
SIOS ŽEMĖS LOPINĖLIU, IŠ KUR JIS SEMTŲSI ŠVELNIOS GIMI-
NIŠKOS MEILĖS VAIKYSTĖS PEIZAŽUI IR SU JUO SUSIJUSIEMS
ŽMONIŲ DARBAMS, GARSAMS IR TARMĖMS, NES KAD IR KAIP
PLĖSTŲSI ATEITIES HORIZONTAI, VISA TAI PAVERS TĄ PEIZAŽĄ
ATPAŽĮSTAMU IR SU NIEKUO NESUMAIŠOMU."[1]

Eliotas gimė Vorikšyre, Anglijos viduryje, kur tiesia-
si nuožulnus, lygus ir niekuo neišsiskiriantis kraštovaizdis.
Iš jos namų buvo matyti ir besidriekiančios senosios dirbamos
žemės, ir naujos suodinos anglies kasyklos – tokia ekonomi-
nė priešprieša suteikė Viktorijos epochai ypatingo ryškumo.
Ji gimė 1819 metų lapkričio 22 dieną ir buvo pavadinta Meri
Ana Evans (Mary Anne Evans).

* Vyriškas asmenvardis Džordžas Eliotas (George Eliot) yra rašytojos moters slapy-
vardis. (Red. past.)

Jos tėvas iš pradžių buvo stalius, tačiau dėl savo disciplinuotumo ir gebėjimo pasinaudoti galimybėmis pakilo iki klestinčio samdomo dvaro valdytojo. Jis rūpinosi kitų žmonių nuosavybe ir laikui bėgant tapo pakankamai turtingas. Meri Ana jį dievino. Tapusi rašytoja ji panaudojo tėvui būdingas savybes – praktines žinias, paprastą išmintį, ištikimą atsidavimą darbui – kaip pagrindą savo keliems žaviems personažams. Po tėvo mirties ji išsaugojo jo akinius vieliniais rėmeliais, kurie jai priminė budrias jo akis ir jo požiūrį į pasaulį. Jos motina Kristiana beveik visą Meri Anos paauglystės laikotarpį buvo prastos sveikatos. Praėjus aštuoniolikai mėnesių po Meri Anos gimimo ji neteko dvynių berniukų, o kitus savo vaikus išsiuntė į internatines mokyklas, kad pačiai nereikėtų eikvoti fizinių jėgų juos auginant. Meri Anai, regis, labai trūko motiniškos meilės ir, pasak biografės Ketrin Hjus (Kathryn Hughes), ji į tai reagavo „siutinamai siekdama dėmesio ir save bausdama".[2] Fiziškai ji atrodė per anksti subrendusi, užsispyrusi, kiek keistoka mergaitė, kuri suaugusiųjų kompanijoje jausdavosi geriau nei su kitais vaikais, tačiau iš jos sklido kažkoks didžiulis ilgesys.

Jaunystėje Meri Ana ilgėjosi švelnumo ir baiminosi būti palikta, todėl jos dėmesys nukrypo į vyresnįjį brolį Aizeką. Kai jis grįždavo namo iš mokslų, ji sekiodavo jam iš paskos, kankindavo jį nepaliaujamais klausimais apie kiekvieną jo gyvenimo smulkmeną. Kurį laiką brolis atsakydavo į jos meilę, ir jie abu mėgavosi „trumpais laiko tarpsniais", tobulas

dienas leido išdykaudami pievose ir prie upelių. Tačiau jis su-
augo, gavo jauną žirgą ir nustojo domėtis įkyria maža mergai-
te. Jis ją paliko verkiančią ir apleistą. Pirmuosius trisdešimt
Meri Anos gyvenimo metų dominavo būtent toks elgesio ša-
blonas: ji karštligiškai ieškojo meilės, o koks nors susierzinęs
vyras ją vis pamesdavo. Kaip pasakytų jos paskutinis vyras
Džonas Krosas (John Cross): „Jai nuo pat ankstyvos jaunystės
būdinga savybė, kuria paženklintas visas jos gyvenimas –
nepaprastas poreikis turėti kokį nors vieną žmogų, kuris jai
būtų viskas ir kuriam ji būtų viskas."[3]

1835 metais jos motina susirgo krūties vėžiu. Penkerių
metų amžiaus Meri Ana buvo išsiųsta į internatinę mokyklą,
kad negadintų motinai sveikatos, o sulaukus šešiolikos ją iš-
kvietė atgal namo ja rūpintis. Niekur nepaminėta, kad, kai
liga galiausiai pasiglemžė motinos gyvybę, Meri Ana būtų la-
bai dėl to liūdėjusi, tačiau ji jau buvo oficialiai baigusi mokslus
ir liko rūpintis namų ūkiu, tarsi atstodama tėvui žmoną.

Žymiojoje „Midlmarčo miestelio" įžangoje Eliotas rašo
apie pašaukimo krizę, kurią išgyvena dauguma jaunų mote-
rų. Jas kankina nepaprastas vidinis ilgesys, rašė ji, aistringas
noras savo energiją skirti kokiam nors svarbiam, didvyriškam
ir prasmingam tikslui. Jų nerami moralinė vaizduotė kuria
troškimus nuveikti ką nors didingo ir teisingo. „Iš vidaus
maitinama" tų jaunų moterų dvasinė liepsna vaikosi kažkokio
„neišmatuojamo pasitenkinimo, kažko, kas niekada neleistų
nuobodžiauti ir nusivylimą savimi pakeistų entuziastingu su-

vokimu apie gyvenimą anapus savęs". Tačiau Viktorijos laikų visuomenėje jos turėjo labai mažai galimybių išreikšti savo energiją, todėl jų „meilės kupini širdies dūžiai ir aimanos dėl nepasiekiamų idealų nurimsta ir subyra atsimušę į tas kliūtis užuot susitelkę į kokią nors reikšmingą veiklą". Toks moralinis užsidegimas ir dvasinis ilgesys buvo Meri Anos variklis. Vėlyvos paauglystės ir ankstyvos jaunystės laikotarpiu ji virto religine entuziaste. Tai buvo amžius, kai visuomenė išgyveno didžiulį religinį sujudimą. Dėl mokslo pažangos pradėjo ryškėti bažnytinių žmogaus sukūrimo paaiškinimų trūkumai. Plintant netikėjimui moralė tapo problema; net ir augant abejonėms dėl Dievo egzistencijos, daugelis Viktorijos laikų amžininkų dar tvirčiau įsikibo į griežtus moralės principus. Ištikimieji bažnyčios pasekėjai dėjo pastangas, kad bažnyčia taptų gyvesnė ir dvasingesnė. Džonas Henris Njumanas (John Henry Newman) ir Oksfordo judėjimas stengėsi sugrąžinti anglikonybę prie katalikiškų šaknų, atgaivinti pagarbą tradicijoms ir senovės ritualams. Kurdami patrauklesnes apeigas ir pabrėždami individualios maldos, individualios sąmonės ir kiekvieno žmogaus tiesioginį santykį su Dievu, evangelikai į tikėjimą įnešė daugiau laisvės.

Paauglystėje Meri Ana užsidegė religine aistra ir dėl savo egocentriško nebrandumo įkūnijo daugelį pačių nuobodžiausių ir nepatraukliausių religijos savybių. Jos tikėjimas buvo persmelktas savimi besižavinčio atsižadėjimo, bet trūko džiaugsmo ir žmogiškos užuojautos. Įtikėjusi, kad tikrai moralus žmogus turi susitelkti į tikrą, o ne į fantazijų pasaulį, ji nustojo skaityti grožinę literatūrą. Atsisakė vyno ir būdama namų ūkio galva aplinkinius irgi privertė tapti abstinentais. Ėmė vilkėti griežtais, puritoniško stiliaus drabužiais. Meri Ana nusprendė, kad muzikos, kuri kažkada jai teikė tiek daug džiaugsmo, dabar galima klausytis, tik jeigu ji skirta Dievui garbinti. Galėjai iš anksto nuspėti, kad visuomeniniuose renginiuose jai nepatiks žmonių vulgarumas, o paskui užeis verksmo priepuolis. Viename pobūvyje, rašė ji draugei, dėl „nepakeliamo šokiams akompanuojančio triukšmo" buvo neįmanoma „išlaikyti protestantiškos tikros krikščionės nuotaikos".[4] Jai įsiskaudo galvą, prasidėjo isterijos priepuolis ir ji prisiekė daugiau nebepriimti „jokių abejotinų pakvietimų".

D. H. Lorensas (D. H. Laurence) kažkada rašė: „Tiesą pasakius, viskas prasidėjo nuo Džordžo Elioto. Tai ji ėmėsi dirbti su savimi." Paauglystėje Meri Ana gyveno melodramišką ir savimylišką gyvenimą, persmelktą vidinės kančios, kovos ir susitaikymo. Ji stengėsi gyventi kankinio ir atsižadėjusio žmogaus gyvenimą. Tačiau tą darė dirbtinai save varžydama, amputuodama bet kokį žmogiškumą ar švelnumą, jeigu jis netilpo į griežtus rėmus. Jos elgesys buvo apsimestinis, jai ne tiek norėjosi būti šventai, kiek reikėjo, kad kiti žavėtųsi jos šventumu. Šiuo periodu jos rašyti laiškai ir net prasta ankstyvoji poezija pilna skausmingos ir pretenzingos savimonės: „Ak, Šventoji! Ak, pretenduočiau, jei tik galėčiau / Į privilegijuotą, garbingą vardą / Ir ryžtingai užimčiau savo vietą / Nors ir žemiausią šventųjų būryje!" Biografas Frederikas R. Karlas (Frederick R. Karl) apibendrina požiūrį į ją: „1838 metais, kai jai buvo beveik devyniolika, Meri Ana, nors ir buvo aukšto intelekto, skamba nepakenčiamai."⁵ Laimei, jos nerimstantis protas nesileido ilgam suvaržomas. Ji buvo pernelyg protinga, kad nesugebėtų teisingai savęs vertinti. „Jaučiu, kad nuolatinė visų mano nuodėmių nuodėmė Puikybė turi didžiausią griaunančią jėgą, nes yra vaisingas visų kitų nuodėmių tėvas, nepasotinamas troškimas sulaukti pagarbos iš kitų būtybių", – laiške rašė ji. „Atrodo, kad tai centras, iš kurio gimsta visi mano veiksmai."⁶ Kažkuria prasme ji suprato, kad jos viešai demonstruojamas teisuoliškumas tėra dėmesio siekimas. Be to, ji buvo pernelyg smalsi, kad pajėgtų ilgai išbūti įsispraudusi į pačios prasimanytus tramdomuosius proto marškinius. Ją pernelyg kamavo žinių alkis. Ji nebegalėjo ir toliau taip griežtai tramdyti savo potraukio skaityti.

Meri Ana pradėjo skaityti ne tik liturginę literatūrą. Ji ir toliau skaitydavo Biblijos komentarus, tačiau kartu mokėsi italų ir vokiečių kalbų, skaitė Viljamą Vordsvortą ir Gėtę. Ėmė skaityti romantinę poeziją, tokius poetus kaip Šelį ir Baironą, kurių gyvenimas tikrai neatitiko jos tikėjimo apribojimų.

Netrukus ji jau intensyviai skaitė mokslinę literatūrą, taip pat ir Džono Pringlo Nikolo (John Pringle Nichol) „Saulės sistemos reiškinį ir tvarką" (*The Phenomena and Order of the Solar*

System) ir Čarlzo Lajelio (Charles Lyell) knygą „Geologijos principai" (*Principles of Geology*), kuri pagrindė Darvino evoliucijos teoriją. Krikščionys rašytojai puolė ginti biblinį kūrinijos aiškinimą. Ji skaitė ir tokias knygas, tačiau jos duodavo priešingą rezultatą. Jų bandymai paneigti naujojo mokslo atradimus buvo tokie neįtikinami, kad tik dar labiau sustiprindavo vis augančias Meri Anos abejones.

1841 metais, būdama dvidešimt vienerių, ji nusipirko Čarlzo Henelio (Charles Hennell) knygą „Užklausimas apie krikščionybės kilmę" (*An Inquiry Concerning the Origin of Christianity*), kuri jai padarė nepaprastai didelę įtaką. Henelis gramatiškai išnagrinėjo kiekvieną Evangeliją, norėdamas nustatyti, ką galima laikyti faktais, o kas tebuvo vėlesnis pagražinimas. Jis priėjo prie išvados, kad nėra pakankamai įrodymų, jog Jėzaus kilmė tikrai dieviška ar kad jis darė stebuklus, ar prisikėlė iš mirusiųjų. Pasak jo, Jėzus buvo „kilniaširdis reformatorius ir išminčius, kurį nukankino klastingi kunigai ir žiaurūs kareiviai".[7]

Didžiąją to laikotarpio dalį Meri Ana neturėjo nė vieno artimo, intelektu jai prilygstančio žmogaus, su kuriuo galėtų aptarti tai, ką skaito. Ji sugalvojo žodį savo būsenai apibūdinti: „nesidalijiškumas". Ji gaudavo informaciją, bet neturėjo galimybės pokalbio metu jos aptarti ir suvokti.

O tada ji sužinojo, kad netoliese gyvena jauniausioji Henelio sesuo Kara. Karos vyras Čarlzas Brėjus (Charles Bray) buvo klestintis kaspinų pirklys ir buvo parašęs savo religinį traktatą „Poreikio filosofija" (*The Philosophy of Necessity*). Jame buvo teigiama, kad visatą valdo nekintančios Dievo nustatytos taisyklės, tačiau pats Dievas šiame pasaulyje nedalyvauja. Žmogaus pareiga atrasti tas taisykles ir pagal jas tobulinti pasaulį. Pasak Brėjaus, žmonės turėtų mažiau melstis ir daugiau laiko skirti socialinėms reformoms. Brėjai buvo protingi, intelektualūs, netradicine mąstysena pasižymintys žmonės, kurie ir gyveno netradiciškai. Gyvendamas santuokoje Čarlzas susilaukė šešių vaikų su savo virėja, o Karą siejo artimi, galbūt ir intymūs santykiai su Edvardu Noeliu (Edward Noel), kuris buvo lordo Bairono giminaitis, pats turėjo tris vaikus ir dvarą Graikijoje.

Meri Aną su Brėjais supažindino jų bendra draugė, kuri galbūt tikėjosi, kad toji sugrąžins šeimą prie ortodoksiškos krikščionybės. Tačiau net jeigu ji ir turėjo tokių ketinimų, jų įgyvendinti nepavyko. Tuo metu, kai Meri Ana atėjo į jų gyvenimą, ji pati jau buvo pradėjusi tolti nuo tikėjimo. Brėjų pora iškart pajuto ją esant gimininga siela. Ji ėmė vis daugiau ir daugiau su jais bendrauti, džiaugdamasi, kad pagaliau sutiko intelektualius bendraminčius. Ji ne dėl jų atsitraukė nuo krikščionybės, tačiau jų dėka tai įvyko greičiau.

Meri Anai ėmė darytis akivaizdu, kad jos augantis netikėjimas pridarys begalę rūpesčių. Nutrūks jos santykiai su tėvu, su kitais šeimos nariais ir apskritai su aukštuomene. Jai bus labai sunku susirasti vyrą. Būti agnostiku to meto visuomenėje reiškė būti atstumtuoju. Tačiau ji drąsiai veržėsi ten, kur vedė širdis ir protas. „Noriu dalyvauti tame šlovingame žygyje, kuris siekia išvaduoti Šventos tiesos kapą nuo valdžios užgrobėjų", – rašė ji savo laiške draugei[8].

Iš šio sakinio galima matyti, kad net ir atsižadėdama krikščionybės Meri Ana neišsižadėjo religinės dvasios. Ji atmetė krikščionių mokymą ir nustojo tikėti Jėzaus dieviškumu, tačiau, ypač būdama tokio amžiaus, neabejojo Dievo egzistavimu. Meri Ana atmetė krikščionybę praktiniais sumetimais – ji nemėgo abstrakčių ar išgalvotų dalykų. Ji tą padarė prieš tai nuodugniai apsiskaičiusi, o ne šaltakraujiškai ar sausai argumentuodama. Ji mylėjo gyvenimą su tokia žemiška aistra, kad jai buvo sunku susitaikyti su mintimi, jog šis pasaulis yra pavaldus kažkokiam kitam pasauliui, kuris paklūsta kitiems dėsniams. Ji pajuto, kad malonės būseną galima pasiekti ne atsiduodant, o savo moraliniais pasirinkimais, gyvenant dorybingą ir griežtą gyvenimą. Tokia filosofija Meri Ana labai apsunkino savo gyvenimą ir savo veiksmus.

1842 metų sausį Meri Ana pranešė tėvui, kad nebevaikščios su juo į bažnyčią. Vieno biografo teigimu, jo atsakas buvo šaltas ir irzlus pyktis, kuriame jis užsisklendė. Tėvui atrodė, kad Meri Ana ne tik nepaklūsta jam ir Dievui, bet kartu nusprendė užtraukti gėdą visai šeimai ir suteršti jos vardą visuomenės akyse. Pirmą sekmadienį po tokio akibrokšto Meri Anos tėvas nuėjo į bažnyčią, o savo dienoraštyje parašė paprastai ir šaltai: „Meri Ana nėjo."

Pasak Meri Anos, kelias ateinančias savaites vyko „Šventasis karas". Namuose jiedu su tėvu nesutarė. Jis nustojo su ja bendrauti, bet ėmė kovoti įvairiausiais būdais. Tėvas įkalbėjo draugus ir giminaičius, kad tie ją įtikintų lankyti bažnyčią vien iš padorumo. Draugai ir giminaičiai perspėjo, kad jeigu ji ir toliau taip elgsis, jai visą gyvenimą teks praleisti vargstant, ji bus išvaryta ir atskirta. Visos šios labai tikėtinos pranašystės nedarė jokio poveikio Meri Anai. Tėvas kvietėsi ir dvasininkus bei kitus nusimanančius mokslininkus, kad jie protingai jai išaiškintų, jog krikščionybė yra tikroji doktrina. Jie atėjo, ginčijosi su ja, bet buvo nugalėti. Meri Ana jau buvo perskaičiusi visas jų cituojamas knygas, todėl galėjo apginti savo įsitikinimus ir turėjo savo atsakymus.

Galiausiai tėvas nusprendė su šeima išsikraustyti. Jeigu Meri Ana ruošiasi likti senmerge, nėra prasmės toliau gyventi tokiame dideliame name, kurį jis išnuomojo, kad priviliotų jai vyrą.

Meri Ana pabandė iš naujo pradėti pokalbį su tėvu ir parašė jam laišką. Pirmiausia ji paaiškino, kodėl atsisakė krikščionybės. Ji rašė: „Evangelijos yra istorijos, kuriose tiesa sumišusi su prasimanymais, ir nors labai žaviuosi ir branginu tai, kas, tikiu, buvo doroviniai paties Jėzaus mokymai, manau, kad pagal jo gyvenimo faktus sukurta doktrinų sistema... rodo didžiulę nepagarbą Dievui ir daro pražūtingą įtaką asmens ir visuomenės laimei."

Ji jam pasakė, kad lankyti pamaldas doktrinos namuose būtų didžiausia veidmainystė. Rašė, kad ir toliau norėtų gyventi su tėvu, bet jeigu jis nori, kad ji išeitų, „mielai tą padarysiu, jei tu to nori, ir išeisiu jausdama didžiulį dėkingumą už visą tavo švelnumą ir neišsemiamą gerumą, kuriais nepailsdamas su manim dalijaisi. Toli gražu nesiruošiu skųstis, jeigu nuspręsi pakeisti planus ateityje mane išlaikyti ir viską perleisi kitiems vaikams, kuriuos laikai labiau to nusipelniusiais, ir su džiaugsmu tai priimsiu kaip deramą bausmę už skausmą, kurio tikrai nenorėdama tau suteikiau."

Savo brandaus gyvenimo pradžioje Meri Ana atsižadėjo ne tik šeimos tikėjimo. Ji buvo pasiryžusi išeiti į pasaulį be namų, be palikimo, be vyro ir be perspektyvų. Baigdama laišką ji išreiškė savo meilę: „Kadangi neturiu kas už mane kalbėtų, gal bus man leista paskutinį kartą pasiteisinti – myliu tave taip pat, kaip ir bet kada anksčiau, esu ir toliau pasiryžusi paklusti savo Kūrėjo įstatymams ir vykdyti savo pareigą, kad ir kur ji mane vestų, ir šis ryžtas mane palaikys, net jeigu šioje žemėje mane visur lydės pikti nepritarimo žvilgsniai."

Šis tokiai jaunai moteriai neįprastas laiškas atspindi daugelį savybių, kuriomis vėliau pasaulį stebins Džordžas Eliotas: nepaprastai atvirą protą, ryžtingą norą gyventi laikantis sąžinės apribojimų, stebinančią drąsą visuomenės spaudimo akivaizdoje, norą stiprinti charakterį priimant neišvengiamus sunkius sprendimus, bet kartu ir nežymų egotizmą, polinkį save laikyti melodramos žvaigžde ir didžiulį vyriškos meilės poreikį net ir tada, kai ta meile rizikuojama.

Po kelių mėnesių jie priėjo bendrą sutarimą. Meri Ana sutiko lydėti tėvą į bažnyčią su sąlyga, kad jis ir visi kiti supranta, jog ji nėra krikščionė ir netiki tikėjimo doktrinomis. Atrodo, kad ji pasidavė, bet taip nebuvo. Meri Anos tėvas greičiausiai suprato, kad žiauru išsižadėti savo dukters. Jis nusileido. O Meri Ana įsitikino, kad jos protestas buvo per daug principingas, ir ėmė gailėtis dėl to. Ji prisipažino, kad paslapčia mėgavosi tapusi miestelio skandalo žvaigžde. Ir apgailestavo, kad sukėlė tėvui tiek daug skausmo. Be to, ji suprato, kad būdama tokia nepalenkiama ji nuolaidžiauja savo silpnybėms. Po mėnesio ji rašė draugei apgailestaujanti dėl savo „jausmų ir sprendimų skubotumo". Vėliau Meri Ana sakė, kad labai gailėjosi šio konflikto su tėvu, kurio buvo galima išvengti, jeigu ji būtų elgusis kiek subtiliau ir jautriau. Jos išvada buvo tokia – taip, ji privalo klausyti savo sąžinės balso, bet turi ir moralinį įsipareigojimą sutramdyti savo impulsus atsižvelgdama į tai, kaip jie gali paveikti kitus ir socialinę bendruomenės struktūrą. Kai Meri Ana Evans tapo rašytoju Džordžu Eliotu, ji jau buvo žinoma dėl savo priešiškumo tokiam išsišokėliškam elgesiui. Sulaukusi vidutinio amžiaus ji buvo meliorizmo ir gradualizmo šalininkė, tikinti, kad žmones ir visuomenę geriausia keisti palengva, o ne stengtis staiga perlaužti. Kaip pamatysime vėliau, ji sugebėjo priimti drąsius ir beatodairiškus sprendimus, atitinkančius jos įsitikinimus, bet kartu neatmetė ir socialinių subtilybių bei įsigalėjusios tvarkos svarbos. Ji tikėjo, kad visuomenę kartu laiko milijonai individualios valios suvaržymų, kurie įpainioja žmogų į bendros moralės pasaulį. Ji pamatė, kad jeigu žmonės beatodairiškai vadovaujasi tik savo pačių norais, tai gali paskleisti savanaudiškumo užkratą aplinkiniams. Nors Meri Ana dažnai elgdavosi netradiciškai, kartu ji buvo konservatyvi ir savo radikalumą dangstė pagarbos atributais. Ji virto drąsia laisvamane, bet išsaugojo tikėjimą ritualu, įpročiu ir įsigalėjusia tvarka. Šventasis karas su tėvu buvo labai svarbus mokantis tos pamokos.

Po kelių mėnesių Meri Ana susitaikė su tėvu. Netrukus po jo mirties, praėjus septyneriems metams po Šventojo karo, ji parašė laišką, kuriame išreiškė savo susižavėjimą tėvu ir moralinę priklausomybę nuo jo: „Kas aš būsiu be savo Tėvo? Atrodys, kad praradau dalį savo moralinio tvirtumo. Praėjusią naktį mačiau baisingą viziją, kad tampu žemiškai geidulinga ir nedora iš noro pajusti tą apvalančią ir tramdančią įtaką."

ILGESINGAS TRŪKUMAS

Meri Ana pasižymėjo brandžia mąstysena. Paauglystėje ji labai daug skaitė ir įgijo nepaprastai daug žinių, išsiugdė sugebėjimą stebėti ir vertinti. Ji sąmoningai suvokė, kur link eina, drąsiai ėjo gyvenimo keliu ir iš egocentriškos paauglės tapo suaugusiu žmogumi, kurio brandą galima pamatuoti nepranokstamu sugebėjimu suprasti kitų žmonių jausmus.

Tačiau jai vis dar trūko emocinio stabilumo. Jos rato žmonės juokaudavo, kad dvidešimt dvejų metų amžiaus Meri Ana įsimyli kiekvieną sutiktąjį. Santykiai vystydavosi pagal tą patį modelį. Ištroškusi meilės ji puldavo prie kokio nors vyro, paprastai vedusio arba užimto dėl kitų priežasčių. Apakintas pokalbių su ja, vyriškis atsakydavo į jos dėmesį. Intelektualinį bendravimą palaikiusi romantiška meile ji prisirišdavo emociškai, tikėdamasi, kad jų meilė užpildys joje tvyrančią tuštumą. Galiausiai jis ją atstumdavo arba pabėgdavo, arba jo žmona ją priversdavo pasitraukti. Meri Ana skęsdavo ašarose arba kęsdavo paralyžiuojančius migrenos priepuolius.

Romantiški Meri Anos išpuoliai gal ir būtų buvę sėkmingi, jeigu ji būtų galėjusi pasigirti tradiciniu grožiu, tačiau, kaip pareiškė tuo metu jaunas ir patrauklus vyras Henris Džeimsas (Henry James), ji buvo „įspūdingai bjauri – gardžiai šlykšti“. Daugumai vyrų buvo atgrasus jos didelis žandikaulis ir arkliški veido bruožai, nors subtilesnės sielos galiausiai sugebėdavo įžvelgti jos vidinį grožį. 1852 metais iš Amerikos atvykusi Sara Džein Lipinkot (Sara Jane Lippincott) apibūdino įspūdį, kurį jai po jųdviejų pokalbio paliko jos išvaizda: „Iš pradžių panelė Evans tikrai pasirodė nepaprastai negraži moteris stambiu žandikauliu ir išsisukinėjančiomis mėlynomis akimis. Man nei jos nosis, nei burna, nei smakras nepasirodė patrauklūs; tačiau kai ji su vis didesniu entuziazmu ir nuoširdumu įsitraukė į mūsų pokalbį, jos veidas nušvito ir, regis, persimainė, o kai ji retsykiais nusišypsodavo, tos šypsenos mielumą sunku apibūdinti žodžiais.“[9]

Vyrai pasirodydavo. Meri Ana įsimylėdavo. Vyrai dingdavo. Ji susižavėjo muzikos mokytoju, paskui rašytoju Čarlzu

Heneliu. Įsipainiojo į santykius su jaunu vyru Džonu Sibriu (John Sibree), kuris mokėsi ir ruošėsi tapti dvasininku. Sibris neatsakė į jos meilę, tačiau po pokalbių su ja metė savo dvasininko karjerą.

Vėliau ji karštligiškai prisirišo prie vedusio, keturių pėdų ūgio vidutinio amžiaus dailininko Fransua d'Alberto Diurado (François d'Albert Durade). Kartą ji mažiau nei vienai dienai susižavėjo vyru, kuris pagaliau buvo vienišas, tačiau jau kitą dieną jos susidomėjimas juo dingo.

Draugai kviesdavosi Meri Aną pagyventi kartu. Neilgai trukus ji įsiveldavo į kokius nors aistringus santykius su šeimos tėvu. Daug vyresnis, kultūringas gydytojas Robertas Brabantas leido Meri Anai naudotis jo biblioteka ir pasiūlė pagyventi kartu su jo šeima. Nepraėjo daug laiko ir jiedu įsipainiojo į artimus santykius. Savo laiške Karai ji rašė: „Čia gyvenu tarsi nedideliame rojuje, o gydytojas Brabantas yra jo arkangelas. Ilgai truktų, jei pradėčiau vardyti visas jo nuostabias savybes. Mes kartu skaitome, einame pasivaikščioti, šnekučiuojamės ir man niekada nenusibosta jo kompanija." Gydytojo Brabanto žmona netrukus ryžtingai pasipriešino tokiems santykiams. Arba išeina Meri Ana, arba išeis ji. Meri Ana buvo priversta gėdingai sprukti.

Keisčiausias nesusipratimas įvyko žurnalo *Westminster Review*, kuriame Meri Ana ilgainiui įsidarbino rašytoja ir redaktore, leidėjo Džono Čapmano (John Chapman) namuose. Čapmanas jau gyveno su žmona ir meiluže, kai pas juos gyventi atsikėlė Meri Ana. Netrukus visos trys moterys ėmė varžytis dėl Čapmano meilės. Elioto biografas Frederikas R. Karlas rašo, kad ši istorija pasižymėjo visomis provincijos namų farso savybėmis – trankyta durimis, poros slapta eidavo pasivaikščioti; būta skaudžių išgyvenimų, pykčio ir ašarų kupinų scenų. Jeigu vieną dieną viskas per daug nurimdavo, Čapmanas sukeldavo dramą parodydamas iš vienos moters gautą meilės laišką kitai. Galiausiai žmona ir meilužė kartu stojo prieš Meri Aną. Ji ir vėl turėjo bėgti lydima skandalo sukeltų apkalbų.

Biografai paprastai įrodinėja, kad motinos meilės stoka atvėrė tuštumą pačioje Meri Anos esybėje ir ji beviltiškai bandė ją užpildyti visą savo likusį gyvenimą. Tačiau ji buvo ir šiek tiek savimyliška asmenybė, besižavinti savo pačios meile, kilnumu ir aistros proveržiais. Ji pati kurdavo dramą ir į ją įsijausdavo, mėgaudavosi gaunamu dėmesiu, savo sugebėjimu patirti stiprias emocijas ir gardžiavosi nepaprastu savo pačios svarbumu. Žmonės, save laikantys savo saulės sistemos centru, savo spektaklio žvaigžde, dažnai susižavi siaubinga, bet kartu ir labai patrauklia savo kančia. Tai retai nutinka tam, kuris į save žiūri kaip į didelės visatos ir ilgesnės istorijos dalyvį.

Vėliau ji rašė: „Būti poete reiškia turėti tokią pastabią sielą, pro kurią negali prasmukti nė menkiausia savybė ir kuri taip greitai pajunta, kad pastabumas yra ne kas kita, kaip ranka, grojanti gražiai išsidėsčiusių emocijų akordų įvairove – siela, kurioje žinios akimirksniu perauga į jausmą, o jausmas blyksteli atgal kaip naujas žinių organas." Meri Ana turėjo būtent tokią sielą. Jausmas, veiksmas ir mintis jai buvo viena ir tas pats. Tačiau ji neturėjo žmogaus, kuriam galėtų skirti savo aistrą, ir darbo, kuris sukontroliuotų ir suformuotų jos asmenybę.

JĖGA

1852 metais, būdama trisdešimt dvejų, Meri Ana įsimylėjo filosofą Herbertą Spenserį (Herbert Spencer), kuris iki tol buvo vienintelis jai intelektu prilygstantis vyras. Jie kartu vaikščiodavo į teatrą ir nepaliaujamai kalbėdavosi. Spenseriui patiko su ja leisti laiką, bet jis niekaip negalėjo nugalėti savimeilės ir nekreipti dėmesio į jos nepatrauklumą. „Fizinės traukos trūkumas buvo lemtingas veiksnys", – vėliau, po kelių dešimtmečių rašė Spenseris. „Kad ir kaip mane ragino sveikas protas, instinktai nepaklusdavo."

Liepos mėnesį ji jam parašė maldaujamą ir kartu drąsų laišką. „Geriausiai mane pažįstantys žmonės jau sakė, kad jeigu ką nors iš tikrųjų myliu, tam jausmui turiu paskirti visą savo gyvenimą, ir matau, kad jie sakė tiesą", – pareiškė ji. Ji prašė, kad jis jos nepaliktų: „Jeigu pamilsi kitą, man beliks tik numirti, tačiau iki tol, jeigu tu būtum šalia, aš sutelkčiau savo drąsą dirbti ir paversčiau savo gyvenimą vertingu. Neprašau tavęs nieko aukoti – aš būčiau patenkinta, linksma ir niekada tavęs neerzinčiau. <...> Pamatytum, kad man reikia labai nedaug, jeigu tik nekankina baimė tai prarasti."

Laiško kulminacija buvo tokia: „Įsivaizduoju, kad iki šiol jokia moteris nėra rašiusi tokio laiško kaip šis – bet man ne gėda, nes sąžiningai pažvelgusi į save ir savo jausmus suprantu, kad esu verta tavo pagarbos ir švelnumo, nesvarbu, ką apie mane gali pagalvoti stačiokiški vyrai ar vulgarios moterys."[10]

Šis pažeidžiamumu ir kartu užtikrintumu alsuojantis laiškas simbolizuoja lemtingą Elioto gyvenimo akimirką. Po tiek metų ją blaškiusio nesuprantamo ilgesingo trūkumo jos siela darėsi tvirtesnė, ir ji sugebėjo taip išreikšti savo orumą. Galima sakyti, kad tai buvo jėgos pajutimo akimirka, nuo kurios ji po truputį nustos buvusi ją persekiojančio trūkumo įkaite ir pradės gyventi pagal savo vidinius vertinimo kriterijus, palaipsniui išsiugdydama aistringą ir tvirtą sugebėjimą imtis veiksmų ir vadovauti savo gyvenimui.

Tas laiškas neišsprendė jos problemų. Spenseris vis tiek ją atstūmė. Ji ir toliau jautėsi nesaugi, ypač dėl savo rašymo. Tačiau tai pažadino jos stiprybes. Jos asmenybė tapo vis darnesnė, o kartais buvo matyti ir nepaprasta drąsa.

Daugelį žmonių tokia jėgos pajutimo akimirka gali aplankyti stebėtinai vėlai. Kartais jėgos labai trūksta nuskriaustiesiems. Jų gyvenimą gali būti taip užvaldę ekonominiai sunkumai, despotiški viršininkai ir kitos jėgos, kurių jie negali kontroliuoti, kad jie nustoja tikėti, jog pastangos gali duoti nuspėjamų rezultatų. Gali jiems siūlyti būdų, kaip palengvinti gyvenimą, bet jie jais gali nepasinaudoti iki galo, nes netiki, kad patys yra pajėgūs daryti įtaką savo likimui.

Tarp privilegijuotųjų, ypač tarp privilegijuoto jaunimo, daugybė žmonių, kurie buvo auklėjami taip, kad nuolat siektų pritarimo. Jų gyvenimą kontroliuoja kitų žmonių lūkesčiai, išoriniai vertinimo kriterijai ir jiems netinkantys sėkmės apibrėžimai.

Jėga neatsiranda savaime. Ją reikia pagimdyti stumiant ir dedant pastangas. Tai ne tik pasitikėjimas ir impulsas veikti. Tai tvirti vidiniai vertinimo kriterijai, kuriais remiantis kontroliuojami veiksmai. Jėgos pajutimo akimirka gali aplankyti bet kokiame amžiuje arba niekada. Pirmieji Elioto emocinės jėgos ženklai išryškėjo tada, kai ji buvo su Spenseriu, bet jos jėga pasiekė brandą tik sutikus Džordžą Luesą (George Lewes).

VIENINTELĖ TIKROJI MEILĖ

Džordžo Elioto meilės Džordžui Luesui istorija beveik visada pasakojama iš Elioto perspektyvos, nes didžiulė aistra, suteikusi jos sielai darnos, pakeitė egocentrišką ir desperatišką mergaitę ir suteikė jai taip trokštamą meilę, emocinę atspirtį ir saugumą. Tačiau tą istoriją lygiai taip pat galima pasakoti ir iš Lueso perspektyvos, kaip apie pagrindinį veiksnį jo kelyje iš susiskaldžiusios asmenybės į pilnatvišką.

Lueso giminėje jau nuo senų laikų buvo įprasti chaotiški šeimyniniai santykiai. Jo senelis buvo komikas, kuris buvo vedęs tris kartus. Tėvas vedė moterį iš Liverpulio, su ja susilaukė keturių vaikų, bet ją paliko ir sukūrė naują šeimą su kita moterimi Londone, susilaukė trijų sūnų, o tada visam laikui pabėgo į Bermudus.

Luesas augo ganėtinai skurdžiai, pats išsimokslino nukeliavęs į Europą ir mokydamasis iš svarbiausių Europos rašytojų, tokių kaip Spinoza (Benedictus de Spinoza) ir Kontas (Auguste Comte), kurių Anglijoje tuo metu niekas nežinojo. Grįžęs atgal į Londoną jis pragyvendavo iš rašymo – rašydavo bet kokia tema ir bet kam, kas tik už tai mokėdavo. Amžiuje, kai buvo pradėta palankiai vertinti specializaciją ir nuodugnumą, jis buvo ignoruojamas kaip paviršutiniškas kelionių rašytojas.

Amerikietė feministė Margaret Fuler (Margaret Fuller) sutiko Luesą Tomo Karlailo (Thomas Carlyle) namuose vykusiame pobūvyje ir pavadino jį „sąmojingu, panašiu į prancūzą, lengvabūdiško tipo vyru", pasižyminčiu „kibirkščiuojančiu paviršutiniškumu". Dauguma biografų irgi laikėsi panašios nuomonės, šiek tiek menkindami jį kaip nuotykių ieškotoją ir prisitaikėlį, laisvai kuriantį, bet lėkštą ir ne visai patikimą rašytoją.

Biografė Ketrin Hjus įtikinamai renkasi kiek palankesnį požiūrį. Visuomenėje, kuri buvo linkusi rūsčiai susireikšminti, rašo ji, Luesas buvo sąmojingas ir nuotaikingas žmogus. Visuomenėje, kuriai dažnai įtarimą keldavo viskas, kas nėra angliška, jis buvo susipažinęs su prancūzų ir vokiečių kultūra. Tikroji Lueso aistra buvo idėjos ir nežinomų, bet vertų publikos dėmesio mąstytojų atradinėjimas. Visuomenėje, kuri išgyveno griežtą ir uždarą Viktorijos eros laikotarpį, jis buvo laisvamanis ir romantikas.

Luesas buvo labai negražus vyras (jis buvo žinomas kaip vienintelis ryškus Londono veikėjas, kuris savo nepatrauklumu lenkė Džordžą Eliotą), bet mokėjo nesivaržydamas ir jautriai bendrauti su moterimis, ir tai labai praversdavo. Sulaukęs dvidešimt trejų jis vedė jauną gražią devyniolikmetę merginą vardu Agnesė. Tai buvo šiuolaikinė ir laisvamaniška santuoka, jie buvo ištikimi vienas kitam pirmuosius devynerius metus, o paskui dažniausiai ne. Agnesė turėjo ilgalaikį romaną su Torntonu Hantu (Thornton Hunt). Luesas tam pritarė su sąlyga, kad ji nesusilauks nuo Hanto vaikų. Tačiau ji jų susilaukė ir Luesas juos priėmė kaip savus, kad nesantuokiniams vaikams nereikėtų patirti gėdos.

Tuo metu, kai Luesas sutiko Meri Aną, jiedu su Agnese gyveno atskirai (nors atrodo, kad jis vis dar tikėjo vieną dieną sugrįšiąs ir kad jie visą gyvenimą bus teisėtais vyru ir žmona). Jis tada išgyveno laikotarpį, kurį laikė „labai niūriu, iššvaistytu gyvenimo periodu. Aš nebeturėjau jokių tikslų, gyvenau vos sudurdamas galą su galu, man pakakdavo ir vienos dienos sunkumų."[11]

Meri Ana, savo ruožtu, irgi buvo vieniša, bet brendo. Ji rašė Karai Brėj: „Aš patiriu tik psichologinių sunkumų – nejaučiu pasitenkinimo savimi ir neturiu vilties atrasti kažką, kuo verta užsiimti." Savo dienoraštyje ji užsirašė rašytojos feministės

Margaret Fuler jausmingus žodžius: „Būdama intelektuali visada galėsiu jaustis valdove, bet gyvenimas! Gyvenimas! O, Dieve! Ar jis kada nors pagerės?"[12]

Tačiau šiuo laikotarpiu, įpusėjusi ketvirtą dešimtį, ji nebebuvo tokia pašėlusi: „Jaunystėje mūsų bėdos atrodo tokios reikšmingos – esą pasaulis specialiai pastatytas kaip scena tam tikrai mūsų gyvenimo dramai ir mes turime teisę susierzinę garsiai šaukti ir burnoti. Savo laiku gana dažnai taip elgdavausi. Vis dėlto pagaliau pradedame suprasti, kad visi tie dalykai svarbūs tik mūsų pačių sąmonei, kuri tėra ant rožės lapelio nukritęs rasos lašas ir kurio vidurdienį nebeliks nė pėdsako. Tai ne pakylėtas sentimentalumas, o paprastas apmąstymas, kuris man praverčia kiekvieną dieną."[13]

Luesas ir Meri Ana susitiko 1851 metų spalio 6 dieną knygyne. Tuo metu ji jau buvo persikėlusi į Londoną ir dirbo anonimiška autore (ilgainiui ir redaktore) *Westminster Review* žurnale. Jie sukiojosi tuose pačiuose žmonių ratuose. Abu buvo artimi Herberto Spenserio draugai.

Iš pradžių Luesas jai nepaliko įspūdžio, bet netrukus ji jau rašė draugams, kad jis pasirodė „malonus ir juokingas", kad pelnė jos simpatijas jai pačiai nesitikint. Luesas savo ruožtu, regis, suprato, kokią moterį ruošiasi pažinti. Nors kitose gyvenimo srityse jis buvo nenustygstantis ir nepastovus, jo atsidavimas moteriai, kuri taps Džordžu Eliotu, buvo stabilus ir tikras.

Neišliko nė vieno jų laiško. Iš dalies dėl to, kad vienas kitam daug nerašė (jie dažnai būdavo kartu) ir iš dalies dėl to, kad Eliotas nenorėjo leisti biografams vėliau knaisiotis po jos asmeninį gyvenimą ir apnuoginti trapią jos širdį, dėl kurios gimė jos didieji romanai. Todėl tiksliai nežinome, kaip augo jų meilė. Tačiau žinome, kad Luesas palengva ją palenkė savo pusėn. 1853 metų balandžio 16 dieną ji rašė savo draugei: „Ponas Luesas yra ypač geras ir dėmesingas, ir iškentęs nemažai mano kritikos tikrai pelnė mano palankumą. Pasaulyje nedaug tokių žmonių kaip jis, tokių, kurie yra geresni, negu atrodo. Jis širdingas ir sąžiningas žmogus, besislepiantis po lengvabūdiškumo kauke."

Kažkuriuo metu Luesas turėjo jai papasakoti apie savo subyrėjusią santuoką ir painų asmeninį gyvenimą. Meri Anos tai greičiausiai nesukrėtė, nes sudėtingi porų tarpusavio susitarimai jai buvo ne naujiena. Tačiau jie greičiausiai daug kalbėjosi ir apie idėjas. Juos domino tie patys rašytojai: Spinoza, Kontas, Gėtė, Liudvigas Fojerbachas (Ludwig Feuerbach). Maždaug tuo metu Meri Ana vertė Fojerbacho knygą „Krikščionybės esmė" (The Essence of Christianity).

Fojerbachas įrodinėjo, kad net jeigu laikui bėgant išnyktų religinis tikėjimas, puoselėjant meilę vis tiek būtų galima išsaugoti tikėjimo moralės ir etikos esmę. Jis tvirtino, kad fizine ir dvasine vienas kitą branginančių žmonių meile galima pasiekti transcendenciją ir nugalėti savo nuodėmingą prigimtį. Jis rašė:

> Ir kokiomis gi priemonėmis žmogus gali išsivaduoti iš to atskirtumo tarp savęs ir tobulos būtybės, iš skausmingo nuodėmės įsisąmoninimo, iš blaškančio savo niekingumo jausmo? Kaip

jam atbukinti lemtingą nuodėmės geluonį? Tik taip – tik suvo-
kus, kad meilė yra aukščiausia, absoliuti galia ir tiesa, tik tada,
kai Dieviškoji Būtybė jam bus ne tik įstatymas, ne tik morali-
nių vertybių įsikūnijimas, bet ir mylinti, švelni, netgi subjektyvi
žmogiška būtybė (tai yra, kuri užjaučia kiekvieną žmogų)[14].

Meri Ana ir Luesas pamilo vienas kitą dėl idėjų. Daug metų
iki jiems susitinkant juos domino tie patys rašytojai, dažnai
tuo pat metu. Jie rašė tomis pačiomis temomis. Abu taip pat
nuoširdžiai ieškojo tiesos ir abu pritarė idėjai, kad žmogiška
meilė ir gailestingumas gali pasitarnauti kaip moralės pagrin-
das, kuris pakeistų krikščionybę, kuria jie netikėjo.

INTELEKTUALI MEILĖ

Mes neturime tikslių aprašymų apie tai, kaip jų širdyse įsi-
plieskė meilė vieno kitam, tačiau žinome, kaip įsimylėdavo į
juos panašūs žmonės, ir tai gali padėti įsivaizduoti, kaip jau-
tėsi Meri Ana ir Luesas. Labai panaši aistra užgimė tarp britų
filosofo Izaijo Berlino (Isaiah Berlin) ir rusų poetės Anos Ach-
matovos. Jų suartėjimas buvo ypač dramatiškas, nes viskas
įvyko per vieną naktį.

Tai nutiko 1945 metais Leningrade. Dvidešimčia metų
už Berliną vyresnė Achmatova buvo žinoma priešrevoliuci-
nio laikotarpio poetė. Nuo 1925 metų sovietų valdžia drau-
dė spausdinti jos kūrybą. 1921 metais jos pirmasis vyras
buvo neteisingai apkaltintas ir jam įvykdyta mirties bausmė.

1938 metais buvo įkalintas jos sūnus. Achmatova septyniolika mėnesių praleido prie kalėjimo, veltui laukdama kokių nors žinių apie jį.

Berlinas nedaug apie ją žinojo, bet jam viešint Leningrade draugas pasiūlė juos supažindinti. Atėjęs pas ją į butą Berlinas išvydo moterį, kuri buvo vis dar graži ir stipri, bet sužalota žiaurumo ir karo. Pradžioje jų pokalbis buvo santūrus. Jie kalbėjosi apie karo patirtis ir Anglijos universitetus. Kiti svečiai ateidavo ir išeidavo.

Stojus vidurnakčiui jie dviese liko sėdėti skirtingose kambario pusėse. Ji jam papasakojo apie savo mergavimo laikus ir santuoką, ir apie vyro mirties bausmę. Tada puolė taip aistringai deklamuoti Bairono poemą „Don Žuanas", kad Berlinui teko nusukti veidą į langą, kad paslėptų emocijas. Ji pradėjo deklamuoti kai kuriuos savo eilėraščius, o pasakodama apie tai, kaip sovietai į egzekuciją vedė vieną jos kolegą, nepajėgė sutramdyti ašarų.

Ketvirtą valandą ryto jie kalbėjosi apie garsius rašytojus. Dėl Puškino ir Čechovo jų nuomonės sutapo. Berlinui patiko paprasta Turgenevo išmintis, o Achmatovai labiau prie širdies buvo tamsi Dostojevskio jėga.

Jie ėjo vis gilyn apnuogindami vienas kitam savo sielas. Achmatova prisipažino, kad jaučiasi vieniša, išsakė savo troškimus, kalbėjo apie literatūrą ir meną. Berlinas norėjo į tualetą, bet nedrįso nutraukti tų kerų. Jie buvo perskaitę tuos pačius kūrinius, žinojo, ką žino kitas, suprato vienas kito ilgesį.

Tą naktį, rašo Berlino biografas Maiklas Ignatjevas (Michael Ignatieff), jo gyvenimas „kaip niekada anksčiau priartėjo prie sustingusio meno kūrinio tobulumo". Galų gale jis ištrūko ir sugrįžo į viešbutį. Buvo vienuolikta valanda ryto. Jis krito į lovą ir sušuko: „Aš įsimylėjau, aš įsimylėjau."[15]

Kartu praleista Berlino ir Achmatovos naktis yra tobulo tam tikros rūšies bendravimo pavyzdys. Tai bendravimas tarp žmonių, kurie mano, kad žinios, į kurias verta atkreipti dėmesį, yra ne faktuose, o didžiuosiuose kultūros kūriniuose, paveldėtuose žmonijos moralės lobynuose, emocinėje ir egzistencinėje išmintyje. Taip bendraujant intelektinis suderinamumas virsta emocine sinteze. Berlinas ir Achmatova patyrė tokį gyvenimą keičiantį pokalbį, nes abu buvo apsiskaitę. Jie tikėjo, kad reikia laikytis įsikibus didžiųjų idėjų ir knygų, kurios moko patirti gyvenimo pilnatvę ir subtiliai vertinti moralę ir emocijas. Jie turėjo dvasinių ambicijų. Jie kalbėjosi bendra literatūros kalba, literatūros, kurią sukūrė genijai, mus suprantantys geriau negu mes patys save.

Ta naktis simbolizuoja ir tobulo tam tikros rūšies ryšio pavyzdį. Tokia meilė priklauso nuo tiek daug atsitiktinumų, kad per visą gyvenimą pasireiškia tik kartą ar du, jei išvis pasireiškia. Berlinas ir Achmatova pajuto, kad viskas neįtikėtinai sustojo į savo vietas. Jie buvo labai daug kuo panašūs. Tarp jų vyravo tokia harmonija, kad per vieną naktį dingo bet kokie vidiniai barjerai.

Skaitant Achmatovos eilėraščius apie tą naktį gali susidaryti įspūdis, kad jie permiegojo, tačiau, pasak Ignatjevo, jie vos prisilietė vienas prie kito. Jų bendravimas pirmiausia vyko intelektualiniu, emociniu ir dvasiniu lygmenimis, ir virto draugystės ir meilės samplaika. Draugai priima pasaulio iššūkius stovėdami petys į petį, mylimieji gyvena žiūrėdami vienas kitam į akis, o Berlinas ir Achmatova kažkokiu būdu iš karto užėmė abi šias pozicijas. Jie vienas kitą suprato ir papildė.

Berlinui ta naktis buvo svarbiausias jo gyvenimo įvykis. Achmatova buvo įstrigusi Sovietų Sąjungoje, kankinama manipuliacijų, baimės ir melo režimo. Režimas nusprendė, kad ji susidėjo su anglų šnipu. Ją išmetė iš Rašytojų sąjungos. Jos sūnus buvo kalėjime. Ji buvo apimta nevilties, bet jautėsi dėkinga už Berlino apsilankymą, karštai apie jį kalbėjo ir jaudinamai rašė apie mistišką tos nakties stebuklą.

Elioto meilė Luesui pasireiškė panašiu intelektualiniu ir emociniu intensyvumu. Jie taip pat patyrė meilę kaip dvasinę jėgą, kuri brandina žmogų, mintis nukreipia į kitas sielas ir padrąsina imtis didingų, tarnystės ir atsidavimo reikalaujančių darbų.

Ir tikrai, pažvelgę į meilę pačiu aistringiausiu jos laikotarpiu pamatysime, kad ji paprastai perorientuoja sielą keliais pagrindiniais atžvilgiais. Visų pirma ji mus paverčia nuolankesniais. Meilė mums primena, kad nekontroliuojame net ir savęs. Daugumos kultūrų ir civilizacijų mituose bei pasakojimuose meilė vaizduojama kaip išorinė jėga – dievas arba demonas – kuri atėjusi užvaldo žmogų ir viską viduje pertvarko. Tai Afroditė arba Kupidonas. Meilė apibūdinama kaip gardi beprotystė, šėlstanti ugnis, dieviškas siautulys. Mes nekuriame meilės; mes nekontroliuojamai įsimylime. Ji pirmapradė, bet kartu ir aiškiai mums priklausanti, jaudinanti ir bauginanti siautulinga jėga, kurios negalime suplanuoti, numatyti ar nulemti.

Meilė yra tarsi įsiveržianti armija, kuri primena, kad tu nesi savo teritorijos šeimininkas. Ji tave nugali po truputį, pakeičia tavo energijos paskirstymą, miego įpročius, pokalbių temas, o baigiantis procesui ir tavo lytinio potraukio objektus ir netgi dėmesio centrą. Įsimylėjęs negali negalvoti apie savo mylimąją. Žmonių minioje tau vaidenasi, kad kas kelis žingsnius šmėsteli jos miglotas pažįstamas pavidalas. Jautiesi tai pakylėtas, tai sugniuždytas ir tau skaudu, jeigu esi ignoruojamas, nors supranti, kad tai greičiausiai nieko nereiškia arba nėra tikra. Meilė yra pati stipriausia armija, nes ji nesukelia pasipriešinimo. Įpusėjus proveržiui žmogus, kurį užpuolė meilė, jau ilgisi būti visiškai ir beviltiškai nugalėtas, nors šiek tiek to ir baiminasi.

Meilė yra atsidavimas. Parodai, kad esi pažeidžiamas, ir nebeturi iliuzijų, kad gali save kontroliuoti. Toks pažeidžiamumas ir noras būti palaikomam gali pasireikšti nežymiai. Eliotas kartą rašė: „Daugelis moterų keistai susižavi, kai joms ištiesiama pagalbos ranka; tą akimirką joms nereikalinga fizinė pagalba, bet tas šalia esantis ir kartu joms priklausantis pagalbos, stiprybės jausmas atsako į vaizduotėje susikurtą poreikį."

Meilė priklauso nuo to, kiek žmonės nori leistis tapti pažeidžiami, ir ji dar labiau padidina tą pažeidžiamumą. Taip yra, nes abu apsinuogina ir abu skuba pamatyti vienas kito nuogumą. „Tave pamils tada, kai sugebėsi parodyti savo silpnumą ir kitas nepasinaudos juo, kad įrodytų savo stiprumą", – rašė italų rašytojas Čezarė Pavezė (Cesare Pavese). Tada meilė pakeičia žmogaus dėmesio centrą. Meilė išveda iš įprastos meilės sau būsenos. Kiti žmonės atrodo ryškesni, negu esi pats sau.

Įsimylėjęs žmogus gali manyti, kad siekia asmeninės laimės, tačiau tai tik iliuzija. Iš tikrųjų jis siekia susijungti su kitu, o jeigu susijungimas prieštarauja laimei, jis tikriausiai pasirinks susijungimą. Siauruose savo egoizmo rėmuose gyvenantis paviršutiniškas žmogus įsimylėjęs pamato, kad didžiausi turtai glūdi ne viduje, o ten, mylimajame, ir kad jais džiaugtis gali dalydamasis likimu su mylimu žmogumi. Sėkminga santuoka yra penkiasdešimt metų trunkantis pokalbis, kuris vis artėja prie tokios proto ir širdies sintezės. Meilė pasireiškia kartu šypsantis, kartu verkiant ir baigiasi pareiškimu: „Ar tave myliu? Aš esu tu."

Daugelis pastebėjo, kad meilė panaikina skirtumą tarp *duoti* ir *gauti*. Dviejų mylimųjų esybės yra susimaišiusios, susiliejusios ir susijungusios, todėl duoti mylimajam yra daug saldžiau negu gauti. Montenis rašo, kad priimdamas dovaną įsimylėjęs žmogus suteikia didžiausią dovaną savo mylimajam: galimybę patirti davimo džiaugsmą. Nėra prasmės sakyti, kad mylimasis yra dosnus ar altruistiškas, nes kai susijaudinęs iš meilės mylimasis duoda savo mylimajai, jis duoda daliai savęs. Savo žymiojoje apybraižoje apie draugystę Montenis rašė, kaip nuoširdi draugystė arba meilė gali pakeisti savęs suvokimo ribas:

> Tokia draugystė neturi jokio pavyzdžio, tik save, ir gali būti lyginama tik su savimi. Tai buvo ne viena ypatinga aplinkybė, ne dvi, ne trys, ne keturios, ne tūkstantis; tai buvo kažkokia paslaptinga viso to mišinio kvintesencija, kur mano valia užvaldė pati save ir leido sau pasinerti ir pasimesti jo valioje, kuri užvaldė pati save ir vedama panašaus alkio ir impulso siekė pasinerti ir taip pat pasimesti manojoje. Galiu nuoširdžiai sakyti *pasimesti*, nes ji paliko mus be nieko, kas buvo mūsų, be nieko, kas buvo jo ar mano.

Tada meilė pažadina poeto temperamentą. Adomas I nori gyventi pagal praktiškus išskaičiavimus – patirti kuo daugiau malonumo, vengti skausmo ir pažeidžiamumo, išlikti kontroliuojančiu. Adomas I nori, kad gyventum kaip atskiras vienetas, ramiai pasverdamas riziką ir atlygį bei siekdamas savo interesų. Adomas I kuria strategijas, apskaičiuoja išlaidas ir naudą. Jis nori, kad pasaulis būtų ranka pasiekiamas. Tačiau įsimylėti reiškia šiek tiek pamesti protą, reiškia jaustis pakylėtam stebuklingų minčių.

Įsimylėti reiškia patirti daugybę nedidelių, vienas paskui kitą sekančių jausmų, kurių taip galbūt niekada anksčiau nesi patyręs, tarytum pirmą kartą būtų atsivėrusi kita gyvenimo pusė: jaudinantį susižavėjimą, viltį, dvejonę, galimybę, baimę, ekstazę, pavydą, skausmą ir visas kitas įsivaizduojamas jausmo būsenas. Meilė reiškia paklusti, o ne spręsti. Meilė reikalauja svajingai atsiduoti nepaaiškinamai jėgai, kad ir kokią kainą reikės sumokėti. Ji reikalauja besąlygiškai išlieti savo meilę visa jėga, nematuojant jos šaukštais. Meilė šiek tiek persmelkta pagarbia baime ir ji keičia suvokimą. Ji išgrynina vaizduotę taip, kad, kaip sakė Stendalis, mylimoji, regis, tviska kaip žibantis brangakmenis. Tau ji atrodo stebuklinga, nors kiti to nemato. Istorinės vietos, kur meilė sužydėjo pirmą kartą, įgyja šventą prasmę, kuri kitiems nesuvokiama. Kalendorinės datos, žyminčios pirmųjų bučinių akimirkas ir ištartus lemtingus žodžius, apgaubtos šventų dienų aureole. Patiriamų emocijų neįmanoma nupasakoti, jas gali perteikti tik muzika ir poezija, žvilgsniai ir prisilietimai. Tai, ką vienas kitam sakote, yra taip kvaila ir išgražinta, kad visa tai geriau pasilaikyti sau. Skambėtų beprotiškai, jeigu dienos šviesoje taip kalbėtum su savo draugais.

Įsimylime ne tą žmogų, iš kurio galime gauti daugiausia naudos – ne turtingiausią, populiariausią, turintį daugiausia ryšių, ne tą, kuris turi didelių karjeros perspektyvų. Adomas II įsimyli individualų žmogų ne dėl kažkokių kitų priežas-

čių, o dėl tam tikros vidinės harmonijos, įkvėpimo, džiaugs-
mo ir pakilimo, nes jis yra jis, o ji yra ji. Be to, meilė tikrai
neieško patogaus kelio; meilė iškreiptai minta kliūtimis ir pa-
prastai jos nelaimėsi elgdamasis apdairiai. Galbūt jums teko
bandyti perspėti du įsimylėjėlius, kad jie neskubėtų tuoktis,
nes jų sąjunga nebus laiminga. Tačiau stebuklingose svajose
skęstantys mylimieji nemato to, ką mato kiti, ir tikriausiai
nepakeistų savo apsisprendimo net jeigu ir galėtų, nes geriau
jau bus nelaimingi kartu, negu laimingi atskirai. Jie įsimylėję,
o ne perka akcijas, ir romantiškas nusiteikimas – iš dalies
mąstymas, iš dalies nuostabūs jausmai persmelkia visą jų esy-
bę. Meilė yra ta būsena, kai reikalinga romantika; ji egzistuoja
tiek aukštesnėje, tiek žemesnėje plotmėse palyginti su logika
ir išskaičiavimu.

Taip meilė padeda įgyti dvasinį suvokimą. Tai intensyvi
ir neįveikiama pakitusi sąmonės būsena, kuri tuo pat metu
ir trykšta energija. Daugelis, būdami tokios būsenos, patiria
mistinių akimirkų, suvokę kokią nors žodžiais neišreiškiamą,
transcendentinę paslaptį. Jų meilė leidžia pajusti nežymius
tyros meilės blykstelėjimus, meilės, kuri nesusijusi su vienu
ar kitu žmogumi, bet sklinda iš kažkokios dvasinės tikrovės.

Poetas Kristianas Vimanas (Christian Wiman) savo memua-
ruose „Mano šviesioji bedugnė" (*My Bright Abyss*) rašo:

> Bet kuri tikra meilė – motinos meilė vaikui, vyro meilė žmonai,
> draugo meilė draugui – pasižymi energijos pertekliumi, kuris
> visą laiką nori judėti. Dargi, atrodo, kad jis juda ne tik[16] nuo

vieno žmogaus prie kito, bet per juos link kažko daugiau. („Viskas, ką dabar žinau / kad kuo labiau jis mane mylėjo, tuo labiau aš mylėjau pasaulį", – Spenseris Risas (Spencer Reece).) Dėl to tokia meilė gali gluminti ir stebinti (ir aš kalbu ne tik apie įsimylėjimą; iš tikrųjų kalbu apie kitokius, patvaresnius santykius): meilė nori būti didesnė, negu yra; ji maldauja mūsų iš vidaus, kad paverstume ją didesne, negu ji yra."

Nesvarbu, ar žmogus religingas, ar ne, meilė suteikia galimybę pažvelgti į kitokią tikrovę, kuri yra anapus to, ką mes pažįstame. O praktiškai ji praplečia širdį. Tas didžiulis ilgesys kažkokiu būdu labiau atveria ir išlaisvina širdį. Meilė yra tarsi plūgas, kuriuo išariama kieta žemė ir sudaromos sąlygos augti. Ji pralaužia plutą, nuo kurios priklauso Adomas I, ir atveria minkštą ir derlingą Adomo II žemę. Šį reiškinį pastebime nuolatos: viena meilė veda prie kitos, viena meilė leidžia stipriau pamilti kitą kartą.

Savikontrolė yra tarsi raumuo. Jeigu per dieną jums reikia dažnai save kontroliuoti, ilgainiui pavargsite ir vakare nebeturėsite jėgų to daryti. O su meile yra atvirkščiai. Kuo daugiau myli, tuo daugiau gali mylėti. Meilė vienam vaikui nesumažės, kai atsiras antras ir trečias. Jeigu žmogus myli savo miestą, nuo to nesumažėja jo meilė savo šaliai. Kuo daugiau myli, tuo labiau meilė auga.

Taip meilė suminkština žmogų. Visi turime pažįstamų, kurie buvo šalti ir šarvuoti, kol neįsimylėjo. Būnant tokios malonios bei pažeidžiamos įkvėpimo būsenos jų elgesys pasikeitė. Jiems už akių visi kalba, kad jie švyti iš meilės. Nuėmus vėžio kiautą pasirodė trapus minkštimas. Jie tapo baikštesni ir pažeidžiamesni, bet kartu ir geresni, sugebantys aukoti savo gyvenimą. Nepralenkiamas šios temos žinovas Šekspyras rašė: „Kad ir kažin kaip būčiau tau dosni / Širdis manoji neišseks kaip jūra."[17]*

Ir taip, galų gale, meilė paskatina žmones tarnauti. Jeigu meilė prasideda nuo judėjimo gilyn, nuo gilinimosi į savo pažeidžiamumą, nuo apsinuoginimo, tuomet ji baigiasi energingu kilimu aukštyn. Ji sužadina didžiulę energiją ir norą tarnauti. Įsimylėjęs žmogus perka mažas dovanėles, iš kito kambario atneša stiklinę, paduoda servetėlę sergant gripu, važiuoja per spūstis, kad pasitiktų savo mylimąją oro uoste. Meilė yra kėlimasis kasnakt pamaitinti kūdikį, ilgalaikės pastangos išauginti žmogų. Tai rizikavimas gyvybe ir aukojimasis dėl draugo mūšyje. Meilė kilnina ir transformuoja žmogų. Joks kitas jausmas neprivers žmonių gyventi taip, kaip mes norime, kad jie gyventų. Joks kitas įsipareigojimas nepaskatins žmogaus paminti savanaudiškumo logikos ir besąlygiškai atsiduoti, tą išreiškiant kasdieniu rūpesčiu.

Kartais sutinki žmogų, kurio širdis yra tūkstančio metų senumo. Tokie žmonės iš aistringiausio, triukšmingiausio meilės laikotarpio pasiėmė viską, ką galėjo. Tais aistros

---

* V. Šekspyras, „Romeo ir Džuljeta". Vertė Aleksys Churginas, Vilnius, „Baltos lankos", 1997, p. 72.

mėnesiais ar metais jie išsiugdė didelį atsidavimą. Dabar jų meilė tam žmogui ar daiktui, kurį jie kažkada mylėjo karštai, yra šilta, bet pastovi, laiminga, nepajudinama. Jiems net nekyla minčių apie tai, kad savo mylimą galima mylėti dėl to, kad nori iš jo kažką gauti. Jie tiesiog natūraliai siūlo meilę kaip savaime suprantamą dalyką. Toji meilė kaip dovana, o ne kaip mainai.

Dordžas Luesas taip mylėjo Meri Aną Evans. Ši meilė juos pakeitė, jie tapo kilnesniais žmonėmis, tačiau Lueso transformacija buvo daug didesnė ir labiau kilninanti. Jis žavėjosi jos nepaprastu talentu. Jis ją skatino, išjudino ir puoselėjo. Begalėje savo laiškų ir savo poelgiais jis iškėlė ją aukščiau savęs.

SPRENDIMAS

Sprendimas būti kartu buvo svarbus ir gyvenimą keičiantis įvykis. Nors Luesas ir jo žmona Agnesė gyveno skirtinguose namuose, nors Agnesė augino vaikus nuo kito vyro, oficialiai Luesas vis tiek buvo vedęs vyras. Jeigu jiedu su Eliotu taptų pora, visuomenės akyse jie būtų laikomi begėdiškais svetimautojais. Jiems užsivertų aukštuomenės durys. Šeima jų išsižadėtų. Jie taptų atstumtaisiais, ypač Eliotas. Elioto biografas Frederikas R. Karlas rašo: „Vyrai, kurie turėjo meilužes, buvo vadinami donžuanais, bet meilužius turinčios moterys buvo vadinamos kekšėmis.“[18]

Tačiau 1852–1853 metų žiemą Eliotas, regis, suprato, kad Luesas yra jos sielos draugas. 1853 metų pavasarį jie pradėjo galvoti apie atsiskyrimą nuo visuomenės, kad galėtų būti kartu. Balandžio mėnesį Luesą ėmė kankinti galvos svaigimas, skausmai ir ūžimas ausyse. Tais mėnesiais Eliotas vertė Fojerbachą. Fojerbachas teigė, kad santuoka iš tikrųjų yra ne teisinis, o moralinis susitarimas, ir jo mintys šia tema tikriausiai padėjo Eliotui nuspręsti, kad juos su Luesu siejanti meilė yra tikresnė ir kilnesnė negu susitarimas tarp Lueso ir jo teisėtos ir atskirai gyvenančios žmonos.

Galiausiai ji turėjo apsispręsti, kokie ryšiai jai yra svarbiausi, ir priėjo išvadą, kad meilė turi būti svarbiau negu visuomeniniai saitai. Vėliau ji rašė: „Nei teoriškai noriu lengvų ir nesunkiai nutraukiamų santykių, nei praktiškai galėčiau taip gyventi. Moterys, kurias tenkina tokie saitai, nesielgia taip, kaip pasielgiau aš."

Eliotas pasižymėjo išskirtiniu sugebėjimu įvertinti žmogaus charakterį ir nusprendė patikėti Luesu, nors tuo metu jis dar nebuvo jai galutinai įsipareigojęs. Savo laiške ji rašė: „Įvertinau savo žengto žingsnio kainą ir esu pasiruošusi be susierzinimo ar kartėlio susitaikyti su tuo, kad nuo manęs nusisuks visi mano draugai. Neklystu dėl žmogaus, su kuriuo susidėjau. Jis vertas mano pasiaukojimo ir aš nerimauju tik dėl to, kad apie jį būtų sprendžiama teisingai."

Meilė visada apriboja. Dėl vieno pasirinkimo turi atsižadėti kitų galimybių. Literatūros kritikas Leonas Vizeltiras

(Leon Wieseltier) 2008 metais skaitydamas vestuvių palinkėjimą Kasui Sansteinui (Cass Sunstein) ir Samantai Pauer pasakė labai teisingai:

Nuotakos ir jaunikiai yra žmonės, kurie mylėdami atrado asmeninę laimę. Meilė yra užmojų perversmas, prioritetų persvarstymas; ji asmeniška ir konkreti; jos objektas yra šio vyro ir šios moters išskirtinumas, šios dvasios ir šio kūno individualumas. Meilė verčiau renkasi gìlumą, o ne apimtį ir tai, kas yra čia, o ne ten; tai, ką gali paimti, o ne tai, ko reikia siekti. <...> Meilė yra, arba turėtų būti, abejinga istorijai ir nuo jos apsaugota – minkštas ir saugus prieglobstis nuo jos: dienai baigiantis, kai užgęsta šviesos ir lieka tik ta kita širdis, tas kitas protas, kitas veidas, padedantis nubaidyti vienam kito demonus ar pasveikinti vienam kito angelus, tikrai nėra svarbu, kas yra šalies prezidentas. Kai žmogus sutinka tuoktis, jis sutinka būti iki galo pažintas, nors tai yra baugi perspektyva; ir taip jis tikisi, kad meilė pakeis įprastas reakcijas ir suteiks jėgų atleisti, ko nuolat prireikia norint teisingai save suprasti. Santuoka yra demaskavimas. Savo sutuoktiniams galime būti didvyriai, bet nebūtinai stabai.

Priėjusi šią kryžkelę Eliotas greičiausiai išgyveno konvulsyvaus pokyčio būseną. Ji suprato, kad jos gyvenimas tuoj įgis negrįžtamai naują formą. Ji, regis, priėjo išvadą, kad iki šios akimirkos daugybę kartų klaidingai pasirinko ir kad atėjo laikas pasirinkti teisingai. Ji padarė šuolį, kurį V. H. Odenas (W. H. Auden) apibūdino savo žymiajame eilėraštyje „Peršok prieš pažiūrėdamas" (*Leap Before You Look*):

Nepamiršk, ten pavojinga:
Juk kelias tikrai trumpas ir status,
Iš čia jis tik atrodo nuožulnus;
Pažvelk, jei nori, bet tau reiks peršokt.

Miegodami net ir kiečiausi suminkštėja
Ir pamina įstatymus, kurie net kvailiui aiškūs;
Juk polinkį išnykti turi
Tiktai baimė, o ne įsigalėjusi tvarka. <...>

Padorūs rūbai
Pigiai neatsieina, o ir praktiški nėra,
Kol mums gerai gyventi kaip avių banda
O apie tuos, kurie pradingsta, nebeužsiminti. <...>

Po lova, ant kurios mes gulime, mieloji,
Driekiasi tūkstantis sieksnių vienatvės:
Nors aš myliu tave, tau reiks peršokt;
Tą sapną, kad esame saugūs, teks paleist*.

1854 metų liepos 20 dieną Eliotas nuėjo į doką prie Londono Tauerio ir įlipo į laivą „Ravensbourne", kuris plaukė į Antverpeną. Jiedu su Luesu pradės savo bendrą gyvenimą užsienyje. Ji parašė keliems draugams informuodama apie savo pasirinkimą, kad kiek sušvelnintų šoką. Į šią bendrą kelionę jie žiūrėjo tarsi į bandymą gyventi kartu, bet iš tikrųjų tai buvo jų likusio gyvenimo pradžia. Abiem tai buvo nepaprastai drąsus žingsnis ir nuostabus įsipareigojimas abipusei meilei.

* Pažodinis vertimas. (Vert. past.)

BENDRAS GYVENIMAS

Jie pasirinko teisingai. Jų pasirinkimas jiems išgelbėjo gyvenimą. Jie kartu keliavo po Europą, daugiausia Vokietiją, kur juos priimdavo svarbiausi to meto rašytojai ir intelektualai. Meri Anai patiko gyventi kaip poniai Lues: „Kasdien jaučiuosi laimingesnė, o šeimyninis gyvenimas atrodo vis žavesnis ir tikrai man išeina į naudą.“[19]

Tačiau Londone jų santykiai sukėlė didžiulę nepritarimo audrą, ir tai visam laikui paženklino visuomeninį Elioto gyvenimą. Kai kurie su pasimėgavimu išsigalvojo pačių blogiausių dalykų, vadino ją vyrų vagiše, namų griovėja ir seksualine maniake. Kiti suprato, kad Luesas nebuvo iš tikrųjų vedęs, suprato, kokia meilė juos suartino, bet vis tiek negalėjo pateisinti šių santykių, nes tai galėjo daryti neigiamą įtaką kitų moralei. Vienas buvęs pažįstamas, kuris vadovavo frenologiniam Elioto galvos tyrimui, paskelbė: „Esame smarkiai įžeisti ir susikrimtę; ir aš norėčiau išsiaiškinti, ar panelės Evans šeimoje nėra buvę pamišimo atvejų, nes toks elgesys, žinant jos protą, atrodo kaip liguistas psichinis nukrypimas.“[20]

Eliotas savo pasirinkimu neabejojo. Ji norėjo, kad ją vadintų ponia Lues, nes, nepaisant to, kad nusprendusi likti su Luesu pasielgė maištingai, ji tikėjo tradicine santuoka. Žengti kraštutinį žingsnį ją privertė aplinkybės, tačiau moraline ir filosofine prasme ji tikėjo tradiciniu keliu. Jie gyveno kaip vyras ir žmona. Ir papildė vienas kitą. Ji kartais būdavo paniurusi, o jis buvo guvus, linksmas ir linkęs bendrauti. Jie kartu eidavo pasivaikščioti. Kartu dirbo. Kartu skaitydavo knygas. Jie buvo išskirtiniai, aistringi, išlaikantys pusiausvyrą ir jiems visiškai vienas kito pakako. „Kas gali būti nuostabiau dviem žmogiškoms sieloms, – vėliau rašys Eliotas savo romane „Adomas Bidas" (*Adam Bede*), – už jausmą, kad jos susijungė visam gyvenimui – pastiprinti viena kitą darbe, atsiremti viena į kitą negandų metu, padėti viena kitai skausme, kartu tylomis skendėti prisiminimuose paskutinio atodūsio akimirką."

Dėl santykių su Luesu ji prarado daug draugų. Jos išsižadėjo šeima ir, skausmingiausia, brolis Aizekas. Tačiau skandalas jiems leido skvarbesniu žvilgsniu pažvelgti į save ir pasaulį. Jie visada išliko budrūs, nuolat ieškojo įžeidimo arba patvirtinimo ženklų. Abu priešinosi nusistovėjusiai visuomenės tvarkai, todėl turėjo viską daryti daug dėmesingiau ir atidžiau. Bendruomenės priešiškumas jiems pasitarnavo kaip postūmis. Jie labai gerai perprato, kaip funkcionuoja visuomenė.

Eliotas visada labai jautriai stebėdavo kitų žmonių emocinį gyvenimą. Ji nuolat rydavo knygas, idėjas ir žmones. Kitiems ji visada atrodė bauginamai įžvalgi – tarsi kokia išskirtinai apdovanota ragana. Tačiau dabar ji kažkuria prasme tvarkingiau dėliojo savo mintis. Praėjus kuriam laikui po skandalingo išvykimo su Luesu ji, regis, priėmė savo išskirtines dovanas. Viskas po truputį formavosi į individualią pasaulėžiūrą, į nusistovėjusį požiūrį į pasaulį. Gali būti, kad ji galų gale išmoko žvelgti į pasaulį pasitikėdama savimi.

Po ilgo blaškymosi Eliotas pagaliau priėmė vieną svarbų teisingą sprendimą. Ji patikėjo Luesu. Už tai teko sumokėti baisią kainą. Ji iškentė ugnies krikštą. Tačiau jai palengva pavyko pereiti į kitą pusę. Atlygis už tokią praturtinančią meilę buvo vertas jos kainos. Savo romane „Adomas Bidas" ji rašo: „Be jokios abejonės, didžiulis skausmas gali atlikti daugelio metų darbą ir po to ugnies krikšto mūsų siela gali prisipildyti nauja pagarbia baime ir nauju gailestingumu."

RAŠYTOJA

Luesas jau seniai skatino Eliotą rašyti grožinę literatūrą. Jis nebuvo tikras, ar jai pavyks sugalvoti siužetus, bet žinojo, kad ji turi talentą kurti charakterius ir aprašymus. Be to, už grožinę literatūrą mokėjo daugiau negu už negrožinę, o Luesų šeimai visada stigo pinigų. Jis ragino ją pabandyti: „Pamėgink parašyti apsakymą." Vieną 1856 metų rugsėjo rytą ji fantazavo apie romaną ir jai į galvą atėjo pavadinimas: „Liūdnos pastoriaus Amoso Bartono laimės" (The Sad Fortunes of the Reverend Amos Barton). Luesas iškart sureagavo labai entuziastingai. „Ak, koks nuostabus pavadinimas!" – sušuko jis.

Po savaitės ji jam perskaitė pirmąją parašytą dalį. Jis iškart suprato, kad Eliotas yra talentinga rašytoja. Savo dienoraštyje Eliotas rašė: „Mes abu apsiverkėme, o jis priėjo prie manęs, pabučiavo ir pasakė: „Manau, kad tau geriau sekasi parodyti tragizmą, negu linksminti." Jie abu suprato, kad

Meri Ana taps puikia rašytoja. Ji bus Džordžas Eliotas – šį vardą ji pasirinko (kuriam laikui) tam, kad paslėptų savo skandalingą tapatybę. Jam daugiausia abejonių kėlęs įgūdis – ar ji sugebės kurti dialogus – iš tikrųjų buvo sritis, kur Eliotas turėjo akivaizdų talentą. Luesas vis dar dvejojo, ar jai pavyks sukurti veiksmą ir judesį, bet žinojo, kad ji turi visus kitus įrankius.

Netrukus Džordžas buvo jos konsultantas, agentas, redaktorius, publicistas, psichoterapeutas ir apskritai patarėjas. Jis labai greitai suprato, kad ji turi daug didesnį talentą negu jis, ir, atrodo, jautė tik nesavanaudišką džiaugsmą dėl to, kad ji jį neabejotinai pranoks.

Iki 1861 metų iš jos trumpų dienoraščio įrašų matyti, kiek daug Luesas prisidėjo prie jos novelių siužetų vystymo: ji rašydavo dienos metu, o paskui Luesui skaitydavo ką parašiusi. Sprendžiant iš laiškų ir dienoraščio įrašų jis daugelį metų buvo jos palaikymo publika: „Perskaičiau... pradines savo romano scenas ir jis nepaprastai jomis susižavėjo. <...> Paskui garsiai perskaičiau Džordžui, ką parašiau 9 dalyje ir, mano nuostabai, jis visiškai tam pritarė. <...> Kai garsiai skaičiau rankraštį savo brangiam, brangiam vyrui, jis vienu metu ir juokėsi, ir verkė, o tada atskubėjo manęs pabučiuoti. Jis didžiausias mano palaiminimas, dėl kurio man viskas tapo įmanoma ir kuris suteikė atsaką viskam, ką esu parašiusi."

Luesas pardavinėjo jos romanus, derėjosi su skirtingais redaktoriais. Pradžioje jis meluodavo apie tai, kas yra tikrasis

Džordžo Elioto romanų autorius, sakydavo, kad tai jo draugas dvasininkas, kuris nori išlikti anonimu. Išaiškėjus tiesai jis saugojo žmoną nuo kritikos. Net ir po to, kai ji buvo laikoma viena geriausių savo laikmečio rašytojų, jis pirmas paimdavo laikraščius ir iškirpdavo arba išmesdavo visus straipsnius, kurie šykštėdavo jai pagyrimų ir apie ją rašydavo ką nors kita. Luesas laikėsi paprastos taisyklės: „Niekada jai neužsimink, ką kiti žmonės sako apie jos knygas, ar tai būtų gera, ar bloga. <...> Tegul jos protas kiek įmanoma labiau susitelkia į kūrybą, o ne į publiką."

DAUG PASTANGŲ REIKALAUJANTI LAIMĖ

Džordžas ir Meri Ana ir toliau kentė ligas bei depresijos priepuolius, tačiau apskritai jų gyvenimas kartu buvo laimingas. Laiškai ir dienoraščio įrašai per tuos kartu praleistus metus kupini džiaugsmo ir meilės prisipažinimų. 1859 metais Luesas rašė savo draugui: „Esu dar daugiau skolingas Spenseriui. Per jį susipažinau su Meri Ana – o ją pažinti reiškė pamilti – ir nuo tada jaučiuosi tarsi naujai užgimęs. Esu jai skolingas už visą savo gerovę ir laimę. Telaimina ją Dievas!"

Po šešerių metų Eliotas rašė: „Kartu jaučiamės dar laimingesni, nei kada anksčiau. Aš vis labiau dėkinga savo brangiam vyrui už jo tobulą meilę, kuri man padeda visame, kas gera, ir stabdo nuo to, kas bloga, ir vis geriau suprantu, kad jis yra pats didžiausias mano palaiminimas."

Jos kūrybos šedevre „Midlmarčo miestelis" daugiausia pasakojama apie nesėkmingas santuokas, tačiau knygoje yra ir laimingos sąjungos bei santuokinės draugystės pavyzdžių, kuo Eliotas džiaugėsi ir savo gyvenime. „Man niekada nepatiktų barti kitą žmogų; ir apie tai reikia pagalvoti renkantis vyrą", – sako vienas jos personažas. Savo laiške draugei ji rašė: „Kiekvieną dieną jaučiuosi vis laimingesnė, o mano šeimyninis gyvenimas man teikia vis daugiau džiaugsmo ir naudos. Mano susižavėjimas, pagarba ir intelektualinė simpatija auga ir aš pirmą kartą gyvenime galiu sakyti akimirkoms: „Tegul jos tęsiasi ilgiau, jos tokios nuostabios."

Eliotas ir Luesas buvo laimingi, bet nesijautė patenkinti. Visų pirma, gyvenimas nesustojo. Pas juos atvyko mirtinai sergantis Lueso sūnus iš ankstesnės santuokos ir jie juo rūpinosi iki pat mirties. Juos abu dažnai kankindavo prasta sveikata ir depresija, kurią lydėdavo migrenos priepuoliai ir galvos svaigimas. Tačiau visą tą laiką juos abu skatino poreikis tobulėti dvasiškai, tapti brandesniems ir išmintingesniems. 1857 metais Eliotas rašė apie tokį džiaugsmą sumišusį su ambicijomis: „Aš labai laiminga – laiminga, nes galiu džiaugtis didžiausia laime, kokią gali suteikti gyvenimas – tobula meile ir tokia užuojauta, kuri mane pačią skatina elgtis teisingai. Taip pat jaučiu, kad visas tas siaubingas skausmas, kurį man teko anksčiau gyvenime patirti ir kurį iš dalies sukėlė mano įgimti trūkumai ir iš dalies išorinės aplinkybės, greičiausiai buvo paruošimas kažkokiai ypatingai užduočiai, kurią turėčiau atlikti, kol esu gyva. Tai palaiminga viltis, kuria reikia džiaugtis atsargiai."

Eliotas rašė: „Nuotykis yra ne žmogaus išorėje, jis yra viduje." Daugelis žmonių nemoka mąstyti nerašydami, ir Meri Ana rašydama užčiuopdavo kažkokį ypatingą suvokimą. Ji toli gražu nepamiršo, ką jai teko ištverti dėl savo maištingo elgesio susirėmus su visa britų aukštuomene, ir jautėsi turinti kažkokiu būdu panaudoti visus tuos išmėginimus.

Su amžiumi jos meilės jausmai stiprėjo, vis mažiau trikdomi jaunystės egoizmo. Rašymas jai ir toliau buvo kankinantis procesas. Kiekvieną knygą lydėdavo nerimo ir depresijos priepuoliai. Ją apimdavo neviltis. Sugrįždavo viltis. Tada vėl neviltis. Ji buvo geniali rašytoja dėl to, kad sugebėjo ne tik nepaprastai stipriai viską jausti, bet ir turėjo labai aštrų bei metodišką protą. Ji pati turėjo viską pajusti ir iškentėti. Tą jausmą ji transformuodavo į skrupulingai apgalvotą pasakymą. Knygų rašymas jai buvo kaip vaikų gimdymas – skausmingas ir sekinantis procesas. Kaip ir daugumai rašančių žmonių, jai reikėjo ištverti pagrindinį šio užsiėmimo trūkumą. Rašytojas dalijasi tuo, kas intymu ir pažeidžiama, bet skaitytojas yra toli, todėl atgal sugrįžta tik tyla.

Ji neturėjo sistemos. Ji buvo sistemos priešingybė. Savo romane „Malūnas ant Floso" (*The Mill on the Floss*) ji niekino „taisyklių žmones" ir teigė, kad „mūsų painaus gyvenimo negalima surakinti taisyklėmis, susaisčius save tokiomis formulėmis užgniaužiamos visos dieviškos užuominos ir įkvėpimas, kylantis augant įžvalgai ir užuojautai". Eliotas savo knygomis nenorėjo nieko įrodyti ar pasakyti kažką reikšmingo; ji siekė sukurti pasaulį, į kurį skaitytojai galėtų pasinerti skirtingais gyvenimo tarpsniais ir kaskart gauti vis kitokias pamokas. Rebeka Mid (Rebecca Mead) rašo: „Manau, kad knyga „Midlmarčo miestelis" sutramdė mano charakterį. Ji tapo mano patirčių ir išgyvenimų dalimi. Kai buvau jauna ir karštakošė, knyga mane įkvėpė palikti namus; o dabar, sulaukus vidutinio amžiaus, ji man parodo, kad namai gali reikšti daugiau nei vietą, kurioje užaugai ir iš kurios išaugi."[21]

Eliotas kuria savo vidinį peizažą, į kurį sudeda visus prieštaringus impulsus ir tikrojo peizažo ilgesį. Ji buvo realistė. Jai nerūpėjo didybė ir heroizmas. Ji rašė apie kasdienišką gyvenimą. Jos personažai linkę klysti, kai dėl abstrakčių ir radikalių ketinimų atmeta purvinas ir sudėtingas kasdienio gyvenimo aplinkybes. Jie klesti būdami savo vietoje su savo konkrečiais įpročiais, tam tikroje savo miestelio ir šeimos tikrovėje. Pati Meri Ana tikėjo, kad nuodugniai ir dėmesingai studijuojant esamą tikrovę, patį daiktą, patį žmogų, kurio nedangsto abstrakčios idėjos, migloti jausmai, vaizduotės šuoliai ar religinis atotrūkis nuo pasaulio, pradedama įgyti išminties.

Savo ankstyvajame romane „Adomas Bidas" ji rašo: „Pasaulyje yra keli pranašai; kelios stulbinamai gražios moterys; keli didvyriai. Negaliu sau leisti visos savo meilės ir pagarbos skirti tokioms retenybėms: su kaupu noriu tai jausti savo artimiesiems, ypač tiems keliems, kurie stovi daugumos priešakyje, kurių veidus pažįstu, kurių rankas liečiu, kuriems turiu su švelnia pagarba praskinti kelią."

Savo paskutinį ir veikiausiai geriausią romaną „Midlmarčo miestelis" ji užbaigė skambiai aukštindama tuos, kurie gyvena nuolankiai: „Tačiau aplinkiniams ji darė neišmatuojamai daugialypį poveikį, nes pasaulio gerumas iš dalies priklauso nuo istoriškai nereikšmingų poelgių; ir už tai, kad tarp manęs ir tavęs ne viskas taip blogai, kaip galėjo būti, iš dalies esame skolingi daugybei žmonių, kurie ištikimai gyveno nematomą gyvenimą ir kurie ilsisi nelankomuose kapuose."

Elioto moralinės vizijos šerdyje glūdi užuojauta. Nors paauglystėje buvo egocentriška, ji išsiugdė nepaprastą sugebėjimą įsijausti į kitų žmonių išgyvenimus ir su atjaučiančiu supratingumu vertinti juos skirtingais atžvilgiais. „Midlmarčo miestelyje" ji sakė: „Bet kuri doktrina gali suardyti mūsų moralę, jeigu neturėsime tvirto įpročio pasitikrinti, ar tam tikra idėja atitinka mūsų santykį su realiu konkrečiu žmogumi."

Su amžiumi ji tapo dėmesinga klausytoja. Ji taip smarkiai įsijausdavo į kitų žmonių išgyvenimus, kad jų gyvenimo faktai ir jausmai tvirtai įsirėždavo jos atmintyje. Ji buvo viena iš tų žmonių, kurie nieko nepamiršta. Jos pačios santuoka buvo laiminga, tačiau savo geriausioje knygoje ji rašė apie daugybę nenusisekusių santuokų ir labai realistiškai apibūdino jas iš vidaus.

„Kiekviena riba yra ir pradžia, ir pabaiga", – rašo ji „Midlmarčo miestelyje". Ji užjaučia net ir nepatraukliausius savo personažus, tokius kaip Edvardas Kasabonas, kuris yra nuobodus ir narciziškas pedantas, pasižymintis daug menkesniu talentu, negu jam atrodo, ir kuris po truputį pradeda tą suprasti. Įžvalgia plunksna ji daugelyje savo pasakojimų parodo, kad nesugebėjimas užjausti ir bendrauti, ypač šeimose, nepaprastai nuodija moralę.

VIDINIS NUOTYKIS

Eliotas buvo meliorizmo šalininkė. Ji netikėjo dideliais transformaciniais pokyčiais. Ji tikėjo, kad reikia iš lėto ir nuolatos dėti visas pastangas, kad kiekviena diena būtų truputį geresnė už praėjusią. Charakterio ugdymas, kaip ir istorinis procesas, geriausiai vyksta nejučiomis, kasdienėmis pastangomis.

Jos kūrinių tikslas buvo iš lėto ir nenukrypstant daryti įtaką vidiniam skaitytojų gyvenimui, paskatinti labiau užjausti, tobulinti jų sugebėjimą geriau suprasti kitus ir suteikti jiems kiek įvairesnės patirties. Šiuo atžvilgiu ją visą gyvenimą lydėjo jos tėvas, kaip kuklumo pavyzdys. Romane „Adomas Bidas" ji aukština eilinį žmogų:

> Jie retai kada prasiskina kelią kaip genijai, dažniausiai tai uolūs ir nuoširdūs žmonės, turintys įgūdžių ir sąžiningi, todėl gerai atliekantys jiems skirtas užduotis. Savo gyvenime jie nematė nieko toliau už apylinkes, kuriose gyveno, bet gali būti tikras, kad pasikeitus vienai ar kelioms kartoms jie bus minimi, nes nutiesė gerą kelio atkarpą, pastatė namą, sumaniai panaudojo

mineralinius išteklius, prisidėjo prie žemės ūkio tobulinimo ar atskleidė vietinį nusikaltimą.

Daugelis jos personažų, kaip ir patrauklioji „Midlmarčo miestelio" veikėja Dorotėja Bruk, suaugusiojo gyvenimą pradeda turėdami didžiulių dvasinių ambicijų. Jie nori padaryti kažką labai gero, kaip šventoji Teresė, bet nežino kur link eiti ar koks jų pašaukimas, ar tiesiog kaip tą daryti. Jų dėmesys nukreiptas į kokį nors tyrą idealą, į tolimą horizontą. Eliotas buvo Viktorijos epochos žmogus; ji tikėjo moralės ugdymu. Tačiau savo kūriniuose kritikavo tokius didingus ir nepraktiškus moralinius tikslus. Jie pernelyg abstraktūs ir gali būti, kad yra nerealistiški ir apgaulingi, kaip nutiko Dorotėjai. Geriausia moralės reforma, įrodinėja ji, yra susijusi su čia ir *dabar*, vedama nuoširdžių jausmų vienam ar kitam asmeniui, o ne žmonijai apskritai. Jėga yra konkretumas, o apibendrinti dalykai kelia nepasitikėjimą. Šventumas Eliotui yra ne kažkur kitame pasaulyje, o tokiuose pasaulietiniuose dalykuose kaip santuoka, kuri pririša žmogų, bet kasdien suteikia konkrečių galimybių aukotis ir tarnauti. Šventumą įkvepia darbas, kasdienė užduotis ką nors atlikti gerai. Moralinę fantaziją – pareigos jausmą, poreikį tarnauti, aistringą norą įveikti savanaudiškumą – ji sukonkretina ir paverčia naudinga.

Ji moko, kad egzistuoja ribos, kiek galime pakeisti kitus ar kaip greitai galime pasikeisti patys. Gyvenime taip dažnai būname pakantūs – toleruojame kitų žmonių silpnybes ir savo pačių nuodėmes net ir tada, kai su meile stengiamės ką nors švelniai pakeisti. „Visus tuos paprastus mirtinguosius, kiekvieną iš jų, – rašė ji romane „Adomas Bidas", – reikia priimti tokius, kokie jie yra: negali nei ištiesinti jų nosies, nei įkrėsti jiems daugiau proto, nei pataisyti jų charakterio; ir tuos žmones – tarp kurių gyveni – reikia toleruoti, mylėti ir užjausti: tai tų žmonių, daugiau ar mažiau bjaurių, kvailų ir prieštaringų, gerumo poelgiais turėtum mokėti žavėtis – jiems puoselėti visas įmanomas viltis ir visą įmanomą kantrybę." Tokia laikysena atspindi jos moralės esmę. Tai lengva pasakyti, bet sunku įgyvendinti. Ji siekė būti pakanti ir palankiai nusiteikusi, bet kartu ir griežta, rimta bei reikli. Ji mylėjo net ir teisdama.

Su Elioto kūryba dažniausiai siejamas žodis „branda". Kaip pasakė Virdžinija Vulf (Virginia Woolf), jos literatūra skirta suaugusiems – tai žvilgsnis į gyvenimą iš aukštesnės ir betarpiškesnės, išmintingesnės ir kartu kilnesnės pozicijos. „Žmonės šlovina bet kokią drąsą, išskyrus tą, kurią jie parodo savo artimiausiam kaimynui", – rašė ji, ir tai tikrai brandaus požiūrio pavyzdys²².

Moteris vardu Besi Reiner Parks (Bessie Rayner Parkes) sutiko Eliotą, kai toji dar buvo jauna mergina. Vėliau ji rašė savo draugei abejojanti, ar jai patiks toji būtybė, kuri tuo metu buvo žinoma Meri Anos Evans vardu. „Tikrai nežinau, ar mudvi su tavimi kada nors pamilsime ją kaip draugę. Ji sudaro įspūdį žmogaus, kuris kol kas neturi didelių moralinių tikslų, o kaip tik tai galėtų sužadinti meilę. Manau, kad ji dar keisis. Dideliems angelams užtrunka išskleisti sparnus, bet kai tai įvyksta, jie dingsta iš akių. Panelė Evans arba neturi sparnų, arba, kaip man atrodo, jie dar tik kalasi."²³

Meri Anai Evans teko nueiti ilgą kelią, kad taptų rašytoju Džordžu Eliotu. Jai reikėjo išaugti iš savo egocentrizmo ir tapti nesavanaudiškai atjaučiančiu žmogumi. Tačiau tas brendimo procesas teikė pasitenkinimą. Jai taip ir nepavyko nugalėti depresijos priepuolių ir nepasitikėjimo savo rašymo kokybe, bet ji sugebėjo savitu būdu įsijausti į kitų žmonių mąstyseną ir išgyvenimus, kad galėtų lavinti tai, ką pati vadino „atsakomybe būti pakančiam". Pakilusi iš gėdos gyvenimo pabaigoje ji buvo garbinama kaip didžiulis angelas.

Lemtingas tos ilgos kelionės įvykis buvo jos meilė Džordžui Luesui, kuri ją nuramino, pakylėjo ir praturtino. Jų meilė atsispindi visų jos knygų dedikacijose:

„Adomas Bidas" (*Adam Bede*, 1859): Šį rankraštį skiriu savo brangiajam vyrui Džordžui Henriui Luesui, be kurio meilės, kuri man suteikė tiek laimės, jis niekada nebūtų buvęs parašytas.

„Malūnas ant Floso" (*The Mill on the Floss*, 1860): Šį trečiosios savo knygos rankraštį, kuris parašytas šeštaisiais mūsų bendro gyvenimo metais, skiriu savo mylimam vyrui Džordžui Henriui Luesui.

„Romola" (*Romola*, 1863): Vyrui, kurio tobula meilė buvo didžiausias įžvalgų ir stiprybės šaltinis, šį rankraštį atiduoda rašytoja, jo atsidavusi žmona.

„Feliksas Holtas" (*Felix Holt*, 1866): Nuo Džordžo Elioto jos mielam Vyrui, tryliktaisiais jų bendro gyvenimo metais, kai vis stiprėjantis jos netobulumo jausmas randa paguodą vis stipresnėjė jų meilėje.

„Ispanijos čigonė" (*The Spanish Gypsy*, 1868): Mano mielam – ir kasdien vis mielesniam – Vyrui.

„Midlmarčo miestelis" (*Middlemarch*, 1872): Mano mielam Vyrui Džordžui Henriui Luesui devynioliktaisiais mūsų palaimingos sąjungos metais.

UŽSAKYTA MEILĖ

AUGUSTINAS GIMĖ 354 METAIS TAGASTĖS MIESTE, DABARTI-
NIAME ALŽYRE, TUO METU, KAI ROMOS IMPERIJA JAU BUVO
PRADĖJUSI GRIŪTI, BET VIS DAR ATRODĖ AMŽINA. Jo gimtaja-
me mieste, kuris buvo pačiame imperijos pakraštyje, du šim-
tai mylių nuo pakrantės, vyravo sudėtingas romėnų pagonių
ir aistringų Afrikos krikščionių kultūros mišinys. Pirmąją
gyvenimo pusę Augustiną kankino prieštaravimai tarp as-
meninių ambicijų ir dvasinės prigimties.

Aukštesniajai vidurinei klasei priklausančios šeimos galva
buvo Augustino tėvas Patricijus, smulkus miestelio patarėjas
ir mokesčių rinkėjas. Patricijus buvo materialistiškas, dvasiš-
kai inertiškas žmogus ir tikėjosi, kad jo nuostabus sūnus vie-
ną dieną padarys didžiulę karjerą, ko jam pačiam nepavyko
pasiekti. Vieną dieną jis pamatė savo paauglį sūnų viešojoje
pirtyje ir įskaudino Augustiną nepadoriu pokštu apie jo gak-

tos plaukus ar varpos dydį, ar kažką panašaus – istorijoje neišlikę tikslaus jo kandžios pastabos aprašymo. Augustinas su panieka rašė: „Jis manyje matė tik tuščius dalykus."

Augustino motina Monika visada kaustė istorikų – ir psichoanalitikų – dėmesį. Viena vertus, ji buvo praktiška, beraštė moteris, užaugusi bažnyčioje, kuri tuo metu buvo laikoma primityvia. Ji kiekvieną rytą su nuoširdžiu atsidavimu eidavo į mišias, valgydavo ant mirusiųjų kriptų, o sapnus laikė pranašingais ženklais ir jais vadovaudavosi. Kita vertus, ji buvo tokia stipri asmenybė ir turėjo tokius tvirtus įsitikinimus, kad tai tiesiog stulbina. Ji buvo bendruomenės jėga, taikdarė, nesileisdavo į apkalbas, atrodė grėsminga ir ori moteris. Augustino biografas Piteris Braunas (Peter Brown) pažymi, kad savo kandžiu sarkazmu ji sutriuškindavo negarbingus žmones[1].

Monika vadovavo namų ūkiui. Ji taisydavo savo vyro klaidas, kentėdavo jo neištikimybę ir jam dėl to priekaištaudavo. Ji nepasotinamai, o kartais godžiai, toli gražu ne dvasiškai mylėjo savo sūnų ir buvo nepaprastai linkusi kontroliuoti jo gyvenimą. Augustinas pripažino, kad palyginti su dauguma kitų motinų ji labiau stengėsi išlaikyti jį prie savęs ir priversti paklusti. Ji perspėdavo, kad jis nesusidėtų su moterimis, nes jos jį gali įvilioti į santuoką. Visas jos gyvenimas buvo skirtas rūpintis jo siela; jeigu jis palinkdavo tikėti jos krikščionybės versija, ji beprotiškai jį mylėdavo, o jeigu nuo jos nusisukdavo, raudodavo paklaikusi iš pykčio. Kai Augustinas prisijungė prie filosofinės sektos, kurios ji nepripažino, ji jį išvarė iš namų.

Sulaukęs dvidešimt aštuonerių metų Augustinas, jau brandus suaugęs žmogus, turėjo ją apgauti, kad galėtų įlipti į laivą ir išplaukti į Afriką. Pasakęs motinai, kad eina į uostą išlydėti draugo, jis įsmuko į laivą kartu su savo meiluže ir sūnumi. Laivui tolstant nuo kranto Augustinas matė, kaip ji rauda ir mosikuoja rankomis ant kranto, apimta, kaip jis sakė, „skausmo įtūžio". Motina atsekė paskui jį į Europą, už jį meldėsi, atsikratė jo meilužės ir suorganizavo sutuoktuves su turtinga dešimtmete nuotaka, kuri, kaip ji tikėjosi, privers Augustiną priimti krikšto sakramentą. Augustinas suprato, kad jos meilė savanaudiška, bet nepajėgė jos atstumti. Vaikystėje jis buvo jautrus berniukas ir labai bijojo motinos nepritarimo, bet ir suaugęs didžiavosi jos dvasia ir blaivia išmintimi. Jis nepaprastai apsidžiaugė sužinojęs, kad ji sugeba palaikyti pokalbį su mokslininkais ir filosofais. Augustinas suprato, kad jai dėl jo teko iškentėti daugiau, negu jam pačiam dėl savęs, arba daugiau, nei ji iškentė dėl savęs. „[Nemoku] pakankamai išsakyti, kaip ji mane mylėjo ir su kiek didesniu susijaudinimu, nei jis buvo, kai ji gimdė kūnu, gimdė mane dvasia."[2*] Visą tą laiką Monika su nepaprastu įkarščiu mylėjo savo sūnų ir jį nuolat persekiojo. Nors ji ir elgėsi valdingai ir siekė dominuoti, susitaikymas ir dvasinis bendravimas su motina buvo vienos nuostabiausių Augustino gyvenimo akimirkų.

* Aurelijus Augustinas, *Išpažinimai*. Iš lotynų k. vertė Eugenija Ulčinaitė, Vaidilė Stalioraitytė, Vilnius: „Aidai", 2004; V, 9, 16.

AMBICIJOS

Augustinas buvo ligotas vaikas; septynerių metų jį ėmė kankinti krūtinės skausmai, o sulaukęs vidutinio amžiaus jis atrodė ne pagal amžių pasenęs. Mokykloje jis buvo labai gabus ir jautrus berniukas, bet nebuvo linkęs bendradarbiauti. Mokyklos programa jam kėlė nuobodulį ir jis negalėjo pakęsti mušimo, kas buvo nuolatinė mokyklos disciplinavimo priemonė. Vos pasitaikius progai jis bėgdavo iš pamokų į miesto arenoje vykstančias pagoniškas meškų grumtynes ir gaidžių peštynes.

Augustinas dar jaunystėje susidomėjo vienas kitam prieštaraujančiais klasikinio ir judėjų krikščionių pasaulio idealais. Metjus Arnoldas (Matthew Arnold) savo apybraižų rinkinyje „Kultūra ir anarchija" (Culture and Anarchy) rašo, kad pagrindinė helenizmo idėja yra sąmonės spontaniškumas, o to, ką jis vadino hebraizmu, pagrindinė idėja yra griežtas sąžiningumas.

Kitaip tariant, žmogus, kuriam priimtinas helenistinis požiūris, mato daiktus tokius, kokie jie yra, ir nagrinėja šio pasaulio pranašumus bei gėrį. Toks žmogus į pasaulį žiūri lanksčiai ir žaismingai. „Helenizmas iškelia žmogaus prigimčiai paprastą ir patrauklų idealą – atsikratyti savo neišmanymo, priimti daiktus tokius, kokie jie yra, ir matant juos tokius, kokie jie yra, įžvelgti visą jų grožį."[3] Helenistinė mąstysena pasižymi „nuostabiu lengvumu, aiškumu ir spinduliavimu". Ji kupina „saldumo ir šviesos".

Hebraizmas, atvirkščiai, „užčiuopia tam tikras paprastas, svarbiausias visuotinės tvarkos užuomazgas, įsikimba jų, galima sakyti, su neprilygstamu nuoširdumu ir jėga bei imasi jas intensyviai studijuoti ir stebėti".⁴ Taigi, heleniškas žmogus bijo ką nors gyvenime praleisti ir iš tikrųjų pats režisuoja savo gyvenimą, o hebraistinio požiūrio besilaikantis žmogus sutelkia dėmesį į aukštesnę tiesą ir lieka ištikimas amžinajai tvarkai. „Pagrindinė hebraizmo idėja yra savęs nugalėjimas ir atsidavimas, ne savo, o Dievo valios laikymasis ir paklusnumas."⁵

Pagal hebraistinį požiūrį gyvenančiam žmogui, skirtingai nei tam, kuris remiasi helenistiniu požiūriu, šiame pasaulyje nėra lengva. Jis atpažįsta nuodėmę ir savo vidinius trukdžius, kurie neleidžia tobulėti. Arnoldas sakė: „Moralinį nuosmukį išgyvenančiam pasauliui krikščionybė pasiūlė įkvepiančio pasiaukojimo reginį; savęs nevaržantiems žmonėms ji parodė tą, kuris atsižadėjo visko."⁶

Augustinas gyveno tuo metu, kai šalį valdantys sudievinti imperatoriai tapo tolimomis, pagarbą keliančiomis figūromis ir rūmų pataikūnai juos aukštindavo vadindami „visada pergalingais" ir „pasaulio atstatytojais"⁷. Jis buvo mokomas stoikų filosofijos, kuri propagavo ramų, savarankišką gyvenimą slopinant emocijas. Jis atmintinai išmoko Vergilijų ir Ciceroną. „Man patiko glostyti ausis pramanytais pasakojimais, kurie dar labiau kurstė mano smalsumą"*, – vėliau prisimins jis⁸.

* *Išpažinimai*, I, 10, 16.

Sulaukęs paauglystės Augustinas jau, regis, garsėjo kaip auksinis berniukas. „Mane vadindavo daug žadančiu jaunuoliu", – prisiminė jis. Jį pastebėjo vietinis didikas Romanianas, kuris sutiko padėti jaunuoliui išsimokslinti ir išsiųsti jį į mokslo centrus. Augustinas troško pripažinimo ir kad juo būtų žavimasi, jis tikėjosi įgyvendinti klasikinę svajonę, kad jo niekada nenustotų minėti ateities kartos. Sulaukęs septyniolikos Augustinas išvyko į Kartaginą tęsti mokslų. Savo dvasiniuose prisiminimuose „Išpažinimai" (*Confessions*) jis prisipažįsta, kad jį prarijo geismas. „Aš atvykau į Kartaginą, – prisimena jis savo studentiškas dienas, – aplink mane virte virė tarsi katilas gėdinga meilė." Tai nenurimo ir Augustinui atvykus. Jis pasakoja buvęs audringas jaunuolis, kurio kraujas kunkuliavo aistra, geismu, pavydu ir troškimais:

> Aš dar nemylėjau, bet norėjau mylėti ir, jausdamas slaptą poreikį, nekenčiau savęs už tai, kad per mažai noriu. <...> Man buvo maloniau mylėti ir būti mylimam, jeigu aš galėdavau užvaldyti ir mylinčios būtybės kūną. <...> Aš puoliau į meilę, aš troškau jai atsiduoti. <...> Juk aš buvau mylimas, aš atėjau į malonumų kalėjimą ir džiaugsmingai užsidėjau sielvarto pančius, kad mane plaktų karštomis geležinėmis rykštėmis pavydas, įtarinėjimai, baimė, pyktis, ginčai*.

Atrodo, kad Augustinui labiau nei kam kitam meilėje reikėdavo emocinio palaikymo. Jo kalba tiksli. Jis nėra įsimylėjęs

---

* *Išpažinimai*, III, 1, 1.

kito žmogaus, jis įsimylėjęs perspektyvą būti mylimam. Viskas sukasi aplink jį. Savo prisiminimuose jis rašo, kaip jo sumišę geiduliai mito patys savimi. Aštuntojoje „Išpažinimų" knygoje Augustinas tarytum iš šalies aprašo, kaip jo emocinis skurdas buvo tapęs priklausomybe:

Atsidėti tau <...> aš didžiai troškau, sukaustytas ne kitų geležies, o savo geležinės valios. Mano valia buvo pavaldi priešui: jis buvo padaręs iš jos man grandinę ir surišęs mane. Mat iš pasileidusios valios randasi geismas, tarnaujant geismui randasi įprotis, o nesipriešijant įpročiui randasi būtinybė. Šiais tarytum sunertais vienas su kitu žiedais – dėl to ir pavadinau grandine – mane laikė surakintą žiauri vergystė*.

Augustinas buvo priverstas labai tiesiogiai susidurti su savo vidiniais prieštaravimais. Viena jo pusė ieškojo paviršutiniškų pasaulio malonumų. Kita pusė nepritarė tokiems troškimams. Troškimai neatitiko kitų jo sugebėjimų. Jis įsivaizdavo, kaip tapti tyresniam, bet nepajėgė to pasiekti. Jis jautė nepasitenkinimą ir niekaip nerado pusiausvyros.

Taip karštligiškai rašydamas Augustinas prisipažįsta, kad buvo tarsi sekso apsėstas Kaligula. Ir jau daug amžių skaitydami „Išpažinimus" daugelis žmonių prieidavo išvadą, kad Augustinas iš tikrųjų rašė tik apie seksą. Tiesą pasakius, neaišku, ar Augustinas tikrai buvo toks audringas žmogus. Žiūrint į jo tuometinius pasiekimus atrodo, kad jis buvo stropus ir atsakingas jaunas vyras. Jam sekėsi universitete. Jis tapo

* *Išpažinimai*, VIII, 5, 10.

mokytoju Kartaginoje ir kilo aukštyn nuo vieno gero darbo prie kito. Tada persikėlė į Romą ir galiausiai gavo darbą imperatoriaus Valentiniano II dvare Milane, kuris tuo metu buvo tikras galios centras. Augustinas maždaug penkiolika metų gyveno su neoficialia žmona, kas tuo metu buvo įprastas dalykas. Su ja susilaukė vieno vaiko ir buvo jai ištikimas. Jis studijavo Platoną (Plátōn) ir Ciceroną. Akivaizdžiausios jo nuodėmės, regis, buvo tai, kad jis lankydavosi teatro pastatymuose ir kartais pasidomėdavo moterimis, kurias pamatydavo bažnyčioje. Apskritai, jis primena sėkmės lydimą jauną šiuolaikinės Ivy League (Gebenės lygos) narį, kažką panašaus į įprastą vėlyvosios Romos imperijos meritokratą. Adomo I karjeros terminais, Augustino gyvenimas priminė kilimo aukštyn pavyzdį.

Jaunystėje Augustinas priklausė griežtai filosofinei manichėjų sektai. Tai prilygo įstojimui į komunistų partiją dvidešimtojo amžiaus pradžios Rusijoje. Augustinas prisijungė prie grupės protingų, atsidavusių jaunų žmonių, kurie tikėjo, kad atrado viską paaiškinančią tiesą.

Manichėjai tikėjo, kad pasaulis pasidalijęs į Šviesos ir Tamsos karalystes. Jie tikėjo, kad egzistuoja amžinas konfliktas tarp viso, kas gera ir bloga, ir kad tam konfliktui vykstant gėrio dalelės įstringa tamsoje. Tyra siela gali būti įkalinta mirtingame kūne.

Manicheizmas, kaip loginė sistema, pasižymi keliais privalumais. Dievas, kuris stovi tyro gėrio pusėje, yra apsaugotas net ir nuo menkiausio įtarimo, kad Jis atsakingas už blogį[9].

Be to, manicheizmas padeda žmogui rasti pasiteisinimą dėl blogo elgesio: tai buvau ne aš, nes aš iš esmės esu geras, taip per mane veikia Tamsos karalystė. Augustinas sakė: „Mano puikybę malonino tai, kad aš be kaltės, kad padaręs ką blogo, neišpažįstu, kad taip padariau."* Ir pagaliau, jeigu priimdavai šias prielaidas, manicheizmas buvo labai griežta loginė sistema. Visatoje viską galima paaiškinti tvarkingais ir racionaliais žingsniais.

Manichėjams buvo labai nesunku pasijusti aukštesniems už visus kitus. Be to, jie kartu smagindavosi. Augustinas prisimena, kaip jiems patikdavo „kartu kalbėtis ir juoktis, rodyti kilnų abipusį paslaugumą, kartu skaityti gražias knygas, kartu išdykauti ir rodyti tarpusavio pagarbą, kartais nesutarti, tačiau nejaučiant neapykantos, taip kaip žmogus nesutaria pats su savimi (tokie reti nesutarimai vedė į ilgalaikius sutarimus); kartu mokyti ir mokytis, su ilgesiu laukti nesančių ir su džiaugsmu sutikti atėjusius."[10]** Siekdami apsivalyti nuo blogio jie gyveno asketiškai. Laikėsi celibato ir valgė tik tam tikrą maistą. Kiek įmanoma vengė kontakto su kūnu, ir jiems patarnaudavo „klausytojai" (tarp jų ir Augustinas), kurie už juos atlikdavo nešvarius darbus.

Klasikinė kultūra itin pabrėžė pergalę debatuose ir iškalbos meno demonstravimą. Augustinas, labiau klausęs proto

---

* *Išpažinimai*, V, 10, 18.
** *Išpažinimai*, IV, 8, 13.

nei širdies, suprato, kad manichėjų argumentai gali padėti nesunkiai laimėti debatuose: „Besiginčijant su neįgudusiais, bet vienas per kitą iš paskutiniųjų besistengiančiais savo tikėjimą apginti krikščionimis, mane veik visuomet lydėjo kažin kokia pragaištinga pergalė."[11]*

VIDINIS CHAOSAS

Apskritai, Augustinas gyveno tikrą romėnų svajonių gyvenimą. Tačiau nesijautė laimingas. Jo viduje vyravo susipriešinimas. Jis neturėjo kam skirti savo dvasinę energiją. Ji išsisklaidė, išgaravo. Jo Adomo II gyvenimas buvo tikra sumaištis. „Išpažinimuose" jis rašo: „Blaškiausi ir šaukiau, bandydamas tokiais ženklais išreikšti savo norus, kiek galėdamas ir kaip galėdamas, tačiau tie ženklai neišreiškė mano norų."**

Augustinas nepaprastai jauname amžiuje pasiekė aukščiausią sėkmės pakopą. Jam buvo suteikta galimybė kalbėti imperatoriaus rūmuose. Tačiau jis jautėsi taip, tarsi svaidytųsi tuščiais žodžiais. Jis melavo ir žmonės jį už tai mylėjo, jei tik tas melas būdavo apipintas gražiais žodžiais. Jis neturėjo nieko, ką būtų galėjęs nuoširdžiai mylėti, nieko, kam būtų galėjęs visiškai pasiaukoti: „Savo viduje buvau išalkęs vidinio maisto."*** Noras, kad juo būtų žavimasi, jį pavergė ir trukdė

* Peter Brown, *Augustinas iš Hipono*: biografija. Iš anglų k. vertė Darius Alekna, Vilnius: Taura, 1997, p. 48.
** *Išpažinimai*, I, 6, 8.
*** *Išpažinimai*, III, 1, 1.

džiaugtis gaunamu dėmesiu. Jis geidė greito, paviršutiniško kitų žmonių pritarimo, tapo jautrus menkiausiai kritikai ir nuolat ieškojo progos palypėti dar vienu laipteliu aukštyn. Taip nenuilstamai pataikaudamas viliojančioms silpnybėms jis visiškai prarado ramybę.

Augustino susiskaldymo jausmą atitinka daugumai šiuo-laikinių žmonių būdinga siaubinga baimė kažką praleisti. Pasaulis jiems siūlo neaprėpiamą daugybę šaunių užsiėmimų. Natūralu, kad jie nori griebti visas pasitaikančias galimybes ir ragauti kiekvieną patirtį. Išmėginti visas priešais išstatytas prekes. Visus produktus parduotuvėje. Jiems baisu praleisti bet ką, kas tik atrodo įdomu. Tačiau nepraleisdami nė vienos galimybės jie save išbarsto. Ir dar blogiau, kad jie tampa gerų įspūdžių ieškotojais, kurie godžiai graibsto bet kokias patirtis ir yra išskirtinai susitelkę į save. Taip gyvendamas virsti apsukriu taktiku, daugybę kartų iš dalies įsipareigoji, bet rimtai neatsiduodi jokiam didesniam tikslui. Nesugebi ištarti šimto „ne" dėl vieno svaiginamo, pasitenkinimą teikiančio „taip".

Augustinas vis labiau jautėsi atsiskyręs. Jeigu gyvenimas sukasi tik aplink tavo norus, tada kiti žmonės virsta tų norų tenkinimo objektais. Santykis su pasauliu tampa šaltai vartotojiškas. Kaip prostitutė yra objektas, kuris suteikia orgazmą, taip ir bendradarbis tampa objektu, kuris padeda siekti karjeros, nepažįstamasis – objektu, kuriam galima kažką parduoti, o sutuoktinis – objektu, kuris teikia meilę.

Žodį „geismas" vartojame kalbėdami apie seksualinį potraukį, tačiau platesnė ir tikslesnė jo reikšmė yra savanaudiškas troškimas. Tikrai mylintis žmogus su džiaugsmu nori pasitarnauti savo mylimajai. O geismas traukia tik į save. Geismo apimtas žmogus jaučia tuštumą, kurią turi užpildyti kiti. Jis nenori nuoširdžiai tarnauti kitiems ir kurti visaverčių abipusių santykių, todėl vidinė emocinė tuštuma niekada neužsipildo. Geismas prasideda tuštuma ir baigiasi tuštuma.

Kažkuriuo metu Augustinas savo penkiolika metų trukusius santykius su žemesnės klasės nesantuokine žmona pavadino „paprasčiausiu geidulingos meilės sandoriu". Vis dėlto, negali būti, kad jų santykiai visai nieko nereiškė. Sunku įsivaizduoti tokį stipriai jaučiantį žmogų kaip Augustinas, kuris taip nerimtai žiūrėtų į tiek laiko trukusius artimus santykius. Augustinas mylėjo vaiką, kurio jiedu susilaukė. Traktate, kuris vadinasi „Kas yra gera santuoka" (*What Is Good in Marriage*), jis netiesiogiai aukština savo žmonos ištikimybę. Augustinas, regis, kankinosi, kai Monika įsikišo ir atsikratė ta moterimi, kad jis galėtų vesti turtingą mergaitę iš deramo socialinio sluoksnio: „Kai man iš pašonės, kaip kliūtis santuokai, buvo išplėšta ta, su kuria buvau pratęs dalintis lova, mano širdis, kuri buvo prie jos prisirišusi, liko sudraskyta ir kraujavo."*

Tačiau Augustinas sutiko paaukoti tą moterį dėl savo socialinės padėties. Ši bevardė moteris buvo išsiųsta atgal į Afriką be sūnaus, kur, kiek žinome, ji prisiekė visą likusį gyvenimą

* *Išpažinimai*, VI, 15, 25.

laikytis celibato. Augustino oficialia žmona buvo išrinkta vos dešimties metų mergaitė, kuriai trūko dar poros metų iki leistino santuokinio amžiaus, todėl jis tuo laikotarpiu susirado kitą sugulovę, kad patenkintų savo geismus. Bent jau tuo metu jis taip elgdavosi visais savo gyvenimo periodais – mesdavo pasiaukojimo reikalaujančius įsipareigojimus dėl prestižo ir sėkmės.

Vieną dieną bevaikštinėdamas Milane jis pastebėjo elgetą, kuris akivaizdžiai buvo ką tik gerai pavalgęs ir šiek tiek išgėręs. Vyras juokavo ir džiūgavo. Augustinas suprato, kad jis triūsia ir dirba visą dieną kankinamas nerimo, o elgeta, kuris to nedaro, yra laimingesnis už jį. Jis pagalvojo, kad galbūt jo gyvenimas pilnas kančios dėl to, kad jis siekia didesnių tikslų. Ne, taip nebuvo – jis ieškojo tokių pat žemiškų malonumų kaip ir tas elgeta, bet jų nerado.

Bebaigdamas trečią dešimtį Augustinas jautėsi visiškai susvetimėjęs. Gyvenimas iš jo reikalavo daug pastangų, bet, deja, nesuteikė tokio peno, kokio jam reikėjo. Jo troškimai neteikė laimės, bet jis ir toliau stengėsi juos pildyti. Kas gi čia vyko?

SAVĘS PAŽINIMAS

Ši krizė privertė Augustiną pažvelgti į savo vidų. Galėtume pagalvoti, kad savo egocentriškumu pasibaisėjęs žmogus puls daryti bet ką, kad tik užsimirštų. Jo patarimas būtų paprastas: nekreipk dėmesio į save, susitelk į kitus žmones. Tačiau Augustinas pirmiausia ėmėsi kone moksliškai nagrinėti savo protą. Iki to meto Vakarų istorijoje sunku surasti kitą asmenybę, kuri būtų taip nuodugniai ištyrinėjusi savo sąmonę. Atsisukęs į save jis pamatė didžiulę ir nekontroliuojamą visatą. Beveik niekas iki tol nebuvo taip skvarbiai ir nuodugniai į save įsigilinęs: „Kaip mano siela gali pasverti ir paskirstyti tokią įvairią ir skirtingą meilę? <...> Didelė bedugnė yra žmogus, kurio visi plaukeliai, Viešpatie, yra tavo suskaičiuoti... Tačiau plaukus suskaičiuoti yra lengviau negu žmogaus jausmus ir jo širdies judesius."* Milžiniškas margas vidinis pasaulis nuolat kinta. Jis atpažįsta nedideles suvokimo užuominas ir pajunta didžiules anapus sąmoningumo besidriekiančias gelmes.

Pavyzdžiui, Augustiną žavėjo atmintis. Kartais į galvą neprašyti atklysdavo skausmingi prisiminimai. Jį stulbino proto galia pranokti laiką ir erdvę. „Ir tuomet, kai esu tamsoje ir tyloje, atgaivinu savo atmintyje, jei noriu, spalvas <...>. Taip aš pagal savo norą <...> nieko neužuosdamas atskiriu lelijų kvapą nuo žibuoklių."[12]** Jį stebino žmogaus sugebėjimas tiek daug visko prisiminti:

> Didelė yra ši atminties galia, pernelyg didelė, mano Dieve, erdvi ir beribė šventovė. Kas pasiekė jos dugną? Tai yra mano dvasios galia. Ji susijusi su mano prigimtimi, tačiau aš pats nesutalpinu

---

* *Išpažinimai*, IV, 14, 22.
** *Išpažinimai*, X, 8, 13.

viso to, kas esu. Taigi dvasia yra per ankšta, kad galėtų apimti save, tad kur yra toji jos dalis, kurios ji nesutalpina? Nejau už jos ir ne joje pačioje? Ir kaip ji nesutalpina? Tai man kelia didelę nuostabą, sustingimas apima mane*.

Po tokio vidinio žygio jis padarė mažiausiai dvi išvadas. Pirmiausia Augustinas suvokė, kad nors žmonės ir gimsta su nuostabiomis savybėmis, prigimtinė nuodėmė iškreipia jų troškimus. Iki šios akimirkos Augustinas karštligiškai troško tam tikrų žemiškų dalykų, tarp jų šlovės ir gero vardo. Tik jie neatnešė jam laimės. Tačiau jis vis tiek jų troško.

Patys savaime mes dažnai norime to, kas mums nepalanku. Ar tai būtų padėklas su desertais, ar naktinis baras – net ir žinodami, kad reikėtų rinktis viena, vis tiek pasirenkame kita. Biblijos „Laiške romiečiams" rašoma: „Aš nedarau gėrio, kurio trokštu, o darau blogį, kurio nenoriu."**

Augustinas mąstė apie tai, kokia paslaptinga būtybė yra žmogus, kuris negali išpildyti savo paties valios, kuris žino, kas jam gali suteikti ilgalaikę naudą, bet vis tiek ieško trumpalaikių malonumų, kuris daro viską, kad sugadintų savo paties gyvenimą? Jis priėjo išvadą, kad žmonės yra patys sau problema. Turėtume į save žiūrėti su nepasitikėjimu: „Labai bijau to, kas paslėpta manyje"[13]*** – rašė jis.

---

* *Išpažinimai*, X, 8, 15.
** Rom 7, 19.
*** *Išpažinimai*, X, 37, 60.

NEDIDELĖS IR NEREIKŠMINGOS NUODĖMĖS

Siekdamas pavaizduoti šį reiškinį „Išpažinimuose" Augustinas papasakojo apie kvailą paaugliško išdaigą iš savo praeities. Vieną vakarą šešiolikmetis Augustinas nuobodžiavo su savo bičiuliais ir jie nusprendė iš netoliese esančio sodo pasivogti kriaušių. Jiems tų kriaušių nereikėjo. Jie nebuvo alkani. Tos kriaušės nebuvo ypač gražios. Jie jas pavogė šiaip sau, o paskui tiesiog išmėtė kiaulėms.
Prisimenant praeitį Augustiną stulbina to niekingo poelgio beprasmybė. „Aš gi panorau įvykdyti vagystę ir ją įvykdžiau ne priverstas skurdo ar bado, o tik iš pasibjaurėjimo teisingumu ir iš persisotinimo nedorybėmis. <…> Jis [blogio potraukis] buvo bjaurus, ir aš jį mylėjau; mylėjau savo pražūtį, savo nuopuolį; ne tai, vardan ko smukau, bet savo smukimą. Mano šlykšti siela ištrūko iš tavo apsaugos [ir krito] į pražūtį, siekdama ne to, ką neša nešlovė, bet pačios nešlovės."*

Atsitiktiniai „Išpažinimų" skaitytojai visuomet stebisi, kodėl Augustiną taip sujaudino ta vaikystės išdaiga. Aš visada galvodavau, kad kriaušių vagystė buvo tik priedanga, už kurios slėpėsi koks nors baisesnis tą naktį paauglių įvykdytas nusikaltimas, pavyzdžiui, mergaitės išniekinimas ar kažkas panašaus. Tačiau Augustinui to nedidelio nusikaltimo betiksliškumas parodo, kaip iškreiptai mes suvokiame, kas yra normalu. Nuolat tenkinant tokias mažas ir nereikš-

* *Išpažinimai*, II, 4, 9.

mingas užgaidas jos tampa įprasta susitaikėliško gyvenimo dalimi.

Tačiau jam dar svarbiau yra tai, kad žmogaus potraukis neteisingam meilės objektui, potraukis nuodėmei yra centrinė žmogaus asmenybės ašis. Žmonės ne tik daro nuodėmes, mes dar ir keistai žavimės nuodėme. Išgirdę, kad kokia nors įžymybė sukėlė kokį nors siaubingą skandalą, mes lyg ir nusiviliame, jeigu paaiškėja, kad gandai buvo neteisingi. Palikus savo vaikučius be priežiūros netrunka ilgai laukti, kad jie prisigalvotų būdų, kaip prisivirti košės. (Anglų rašytojas G. K. Čestertonas (G. K. Chesterton) kartą sakė, kad nuodėmingą tikrovę galima pamatyti mielą sekmadienio popietę, kai nuobodžiaujantys ir nerimstantys vaikai pradeda kankinti katę.)

Net ir tokie malonūs ryšiai kaip bičiulystė ar draugystė gali išsikreipti, jeigu nebus susiję su kokiu nors didesniu tikslu. Kriaušių vagystės istorija yra ir istorija apie prastus draugus. Augustinas suvokia, kad būdamas vienas jis greičiausiai nebūtų taip pasielgęs. Noras turėti draugų, noras žavėti pakurstė berniukus pasielgti taip, kaip jie pasielgė. Mes taip bijome išsiskirti iš grupės, kad ryžtamės poelgiams, kurie kitomis aplinkybėmis atrodytų nesuvokiami. Neteisingų tikslų vedamos bendruomenės gali būti dar žiauresnės negu pavieniai asmenys.

DIEVO BUVIMAS

Nuodugniai įsigilinęs į save Augustinas suprato dar vieną svarbų dalyką – žmogaus sąmonė netelpa savyje ir siekia begalybės. Savo viduje Augustinas randa ne tik puvėsių, bet ir tobulumo užuominų, transcendencijos pojūtį, emocijas, mintis ir jausmus, kurie tęsiasi anapus baigtinumo į kitą tikrovę. Norėdami įvardyti šį Augustino požiūrį galėtume sakyti, kad jo mintys sukasi apie materialų pasaulį, o tada pakilusios jį pranoksta.

Rainholdas Niburas rašė, kad atminties studijavimas padėjo Augustinui suprasti, kad „žmogaus dvasios gelmė ir aukštybė siekia amžinybę, ir ta vertikali dimensija yra svarbesnė žmogaus supratimui negu jo racionalus sugebėjimas kurti abstrakčias sąvokas".[14]

Kelias į save veda aukštyn. Žmogus gilinasi į save, bet pamato, kad yra nukreipiamas link Dievo begalybės. Net ir savo protu, kuris tėra maža kūrinijos dalis, jis jaučia Dievo ir jo amžinosios kūrinijos prigimtį. Po daugelio amžių K. S. Luisas (C. S. Lewis) užrašė savo mintis šia tema: „Giliausioje vienatvėje egzistuoja kelias, vedantis iš savęs, santykis su kažkuo, kas nesileidžia tapatinamas su jokiu jutiminiu objektu, jokiu biologiniu ar socialiu poreikiu, su niekuo įsivaizduojamu, su jokia mūsų proto būsena ir skelbiasi esąs visiškai objektyvus." Mes visi sukurti tos amžinos objektyvios tvarkos ribose. Mūsų gyvenimas negali būti suprantamas individualiai, negali būti

atskirtas nuo jos. Atrodo, kad nuodėmė – noras vogti kriau-
šes – ateina iš praeities per žmogaus prigimtį ir kiekvieną in-
dividą. Tuo pat metu visiems būdingas ir šventumo ilgesys,
noras kilti aukštyn, gyventi kilniai ir prasmingai.

Dėl to žmonės gali save suprasti tik atsisukę į juos pra-
nokstančias jėgas. Žmogaus gyvenimas nukreiptas anapus
savęs. Augustinas gilinasi į save ir atranda tam tikrus visuo-
tinius moralės principus. Jis supranta, kad gali įsivaizduoti
tobulybę, bet tuo pat metu suvokia, kad ją pasiekti yra toli
gražu ne jo jėgoms. Turi egzistuoti aukštesnė jėga, amžinoji
moralės tvarka.

Niburas rašė: „Žmogus yra individualus, bet jis nėra sava-
valdis. Jo prigimties dėsnis yra meilė, harmoningas santykis
tarp įprasto gyvenimo ir paklusimo dieviškajam savo gyveni-
mo centrui bei šaltiniui. Tas dėsnis pažeidžiamas, jeigu žmo-
gus siekia pats tapti savo gyvenimo centru ir šaltiniu."

REFORMA

Augustinas pradėjo keisti savo gyvenimą. Pirmiausia, ką jis
padarė, tai atsiskyrė nuo manichėjų. Jis nebetikėjo tuo, kad
pasaulis tvarkingai pasidalijęs į gryno gėrio ir gryno blogio
jėgas. Juk kiekvienoje dorybėje slypi kokios nors ydos pavo-
jus – pasitikėjime savimi puikybės, atvirume žiaurumo, drą-
soje pramuštgalviškumo pavojus ir taip toliau. Moralistas ir
teologas Luisas Smidsas (Lewis Smedes) išreiškia Augustino

mintį apibūdindamas įvairiapusišką mūsų vidinio gyvenimo prigimtį:

> Mūsų vidinis gyvenimas nepadalytas į dieną ir naktį – šviesa vienoje pusėje ir visiška tamsa kitoje. Mūsų sielose paprastai pilna šešėlių; mes gyvename paribyje, kur mūsų tamsybė užstoja šviesą ir meta šešėlį į vidų. <...> Ne visada galime pasakyti, kur baigiasi mūsų šviesa, o kur prasideda šešėlis arba kur baigiasi mūsų šešėlis ir prasideda tamsa[15].

Be to, Augustinas suprato, kad manichėjai užsikrėtę puikybe. Jų tuštybei patiko uždaras ir visa paaiškinantis tikrovės modelis; jis jiems suteikė iliuziją, kad jie patys vadovaudamiesi protu viską išsiaiškino. Tačiau dėl to jie tapo abejingi paslaptims ir nepajėgūs nusileisti tiems painiems dalykams ir emocijoms, kurie, kaip sakė Augustinas, „pagilina širdį". Jie buvo protingi, bet ne išmintingi.

Augustinas pakibo tarp dviejų pasaulių. Jis norėjo gyventi teisingą gyvenimą. Vis dėlto nebuvo pasiruošęs atsižadėti karjeros, sekso ar kitų materialių tikslų. Jis įsivaizdavo, kad naudodamasis senais metodais sugebės pasiekti geresnių rezultatų. Kitaip tariant, jis ruošėsi pradėti nuo tos pačios prielaidos, kuria buvo paremtas visas jo savimyliškas meritokratiškas gyvenimas: kad jis pats gali būti pagrindiniu savo gyvenimo vairininku. Pasaulis yra pakankamai lankstus, kad pats jį formuotum. Norint geriau gyventi tereikia sunkiau dirbti arba įdėti daugiau valios pastangų, arba priimti geresnius sprendimus.

Tai daugmaž primena, kaip dauguma žmonių šiais laikais bando pertvarkyti savo gyvenimą. Jie griebiasi jo kaip namų darbų užduoties ar mokyklinio projekto. Atsitraukia, skaito tokias savigalbos knygas kaip „7 efektyviai veikiančių žmonių įpročiai" (Stephen R. Covey, *The Seven Habits of Highly Effective People*). Išmoksta geresnių savikontrolės technikų. Net ir savo santykį su Dievu jie kuria taip, tarsi siektų paaukštinimo arba aukštesnio mokslinio laipsnio – stengdamiesi pasiekti pergalę: skaitydami tam tikras knygas, nuolat vaikščiodami į pamaldas, užsiimdami dvasine praktika, pavyzdžiui, reguliariai melsdamiesi ar atlikdami savo dvasinius namų darbus.

PUIKYBĖ

Tačiau ilgainiui Augustinas suprato, kad negali savęs pakeisti palaipsniui. Jis suprato, kad vadovaudamasis senais metodais nesusikursi gero gyvenimo, nes metodai ir yra problema. Pagrindinė jo ankstesnio gyvenimo klaida buvo tikėjimas, kad jis pats gali būti savo kelionės vairininkas. Kuo ilgiau galvoji, kad esi savo sielos kapitonas, tuo labiau tolsti nuo tiesos.

Pats sau vadovaudamas negali gerai gyventi pirmiausia dėl to, kad esi nepajėgus sau vadovauti. Protas yra tokia plati ir nepažįstama visata, kad savo jėgomis negali pažinti net savęs. Emocijos taip greitai keičiasi ir yra tokios painios, kad pats negali kontroliuoti savo emocinio gyvenimo. Žmogus turi tokį nepasotinamą apetitą, kad pačiam niekada nepavyks jo patenkinti. Saviapgaulė yra tokia galinga, kad retai kada esi iki galo atviras sau.

Be to, pasaulis toks sudėtingas, o likimas toks neaiškus, kad niekada negali pakankamai veiksmingai kontroliuoti kitų žmonių ar aplinkos, kad galėtum būti savo likimo šeimininkas. Protas nepakankamai stiprus, kad pajėgtų sukurti mąstymu paremtas sistemas ar modelius, leidžiančius tiksliai suprasti aplinkinį pasaulį ar numatyti, kas nutiks. Valia nepakankamai tvirta, kad galėtų sėkmingai kontroliuoti norus. Jeigu tikrai būtum toks galingas, tada Naujųjų metų pasižadėjimai išsipildytų. Dietos būtų veiksmingos. Knygynuose nebūtų tiek savigalbos knygų. Pakaktų vienos ir gautum tai, ko nori. Laikytumeisi jos nurodymų, išspręstum savo gyvenimo problemas ir visos kitos šio žanro knygos būtų nebereikalingos. Faktas, kad atsiranda vis daugiau ir daugiau savigalbos knygų, reiškia, jog jos retai kada pasiteisina.

Augustinas pamatė, kad problema yra tai, jog įsivaizduodamas, kad pats gali išsigelbėti, tik didini tą pačią nuodėmę, dėl kurios to padaryti negali. Tikėti, kad gali būti savo gyvenimo kapitonas reiškia būti apniktam puikybės nuodėmės.

Kas yra puikybė? Šiais laikais žodis „puikybė" turi teigiamų atspalvių. Tai reiškia gerai galvoti apie save ir apie tai, kas su tavimi susiję. Vartodami jį neigiama prasme įsivaizduojame arogantišką, pasipūtusį ir egotistišką žmogų, kuris giriasi ir puikuojasi savimi. Tačiau tai nėra puikybės esmė. Tai tik vienas puikybės ligos pasireiškimo požymių.

Pagal kitą apibrėžimą puikybė reiškia laimę sieti su pasiekimais, savo vertę matuoti darbu. Tai tikėjimas, kad gali pats savo individualiomis pastangomis pasiekti pilnatvę. Puikybė gali būti išpūsta. Tai pasipūtėlio Donaldo Trampo stiliaus puikybė. Toks žmogus nori, kad kiti akivaizdžiai matytų jo pranašumo įrodymus. Jis nori būti svarbių žmonių sąraše. Kalbėdamas jis giriasi ir puikuojasi. Jis siekia pamatyti kitų žmonių akyse atsispindintį savo pranašumą. Jis įsitikinęs, kad toks pranašumo jausmas galiausiai suteiks ramybę.

Ši versija pažįstama. Tačiau egzistuoja ir žema saviverte pasižymintys išpuikę žmonės. Jiems atrodo, kad jie neišnaudojo savo galimybių. Jie jaučiasi nieko verti. Jie nori pasislėpti ir dingti, likti nuošalyje ir rūpintis savo pačių nuoskaudomis. Mums jie neatrodo pasipūtę, bet iš esmės jie kenčia nuo tos pačios ligos. Ir jiems atrodo, kad laimė priklauso nuo pasiekimų; skirtumas tik tas, kad jie sau rašo D-, o ne A+. Jie lygiai taip pat įsivaizduoja, kad egzistuoja tik jie, ir savo ruožtu yra tokie pat egocentriški, tik tai pasireiškia gailesčiu sau ir atsiskyrimu, o ne užsispyrimu ir pagyrūniškumu.

Vienas didžiausių puikybės paradoksų yra tai, kad joje paprastai susimaišęs nepaprastas pasitikėjimas savimi ir nepaprastas nerimas. Pasipūtęs žmogus dažnai atrodo savarankiškas ir egotistiškas, bet iš tikrųjų yra perdėtai jautrus ir nestabilus. Pasipūtęs žmogus stengiasi susikurti savivertę kurdamas puikią reputaciją, bet, savaime suprantama, dėl to jo tapatybė tampa visiškai priklausoma nuo apkalbas mėgstančios ir nestabilios minios. Pasipūtęs žmogus konkuruoja. Tačiau visada atsiranda tokių, kuriems gali sektis geriau. Nuožmiausiai konkuruojantis žmogus varžybose nustato tokį standartą, kurį turi atitikti ir visi kiti, kitaip teks atsilikti. Visi kiti irgi turi lygiai taip pat karštligiškai siekti sėkmės. Žmogus niekada nesijaus saugus. Kaip sakė Dantė: „Aistra pranokti / Nirtingai degė mano krūtinėje."*

Pasipūtęs žmogus trokšta, kad jį aukštintų ir yra linkęs apsijuokti. Išpuikę žmonės labai greitai gali virsti juokdariais užšukuodami plaukų sruogą ant savo akivaizdžiai pliko pakaušio, įsigiję auksinę vonios įrangą, kuri niekam nedaro įspūdžio, girdamiesi pažintimis, kurios kitų visai neįkvepia. Augustinas rašo, kad kiekvienas išpuikęs žmogus „rūpinasi savimi, o tas, kuris savimi patenkintas lieka, pats sau atrodo nuostabus. Tačiau tas, kuris patinka sau, patinka kvailiui, nes pats yra kvailys bandydamas patikti sau."[16]

Ministras ir rašytojas Timas Keleris (Tim Keller) pažymėjo, kad puikybė yra nestabili, nes kiti žmonės, dėl savo išsiblaškymo arba sąmoningai, su pasipūtusiu žmogumi elgiasi ne taip pagarbiai, kaip jis manosi nusipelnęs. Jis nuolat jaučiasi įskaudintas. Jis nuolat apsimetinėja. Savimi besirūpinantis žmogus daugiau energijos išeikvoja stengdamasis parodyti, kad yra laimingas – „Facebooke" platindamas daugybę gražiausių nuotraukų ir panašiai – negu tada, kai iš tikrųjų yra laimingas.

* Pažodinis vertimas. (Vert. past.)

Augustinas suvokė, kad jo problema išsispręs tik tada, kai įvyks didesnė transformacija nei kada anksčiau, kai jis atsižadės minties, kad pats gali atrasti tą sprendimą.

PAKYLĖJIMAS

Vėliau Augustinas rašė, kad Dievas paženklino jo gyvenimą kartėliu ir nepasitenkinimu, kad prisitrauktų jį arčiau. „Aš artinausi prie jaunystės juo vyresnis amžiumi, juo gėdingesnis dėl tuštybės, negalėdamas įsivaizduoti kokios kitos substancijos, išskyrus tokią, kokia paprastai matoma šių akių dėka."* Arba jo žymusis posakis: „Mūsų širdis nežino ramybės, kol nenurimsta tavyje."**

Ambicijų metais Augustino patirtas skausmas, bent jau kaip jis vėliau apie tai rašo, buvo ne tik egocentriško ir nepastovaus žmogaus skausmas. Tai buvo skausmas žmogaus, kuris yra ir egocentriškas, ir nepastovus, bet giliai viduje jaučia, kad galima gyventi geriau, tik nesupranta, kaip tą padaryti. Kaip sakė kiti atsivertusieji į tikėjimą – jie yra taip susiję su Dievu, kad dar prieš Jį atrasdami jaučia Jo trūkumą. Jie jaučia dieviškumo stoką, kuri juos bado iš vidaus, ir tas stokos jausmas yra egzistavimo įrodymas. Augustinas nutuokė, ko jam reikia, kad pajustų ramybę, bet vis tiek užsispyręs nenorėjo leistis į tą pusę.

* *Išpažinimai*, VII, 1, 1.
** *Išpažinimai*, I, 1, 1.

Norint sulipdyti išsibarsčiusį gyvenimą, prisitaikėlišką gyvenimo būdą pakeisti atsidavimo kupinu, reikia atmesti tam tikras galimybes. Augustinas, kaip ir daugelis mūsų panašioje situacijoje, nenorėjo atsisakyti savo galimybės rinktis ir atsižadėti to, kas jam padėjo jaustis gerai. Jis buvo įpratęs galvoti, kad gavus daugiau, o ne mažiau to, ko nori, jo nerimas išnyktų. Todėl bijodamas aukoti savo religinį gyvenimą ir tuo pat metu nesugebėdamas atsisakyti pasaulietinio gyvenimo, kuriuo bjaurėjosi, jis pakibo virš dvasinės prarajos. Jis liepė sau į gyvenimo centrą vietoj savęs pastatyti Dievą. Tačiau pats savęs neklausė.

Augustinas nerimavo dėl savo reputacijos. Jis nujautė, kad celibatas būtų neatsiejama religijai paskirto gyvenimo dalis, ir jam kėlė nerimą mintis, kad reikės atsisakyti sekso. „Šis ginčas mano širdyje tik iš manęs paties prieš mane patį.“* Žvelgdamas į praeitį Augustinas prisimena: „Mylėdamas palaimingą gyvenimą, bijojau jo buveinėje ir ieškojau jo bėgdamas nuo jo.“**

Jo įprastas sprendimas buvo atidėlioti. Paversk mane dorybingu – bet dar ne dabar.

„Išpažinimuose“ Augustinas vaizduoja sceną, kai jis pagaliau liovėsi atidėliojęs. Jis sėdėjo sode ir šnekučiavosi su savo draugu Alypijumi, kuris jam papasakojo apie Egipto vienuolius, kurie viską paaukojo tam, kad galėtų tarnauti Dievui.

* *Išpažinimai*, VIII, 11, 27.
** *Išpažinimai*, VI, 11, 20.

Tos istorijos sukrėtė Augustiną. Žmonės, kurie neturėjo jokio elitinio išsilavinimo, darė nepaprastus darbus, o išsimokslinę žmonės gyveno dėl savęs. „Ką man daryti? – šaukė Augustinas. – Neišsimokslinę pakyla ir užima dangų, o mes su mūsų bedvasiais mokslais štai kur – voliojamės kūne ir kraujuje!"*

Įaudrintas dvejonių ir priekaištų sau Augustinas pašoko ir nuėjo, palikęs apstulbusį Alypijų be žodžių žiūrintį jam įkandin. Augustinas ėmė vaikštinėti po sodą, o Alypijus atsistojęs nusekė jam iš paskos. Augustinas pajuto, kaip visa jo esybė jam šaukia liautis gyventi dvilypį gyvenimą, liautis sukiotis ir blaškytis į vieną ir kitą pusę. Jis rovėsi plaukus, trankė sau į kaktą, sunėręs pirštus susirietė ir rankomis apsivijo kelius. Atrodė, tarsi jį iš vidaus būtų mušęs Dievas, suteikdamas jam „rūsčią malonę", sustiprindamas jį kamuojančius baimės ir gėdos priekaištus. „Štai jau tuoj, jau tuoj"**, – šaukė jis pats sau.

Vis dėlto jo pasaulietiniai troškimai taip lengvai nepasidavė. Į galvą lindo mintys. Jos tarytum tampė jį už drabužių. „Ar tu ruošiesi mumis atsikratyti? Niekada daugiau nebepatirsi mūsų malonumų?" Augustinas dvejodamas klausė savęs: „Ar aš tikrai įsivaizduoju galįs gyventi be šių malonumų?"

Tada jis pagalvojo apie kilnaus skaistumo ir drausmės idealą. „Išpažinimuose" Augustinas paverčia tą mintį metaforiška moters vizija, pavadindamas ją Susilaikymu. Jis ją vaizduo-

* *Išpažinimai*, VIII, 8, 19.
** *Išpažinimai*, VIII, 11, 25.

ja ne kaip asketišką, puritonišką deivę. Atvirkščiai, ji žemiška, vaisinga moteris. Ji neatsižada džiaugsmo ir geismo; ji siūlo geresnes jų versijas. Ji kalba apie visus jaunus vyrus ir moteris, kurie dėl tikėjimo malonumo jau atsižadėjo pasaulietinių malonumų. „Ar negali elgtis taip, kaip jie? – klausia ji. – Kodėl pats sau prieštarauji?"

Augustinas net išraudo kamuojamas neapsisprendimo. „Kilo galinga audra, atnešusi galingą ašarų lietų."* Jis atsistojo ir paliko Alypijų, norėdamas išsiverkti vienas. Šįkart draugas nesekė jam iš paskos. Įsitaisęs po figmedžiu Augustinas nebetramdė savo ašarų. Tada išgirdo balsą, kuris nuskambėjo kaip berniuko ar mergaitės balsas iš sodo kaimynystėje stovinčio namo. Tas balsas sakė: „Imk, skaityk, imk, skaityk."** Augustinas staiga pajuto apsisprendęs. Jis atsivertė šalimais gulėjusią Bibliją ir perskaitė pirmą pasitaikiusią ištrauką: „Saugokitės apsirijimo ir girtavimo, palaidumo ir neskaistumo, nesantaikos ir pavyduliavimo; apsivilkite Viešpačiu Jėzumi Kristumi ir nelepinkite savo kūno, netenkinkite jo geidulių."***

Augustinui nebereikėjo skaityti toliau. Jis pajuto, kaip širdį užliejo šviesa ir išsklaidė visus šešėlius. Jis pajuto, kaip jo norai staiga pasikeitė, jis staiga panoro atsižadėti žemiškų, ribotų malonumų ir paskirti savo gyvenimą Kristui. Pasirodė, kad gyventi be tuščių saldžių dalykų bus dar saldžiau. Tai, ką

---

* *Išpažinimai*, VIII, 12, 28.
** *Išpažinimai*, VIII, 12, 29.
*** Ten pat.

jis kažkada taip bijojo prarasti, dabar norėjosi su džiaugsmu paleisti.

Žinoma, jis tuoj pat nuėjo pas Moniką ir pasakė jai, kas nutiko. Galime tik įsivaizduoti jos džiaugsmo šūksnius, kaip ji aukštino Dievą už tai, kad Jis atsakė į jos viso gyvenimo maldas. Augustinas rašė: „Tu atvertei mane į save <…>, „pavertei jos raudojimą džiaugsmu", daug didesniu, nei ji troško, ir daug brangesniu bei tyresniu už tą, kurio ieškojo mano kūno vaikaičiuose."*

Sode įvykusi scena nėra tikrojo atsivertimo scena. Augustinas kažkuria prasme jau buvo krikščionis. Po to epizodo jis ne iš karto aiškiai suprato, ką reiškia gyventi Kristuje. Įvykis sode yra pakylėjimo scena. Augustinas atsisako vienų troškimų ir malonumų ir pakyla prie didesnių džiaugsmų ir palaimos.

JĖGA

Tas pakylėjimas – tai ne tik sekso išsižadėjimas, nors Augustino atveju jis, regis, buvo susijęs ir su tuo. Tai visų įpročių puoselėti save išsižadėjimas. Pagrindinė Adomo I pasaulio formulė teigia, kad pastangos teikia atlygį. Jeigu sunkiai dirbsi, laikysiesi taisyklių ir pats viskuo rūpinsiesi, gali savo pastangomis gerai gyventi.

Augustinas suprato, kad tokia formulė nėra pakankama. Jis neatsiskyrė nuo pasaulio. Likusį gyvenimą Augustinas

* *Išpažinimai*, VIII, 12, 30.

buvo politiškai aktyvus vyskupas, dalyvavo nuožmiuose, kartais ir nirtinguose viešuosiuose ginčuose. Tačiau jo visuomeninės veiklos šaltinis buvo visiškas atsidavimas. Jis suprato, kad vidinį džiaugsmą gali atrasti ne įgydamas jėgos ir aktyviai veikdamas, o atsiduodamas Dievui ir jį priimdamas. Pagal šį požiūrį svarbiausia yra atsižadėti savo valios, savo ambicijų, noro savo jėgomis pasiekti pergalę ar bent jau visa tai užgniaužti. Svarbiausia pripažinti, kad pagrindinis vairininkas čia yra Dievas ir kad Jis jau yra paruošęs tau planą. Dievas nori, kad gyventum pagal Jo tiesas.

Dar daugiau – Dievas jau išteisino tavo egzistenciją. Tau gali atrodyti, kad šis gyvenimas yra teismas, kad turi dirbti, siekti ir palikti pėdsaką, idant pelnytum gerą įvertinimą. Vieną dieną surenki įrodymų savo gynybai, kad esi geras žmogus. Kitąkart surenki įrodymų savo kaltinimams, kad toks nesi. Tačiau, kaip sako Timas Keleris, pagal krikščionių tikėjimą, teismas jau baigėsi. Nuosprendis buvo priimtas dar prieš prasidedant tavo pasirodymui, nes Jėzus jau stojo prieš teismą už tave. Jis prisiėmė tavo pelnytą nuosprendį.

Įsivaizduokite, kad jūsų patį mylimiausią žmogų pasaulyje kala prie lentų atlikti bausmę už jūsų padarytas nuodėmes. Įsivaizduokite, kokios emocijos užplūstų, jeigu tektų tą matyti. Pagal krikščionių tikėjimą, tai tik labai supaprastinta versija to, ką dėl jūsų padarė Jėzus. Keleris sako: „Tobulą Kristaus poelgį Dievas priskiria mums, tarsi mes būtume taip pasielgę ir priima mus į Savo šeimą.“[17]

Dženifer Herdt (Jennifer Herdt) savo knygoje „Apgaulinga dorybė" (*Putting On Virtue*) įvardija mūsų užsispyrusio mąstymo problemą: „Dievas mums nori duoti dovaną, o mes ją norime nusipirkti."[18] Dirbdami ir siekdami materialių dalykų mes nuolat stengiamės užsidirbti išganymą ir prasmę. Tačiau iš tikrųjų, išganymą ir prasmę gali laimėti gyvendamas su iškelta balta pasidavimo vėliava ir į savo sielą įsileisdamas malonę.

Čia kalbama apie tokį pasidavimą, kai stovi aukštyn tiesdamas plačiai išskėstas rankas, aukštyn pakeltu veidu, į dangų nukreiptomis akimis, kuriose matyti ramus ir kantrus, bet aistringas laukimas. Augustinas nori, kad jūs taip pasiduotumėte. Tai pavyksta tada, kai suvoki, ko tau reikia ir koks esi nepakankamas. Tik Dievas turi galios įsakyti tavo vidiniam pasauliui, ne tu. Tik Dievas turi galios nukreipti tavo norus ir pakeisti emocijas, ne tu[19].

Pagal Augustiną ir nuo tada pagal daugumą krikščionybės idėjų, žmogus tampa toks atviras tada, kai pajutęs nuostabią Dievo esybę suvokia savo menkumą ir nuodėmingumą. Nuolankumas gimsta kasdien prisimenant, koks esi puolęs. Nuolankumas išvaduoja iš tos siaubingos įtampos, kurią jauti visą laiką stengdamasis būti pranašesnis. Jis nukreipia dėmesį į vidų ir pakelia tuos dalykus, į kuriuos esame įpratę žiūrėti iš aukšto.

Ankstyvuoju gyvenimo laikotarpiu Augustinas visą laiką kopė aukštyn – išvyko iš Tagastės, persikėlė į Kartaginą,

Romą ir Milaną ieškodamas labiau prestižinių sričių, geresnės draugijos. Kaip ir mes šiandien, jis gyveno į klases susiskirsčiusioje visuomenėje ir siekė kilti aukštyn. Tačiau krikščionybėje, bent jau idealioje jos formoje, aukštinamas ne prestižas ir ne sugebėjimai, o kasdienybė ir kuklumas. Kojų plovimas, o ne triumfo arkos. Kas save šlovina, tas bus pažemintas. Kas nusižemina, tas bus pašlovintas. Norėdamas pakilti, žmogus turi nusileisti žemyn. Augustinas sakė: „Kur yra nuolankumas, ten yra didybė; kur yra silpnybė, ten yra galia; kur yra mirtis, ten yra gyvybė. Norėdamas pasiekti viena, nepaniekink kito."[20]

Taip nuolankiai gyvenantis žmogus nesipriešina giriamas, bet tie menki apdovanojimai, kuriuos gauni, neparodo, kas tu iš tikrųjų esi kaip žmogus. Dievas turi tokių visokeriopų talentų, kad palyginti su jais skirtumas tarp nuostabiausio Nobelio laureato ir bukiausio neišmanėlio tėra laipsnio klausimas. Pačia giliausia prasme visos sielos yra lygios.

Augustiniškoji krikščionybė reikalauja kitokio balso tono – ne įsakmaus šeimininko nurodinėjimo tarnui, o nusižeminimo, kiekvienus santykius priimant nuolankiai ir siekiant tarnauti kažkam aukščiau. Tai nereiškia, kad materialūs pasiekimai ir viešas pripažinimas būtinai reiškia bloga, tiesiog juos įgyjame pasaulyje, kuris tėra sielos poilsio vieta, o ne galutinis kelionės tikslas. Jeigu netinkamais būdais vaikaisi sėkmės čia, sumažėja galimybė pasiekti galutinę sėkmę, o ta galutinė sėkmė pasiekiama ne rungtyniaujant su kitais.

Ne visai teisinga sakyti, kad Augustinas niekino žmogaus prigimtį. Jis tikėjo, kad kiekvienas žmogus sukurtas pagal Dievo paveikslą ir yra vertas Jėzaus kančios ir mirties. Teisingiau būtų sakyti, kad jis tikėjo, jog žmonės negali gerai gyventi, jeigu gyvena vieni patys, kaip atskiri individai – jie patys nepajėgūs suvaldyti savo troškimų. Tik atiduodami savo valią Dievui jie gali atrasti ramybę ir tikrą meilę. Tai nereiškia, kad žmonės yra apgailėtini; tiesiog jie nenusiramins, kol nenurims Jame.

MALONĖ

Augustino apmąstymai ir didžioji dalis krikščionybės mokymų meta dar vieną lemiamą iššūkį save puoselėjančio žmogaus elgesiui. Augustino požiūriu žmonės negauna to, ko jie nusipelnė; jeigu būtų atvirkščiai, gyvenimas virstų pragaru. Vietoj to žmonės gauna daug daugiau, negu nusipelnė. Dievas mums suteikia malonę, ir tai yra nepelnyta Jo meilė. Dievas saugo ir rūpinasi būtent dėl to, kad tu to nenusipelnei ir negali to užsidirbti. Jis suteikia malonę ne dėl to, kad gerai dirbai, ir netgi ne dėl to, kad buvai labai atsidavęs tėvas ar draugas. Malonė yra dalis tos dovanos, kad esi sukurtas.

Norėdamas gauti malonę turi padaryti viena – liautis galvojęs, kad ją galima užsidirbti. Reikia atsisakyti meritokratiško požiūrio, kad laimėjęs pergalę Dievui už savo pastangas gausi atlygį. O tada turi jai atsiverti, nes nežinai, kada ji aplankys. Malonei atviri ir pasiruošę žmonės liudija, kad jiems ją teko pajusti pačiomis keisčiausiomis akimirkomis, kai jos labiausiai reikėjo.

Štai ką rašo Paulas Tilichas savo esė rinkinyje „Pamatų supurtymas" (*Shaking the Foundations*):

Malonė aplanko tada, kai išgyvename didžiulį skausmą ir nerimą. Ji aplanko, kai keliaujame per tamsų beprasmiško ir tuščio gyvenimo slėnį. <...> Ji aplanko tada, kai nebegali pakelti pasibjaurėjimo savo esybe, savo abejingumu, savo silpnumu, priešiškumu ir krypties bei susitvardymo stoka. Ji aplanko tada, kai metai iš metų vis nematyti to išsiilgto tobulo gyvenimo, kai viduje lygiai taip pat kaip prieš dešimtis metų viešpatauja tie patys seni nenugalimi potraukiai, kai visas mūsų džiaugsmas ir drąsa paskęsta neviltyje. Kartais tokiomis akimirkomis mūsų vidinę tamsą užlieja šviesos banga ir tarytum išgirsti balsą, kuris sako: „*Esi priimtas.* Tave priima, priima tas, kuris yra didesnis už tave ir kurio vardo tu nežinai. Dabar neklausk to vardo; gal jį sužinosi vėliau. Dabar nesistenk nieko daryti; gal vėliau daug padarysi. Nieko neieškok; nesistenk pasirodyti; neturėk jokių ketinimų. *Tiesiog susitaikyk su tuo, kad esi priimtas.*" Jeigu su mumis tai įvyksta, mes patiriame malonę. Po tokios patirties nebūtinai tapsime geresni, nei buvome, ir nebūtinai tapsime labiau tikintys. Tačiau viskas pasikeičia. Tą akimirką malonė nugali nuodėmę ir susitaikymas nutiesia tiltą per susvetimėjimo prarają. Ir ši patirtis nereikalauja nieko – nei religinio, nei moralinio ar intelektualinio pasiruošimo, nieko daugiau, tik priėmimo[21].

Vyraujančioje kultūroje įprasta manyti, kad žmonės yra mylimi už tai, kad jie geri, juokingi, patrauklūs, protingi arba dėmesingi. Nepaprastai sunku priimti meilę, kuri atrodo neužtarnauta, bet kai susitaikai su tuo, kad tave priima, kyla didžiulis noras susitikti su ta meile ir atsilyginti už šią dovaną. Natūralu, kad aistringai įsimylėjus visą laiką norisi džiuginti mylimą žmogų. Norisi pirkti jai dovanas. Norisi stovėti po jos langu ir dainuoti kvailas dainas. Lygiai taip pat ir tie, kurie jaučiasi patyrę malonę, bando pradžiuginti Dievą. Jiems malonu daryti tai, kas gali pamaloninti Jį. Jie nepailstamai dirba darbus, kurie, jų manymu, gali Jį pašlovinti. Noras pakilti ir priimti Dievo meilę gali išjudinti galingas energijas.

O kai žmogus kyla ir siekia susitikti su Dievu, jo troškimai iš lėto pradeda keistis. Maldoje žmogaus norai po truputį ima transformuotis ir jis vis labiau nori to, kas pradžiugintų Dievą, o ne to, kas jam anksčiau atrodė, gali pradžiuginti jį patį.

Šiuo požiūriu, galutinė pergalė prieš save pasiekiama ne savidisciplina ar nuožmia vidine kova. Ji iškovojama perlipus per save, pradėjus bendrauti su Dievu ir elgiantis taip, kaip atrodo natūralu elgtis norint atsakyti į Dievo meilę.

Šis procesas priveda prie vidinės transformacijos. Vieną dieną atsisuki atgal ir pamatai, kad viduje viskas persirikiavo. Senieji meilės objektai tavęs nebejaudina. Tau patinka kiti dalykai ir tavo gyvenimas pakrypo kita linkme. Tapai kitokiu žmogumi. Ir juo tapai ne paprasčiausiai paklusdamas vienam ar kitam moralės kodeksui ar laikydamasis sukarintos disciplinos ar tam tikrų įpročių. Taip įvyko dėl to, kad perrikiavai savo meilės objektus ir, kaip vis kartoja Augustinas – tu tapai tuo, ką myli.

KUKLI AMBICIJA

Taigi, priėjome prie kitokios motyvacijos teorijos. Apibendrinant, Augustino virsmas prasideda nuo gilinimosi į save, siekiant pamatyti vidinės visatos platybę. Žvilgsnis į vidų veda į išorę, link išorinės tiesos ir Dievo suvokimo. Tai veda prie nuolankumo, nes žmogus pasijunta labai mažas palyginti su visagaliu. Tai veda prie pasidavimo, prie savęs ištuštinimo, nes žmogus atranda vietos Dievui. Taip atsiveria galimybė priimti Dievo malonę. Ši dovana pažadina begalinį dėkingumo jausmą, norą atsakyti į meilę, atsilyginti ir džiaugtis. Tai, savo ruožtu, išjudina milžinišką energiją. Amžiams bėgant daugybė žmonių jautė nepaprastą norą patenkinti Dievą. Tas motyvas buvo toks pat stiprus, kaip ir kiti stiprūs motyvai – pinigų, šlovės ir galios troškimas.

Šios sampratos esmė yra tai, kad kuo labiau žmonės tampa priklausomi nuo Dievo, tuo labiau išauga jų gebėjimas daugiau siekti ir veikti. Priklausomybė nepaverčia žmogaus pasyviu; ji teikia energijos ir skatina pasiekimus.

SENOSIOS MEILĖS

Po „atsivertimo" sode Augustino gyvenimas nebuvo ramus ir lengvas. Jis džiaugėsi pradiniu optimizmo protrūkiu, bet paskui staiga suvokė, kad jo nuodėmingumas niekur nedingo. Netikri meilės objektai stebuklingu būdu nepražuvo; Augustino biografas Piteris Braunas sako: „Praeitis gali prieiti labai arti: galingi ir supainioti jausmai išsisklaidė visai neseniai; per plonytį neseniai išaugusį naujų jausmų sluoksnį dar galima apčiuopti anų išgyvenimų kontūrus."[22]*

Augustinas, rašydamas „Išpažinimus", kurie tam tikra prasme yra jo ankstyvojo gyvenimo laikotarpio memuarai, juos rašo ne kaip malonius prisiminimus. Sunkumai paskatino būtinybę juos įvertinti iš naujo. Braunas rašo: „Ateitį jam teko grįsti kitokiu požiūriu į save: kaipgi kitaip jis galėjo susidaryti naują požiūrį, jei ne vėl iš naujo peržvelgdamas kaip tik tą savo praeities dalį, pasibaigusią atsivertimu, iš kurio dar neseniai tiek tikėtasi?"[23]**

Augustinas primena tikintiesiems, kad jų gyvenimo centras yra ne jie patys. Materialus pasaulis yra gražus, juo reikia mėgautis ir džiaugtis, bet šio pasaulio malonumai gardžiausi tada, kai jais mėgaujamasi didesniame transcendentinės Dievo meilės kontekste. Augustino maldos ir meditacijos persmelktos šį pasaulį pranokstančio pasaulio aukštinimo.

* *Augustinas iš Hipono*, p. 182.
** Ten pat.

Pavyzdžiui, vienoje gražiausių savo meditacijų Augustinas klausia: „Bet ką gi aš myliu mylėdamas tave?"

> Ne kūno dailumą ir ne laikiną grožį, ne šviesos spindėjimą, tokį brangų štai šioms akims, ne saldžias visokiausių dainų melodijas, ne žiedų, tepalų ir smilkalų gardų kvapą, ne maną ir medų, ne narius, malonius apglėbti kūnu: ne tai myliu, mylėdamas savo Dievą. Ir vis dėlto, mylėdamas savo Dievą, myliu tam tikrą šviesą, tam tikrą balsą, tam tikrą kvapą, tam tikrą maistą ir tam tikrą apglėbimą: šviesą, balsą, kvapą, maistą, apglėbimą savo vidinio žmogaus, kur mano sielai spindi tai, ko netalpina vieta, kur skamba tai, ko nesunaikina laikas, kur gardžiai kvepia tai, ko neišsklaido vėjo dvelksmas, kur juntamas skonis, kurio nenustelbia persivalgymas ir kur tvirtai prigludę tai, ko neatplėšia persisotinimas. Štai ką myliu mylėdamas savo Dievą*.

Tai reiškia gyventi platesniame kontekste. Teologė Liza Fulam (Lisa Fullam) sakė: „Nuolankumas yra tokia dorybė, kai save suvoki kaip konteksto dalį, o ją išsiugdyti galima mokantis matyti ne tik iš savo, bet ir iš kitos pozicijos."

TYLA

Tąkart sode atsižadėjęs, Augustinas pratempė iki mokyklos semestro galo mokydamas iškalbos meno, kuriuo jis nebetikėjo. Tada su motina, savo sūnumi ir grupe draugų penkiems mėnesiams išvyko į vieno draugo iš Milano, kurio žmona

---

* *Išpažinimai*, X, 6, 8.

buvo krikščionė, vilą. Vila buvo Kasiciake, apie dvidešimt mylių į šiaurę nuo Milano. Kompanija daug diskutavo ir priminė grupę mokslininkų, kurie kartu apmąsto gilius dalykus. Augustinas džiaugėsi, kad Monika buvo iš prigimties nuovoki ir galėjo dalyvauti pokalbiuose ar netgi jiems vadovauti. Paskui Augustinas nusprendė grįžti namo į Afriką, kur galėtų kartu su motina gyventi atsiskyrėlišką gyvenimą melsdamasis ir mąstydamas.

Kompanija patraukė į pietus – biografai primena, kad jie pasuko tuo pačiu keliu, kuriuo prieš dvejus metus išsiųsta keliavo Augustino meilužė. Jie atsimušė į karinę užtvarą ir tepasiekė Ostijos miestą. Vieną dieną Ostijoje Augustinas kalbėjosi su motina žvelgdamas pro langą į sodą (daugelis jo gyvenimo įvykių nutiko soduose). Monika jau tada aiškiai jautė, kad ją netrukus pasiglemš mirtis. Jai buvo penkiasdešimt šešeri metai.

Apibūdindamas jų pokalbį Augustinas sako, kad juos užplūdo „kūniškų pojūčių teikiamas malonumas, kad ir koks didelis jis būtų ir kad ir kokioje ryškioje kūniškoje šviesoje jis skendėtų, ano gyvenimo palaimos akivaizdoje atrodo nesąs vertas ne tik palyginimo, bet ir paminėjimo."* Artimai bendraudami motina ir sūnus pradėjo kalbėtis apie Dievą ir perėjo „žingsnis po žingsnio <...> visa, kas laikina, ir patį dangų, iš kurio saulė, mėnuo ir žvaigždės skleidžia šviesą virš žemės".**

* *Išpažinimai*, IX, 10, 24.
** Ten pat.

Nuo šių materialių dalykų „priėjome savo dvasią. Peržengėme ją, idant pasiektume neišsenkančios gausybės kraštą."*

Rašydamas apie šį pokalbį Augustinas įtraukia ilgą sakinį, kurį sunku nagrinėti gramatiškai, bet kai kuriuose šio sakinio vertimuose vis kartojamas žodis „nutilo" – kūno triukšmas nutilo, vandenys ir oras nutilo, visos svajonės ir tuščios vizijos nutilo, liežuviai nutilo, viskas, kas praeina, nutilo, savastis nutilo judant anapus savęs į tylą. Motina ar sūnus šūkteli: „Ne patys save padarėme, bet tas, kuris gyvena amžinai."** Tačiau tai ištarus balsas irgi nutyla. Ir tas, „kuris sutvėrė juos, <...> tik jis kalbėtų, kalbėtų ne per juos, bet pats".*** Ir Augustinas su Monika išgirdo Dievo žodį „ne per kūno kalbą, ne per angelo balsą, ne per debesies griaudėjimą ir ne per panašumo paslaptį"****, – jie išgirdo „Jį patį". Ir atsiduso po tyro suvokimo akimirkos.

Čia Augustinas aprašo tobulą pakylėjimo akimirką: nutilo... nutilo... nutilo... nutilo. Visas pasaulio klegesys nuslinko į tylą. Tada juos užplūsta noras garbinti kūrėją, bet išsižadėjus savo dieviškumo ir save ištuštinus nutyla net ir Jį aukštinantys žodžiai. O tada pasirodo įkvepianti amžinosios išminties vizija, kurią Augustinas vadina „džiaugsminga slapta gelme". Galima įsivaizduoti, kaip motina ir sūnus šio kulminacinio susitikimo metu skęsta džiaugsme. Po tiek metų trukusių aša-

* Ten pat.
** *Išpažinimai*, IX, 10, 25.
*** Ten pat.
**** Ten pat.

rų ir pykčio, mėginimų kontroliuoti ir bėgimo, išsižadėjimų ir susitaikymų, po persekiojimo ir manipuliacijų, draugystės ir ginčų pagaliau įvyko tam tikras į išorę nukreiptas jųdviejų susijungimas. Jie kartu atėjo ir kartu ištirpo apmąstymuose apie tai, ką abu dabar mylėjo.

Monika jam sako: „Sūnau, kas link manęs, tai manęs šiame gyvenime nebedžiugina niekas. <...> Buvo viena priežastis, dėl kurios troškau šiek tiek užsibūti šiame gyvenime: pirma nei mirsiu, pamatyti tave krikščionį kataliką. Mano Dievas davė man gausiau."*

Išgyti reiškia atsiverti. Teisingas kelias veda į išorę. K. S. Luisas pažymi, kad jeigu į vakarėlį eini sąmoningai nusiteikęs padaryti gerą įspūdį, tau tikriausiai nepasiseks. Tai gali įvykti tik tada, jei galvosi apie kitus susirinkusius žmones. Jeigu meno kūrinį pradedi kurti stengdamasis būti originalus, greičiausiai nepavyks sukurti originalaus kūrinio.

Taip ir su ramybe. Jeigu išsiruoši ieškoti vidinės ramybės ir šventumo jausmo, jų nesurasi. Tai nutinka tik netiesiogiai, kai dėmesys sutelktas į kažką išorėje. Tai nutinka tik save pamiršus, kai energija nukreipta į kažką didelio.

Augustinui šis pokytis buvo lemtingas. Norint atrasti ramybę ir dorybę, nepakanka vien žinojimo, nes žinojimas nemotyvuoja tapti geram. Tik meilė paskatina veikti. Įgiję naujos informacijos nuo to netampame geresni. Geresni tam-

* *Išpažinimai*, IX, 10, 26.

pame dėl to, kad įgijome geresnius meilės objektus. Mes ne-
tampame tuo, ką žinome. Išsilavinimas yra meilės formavimo
procesas. Jeigu einate į mokyklą, ji turėtų pasiūlyti naujų mei-
lės objektų.

Po kelių dienų Moniką pakirto mirtina liga ir vos per de-
vynias dienas ją pasiglemžė mirtis. Ji pasakė Augustinui, kad
jai nebėra svarbu būti palaidotai Afrikoje, nes jokia vieta nėra
nutolusi nuo Dievo. Ji jam pasakė, kad per visus jų išmėgini-
mus jis niekada jai neištarė nė vieno piktesnio žodžio.

Kai Monika mirė, Augustinas pasilenkė ir užmerkė jos
akis. „Į mano prieširdžius plūstelėjo milžiniškas liūdesys, be-
išsiliejęs ašaromis."* Tačiau net ir dabar, tokią akimirką Au-
gustinas nebuvo iki galo išsižadėjęs klasikinio stoicizmo ir
pajuto turįs tvardytis ir nepasiduoti ašaroms. „Tuo pat metu
mano akys valdingu dvasios įsakymu iki sausumo siurbė į
save savo šaltinį, ir toje kovoje man buvo labai bloga. <...> Tai-
gi kadangi buvau netekęs tokios didelės jos paguodos, mano
siela liko sužeista, o mano gyvenimas, kuris kartu su josios
buvo tapęs vienu, tarytum išdraskytas."**

Skausmą tramdantį Augustiną apsupo draugai: „Ir kadan-
gi labai krimtausi, kad man tiek galios turi šie žmogiški daly-
kai <...>, greta skausmo, kurį kentėjau, buvo kitas skausmas,
ir mane graužė dvigubas liūdesys."***

* *Išpažinimai*, IX, 12, 29.
** *Išpažinimai*, IX, 12, 29–30.
*** *Išpažinimai*, IX, 12, 31.

Augustinas nuėjo išsimaudyti, tikėdamasis apraminti savo vidinius prieštaravimus, tada užmigo ir pabudo jausdamasis geriau. „Po to pamažu grįžau prie ankstesnių minčių apie tavo tarnaitę, apie jos elgseną, dievobaimingą tavo atžvilgiu ir šventai švelnią bei nuolankią, kurios staiga buvau netekęs, ir malonu man buvo verkti „tavo akivaizdoje" dėl jos ir už ją, dėl savęs ir už save."*

MONIKA ATĖJO Į PASAULĮ, KAI EUROPOJE VIEŠPATAVO ROMOS IMPERIJA, o mąstysenoje dominavo racionalizmo filosofija. Augustinas savo raštuose motinos pavyzdį pasitelkia norėdamas parodyti, kaip tikėjimas gali priešintis racionalizmui, kaip dvasinis ryžtas gali priešintis žemiškiems troškimams. Likusį savo gyvenimą Augustinas ėjo vyskupo pareigas; jis kovojo, pamokslavo ir rašė, kovojo ir ginčijosi. Jis pasiekė nemirtingumą, kurio taip troško jaunystėje, bet tai įvyko netikėtu būdu. Pradžioje jis tikėjo, kad pats gali kontroliuoti savo gyvenimą. Tačiau jam reikėjo išsižadėti šios idėjos ir panirti į atvirumo ir pasidavimo būseną. Tada, taip atsitraukęs, jis jau buvo pakankamai atviras, kad priimtų malonę, pajustų dėkingumą ir kiltų aukštyn. Tai gyvenimo trajektorija, kai ėjimą pirmyn reguliariai keičia atsitraukimas. Gyvenimas, mirtis ir prisikėlimas. Leidimasis žemyn, kad taptum priklausomas ir pasiektum neišmatuojamas aukštybes.

* *Išpažinimai*, IX, 12, 33.

SAVITYRA

SAMUELIS DŽONSONAS (SAMUEL JOHNSON) GIMĖ 1709 METAIS
LIČFILDE, ANGLIJOJE. Jo tėvas buvo vargingas knygų parda-
vėjas. Jo motinai, kuri pati buvo beraštė moteris, atrodė, kad
ji ištekėjusi atsidūrė žemesniame sluoksnyje. Džonsonas pri-
simena: „Mano tėvai kartu nebuvo laimingi. Jie retai kada
kalbėdavosi, nes tėvas labai nemėgo kalbėti apie savo reika-
lus, o motina, nieko nenusimanydama apie knygas, negalėjo
kalbėtis apie nieką daugiau. <...> Ji nedaug ką nutuokė apie
verslą, todėl jos pokalbiai sukosi tik apie skundus, baimę ir
įtarinėjimus."[1]

Džonsonas buvo silpnas naujagimis ir visus nustebino iš-
gyvenęs po sunkaus gimdymo. Tik gimusį jį iškart perdavė
žindyvei, kuri savo pienu apkrėtė jį limfmazgių tuberkulio-
ze, ir jis visam laikui apako viena akimi, prastai matė kita
ir liko kurčias viena ausimi. Vėliau jis susirgo raupais ir jo

veidas persirgus liko randuotas visam gyvenimui. Norėdami palengvinti ligą gydytojai be skausmą malšinančių vaistų jam įpjovė kairiąją ranką. Naudodami arklio karčių plaukus jie neleido žaizdai užgyti šešerius metus ir retkarčiais nuleidinėdavo skysčius, kuriuos laikė ligos priežastimi. Tada jam įpjovė kaklo liaukas. Operacija buvo atlikta nevykusiai ir kairiąją Džonsono veido pusę visam gyvenimui paženklino randas nuo ausies iki žandikaulio. Savo didžiuliu, bjauriu ir randuotu kūnu Džonsonas priminė pabaisą. Džonsonas įnirtingai kovojo su savo ligomis. Vieną dieną vaikystėje eidamas namo iš mokyklos jis išsigando, kad įpuls į kokį gatvės griovį, nes nesugebėjo jų įžiūrėti. Todėl ėmė ropoti gatve keturiomis įsmeigęs akis į šaligatvio kraštą, kad galėtų pamatuoti savo žingsnį. Mokytoja pasisiūlė jam padėti, bet jis tik įsiuto ir piktai ją atstūmė.

Džonsonas visą gyvenimą labai nemėgo nuolaidžiauti sau, ką, pasak jo, dažnai daro lėtinėmis ligomis sergantys žmonės. „Liga sužadina didelį savanaudiškumą, – rašė jis savo gyvenimo pabaigoje. – Skausmą kenčiantis žmogus ieško palengvėjimo." Biografas Valteris Džeksonas Beitas (Walter Jackson Bate) pažymi, kad į savo ligą jis atsakė „nepaprastai daug iš savęs reikalaudamas, jausdamasis visiškai už tai atsakingas. <...> Dabar mums įdomiausia atrodo tai, kaip greitai jis, vaikystėje supratęs, kad fiziškai skiriasi nuo kitų, pradėjo apgraibomis ieškoti būdų tapti nepriklausomam ir įžūliai nekreipti dėmesio į jį nuolatos lydėjusius fizinius trūkumus."[2]

Džonsonas buvo lavinamas visapusiškai ir griežtai. Jis lankė mokyklą, kur buvo dėstoma klasikinė programa – vakarietiško lavinimo pagrindas nuo Renesanso laikų iki dvidešimtojo amžiaus – Ovidijus, Vergilijus, Horacijus ir senovės Graikija. Jis išmoko lotynų ir graikų kalbų. Už tingėjimą jį mušdavo. Mokytojai liepdavo berniukams pasilenkti per kėdę ir lupdavo juos rykšte. „Taip elgiuosi tam, kad išgelbėčiau tave nuo kartuvių", – sakydavo jie[3]. Vėliau Džonsonas išreikšdavo savo nepasitenkinimą dėl mušimo. Vis dėlto jis tikėjo, kad rykštė yra geriau nei psichologinis spaudimas ir emocinė manipuliacija – ką šiais laikais taiko daug tėvų įkalbinėdami savo vaikus.

Daugiausia Džonsonas išmoko mokydamasis savarankiškai. Nors jo niekada nesiejo šilti santykiai su pagyvenusiu tėvu, Džonsonas perskaitė visą jo knygų kolekciją, ryte rijo kelionių knygas, romanus ir istorijas, o ypač mėgo pasakojimus apie drąsius riterius. Skaitydamas jis labai ryškiai viską įsivaizduodavo. Būdamas devynerių metų Džonsonas skaitė „Hamletą" ir priėjo vaiduoklio sceną. Paklaikęs ir persigandęs jis išbėgo į gatvę žūtbūt norėdamas pamatyti gyvųjų pasaulį. Džonsonas pasižymėjo nepaprasta atmintimi. Vos vieną ar du kartus perskaitęs maldą jis ją prisimindavo visą gyvenimą. Jis, regis, įsiminė viską, ką buvo perskaitęs – pokalbiuose minėdavo mažai žinomus autorius, su kuriais jam pirmą kartą teko susidurti prieš keletą dešimtmečių. Vaikystėje jo tėvas prieš šventinę vakarienę demonstruodavo savo mažąjį sūnų svečiams ir liepdavo jam ką nors padeklamuoti susižavėjusiai miniai. Mažajam Semui tėvo tuštybė keldavo pasišlykštėjimą. Kai Džonsonui suėjo devyniolika metų, jo motina gavo nedidelį palikimą, kurio pakako vieneriems metams studijų Oksforde. Džonsonas nieko nelaukdamas pasinaudojo ta galimybe pačiu blogiausiu būdu. Jis atvyko į Oksfordą puikiai suvokdamas savo sugebėjimus, su dideliu užsidegimu, kaip jis vėliau sakė, trokšdamas įgyti vardą ir „su malonia viltimi amžiams išgarsėti". Tačiau pripratęs gyventi nepriklausomai ir mokytis savarankiškai bei jausdamasis finansiškai ir socialiai prastesnis už daugumą kitų studentų, jis nesugebėjo paklusti Oksfordo taisyklėms. Užuot prisitaikęs prie sustingusios sistemos jis jai priešinosi, o į menkiausią autoriteto įsikišimą reaguodavo šiurkščiai ir agresyviai. „Buvau išprotėjęs ir nuožmus, – vėliau prisimins Džonsonas. – Mano kartėlį jie neteisingai suprato kaip išdykavimą. Buvau apgailėtinai neturtingas ir įsivaizdavau, kad prasimušiu rašydamas ir laidydamas sąmojus; todėl nepaisiau jokios valdžios ir jokio autoriteto."[4]

Džonsonas buvo pripažintas puikiu studentu ir liaupsinamas už Aleksanderio Poupo (Alexander Pope) eilėraščio vertimą į lotynų kalbą; pats Poupas sakė negalintis apsispręsti, kuri – lotyniška ar originali – versija yra geresnė. Tačiau kartu jis buvo maištingas, šiurkštus bei tingus studentas. Savo kuratoriui jis pasakė praleidinėjęs paskaitas, nes vietoj to mieliau eidavo slidinėti rogutėmis. Džonsonas visą gyvenimą dirbo tai sustodamas, tai vėl pradėdamas. Jis ištisas dienas galėdavo vangiai sėdėti ir spoksoti į laikrodžio ciferblatą nesugebėdamas net pasakyti kelinta valanda, o paskui staiga puldavo karštligiškai dirbti ir išsiųsdavo meistriškai iš pirmo karto atliktą darbą prieš pat įteikimo terminą.

Oksforde Džonsonas sekdamas mada tapo krikščioniu. Vieną dieną jis atsisėdo skaityti teologinę Viljamo Lo (William Law) knygą, kuri vadinosi „Rimtas kvietimas pamaldžiam ir šventam gyvenimui" (*A Serious Call to a Devout and Holy Life*), tikėdamasis, kaip pats rašė, „kad tai bus nuobodi knyga (kokios paprastai būna tokio tipo knygos), iš kurios gal bus galima ir pasijuokti. Tačiau Lo mane gerokai pranoko, ir nuo tada, kai išmokau racionaliai mąstyti, aš pirmą kartą rimtai susimąsčiau apie religiją." Lo knyga parašyta tiksliai ir yra praktinio pobūdžio, kaip ir vėlesni Džonsono rašiniai apie moralę. Jo išgalvoti personažai yra satyriški savo dvasinius interesus ignoruojančių žmonių portretai. Jis pabrėžė, kad žemiški siekiai negali patenkinti širdies. Atradęs krikščionybę Džonsonas nepasikeitė, bet dėl jos sustiprėjo tos jo savybės, kurias jis jau turėjo – jis nepaprastai vengdavo pataikauti sau ir buvo negailestingai reiklus savo moralės atžvilgiu.

Jis žinojo, kad turi ypatingų protinių sugebėjimų, todėl visą gyvenimą nepamiršo biblinės talentų alegorijos, jo širdį stipriai palietė pamoka apie tai, kad „nedoras ir tingus tarnas", kuris iki galo nepasinaudojo jam suteiktais talentais, bus ištremtas „į atokią tamsą, kur raudama ir griežiama dantimis"*. Džonsono Dievas buvo labiau rūstus nei mylintis ar gydantis Dievas. Džonsoną visą gyvenimą lydėjo jausmas, kad jis yra nuolat teisiamas; jis suvokė savo silpnybes ir labai bijojo būti prakeiktas. Po metų Oksforde Džonsonas liko be pinigų ir gėdingai grįžo atgal į Ličfildą. Ten iškentė kažką panašaus į sunkios depresijos priepuolį. Jo metraštininkas Džeimsas Bosvelas (James Boswell) rašė: „Jį buvo užvaldžiusi hipochondrija, nuolatinis susierzinimas, dirglumas ir nerimastingumas; prislėgta nuotaika, liūdesys ir neviltis, ir jo gyvenimas buvo tikra kančia."[5]

Džonsonas pėsčiomis nueidavo po trisdešimt dvi mylias, kad tik būtų kuo nors užimtas. Gali būti, kad jis mąstė apie savižudybę. Jis, regis, visai negalėjo kontroliuoti savo kūno judesių. Šiuolaikiniams specialistams jo nevalingas trūkčiojimas ir gestikuliavimas primena Tureto sindromą. Jis užlauždavo rankas, linguodavo pirmyn atgal, keistai ir nekontroliuojamai sukiodavo galvą. Leisdavo keistus švilpiamus garsus ir jam pasireiškė obsesinis kompulsinis sutrikimas – eidamas gatve jis keistu ritmu baksnodavo lazdele, skaičiuodavo, kiek žingsnių reikia įeiti į kambarį, o neteisingai suskaičiavęs eidavo iš naujo. Pietauti su juo būdavo tikras iššūkis. Jis valgydavo kaip laukinis žvėris, paskubomis rydavo didžiulius maisto kąsnius drabstydamas viską aplink, spjaudydamas ant savo ir taip jau suskretusių drabužių. Rašytoja Fani Berni (Fanny Burney) rašė:

* Plg. Mt 25, 30.

„Jo veidas tikrai bjaurus, o jis pats toks nerangus, tokių keistų manierų, kokių niekada daugiau neteko ir neteks matyti. Jo rankos, lūpos, pėdos, keliai, o kartais viskas vienu metu nuolat konvulsiškai juda."⁶ Užeigoje jį pamatę nepažįstami žmonės palaikydavo Džonsoną kaimo kvailiu arba proto negalią turinčiu žmogumi. O jis juos staiga nustebindavo pažerdamas daugybę kūrinių ištraukų, iš kurių buvo matyti jo erudicija ir klasikinės kultūros išmanymas. Atrodo, kad jam patikdavo taip priblokšti.

Džonsono kančios tęsėsi daug metų. Jis bandė dėstyti, bet studentams nevalingas jo trūkčiojimas pirmiausia kėlė pašaipą, o ne pagarbą. Vienas istorikas pažymėjo, kad mokykla, kurią jis įkūrė, buvo „turbūt pati nesėkmingiausia privati mokykla visoje švietimo istorijoje". Būdamas dvidešimt šešerių metų Džonsonas vedė Elizabet Porter (Elizabeth Porter), kuriai tuo metu buvo keturiasdešimt šešeri. Daugeliui jie atrodė keista pora. Biografai niekada neperprato, kaip vaizduoti Porter, kurią jis vadino Teti. Ar ji buvo graži, ar suvargusi? Ar filosofiška, ar paviršutiniška asmenybė? Ją galima pagirti už tai, kad nepaisydama jo atgrasios išorės numanė jį pasieksiant didžių dalykų, o jį galima pagirti už tai, kad visą savo gyvenimą liko jai ištikimas. Jis buvo labai švelnus ir malonus mylimasis, pasižymintis nepaprastu sugebėjimu atjausti ir mylėti, tačiau juodu daug metų praleido atskirai ir gyveno atskirus gyvenimus. Ji investavo savo pinigus mokyklai įkurti ir kai šis užmojis žlugo, prarado didžiąją jų dalį.

Iki trisdešimties metų Džonsono gyvenimas buvo vien ne-laimės. 1737 metų kovo 2 dieną jis išsiruošė į Londoną su savo buvusiu mokiniu Deividu Gariku (David Garrick) (kuris vėliau tapo vienu žymiausių aktorių Anglijos istorijoje). Džonsonas apsigyveno netoli Grubo gatvės ir pragyvenimui užsidirbda-vo iš laisvai samdomo rašytojo darbo. Jis rašė bet kokia tema įvairių žanrų kūrinius: poeziją, dramas, politines esė, litera-tūros kritiką, paskalas, atsitiktines apybraižas – viską, ką tik galėjo parduoti. Grubo gatvės samdomo rašeivos gyvenimas buvo chaotiškas, netvarkingas, dažnai ir vargingas. Vienas poetas, Samuelis Boisas (Samuel Boyse), užstatė visus savo dra-bužius ir liko ant lovos nuogas, tik su antklode. Joje iškirpo skylę, pro kurią galėjo iškišti ranką, ir eilėraščius rašydavo ant kelio pasidėjęs popieriaus lapą. Rašydamas knygą jis už-statydavo pirmuosius kelis puslapius, kad susirinktų pinigų, už kuriuos galėtų valgyti, kol pabaigs kitus knygos puslapius[7]. Džonsonas niekada nepasiekė tokio skurdo lygio, bet didžiąją laiko dalį, ypač ankstyvuoju savo laikotarpiu, jis vos sudurda-vo galą su galu.

Tačiau tuo laikotarpiu Džonsonas atliko vieną nuos-tabiausių žygdarbių žurnalistikos istorijoje. 1738 metais Bendruomenių Rūmai išleido įstatymą, kad parlamentarų kalbų publikavimas reikš „Parlamento teisių pažeidimą". *The Gentleman's Magazine* nusprendė išspausdinti šiek tiek užmaskuotus fiktyvius kalbų atpasakojimus, kad informuo-tų visuomenę apie tai, kas vyksta. Džonsonas dvejus su puse metų buvo vienintelis tų kalbų autorius, nors pats Parlamente lankėsi tik vieną kartą. Šaltinis jam pranešdavo, kas kalbėjo ir kokia eilės tvarka, kokios buvo bendros tų oratorių pozicijos ir kokius argumentus jie pateikė. Pagal tai Džonsonas sukurdavo išraiškingas kalbas, kaip jos būtų skambėjusios tikrovėje. Jos būdavo parašytos taip gerai, kad net ir patys pranešėjai jų neišsižadėdavo. Mažiausiai dvidešimt ateinančių metų šios kalbos buvo laikomos autentiškais įrašais. Net iki 1899 metų jas vis dar buvo galima rasti geriausių pasaulio oratorių antologijose, priskiriamas tariamiems oratoriams, o ne Džonsonui[8]. Kartą vakarienės metu nugirdęs kaip viena kompanija susižavėjusi aptarinėja nuostabią Viljamo Pito (William Pitt) vyresniojo pasakytą kalbą, Džonsonas juos pertraukė: „Tą kalbą parašiau Ekseterio gatvės mansardoje."[9]

Džonsono gyvenimas buvo labai nestabilus, kas neretai pasitaiko mūsų laikais, bet tuo metu tai buvo gana neįprasta. Be nuolatinės, tarkime, ūkininko ar mokytojo profesijos, atsiskyręs nuo giminaičių ir šeimos jis buvo priverstas gyventi kaip laisvai samdomas darbuotojas ir suktis kaip išmano, kad pragyventų. Nuo jo galvoje užgimusių idėjų priklausė visas jo likimas – finansinis saugumas, padėtis visuomenėje, draugystės, nuomonės ir jo, kaip asmenybės, įprasminimas.

Vokiečių kalboje tokią būseną apibūdina žodis „Zerrissenheit" – palaidumas, susiskaldymas. Tai vidinės darnos trūkumas, pasireiškiantis vienu metu atliekant daug užduočių, kai esi tampomas į visas puses. Kirkegoras tą vadino „svaiguliu nuo laisvės". Neturint tvirto vidinio pagrindo, kai nėra jokių išorinių apribojimų ir žmogus gali daryti ką panorėjęs, kai egzistuoja tūkstančiai pasirinkimų ir dėmesį blaškančių dalykų, gyvenimas gali prarasti pusiausvyrą ir kryptį.

Vidinį Džonsono susiskaldymą apsunkino jo prigimtis. „Jo charakteris ir manieros buvo perspausti ir agresyvūs", – pažymi Bosvelas – tai, kaip jis kalbėjo, valgė, skaitė, mylėjo, gyveno. Be to, dauguma jo savybių prieštaravo viena kitai. Varginantis raumenų trūkčiojimas ir manieringumas jam trukdė kontroliuoti kūną. Kankinamas depresijos ir nestabilumo jis sunkiai suvaldydavo savo protą. Džonsonas, nepaprastai socialus žmogus, visą gyvenimą baidėsi vienatvės pavojaus, bet įkliuvo pasirinkęs rašytojo profesiją, kuri reikalavo daug laiko praleisti vienumoje susikaupus. Jis sėkmingai gyveno viengungio gyvenimą, bet turėjo nepaprastai stiprų seksualinį potraukį ir visą laiką kovojo su savo „nešvariomis mintimis". Jam būdavo sunku ilgam sutelkti dėmesį. „Iki galo perskaičiau kelias knygas", – prisipažino jis: „Jos paprastai tokios atsumiančios, kad aš negaliu."[10]

VAIZDUOTĖ

Džonsoną vargino ir jo paties vaizduotė. Postromantizmo laikais mes vaizduotę laikome nekaltu, vaikišku sugebėjimu, kuris padeda kurti ir suteikia malonias vizijas. Džonsonas savo vaizduotės bijojo lygiai taip pat, kaip ir ją vertino. Blogiausia būdavo vidury nakties. Tą tamsų metą jis kankindavosi apniktas naktinių košmarų, pavydo, savo nevisavertiškumo jausmo, tuščiai fantazuodamas apie tai, kaip kiti jį giria ir juo žavisi. Pagal niūresnį Džonsono požiūrį, vaizduotėje gimsta idealios tokių patirčių kaip santuoka vizijos, ir tenka nusivilti, kai tos vizijos neatitinka tikrovės. Vaizduotė pagimdo hipochondriją ir kitas nerimo rūšis, kurios egzistuoja tik mūsų galvoje. Ji mus verčia pavydžiai lyginti, įsivaizduoti scenas, kaip mes laimime prieš savo varžovus. Vaizduotė supaprastina begalinius mūsų troškimus ir verčia fantazuoti, kad jie gali išsipildyti. Ji neleidžia iki galo džiaugtis savo pasiekimais, nes verčia galvoti pirmiausia apie tai, kas liko nepadaryta. Ji trukdo mėgautis akimirka, nes nušoka į ateitį prie dar nepasiektų ateities galimybių.

Nevaldoma proto prigimtis visada darė poveikį Džonsonui, jį glumino ir gąsdino. Mes visi truputį panašūs į Don Kichotą, sakė jis, kovojame su savo įsivaizduojamais niekšais, mieliau gyvename prasimanymuose negu tokioje tikrovėje, kokia ji yra. Nerimstantis Džonsono protas buvo pilnas prieštaravimų. Vienoje iš savo apybraižų savaitraščiui *Adventurer* jis rašė: „Nereikia stebėtis ar pykti, jeigu negalite priversti kitų žmonių būti tokių, kaip jūs norėtumėte, nes dažnai ir patys neprisiverčiate būti tokie, kaip norėtumėte."

Džonsonas ne tik nepasidavė šiems proto demonams, jis stengėsi su jais kovoti. Jis buvo kovingai nusiteikęs ir savo, ir kitų atžvilgiu. Kai redaktorius jį apkaltino laiko švaistymu,

Džonsonas, didžiulis ir stiprus vyras, pargriovė jį ant žemės ir koja prispaudė jo kaklą. „Jis elgėsi įžūliai ir aš jį sumušiau, jis buvo bukagalvis ir aš jam tą pasakiau."

Jo dienoraščiuose gausu savikritikos ir priesaikų geriau planuoti savo laiką. Iš 1738 metų dienoraščio: „O, Viešpatie, leisk man... susigrąžinti laiką, kurį praleidau tingėdamas." Iš 1757 metų dienoraščio: „Visagali Viešpatie. Padėk man iš-sivaduoti iš tinginystės." Iš 1769 metų dienoraščio: „Aš ketinu keltis ir tikiuosi keltis... aštuntą ir palaipsniui šeštą valandą."[11]

Tomis akimirkomis, kai Džonsonui pavykdavo nugalėti tinginystę, pasiimti rašiklį ir popieriaus, jo darbo našumas būdavo tikrai įspūdingas. Vienu prisėdimu jis parašydavo dvylika tūkstančių žodžių, tai yra trisdešimt knygos puslapių. Per tokius rašymo protrūkius jis per valandą parašydavo tūkstantį aštuonis šimtus žodžių, tai yra trisdešimt žodžių per minutę[12]. Kartais kopijuotojas stovėdavo šalia ir vos tik Džonsonas pabaigdavo vieną puslapį, tas bėgdavo jį spausdinti, kad jis prie jo nesugrįžtų ir nepradėtų taisyti.

Šiuolaikinis Džonsono biografas Valteris Džeksonas Beitas mums primena, kad nors laisvai samdomas Džonsonas pasižymėjo pribloškiamos apimties ir kokybės darbo našumu, pirmuosius du dešimtmečius jo vardu nebuvo išspausdintas nė vienas puslapis. Iš dalies dėl to, kad jis pats taip nusprendė, ir iš dalies dėl to, kad tokios buvo Grubo gatvės leidyklų taisyklės. Net ir sulaukęs vidutinio amžiaus jis nebuvo padaręs nieko, dėl ko būtų galėjęs didžiuotis ar, kaip jam atrodė, kam jis būtų galėjęs iki galo panaudoti savo talentą. Jis buvo menkai žinomas, nerimo kamuojamas ir emociškai draskomas žmogus. Jo gyvenimas, kaip sakė Beitas, buvo „visiškai nenusisekęs".

Panašų paveikslą matome ir Bosvelo meistriškai parašytoje biografijoje „Džonsono gyvenimas" (*Life of Johnson*). Su Bosvelu, kuris buvo epikūrizmo pasekėjas, Džonsonas susipažino tik senatvėje. Tačiau Bosvelo aprašyto Džonsono niekaip negalėtum pavadinti nenusisekėliu. Tai linksmas, sąmojingas, visapusiškas ir nepaprastai įdomus žmogus. Jo pasakojime matome žmogų, kuris pasiekė tam tikrą pilnatvę. Tačiau tai buvo ilgo darbo rezultatas. Rašydamas ir dėdamas proto pastangas jis sukūrė nuoseklią pasaulėžiūrą. Jis sugebėjo pasiekti vidinę darną nesupaprastindamas savęs. Jis tapo patikimas ir tvirtas.

Rašydamas Džonsonas bandė pasitarnauti savo skaitytojams ir juos pakylėti. „Rašytojas visada turi stengtis paversti pasaulį geresniu", – kartą rašė Džonsonas ir su amžiumi atrado būdą, kaip tą padaryti.

HUMANIZMAS

Kaip jam tai pavyko? Na, jis tą pasiekė ne vienas, kaip ir mes visi. Šiandien apie charakterį, kaip ir apie visa kita, dažniausiai kalbame kaip apie individualų reiškinį, bet charakteris formuojasi bendruomenėje. Džonsonas subrendo tuo metu, kai Anglijoje gyveno daugybė išskirtinai talentingų rašytojų, menininkų, valstybės veikėjų ir intelektualų – nuo Adamo Smito (Adam Smith) iki Džošua Reinoldso (Joshua Reynolds) ir Edmundo Berko (Edmund Burke). Kiekvienas iš jų pakėlė meistriškumo kartelę visiems kitiems.

Tai buvo humanistai, kurie sėmėsi žinių gilindamiesi į didžiuosius kanoninius Vakarų civilizacijos tekstus. Jie buvo didvyriai, bet tai buvo intelektinio, o ne karinio heroizmo forma. Jie stengėsi objektyviai žiūrėti į pasaulį, stengėsi atsispirti saviapgaulei, kurią sukelia įgimta žmogaus tuštybė ir užgaidos. Jie ieškojo praktinės, moralinės išminties, kuri suteiktų vidinį atsparumą ir tikslą.

Džonsonas buvo geriausias tokio tipo žmonių pavyzdys. Jo biografas Džefris Majersas (Jeffrey Meyers) sako, kad jam buvo būdinga „daugybė prieštaravimų – jis buvo tingus ir energingas, agresyvus ir švelnus, melancholiškas ir juokingas, blaivaus proto ir iracionalus, religija jam teikė ir paguodą, ir kančią."[13] Jis kovojo su šiais vidiniais impulsais kaip Romos gladiatorius Koliziejuje, rašė Džeimsas Bosvelas. Jis kovėsi „su laukiniais arenos žvėrimis, pasiruošęs būti užpultas. Įvykus susirėmimui jis juos nuvarydavo atgal į narvus, bet nenužudydavo, ir jie jį vėl puldavo." Džonsonas visą gyvenimą stengėsi savyje suderinti intelektualinį Achilo ryžtą su gailestingu rabino, kunigo ar mulos tikėjimu.

DŽONSONAS TYRINĖJO PASAULĮ TIK TAIP, kaip galėjo: savo (vos matančia) akimi, bendraudamas ir kurdamas. Rašytojai paprastai išgarsėja ne dėl to, kad pasižymi aukšta morale, bet Džonsonas, galima sakyti, rašydamas priėjo iki dorybingumo. Jis rašydavo tavernoje ir kavinėje. Didžiulis, susitaršęs ir bjaurus Džonsonas buvo nepaprastai nuotaikingas žmogus. Jis mąstydavo kalbėdamas, laidydamas moralinius aforizmus ir sąmojus – jis buvo tikras Martino Liuterio ir Oskaro Vaildo mišinys. Rašytojas ir dramaturgas Oliveris Goldsmitas (Oliver Goldsmith) kartą pasakė: „Su Džonsonu negalėjai ginčytis, nes jeigu jo šautuvas neiššaudavo, jis partrenkdavo tave su jo buože." Džonsonas galėdavo pasinaudoti bet kokiu pasitaikiusiu argumentu ir jeigu ginčo metu jam pasirodydavo, kad diskusija bus įdomesnė jam perėjus į priešingą pusę, jis taip ir padarydavo. Daugelis jo žinomų posakių skamba taip, lyg būtų gimę spontaniškai pokalbio metu tavernoje arba nugludinti tiek, kad atrodytų spontaniški: „Patriotizmas yra paskutinis niekšo prieglobstis. <...> Tikrasis civilizacijos išbandymas yra tinkamai pasirūpinti vargšais. <...> Jeigu žmogus žino, kad po dviejų savaičių jį pakars, jam puikiai sekasi suvaldyti savo protą. <...> Jeigu žmogus pavargo nuo Londono, vadinasi, jis pavargo nuo gyvenimo."

Jo literatūriniam stiliui būdinga pokalbio struktūra. Jis pasakydavo mintį, tada ją atsverdavo kontrargumentu, o tą kontrargumentą atsverdavo kitu prieštaravimu. Anksčiau minėti dažnai cituojami aforizmai tik sukelia apgaulingą įspūdį, kad Džonsono pažiūros yra vienaprasmiškos. Pokalbio metu jis paprastai užvesdavo kokią nors temą – tarkime, lošimas kortomis, – tada išvardydavo su tuo susijusius privalumus ir trūkumus, o tada nedrąsiai palinkdavo į kurią nors pusę. Rašydamas apie santuoką jis linkęs bet kokį teigiamą dalyką susieti su neigiamu: „Užrašų knygelėje nubraižiau visų moteriškų dorybių ir silpnybių schemą, kurioje kiekvieną dorybę lydi silpnybės, o kiekviena silpnybė susijusi su dorybėmis. Sąmojingumą laikau sarkastišku, o didžiadvasiškumą arogantišku; šykštumą laikau ekonomišku, o neišmanymą pataikaujančiu."

Džonsonas buvo aistringas dualistas, tikintis, kad tik įtampa, paradoksai ir ironija gali atskleisti, koks painus yra tikrasis gyvenimas. Jis nebuvo teoretikas, todėl nevengė priešpriešų, to, kas atrodo nesuderinama, bet iš tikrųjų tarpusavyje dera. Literatūros kritikas Polas Faselas (Paul Fussell) pažymėjo, kad jo prozoje mirgantys jungtukai „bet" ir „tačiau" tapo jo kūrybos pagrindu ir atspindėjo jo požiūrį, kad norint ką nors suvokti reikia į tai pažvelgti iš įvairių pozicijų, pamatyti visus prieštaravimus[14].

Gali susidaryti įspūdis, kad Džonsonas daug laiko praleisdavo su draugais ir ieškodamas kvailų nereikšmingų nuotykių. Pavyzdžiui, išgirdęs, kad tam tikroje upės atkarpoje nuskendo žmogus, Džonsonas susiruošė pats ten įšokti ir patikrinti, ar sugebės išlikti gyvas. Kai jam pasakė, kad šautuvą užtaisius per dideliu skaičiumi šovinių jis gali sprogti, Džonsonas nieko nelaukdamas įdėjo septynis šovinius į vieno šautuvo vamzdį ir iššovė į sieną. Jis pasinėrė į Londono gyvenimą. Imdavo interviu iš prostitučių. Miegodavo parkuose su poetais. Jis netikėjo, kad žinių ieškojimas yra vieno žmogaus avantiūra. Džonsonas rašė: „Mąstydamas apie save neatrasi laimės; ją pajusti gali tik tada, kai ji atsispindi iš kito žmogaus." Jis stengėsi gilintis į save netiesiogiai, išbandydamas savo pastebėjimus realiame pasaulyje, kurį matė priešais save. „Diena, kai nesusipažinau su nauju žmogumi, man atrodo praėjusi veltui", – pareiškė jis. Jis labai bijojo vienatvės. Džonsonas visada paskutinis išeidavo iš aludės ir užuot grįžęs į savo vienišus gąsdinančius namus, jis ištisą naktį bastydavosi gatvėmis su savo pasileidusiu draugu Ričardu Savedžu (Richard Savage).

„Paprastų žmonių gyvenimas atspindi tikrąją bet kurios šalies padėtį, – pažymėjo jis. – Mokymo įstaigose ar didinguose rūmuose nepamatysi tikrojo žmonių elgesio." Džonsonas bendravo su visų sluoksnių žmonėmis. Gyvenimo pabaigoje jis į namus kviesdavosi valkatas. Pasirūpindavo ir įžeistais ponais. Po to, kai Džonsonas didelėmis pastangomis užbaigė savo didįjį žodyną, lordas Česterfildas pavėluotai pabandė pasiskelbti jo globėju. Džonsonas savo pasipiktinimą ir pasibjaurėjimą išreiškė laiško formos rašinyje, kurio kulminacija buvo tokia:

Argi globėjas tas, mano pone, kuris abejingai stebi vandenyje už savo gyvybę kovojantį žmogų, ir kai šis pasiekia žemę, jį vargina siūlydamas savo pagalbą? Jūsų dėmesys mano darbui būtų buvęs malonus, jei būtų išreikštas anksčiau; bet jis vėlavo tol, kol aš tapau abejingas ir jis man nebeteikė džiaugsmo; kol aš likau vienas ir neturėjau kam jo perduoti; kol tapau žinomas ir jo nebenorėjau.

VISIŠKAS NUOŠIRDUMAS

Džonsonas netikėjo, kad esmines žmonių problemas galima išspręsti politinėmis priemonėmis arba pertvarkius socialines sąlygas. Juk, pagaliau, jis parašė savo garsųjį dvieilį „Tik mažą žmogaus širdies kančių dalį, / Karaliai ir įstatymai sukelti ar išgydyti gali."* Jis nebuvo nei metafizikas, nei filosofas. Jam patiko mokslas, bet jis jį laikė ne pačiu svarbiausiu dalyku. Jis nevertino tų, kurie paskendę „mokslo dulkėse" užsiiminėja pedantiškais tyrinėjimais, o išmąstytos teorijos, kurios bandė paaiškinti visą egzistenciją pagal vieną loginę sistemą, jam kėlė didelį nepasitikėjimą. Džonsonas domėjosi absoliučiai viskuo ir kaip bendrą supratimą apie viską turintis žmogus susiedavo vieną sritį su kita. Jis pritarė nuomonei, kad „žmogus, kuris gali kalbėti tik viena tema arba dirbti tik vienoje srityje, retai kada yra reikalingas ir turbūt niekada nėra pageidaujamas, o tas, kuris turi bendrą

---

* „How small, of all that human hearts endure, / That part which laws and kings can cause or cure." (Pažodinis vertimas – vert. past.)

supratimą apie viską, dažnai turi privilegijų ir visada įtinka."[15]

Jis nebuvo mistiškas. Jo filosofija buvo labai žemiška, ją įkvėpė perskaityti istorijos veikalai ir literatūra bei tiesioginiai pastebėjimai – jis buvo nuolat susitelkęs į tai, ką pats pavadintų „gyvuoju pasauliu". Polas Faselas pastebėjo, kad Džonsonas įrodė determinizmo klaidingumą. Jis paneigė įsitikinimą, kad elgesį formuoja beasmenės nepalenkiamos jėgos. Savo kritiška akimi visada įžiūrėdavo kiekvieno žmogaus individualumą. Ralfas Voldas Emersonas (Ralph Waldo Emerson) vėliau pažymėjo, kad „sielos gelbėjamos ne būriais".[16] Džonsonas aistringai tikėjo, kad kiekvienas žmogus yra paslaptingai painus ir iš prigimties orus.

Džonsonas visą laiką buvo moralistas geriausia to žodžio prasme. Jis buvo įsitikinęs, kad didžioji dalis problemų yra moralės problemos. „Visuomenės laimė priklauso nuo dorybės", – rašė jis. Jo nuomonė sutapo su kitų to laikmečio humanistų požiūriu, kad svarbiausia, ką žmogus turi daryti, tai priimti sunkius moralinius sprendimus. Kaip ir kiti humanistai jis tikėjo, kad literatūra gali būti labai svarbi moralės ugdymo priemonė. Literatūra siūlo ne tik naują informaciją, bet ir naujas patirtis. Ji gali praplėsti suvokimo ribas ir suteikti galimybę vertinti. Be to, literatūra gali mokyti suteikdama malonumą.

Šiandien dauguma rašytojų vertina tik literatūros ir meno estetiškumą, bet Džonsonas į juos žiūrėjo kaip į moralinę iniciatyvą. Jis tikėjosi būti laikomas rašytoju, kuris suteikia „entuziazmo dorybei ir pasitikėjimo tiesai". Ir pridūrė: „Rašytojas visada turi pareigą paversti pasaulį geresniu." Faselas sako: „Rašymas Džonsonui prilygsta krikščionių sakramentui, kurį anglikonų katekizmas apibūdina kaip „mūsų vidaus ir mums suteiktos dvasinės malonės išorinį ir matomą pasireiškimą"."

Džonsonas priklausė rašeivų kategorijai, bet nors ir rašydavo paskubomis ir už pinigus, jis sau neleido rašyti prastai. Jis siekė visiško literatūrinio nuoširdumo. Vienas iš Džonsono aforizmų teigia: „Pats pirmas žingsnis norint tapti didžiam yra nuoširdumas."

Žmogaus prigimtį jis laikė menka, bet į ją žiūrėjo su užuojauta. Graikų laikais nebuvo sakoma, kad Demostenas (Dēmosthénēs) yra didis oratorius, nors ir mikčioja; buvo sakoma, kad jis didis oratorius *dėl to*, kad mikčioja. Jo trūkumas paskatino tobulinti su tuo susijusį įgūdį. Didvyrio silpnybė tampa jo stipriausia vieta. Džonsono trūkumai padėjo jam tapti puikiu moralistu. Jis suprato, kad niekada nenugalės savo ydų. Suprato, kad jo istorija bus ne iš tų, kurios taip patinka žmonėms – apie tai, kaip dorybės nugali silpnybes. Jo istorija geriausiu atveju bus apie tai, kaip dorybės išmoksta gyventi su silpnybėmis. Džonsonas rašė, kad savo trūkumams ieškojo ne vaistų, o lengvinančių priemonių. Jis žinojo, ką reiškia nuolatos kovoti, todėl mokėjo su užuojauta žiūrėti į kitų trūkumus. Jis buvo moralistas, bet minkštos širdies moralistas.

SUŽEISTO ŽMOGAUS UŽUOJAUTA

Norint sužinoti, kokios silpnybės kankino Samuelį Džonsoną, pakanka pažvelgti, kokiomis temomis jis rašė: kaltė, gėda, susierzinimas, nuobodulys ir taip toliau. Beitas pažymi, kad ketvirtadalis jo periodiniam žurnalui *Rambler* sukurtų apybraižų kalba apie pavydą. Džonsonas suprato turįs ypatingą polinkį jausti kartėlį, kai kitiems žmonėms sekasi: „Pagrindinė žmonijos klaida yra tai, kad mūsų netenkina sąlygos, pagal kurias suteikiama gyvenimo gerovė."

Visa tai atperkanti Džonsono intelektualinė dorybė buvo jo proto aiškumas. Dėl to jis sugebėjo kurti aiškius ir cituotinus pasakymus. Daugumoje iš jų atsispindi įžvalgus psichologinis žmogaus polinkio klysti vertinimas:

- Genijų retai kada sužlugdo kiti, o ne jis pats.
- Jei esi dykas, nebūk vienas; jei esi vienas, nebūk dykas.
- Yra žmonių, su kuriais labai norėtum nutraukti ryšius, bet nenorėtum, kad jie taip pasielgtų su tavimi.
- Savikritika reiškia netiesioginį savęs aukštinimą. Tuo siekiama parodyti, kokie aukšti tavo reikalavimai.
- Pagrindinis žmogaus nuopelnas yra sugebėjimas suvaldyti savo įgimtus polinkius.
- Jokia kita vieta taip neįtikina žmonių vilčių tuštybe kaip viešoji biblioteka.
- Retas kuris turi tokią didelę širdį, kad galėtų būti nuoširdus su savimi.

- Perskaityk savo kūrinius ir kaskart atradęs ištrauką, kuri atrodo labai gera, išbrauk ją.

- Kiekvienas žmogus tiki, kad sugebės laikytis savo pasižadėjimų; ir tik daug kartų ir ilgai bandydamas supranta, kad yra nepajėgus.

Moralinėmis apybraižomis Džonsonas galėjo primesti pasauliui tvarką, sutvirtinti savo patirtis nekintančia tiesa. Jis turėjo nusiraminti, kad galėtų objektyviai suvokti pasaulį. Depresijos apimti žmonės dažnai jaučiasi užvaldyti visa apimančio, tačiau neapčiuopiamo liūdesio. Vis dėlto Džonsonas eina tiesiai prie skausmo, jį aiškiai atpažįsta, išanalizuoja ir iš dalies padaro nekenksmingą. Savo apybraižoje apie liūdesį jis pažymi, kad dauguma aistrų atveda prie jų išnykimo. Badas skatina valgyti ir pasisotinti, baimė skatina greitai bėgti, geismas skatina seksą. Tačiau liūdesys yra išimtis. Liūdesys tavęs nenukreipia link vaisto nuo jo. Liūdesys augina pats save.

Taip yra dėl to, kad liūdesys yra „ta proto būsena, kai esame prisirišę prie savo senų troškimų ir nelaukiame ateities, tai didžiulis noras, kad kažkas būtų buvę kitaip, negu buvo, kankinantis ir varginantis geismas pasitenkinimo arba turto, kurio netekome." Siekdami išvengti liūdesio daugelis gyvena visko bijodami. Kiti bando išvengti liūdesio prisiversdami lankytis visuomeniniuose renginiuose. Džonsonas nepateisina tokių gudrybių. Vietoj to jis pataria: „Saugus ir visiems tinkamas priešnuodis prieš liūdesį yra darbas. <...> Sielvartas yra tarsi sielos rūdys, kurias bandoma nušveisti vis naujomis idėjomis. Tai užsistovėjusio gyvenimo puvėsis, kurį galima išgydyti mankštinantis ir judant."

Džonsono apybraižos jam yra ir akistatos su savimi treniruotė. Faselas rašo: „Gyvenimas Džonsonui yra kova, ir tai yra kova dėl moralės."[17] Džonsonas savo kūriniuose kalba būtent apie tai, kas jį kankina: apie neviltį, puikybę, naujovių badą, nuobodulį, apsirijimą, kaltės jausmą ir tuštybę. Jis neturi iliuzijų, kad pats sau pamokslaudamas taps doras. Tačiau jis gali kurti ir planuoti būdus, kaip ugdyti valią. Pavyzdžiui, jaunystėje jį iš tiesų nuolat lydėdavo pavydo nuodėmė. Jis matė, kad yra talentingas, bet matė ir tai, kad kitiems sekasi, kai jam nesiseka.

Džonsonas sugalvojo kaip nugalėti pavydą savo širdyje. Jis sakė paprastai netikintis, kad vieną silpnybę gali išgydyti kita. Vis dėlto pavydas yra tokia piktybiška proto būsena, kad už ją turbūt geriau bet kuri kita savybė. Taigi, jis pasirinko puikybę. Jis sau pasakė, kad pavydėti kitam reiškia pripažinti savo nepilnavertiškumą ir geriau jau tvirtinti, kad turi daugiau nuopelnų, negu pasiduoti pavydui. Pajutęs pagundą pavydėti kitam jis save įtikindavo, kad yra pranašesnis.

O tada, vadovaudamasis labiau bibliniu požiūriu, jis aukštino dosnumą ir malonę. Pasaulis tiesiog plyšta nuo nuodėmių ir sielvarto, todėl „nėra nė vieno, kam būtų galima pavydėti". Visų gyvenimas paženklintas kokiais nors sunkumais. Beveik nėra kas sugebėtų nuoširdžiai džiaugtis savo pasiekimais, nes troškimai visada užbėga už akių ir kankina fantazijomis apie tai, ko neturime.

TIESOS TVIRTUMAS

Džonsonui tinka tai, ką jis pats yra pasakęs apie eseistą Džozefą Adisoną (Joseph Addison): „Tai buvo žmogus, pro kurio akis neprasmukdavo jokia blogybė; jis tuoj pat pastebėdavo viską, kas neteisinga arba kvaila, ir neslėpė noro tą paviešinti."

Įtemptai viską stebėdamas ir tyrinėdamas Džonsonas pakeitė savo gyvenimą. Jaunystėje jis buvo ligotas, depresijos alinamas nevykėlis. Įkopus į šeštą dešimtį visa šalis žavėjosi ne tik jo pasaulietiniais pasiekimais, jis buvo pripažintas ir didžios sielos žmogumi. Džonsono biografas Persis Heizenas Hjustonas (Percy Hazen Houston) aiškina, kaip taip vargingai ir skausmingai augęs žmogus galėjo su tokiu pakantumu ir gailesčiu žiūrėti į pasaulį:

> Jo siela užsigrūdino ir į kitų elgesį jis žiūrėjo nepamiršdamas siaubingos savo patirties, o tai suteikė pasitikėjimo ir supratingumo gilinantis į žmogaus motyvus. Ryškiai matydamas, koks nereikšmingas yra mūsų gyvenimas ir kiek mažai žmogus žino, jis mielai patikėdavo galutinės priežasties paslaptį už save aukštesnėms jėgoms; nes Dievo ketinimų neįmanoma perprasti, o žmogaus tikslas šios egzistencijos pradžioje turėtų būti ieškoti dėsnių, kurie padėtų pasiruošti susitikimui su dieviškąja malone[18].

Viską įtemptai apmąstęs Džonsonas padarė galutines išvadas apie sudėtingą ir ydingą jį supantį pasaulį. Tai pavyko tada, kai jis įpratino save stengtis matyti daiktus tokius, kokie jie yra. Tai pavyko dėl jo nuoširdumo, savikritikos ir moralinio entuziazmo.

MONTENIS

Džonsono saviugdos metodą, paremtą moraliniais ieškojimais, puikiai iliustruoja kito puikaus eseisto, nuostabaus šešioliktojo amžiaus prancūzų kilmės rašytojo Mišelio de Montenio pavyzdys. Viena mano studentė Heili Adams (Haley Adams) sakė, kad Džonsonas yra tarsi rytų pakrantės reperis – ryškus, nuoširdus ir kovingas. O Montenį galima prilyginti vakarų pakrantės reperiui – jis taip pat realistiškas, bet kartu ir atsipalaidavęs, pakantesnis, nutviekstas saulės. Montenis buvo geresnis eseistas už Džonsoną. Jo šedevrai kūrė ir apibrėžė šį žanrą. Jam irgi buvo svarbi moralė, jis irgi norėjo suprasti save ir siekė dorybės. Vis dėlto jie abu tą darė skirtingai. Džonsonas siekė pasikeisti tiesiogiai save puldamas ir dėdamas dideles pastangas. Montenis buvo labiau linkęs žavėtis savimi ir savo silpnybėmis, jis siekė dorybės susitaikydamas su savimi ir bandydamas save keisti maloniais būdais.

Montenis buvo auklėjamas kitaip nei Džonsonas. Jis užaugo dvare netoli Bordo, turtingoje ir gerbiamoje šeimoje, kurios turtai nebuvo paveldėti, ir buvo labai mylimas šeimos narys. Jis buvo auklėjimas švelniai, pagal humanistinį savo tėvo, kurį jis laikė geriausiu pasaulyje, planą ir kiekvieną rytą žadinamas muzikinio instrumento garsais. Taip auklėjant buvo siekiama, kad Montenis išaugtų išsilavinusiu, visapusišku ir maloniu žmogumi. Jis mokėsi prestižiniame pensione, o paskui dirbo miesto patarėju ir vietinio parlamento nariu.

Montenis gyveno patogiai, bet laikai buvo nelengvi. Jis dirbo valstybės tarnautoju religinių pilietinių karų laikotarpiu ir bandė tarpininkauti kai kuriuose iš jų. Sulaukęs trisdešimt aštuonerių metų jis pasitraukė iš viešojo gyvenimo. Jis norėjo sugrįžti į savo dvarą, gyventi ramiai ir skirti savo laisvalaikį savišvietai. Džonsonas rašė knibždančioje Grubo gatvės aludėje; Montenis rašė nuošalioje savo bokšto bibliotekoje, dideliame kambaryje, kurį puošė graikų, romėnų ir Biblijos aforizmai.

Iš pradžių Montenio tikslas buvo studijuoti senovę (Plutarchą, Ovidijų, Tacitą) ir mokytis iš savo bažnyčios (bent jau viešajame gyvenime jis buvo ortodoksiškų pažiūrų Romos katalikas, nors jo labiau praktiškas nei abstraktus protas daugiau išminties pasisemdavo iš istorijos negu teologijos). Jis įsivaizdavo rašysiąs mokslinius straipsnius apie karą ir aukštąją politiką.

Tačiau tuo užsiimti jam trukdė protas. Sulaukęs vidutinio amžiaus Montenis, kaip ir Džonsonas, suprato, kad jo gyvenimas iš esmės buvo neteisingas. Atsidėjęs apmąstymams jis suvokė, kad protas neleidžia nurimti. Jis pamatė, kad jo mintys yra išsibarsčiusios, nepastovios ir atsitiktinės. Montenis jas prilygino virpančioms, nuo vandens telkinio atsispindinčioms ir ant lubų šokinėjančioms šviesoms. Protas nuolat lakstė į visas puses. Pradėjęs mąstyti apie save jis pagaudavo tik kokį nors trumpalaikį suvokimą, po kurio ėjo kitas su tuo nesusijęs suvokimas, o po jo dar kitas.

Montenis puolė į depresiją ir kentėdamas tapo savo paties literatūriniu objektu. „Viduje mes esame dvilypiai, tik nežinau kaip", – rašė jis. Vaizduotė pabėga. „Negaliu sustabdyti savo subjekto. Jis nerimsta ir sukasi natūraliai apsvaigęs. <...> Aš nevaizduoju buvimo. Vaizduoju perėjimą. <...> Turiu sutalpinti savo istoriją į valandą, nes netrukus galiu pasikeisti."

Montenis pradėjo suprasti, kad sudėtinga kontroliuoti ne tik protą, bet ir kūną. Neviltį kėlė net ir jo vyriškas pasididžiavimas, „kuris taip įkyriai trukdo, kai mums jo nereikia, ir taip erzinamai apvilia, kai mums jo reikia labiausiai". Vis dėlto maištauja ne tik lytinis organas. „Prašau jus pagalvoti, ar yra nors viena mūsų kūno dalis, kuri visą laiką dirbtų pagal mūsų norus ir visada jų paisytų."

Taigi rašymas jam buvo savęs integravimo veiksmas. Pagal Montenio teoriją, aplink matomą fanatizmą ir smurtą sukelia panika ir abejonės, nes žmonės nepastebi, kad viduje patys prieš save išsisukinėja. Jie siekia materialios prabangos ir amžinos šlovės, bet tai tėra tuščios pastangos žmonių, kurie bando išorinėmis priemonėmis susikurti vidinę ramybę ir susitaikyti su savimi. Jis sakė: „Visi skuba kažkur į ateitį, nes nė vienas nepriėjo iki savęs." Montenis savo apybraižomis stengėsi prieiti iki savęs. Rašydamas jis stengėsi kurti tokį požiūrį ir prozos stilių, kurie įneštų tvarkos ir pusiausvyros į išsibarsčiusį vidinį pasaulį.

Tiek Džonsonas, tiek Montenis siekė kuo geriau save suvokti, bet tą darė skirtingais būdais. Džonsonas rašė apie kitus žmones ir apie išorinį pasaulį, tikėdamasis taip netiesioginiu būdu apibūdinti save. Kartais jis rašydavo kokio nors kito žmogaus biografiją, bet joje atsispindėdavo tiek daug jo paties savybių, kad tas portretas atrodo lyg užslėpta autobiografija. Montenis pradėjo nuo kito galo. Jis rašė apie save ir apie savo reakcijas į aplinką, tikėjosi nagrinėdamas save apibūdinti visiems vyrams ir moterims būdingą prigimtį, pastebėdamas, kad „kiekviename žmoguje yra visa žmogiškų savybių įvairovė".

Džonsono esė skamba autoritetingai, o Montenio stilius kuklus, nedrąsus ir neužtikrintas. Jo apybraižos nebuvo dėliojamos formaliai. Jose nėra aiškios loginės struktūros, jos tarsi apauga. Montenis išreikšdavo savo mintį ir jeigu po kelių mėnesių kildavo kita su tuo susijusi mintis, jis ją prirašydavo paraštėse ir įterpdavo į galutinį leidimą. Toks atsitiktinis rašymo metodas slėpė sumanymo rimtumą. Tai gal ir atrodė paprasta, bet pats Montenis į savo misiją žiūrėjo labai rimtai. Jis suprato, koks šis projektas originalus: iki galo nuoširdžiai atsiverdamas jis stengėsi perteikti moralaus gyvenimo viziją. Montenis suvokė, kad kuria naują charakterio formavimo metodą ir bando pavaizduoti naujo tipo herojų, kuris pasižymi be išlygų sąžiningu, tačiau ir užuojautos kupinu požiūriu į save. Nerūpestingas stilius, bet sunki užduotis: „Mums reikia labai daug pastangų suvokti, kad klystame." Jis siekė ne tik daugiau sužinoti apie save ar paprasčiausiai užimti protą, ar pasirodyti, kad sulauktų šlovės, dėmesio ar sėkmės. Jis stojo akistaton su savimi tam, kad galėtų gyventi darnų ir disciplinuotą gyvenimą: „Sielos didybė atsiskleidžia ne stumiantis aukštyn ir į priekį, o žinant, kaip save kontroliuoti ir apriboti."

Save pažindamas ir keisdamas Montenis siekė išspręsti savo moralės problemas. Jis teigė, kad tokia akistata su savimi reikalauja daug didesnių pastangų palyginti su tuo, ko buvo reikalaujama iš Aleksandro Didžiojo ar Sokrato. Tos asmenybės veikė viešai ir jų atlygis buvo šlovė bei žinomumas. O žmogus, kuris stengiasi nuoširdžiai save pažinti, veikia vienas. Kiti žmonės siekia minios pripažinimo, o Montenis siekė savigarbos. „Ant scenos kiekvienas gali nuoširdžiai vaidinti farse. Tačiau disciplinuoti savo vidų, tai, kas yra tavo krūtinėje, kur viskas leidžiama ir viskas lieka paslaptyje – štai kur esmė."

Montenis anksti nutraukė savo sėkmingą karjerą, nes pajuto, kad svarbiau yra stengtis pažinti save ir siekti savigarbos. Jis tą darė drąsiai žvelgdamas į tiesą apie save. Net ir stodamas į akistatą su savimi jis sugebėjo išlaikyti pusiausvyrą ir tai visą laiką žavėjo jo skaitytojus. Jis buvo pasiruošęs pripažinti nemalonią tiesą apie save ir nepuldavo gintis ar ieškoti racionalių pasiteisinimų, kad ją nuvytų. Jo trūkumai jam paprastai sukeldavo šypseną.

Montenis save vertino nuolankiai, bet tvirtai. Jis pripažįsta, kad yra mažas ir necharizmatiškas žmogus. Keliaujant su tarnais žmonės negali atskirti, kas yra šeimininkas, o kas tarnas. Jis nepabijo pasakyti turįs prastą atmintį, prastai žaidžiąs šachmatais ar kitus žaidimus, turįs mažą penį ar jaučiąs, kad su amžiumi sensta – jis niekada nebijodavo prisipažinti.

Montenis tvirtina, kad jis, kaip ir dauguma žmonių, yra šiek tiek parsidavėlis: „Bet kuris pažvelgęs į savo širdį pamatys, kad mūsų vidiniai norai dažniausiai gimsta ir minta kitų sąskaita." Jis pažymi, kad dauguma dalykų, dėl kurių kovojame, yra trumpalaikiai ir trapūs. Filosofas gali turėti nuostabiausią protą istorijoje, bet pakanka, kad jam įkąstų pasiutlige sergantis šuva, ir jis gali virsti kliedinčiu kvailiu. Montenis nuleidžia mus ant žemės sakydamas, kad „net ir sėdėdami ant paties aukščiausio sosto pasaulyje mes vis tiek sėdime ant savo pasturgalio". Jis teigia, kad „jeigu kiti į save gilintųsi taip nuodugniai kaip aš, patys, kaip ir aš, pamatytų, kad juose pilna kvailysčių ir nesąmonių. Nuo to negaliu išsivaduoti, kol neišsivaduosiu nuo savęs. Visi į tai įklimpę tiek pat, kiek ir kiti, bet tą suvokiantiems yra šiek tiek geriau – nors nežinau." Sara Beikvel (Sarah Bakewell) Montenio biografijoje „Kaip gyventi" (How to Live) pažymi, kad tas paskutinis posakis „nors nežinau" ir atskleidžia tikrąjį Montenį.

Vieną dieną paskui Montenį jojantis tarnas pasileido joti šuoliais ir atsimušė tiesiai į savo šeimininko žirgą. Montenis nuskrido nuo žirgo beveik per dešimt žingsnių ir sukniubo ant žemės be sąmonės, tarytum negyvas. Persigandę tarnai puolė nešti jo gyvybės ženklų nerodantį kūną atgal į pilį. Benešant Montenis pradėjo atsigauti. Vėliau tarnai jam pasakojo, kaip jis elgėsi – žiopčiojo gaudydamas orą, plėšė nuo savęs drabužius, įnirtingai draskė krūtinę, tarytum agonijoje bandydamas išsivaduoti. Tačiau jo sąmonėje viskas atrodė visai kitaip. „Jaučiau begalinį saldumą ir ramybę", – prisiminė jis, ir jausmas, kad „daraisi vis labiau suglebęs ir save paleidi" buvo malonus. Jam atrodė, kad jis švelniai kyla aukštyn ant stebuklingo kilimo.

Vėliau Montenis susimąstė apie tai, kaip skiriasi tai, ką matome išorėje, ir vidinė patirtis. Kaip nuostabu. Jam tai buvo viltį teikianti pamoka, kad visai nebūtina mokytis mirti: „Jei nežinai, kaip numirti, nesijaudink; tą akimirką pati gamta išsamiai ir tinkamai paaiškins, ką daryti. Ji tobulai viską atliks už tave, nesuk dėl to galvos."[19]

Panašu, kad Montenio temperamentą galima paversti formule: prie nuolankaus, bet tikslaus savo prigimties įvertinimo pridedame sugebėjimą stebėtis ir žavėtis kūrinijos keistumu ir gauname ramybę teikiančią pusiausvyrą. Jis buvo, kaip sakė Beikvel, „išsivadavęs ir pasiekęs nerūpestingumą"[20]. Atrodo, kad jam pavyko išlaikyti pusiausvyrą – jis nei pernelyg susijaudindavo, jeigu viskas eidavosi gerai, nei puldavo į neviltį, kai nesisekdavo. Jo prozos stilius pasižymėjo elegantišku abejingumu, o jis pats stengėsi būti toks pat šaltakraujis, kaip ir jo kūryba. „Aš tenoriu būti abejingesnis ir labiau atsipalaidavęs", – vienu metu rašė jis. Vienoje apybraižoje po kitos galima matyti, kaip jis stengiasi prisiversti susitaikyti su savimi. „Apskritai, galiu norėti būti kitoks; galiu smerkti savo charakterį ir melsti, kad Dievas mane iš esmės pakeistų ir atleistų mano įgimtas silpnybes. Vis dėlto manau, kad neturėčiau to vadinti atgaila, taip pat, kaip ir neturėčiau reikšti nepasitenkinimo, kad esu ne angelas ir ne Katonas. Mano elgesys priklauso nuo to, kas aš esu, ir jam įtaką daro mano gyvenimo aplinkybės. Aš negaliu būti geresnis." Jis susigalvojo santūrų šūkį: „Aš susilaikau."

Jis skaito iš lėto, todėl sutelkia dėmesį tik į kelias knygas. Jis mėgsta truputį tinginiauti, todėl išmoksta atsipalaiduoti. (Džonsonas aistringai pamokslaudavo sau apie tai, kaip tapti geresniam, o Montenis to nedarydavo. Moralės atžvilgiu Džonsonas buvo labai griežtas; Montenis ne.) Montenio protas iš prigimties išsiblaškęs, todėl jis tuo pasinaudoja ir išmoksta į viską žvelgti iš skirtingų pozicijų. Kiekvienas jo trūkumas yra kuo nors kompensuojamas.

Montenis niekada nekėlė susižavėjimo aistringiems ir reikliems sau žmonėms. Jiems jo emocinė skalė atrodo pernelyg siaura, jo siekiai pernelyg kuklūs, o jo vidinė darna nuobodi. Jiems sunku su juo nesutikti (jis rašo nesilaikydamas įprastos loginės struktūros, todėl ten sunku atrasti, *kurioje vietoje* su juo nesutikti), bet jiems atrodo, kad jo visa persmelkiantis skepticizmas ir susitaikymas su savimi veda į pasitenkinimą savimi, netgi su šiokiu tokiu nihilizmo atspalviu. Jie jį atmeta dėl to, kad jis išlieka emociškai neutralus ir vengia konfliktų.

Montenis, žinoma, būtų pats pirmas pripažinęs, kad šis požiūris iš dalies teisingas: „Mane užvaldo skausmingas suvokimas; man daug greičiau jį sekasi pakeisti negu suvaldyti. Jį pakeičiu priešingu arba, jei negaliu, bet kuriuo atveju kitokiu suvokimu.

Pasikeitimas visada nuramina, ištirpina ir išsklaido tą skausmingą potyrį. Jeigu negaliu su juo kovoti, aš pabėgu, o pabėgdamas išvengiu. Taip ir išsisukinėju."

Montenio pavyzdys moko, kad turint realistiškai nedidelius lūkesčius galima įvairiomis aplinkybėmis jaustis gerai. Vis dėlto Montenis yra ne šiaip atsipūtęs vyrukas, šešioliktojo amžiaus pakrantės klajotojas, turintis nuosavą dvarą. Kartais jis apsimeta esąs abejingas ir dažnai slepia savo tikruosius ketinimus, bet turi ir kitą, aukštesnę gero gyvenimo ir geros visuomenės viziją. Jos pagrindas yra draugystė, o ne galutinis išganymas ar teisingumas, ką būtų linkusios rinktis didesnes ambicijas turinčios sielos.

Montenio esė apie draugystę yra vienas labiausiai jaudinančių jo kūrinių. Jis ją parašė norėdamas išaukštinti ryšį su savo brangiu draugu Etjenu de la Boesi (Étienne de la Boetie), kuris mirė maždaug po penkerių metų nuo jųdviejų draugystės pradžios. Jie abu buvo rašytojai ir mąstytojai. Šiais laikais tokius žmones vadintume sielos draugais.

Tokia draugystė dalijasi viskuo – valia, mintimis, nuomonėmis, turtu, šeima, vaikais, garbe, gyvenimu. „Mūsų sielos buvo nepaprastai artimos, jas siejo tokie stiprūs meilės saitai ir su tokia pat meile mes perpratome vienas kito širdies gelmes, ir aš ne tik jo širdį pažinojau taip, kaip savo, bet ir save jam patikėti man buvo daug lengviau nei sau pačiam." Montenis padaro išvadą, kad norint sukurti tobulą visuomenę, tokia draugystė yra pati svarbiausia.

DVIEJŲ TIPŲ DORYBĖS

Tiek Montenis, tiek Džonsonas buvo puikūs eseistai, sugebantys meistriškai keisti skaitytojo požiūrį. Abu buvo humanistai, nors ir skirtingi, ir kurdami abu didvyriškai bandė atrasti didžiąsias tiesas, kurios prieinamos žmogaus suvokimui, bet jie tą darė geranoriškai, nuolankiai ir su užuojauta. Savo prozoje jie stengėsi sugauti egzistencijos chaosą ir sukurti vidinės tvarkos bei drausmės nuotaiką. Tik Džonsonas linkęs į emocinį kraštutinumą, o Montenis yra emociškai santūrus. Džonsonas sau kelia griežtus reikalavimus, o iš Montenio sklinda abejingumas ir ironiškas susitaikymas su savimi. Džonsonas yra kovingas ir kenčiantis, o Montenis švelnesnio būdo, linkęs sarkastiškai šaipytis iš pasaulio trūkumų. Džonsonas tyrinėjo pasaulį, kad taptų toks, koks troško būti, o Montenis tyrinėjo save, kad pamatytų pasaulį. Džonsonas yra reiklus moralistas juslių valdomame, konkurencingame mieste. Jis stengiasi įžiebti moralinį entuziazmą ir priversti pretenzingos buržuazijos atstovus atsisukti į didžiąsias tiesas. O Montenis šalyje, kur vyksta pilietinis karas ir vyrauja religinis fanatizmas, laikosi labai ramiai. Džonsonas siekė pakylėti žmones, kad jie sektų didvyrių pavyzdžiu. Montenis baiminosi, kad tie, kurie bando pakilti aukščiau to, kas realiai žmogiška, galiausiai virsta nežmoniškais, siekdami tyrumo kala žmones prie gėdos stulpo.

Kiekvienas gali pats nuspręsti, ar esame panašesni į Montenį, ar į Džonsoną ir iš kurio meistro galime pasimokyti tam tikromis aplinkybėmis. Aš manyčiau, kad sunkiomis pastangomis pasiekta Džonsono didybė yra reikšmingesnė. Jis buvo labiau aktyvaus pasaulio atstovas. Montenis užaugo turtingas, turėdamas saugų titulą ir galėjo pasitraukti nuo istorijos sumaišties į savo jaukų dvarą, iš dalies būtent tai ir padėjo jam išlaikyti pusiausvyrą. Svarbiausia yra tai, kad Džonsonas suprato, jog norint suformuoti charakterį reikia stipriai spausti. Medžiaga atspari. Turi iš visų jėgų stumti, pjauti ir kirsti. Ir tą reikia daryti didelių realaus pasaulio įvykių akivaizdoje, o ne pasislėpus nuo jų. Montenis buvo labai švelnios prigimties ir galbūt ugdant save jam pakako tik nuolankiai stebėti, bet dauguma iš mūsų pasirinkę tokį būdą taptume sau nuolaidžiaujančiomis vidutinybėmis.

STROPUMAS

1746 metais Džonsonas pasirašė sutartį sudaryti anglų kalbos žodyną. Lygiai taip, kaip palengva tvarkė savo vidinį gyvenimą, jis ruošėsi sutvarkyti ir savo gimtąją kalbą. Septynioliktame amžiuje Prancūzų akademija vykdė panašų projektą. Keturiasdešimčiai mokslininkų prireikė penkiasdešimt penkerių metų šiai užduočiai atlikti. Džonsonas su šešiais raštininkais visą darbą pabaigė per aštuonerius metus. Jis apibrėžė 42 000 žodžių ir įterpė maždaug 116 000 aiškinamųjų citatų parodyti, kaip tie žodžiai vartojami. Jo atrinktos dar šimtas tūkstančių citatų galiausiai nebuvo panaudotos.

Džonsonas gilinosi į visą prieinamą anglų literatūrą, žymėdavosi, kaip vartojami žodžiai, ir tinkamas citatas. Jas perrašydavo ant popieriaus lapelių ir vėliau pridėdavo prie didžiulio susisteminto rinkinio. Tai buvo varginantis darbas, bet Džonsonas tame matė dorybę. Jam atrodė, kad žodynas bus naudingas jo šaliai ir padės jam pačiam nusiraminti. Jis pradėjo darbą, kaip jis rašė, „su malonia viltimi, kad net jeigu ir bus tai neįdomu, vis tiek suteiks saugumo jausmą. Mane viliojo nuolatinio darbo galimybė, ir nors tas darbas nebus itin įspūdingas, jis bus naudingas ir dėl kurio mano gyvenimas gal ir netaps pavydėtinas, bet išliks paprastas; kuris nepažadins didelių aistrų, neįtrauks į jokius karštus disputus ir neblaškys manęs pagundomis drumsti kitų ramybės kritika, o kitų trikdyti mano gyvenimą meilikavimu."[21]

Kuriant žodyną mirė Džonsono žmona Teti. Jos sveikata buvo pašlijusi ir metams bėgant ji vis daugiau gerdavo. Vieną dieną, kai ji sirgdama gulėjo lovoje viršutiniame aukšte, kažkas pabeldė į duris. Tarnaitė atidarė duris ir pasakė, kad Teti serga. Paaiškėjo, kad tai buvo suaugęs Teti sūnus iš pirmosios santuokos. Jis nutraukė su ja ryšius po to, kai ji ištekėjo už Džonsono, ir jiedu visą tą laiką nesimatė. Tuoj po to išgirdusi, kad prie durų buvo sūnus, Teti užsimetė kelis drabužius ir nuskubėjo žemyn jo ieškoti. Tačiau jis jau buvo išėjęs, ir ji jo niekada daugiau nebesutiko.

Džonsoną stipriai sukrėtė jos mirtis. Jo dienoraščiuose pilna priesaikų jos atminimui vienaip ar kitaip pagerbti. „Leisk man pradėti ir užbaigti tą persiauklėjimą, kurį jai pažadėjau. <...> Šią dieną skyriau savo Teti mirties metinėms – meldžiausi ir verkiau. <...> Nuspręsta... aptarti savo apsisprendimą prie Teti karsto. <...> Ašarų pritvinkusiomis akimis galvojau apie Teti, mielą vargšelę Teti."

Žodynas išgarsino Džonsoną ir nors nesukrovė didelių turtų, bent jau suteikė finansinį saugumą. Jis iškilo kaip vienas žymiausių anglų literatūros atstovų. Kaip ir įprasta, savo dienas Džonsonas leisdavo kavinėse ir tavernose. Jis priklausė Klubui – grupelei vyrų, kurie reguliariai susitikdavo pavakarieniauti ir padiskutuoti. Britų, o gal ir ne tik britų, istorijoje tai buvo greičiausiai vienintelė geriausia intelektualų ir menininkų draugų grupė. Klubui priklausė ir valstybės veikėjas Edmundas Berkas, ekonomistas Adamas Smitas, dailininkas

Džošua Reinoldsas, aktorius (ir buvęs Džonsono mokinys) Deividas Garikas, rašytojas ir dramaturgas Oliveris Goldsmitas bei istorikas Edvardas Gibonas (Edward Gibbon).

Džonsonas bendravo su ponais ir intelektualais, bet pats gyveno su benamiais. Jo namuose nuolat apsistodavo keisti vargšai ir atstumtieji. Su juo gyveno buvęs vergas, nuskurdęs gydytojas ir akla poetė. Vieną dieną Džonsonas rado gatvėje gulinčią sergančią ir išsekusią prostitutę. Jis ją užsimetė ant nugaros, parsinešė namo ir leido ten apsistoti. Jo malonės gavėjai kivirčydavosi tarpusavyje ir su juo, jo namai buvo sausakimši ir nekontroliuojami, bet Džonsonas nenorėjo jų išvaryti.

Jis nepaprastai daug rašė draugams. Žmogus, kuris sakydavo, kad „tik bukagalvis gali rašyti ne už pinigus", tūkstančius lapų parašė už dyką. Aštuoniasdešimt dvejų metų amžiaus buvęs fizikas ištisus metus bandė sugalvoti, kaip būtų galima tiksliau nustatyti ilgumą esant jūroje. Jis jau buvo prie mirties slenksčio, o jo darbas nedavė jokių rezultatų. Pasigailėjęs to vyro Džonsonas išstudijavo navigaciją bei jo sukurtą teoriją, tada parašė knygą „Ataskaita apie bandymą nustatyti jūros ilgumą" (*An Account of an Attempt to Ascertain the Longitude of the Sea*) ir ją pasirašė jo vardu vien tik dėl to, kad tas žmogus gyvenimo pabaigoje žinotų, jog jo idėjos išliks. Kitas jo draugas, dvidešimt devynerių metų vyras vardu Robertas Čeimbersas (Robert Chambers), buvo išrinktas į teisės profesoriaus vietą Oksforde. Čeimbersas, deja, nepasižymėjo nei išskirtiniu teisininko mąstymu, nei rašytojo talentu. Džonsonas sutiko jam padėti ir jo vardu parašė jo teisės paskaitas. Jis parašė šešiasdešimt paskaitų, kurių apimtis siekė daugiau nei tūkstantį šešis šimtus puslapių.

Džonsonas beveik iki pat mirties karštligiškai dirbo. Būdamas šešiasdešimt aštuonerių, tuo metu, kai septyniasdešimties metų amžius buvo laikomas garbiu, jis per ketverius metus parašė biografijų rinkinį „Poetų gyvenimas" (*Lives of the Poets*), kurį sudarė penkiasdešimt dvi biografijos iš 378 000 žodžių. Jis niekada nesurado dvasinės pusiausvyros, kurią Montenis, regis, pasiekė sulaukęs brandaus amžiaus, ar ramybės ir santūrumo, kuriais žavėjosi kituose. Jį visą gyvenimą kartkartėmis apnikdavo neviltis, depresija, gėda, mazochizmas ir kaltės jausmas. Senatvėje jis paprašė, kad draugas pasaugotų pakabinamą spyną, kurią būtų galima panaudoti, jeigu jis išprotėtų ir prireiktų jį fiziškai tramdyti.

Nepaisant to, akivaizdžiai matyti, kad paskutiniais gyvenimo metais Džonsonas buvo nepaprastai plačių pažiūrų žmogus. Gyvenimo gale bendraudamas su savo palydovu ir biografu Bosvelu jis tapo vienu žymiausių visų laikų pašnekovų. Jis gausiai žerdavo sąmojingus atsakymus beveik bet kokia tema ir bet kokia proga. Tai nebuvo tiesiog spontaniškai kilę pastebėjimai. Tai buvo viso gyvenimo protinio darbo rezultatas.

Jo požiūris tapo tvirtas. Jį susikurti padėjo nuolatinio savo egotizmo, egocentriškumo ir saviapgaulės įsisąmoninimas.

O kurstė jį maištinga Džonsono dvasia. Nuo pat vaikystės ir universiteto laikų bei visą savo brandų gyvenimą jis buvo linkęs instinktyviai priešintis autoritetams. Maištingą dvasią Džonsonas nukreipė prieš savo paties prigimtį. Jis ją nukreipė tiek prieš vidinį, tiek prieš išorinį blogį. Jis ja pasinaudojo kaip paskata kovoti su savimi.

Džonsono kelias į išganymą buvo kova su savimi. Jis parodė kitokią drąsą – drąsą būti nuoširdžiam (ką darė ir Montenis). Jis tikėjo, kad išraiškinga literatūros galia pajėgi nugalėti demonus, jeigu ji naudojama visiškai nuoširdžiai. Tiesa sutraukydavo jo pančius. Kaip pasakė Beitas: „Džonsonas nutaiko momentą ir vėl atsisuka beveik į visas žmogaus širdyje egzistuojančias baimes ir nerimo apraiškas. Kai jis prie jų prisiliečia ir įdėmiai apžiūri, liūto kailis nukrinta, o po juo dažnai lieka tik paprastas asilas arba gal medinis rėmas. Todėl skaitydami jo mintis taip dažnai pradedame juoktis. Iš dalies juokiamės dėl to, kad pajuntame palengvėjimą.“²²

Džonsonas į viską žiūrėjo kaip į moralines varžybas, galimybę pasitaisyti arba atgailauti. Net ir juokingiausi jo pokalbiai buvo skirti tobulėti. Senatvėje jis prisiminė vieną jaunystės nutikimą. Tėvas paprašė, kad sūnus pasaugotų šeimos knygų prekystalį Jutokseterio miestelio turgaus aikštėje. Džonsonas, jausdamasis viršesnis už tėvą, atsisakė. Dabar, senatvėje, kankinamas gėdos jis specialiai nuvyko į Jutokseterio turgaus aikštę ir atsistojo į tą vietą, kur anksčiau stovėjo tėvo prekystalis. Vėliau jis prisiminė:

Tada mano atsisakymo priežastis buvo puikybė ir tą prisiminti skausminga. Prieš kelerius metus panorau išpirkti savo kaltę. Nuvykau į Jutokseterį labai blogu oru ir gana ilgą laiką plika galva stovėjau lietuje. <...> Stovėjau ir tikėjausi, kad taip atgailaudamas išpirksiu savo nuodėmę.

Džonsonas niekada nepasiekė galutinės pergalės, bet iš savo susiskaldžiusios prigimties suformavo tvirtesnę ir pilnatviškesnę asmenybę, negu atrodė įmanoma. Adamas Gopnikas (Adam Gopnik) 2012 metais žurnale *The New Yorker* rašė: „Jis buvo savo paties laimikis ir pats parsinešė save namo."

Sulaukęs septyniasdešimt penkerių metų Džonsonas jau buvo netoli mirties. Jis nepaprastai bijojo, kad bus pasmerktas amžinai kęsti pragaro kančias. Ant savo laikrodžio užsirašė „Naktis ateina", kad primintų sau nebedaryti nuodėmių, dėl kurių gali sulaukti blogo paskutinio teismo nuosprendžio. Vis dėlto ta mintis jo niekaip neapleido. Bosvelas prisimena pokalbį su savo draugu Džonsonu:

Džonsonas: Bijau, kad galiu būti vienas iš tų, kurie bus pasmerkti (nuliūdęs).

Dr. Adams: Ką turi galvoje sakydamas pasmerkti?

Džonsonas: (karštai ir garsiai) Nusiųstas į Pragarą, pone, ir amžiams nubaustas.

Paskutinę Džonsono gyvenimo savaitę gydytojas pasakė, kad jam liko labai nedaug laiko. Džonsonas paprašė nebeduoti opijaus, kad nereikėtų susitikti Dievo „silpnaprotystės būsenos". Kai gydytojas, norėdamas nuleisti skysčius, įpjovė Džonsonui kojas, tas suriko: „Giliau, giliau; aš noriu prailginti gyvenimą, o tu bijai, kad man sukelsi skausmą, kurio aš nevertinu." Vėliau Džonsonas žirklėmis pats susibadė sau kojas, kad nuleistų skystį. Mirties akivaizdoje jis elgėsi taip pat, kaip ir gyvenime: „Aš būsiu nugalėtas, bet nepasiduosiu."

Dabar Džonsonas mums yra žmogaus išminties pavyzdys. Jaunystėje jis buvo išsibarstęs, o dabar jo visapusiški gabumai susijungė į viena – sugebėjimą žiūrėti į pasaulį ir jį vertinti ne tik intelektualiai, bet ir emociškai. Jo kūrybą, ypač gyvenimo pabaigoje, vis sunkiau priskirti kokiai nors kategorijai. Jo žurnalistiniai tekstai pasiekė literatūros lygmenį; jo biografijose gausu moralės principų; jo teologija pilna praktinių patarimų. Jis tapo visapusišku mąstytoju.

Viso to pagrindas buvo ypatingas Džonsono sugebėjimas užjausti. Jo gyvenimas prasidėjo nuo fizinės kančios. Paauglystėje ir jaunystėje jis buvo vienas iš likimo subjaurotų pasaulio atstumtųjų. Atrodo, kad jis niekada neatsikratė to pažeidžiamumo, bet sunkiai dirbdamas sugebėjo savo trūkumus ir ribotumus paversti privalumais. Kaip žmogus, kuris nuolat griežtai save kritikavo už tingumą, jis pasižymėjo milžinišku sugebėjimu dirbti.

Džonsonas galynėjosi su tikrai svarbiais dalykais, su pačia savo esme. „Kovoti su sunkumais ir juos nugalėti yra didžiausia žmogaus palaima", – rašė jis vienoje iš savo apybraižų. „Tada reikia dėti pastangas ir tapti vertam nugalėti; o tas, kurio gyvenimas praėjo be kovos ir kuris negali pasigirti nei sėkme, nei nuopelnais, save gali laikyti tik beverčiu egzistencijos užpildu."

Jis stojo į šią kovą dėl to, kad buvo visiškai nuoširdus. Viktorijos laikų rašytojas Džonas Raskinas (John Ruskin) rašė: „Kuo daugiau apie tai galvoju, tuo labiau matau, kad ši išvada mane paveikė stipriausiai – nuostabiausias dalykas, ką šiame pasaulyje gali daryti žmogaus siela, tai ką nors *pamatyti* ir paprastai papasakoti apie tai, ką *pamatė*. Vienas, kuris mąsto, gali priversti šimtus žmonių apie tai kalbėti, bet vienas, kuris mato, gali priversti tūkstančius apie tai galvoti."

Ypatingas Džonsono jautrumas aplinkiniam pasauliui pagimdė ir genialų jo sugebėjimą kurti epigramas ir turiningus posakius. Tą sugebėjimą puoselėjo ir skeptiškas požiūris į save – gebėjimas abejoti savo motyvais, perprasti savo pasiteisinimus, juoktis iš savo tuštybės ir suprasti, kad jis yra toks pat kvailas kaip ir kiti.

Po Džonsono mirties šalyje stojo gedulas. Dažniausiai cituojamas Viljamo Džerardo Hamiltono (William Gerard Hamilton) atsiliepimas tiksliausiai apibūdina šio žmogaus pasiekimus bei po jo mirties atsiradusią tuštumą: „Jis atvėrė tokias erdves, kurių ne tik niekas negali užpildyti, bet niekas net ir neketina užpildyti. Džonsonas mirė. Ieškokime kito geriausio: tokio nėra; nėra tokio žmogaus, kuris galėtų paaiškinti, kaip jis mąstė."

DIDYSIS *AŠ*

1969 METŲ SAUSĮ DU PUIKŪS ĮŽAIDĖJAI ŽIŪRĖJO VIENAS Į KITĄ IŠ PRIEŠINGŲ ŠONINIŲ LINIJŲ NACIONALINĖS FUTBOLO LYGOS (NFL) FINALE „SUPER BOWL III". JONAS JONAITIS (JOHNNY UNITAS)* IR DŽO NEIMETAS (JOE NAMATH) UŽAUGO PLIENO PRAMONĖS MIESTELIUOSE VAKARŲ PENSILVANIJOJE. Tik augo jie skirtingais dešimtmečiais ir gyveno skirtingos moralės kultūrose.

Jonaitis užaugo senojoje kultūroje, kurioje buvo vertinamas savęs nugalėjimas ir savęs nureikšminimas. Jo tėvas mirė, kai jam buvo penkeri, ir motina ėmėsi vadovauti šeimos anglies pristatymo verslui bei prižiūrėti vieną jų vairuotoją. Jonaitis lankė griežtą katalikišką senų tradicijų mokyklą. Ten dirbantys mokytojai buvo moraliai reiklūs ir kartais elgdavosi šiurkščiai ir žiauriai. Valdingasis tėvas Baris asmeniškai įteikdavo mokinių įvertinimus, sprigtelėdamas kiekvienam

---

* Johnny Unitas – lietuvių kilmės amerikiečių sportininkas, kurio pavardė perdaryta pagal lietuvišką – Jonas Jonaitis. (Red. past.)

berniukui ir laidydamas žiaurias replikas: „Vieną dieną tapsi geru sunkvežimio vairuotoju. Kasi duobes." Tokios pranašystės berniukams varė siaubą[1].

Vakarų Pensilvanijos futbolo žaidėjai buvo šlovinami dėl savo sugebėjimo kęsti skausmą[2]. Žaisdamas vidurinės mokyklos komandos įžaidėju Jonaitis svėrė 145 svarus ir per kiekvienas rungtynes gaudavo mušti. Kaskart prieš rungtynes jis eidavo į bažnyčią, pakluso savo trenerių autoritetui, ir visas jo gyvenimas sukosi aplink futbolą[3]. Nepatekęs į Notr Damo universitetą Jonaitis žaidė įžaidėju Luisvilio universiteto krepšinio mokykloje. Tada trumpam bandė žaisti Pitsburgo „Steelers" komandoje, bet buvo išmestas. Grįžęs dirbti į statybas jis ir toliau žaidė futbolą neprofesionaliai ir sulaukė kvietimo žaisti Baltimorės „Colts" rinktinėje, į kurį nedėjo didelių vilčių. Vis dėlto Jonaitis buvo priimtas ir beveik visą jaunystę praleido žaisdamas nuolat pralaiminčioje „Colts" komandoje.

Jonaitis netapo NFL sensacija per vieną naktį; jis palaipsniui tvirtėjo, lavino savo įgūdžius ir skatino tobulėti savo komandos draugus. Tapęs profesionalu jis nusipirko kelių aukštų namą Tausone, Merilando valstijoje, ir pradėjo dirbti Kolumbijos konteinerių korporacijoje, kur visus metus gaudavo 125 JAV dolerių atlyginimą per savaitę[4]. Jis buvo visiškai neįsimintina asmenybė ir sąmoningai stengėsi nekristi į akis: juodi beisbolo sportbačiai, kreivos kojos, pakumpę pečiai, sustingusi veido išraiška ir ežiuku kirpti plaukai. Pažvelgę į jo nuotraukas iš kelionių su komanda išvysite vaikiną, kuris atrodo kaip šešto dešimtmečio draudimo brokeris – baltais užsagstomais marškinėliais trumpomis rankovėmis ir siauru juodu kaklaraiščiu. Jis ir jo bičiuliai sėdėdavo autobusuose ir lėktuvuose beveik vienodai apsirengę, vienodai apsikirpę ir žaisdavo bridžą.

Jonaitis buvo niekuo neišsiskiriantis ir santūrus žmogus. „Aš visada maniau, kad profesionalas turi atrodyti truputį nuobodus. Nesvarbu, ar laimėdavome, ar pralaimėdavome – aš niekada neišeidavau iš futbolo aikštės nesugalvojęs kokio nors nuobodaus pareiškimo [spaudai]", – vėliau prisiminė jis. Jis buvo ištikimas savo rinktinei ir komandos nariams. Minutės pertraukėlės metu jis užsipuldavo savo komandos puolėjus už tai, kad tie sugadino derinį arba bėgo neteisinga kryptimi. „Niekada daugiau tau nemesiu kamuolio, jeigu neišmoksi atlikti derinių", – šaukdavo jis. O pasibaigus žaidimui meluodavo reporteriui: „Tai mano kaltė, sviedžiau kamuolį per smarkiai", ir tai buvo įprastas jo posakis.

Jonaitis pasitikėjo savo sugebėjimu žaisti futbolą, bet šis užsiėmimas jam nekėlė ypatingo susižavėjimo. Stivas Sabolas (Steve Sabol) iš NFL apibūdino jo stilių: „Visada turėjau aukštinti žaidimą. Aš ir šiaip linkęs į romantiką. Į futbolą visada žiūrėjau kaip dramaturgas. Esmė ne rezultatas; esmė kova, ir kokią muziką čia galėtume pritaikyti? Bet sutikęs Jonaitį supratau, kad jis buvo viso to priešingybė. Futbolas jam reiškė tą patį, ką santechnikui reiškia įstatyti vamzdį. Jis buvo nuoširdus darbininkas, kuris nuoširdžiai atlieka savo darbą. Jam tai nebuvo kažkas ypatingo. Jis buvo toks neromantiškas, kad galiausiai pasirodydavo romantiškas."⁵ Jonaitis, taip pat kaip ir beisbolininkas Džo Dimadžijas (Joe DiMaggio), savęs nureikšminimo amžiuje įkūnijo tam tikrą sporto žvaigždės įvaizdį.

Neimetas, kuris užaugo ten pat, kur ir Jonaitis, tik puse amžiaus vėliau, gyveno aplinkoje, kur vyravo visiškai kitokia moralė. Džo Neimetas buvo akį rėžiančio stiliaus žvaigždė gražiai krintančiais plaukais, avėjo baltais bateliais ir kaskart akiplėšiškai garantuodavo pergalę. Teatrališkasis Džo buvo nepaprastai linksmas ir su juo būdavo smagu. Jis sąmoningai stengėsi būti dėmesio centre, už futbolo aikštės ribų kurdavo ne mažesnį spektaklį nei joje, nešiodavo 5 000 JAV dolerių kainuojančius kailinius, ilgas žandenas ir buvo tikras pasileidėlis. Jis nekreipė dėmesio į tai, ką sako kiti, ar bent jau taip tikino. „Kai kuriems nepatinka toks mano palaidūno įvaizdis", – sakė Neimetas Džimiui Breslinui (Jimmy Breslin) 1969 metais žymiajame *New York* žurnalo straipsnyje „Neimetas visą naktį" (*Namath All Night*). „Bet aš negyvenu pagal nustatytas normas. Aš mėgaujuosi gyvenimu. Nežinau, ar tai gerai, ar blogai, bet man taip patinka."

Neimetas augo skurdžioje vakarų Pensilvanijoje, Jonaičio šešėlyje, bet išaugo kitokio būdo žmogumi. Kai jam buvo septyneri metai, jo tėvai išsiskyrė. Jis maištavo prieš savo imigrantų šeimą vaidindamas šaltakraują, bastydamasis aplink biliardines ir mėgdžiodamas išdidžią odinį švarką vilkinčio Džeimso Dino (James Dean) laikyseną.

Neimetas turėjo akivaizdų talentą futbolui. Tais metais jis buvo vienas dažniausiai samdomų šalies žaidėjų. Jis norėjo stoti į koledžą Merilande, nes jis buvo pietuose, bet jo SAT testo rezultatai buvo nepakankami. Todėl įstojo į Alabamos universitetą, kuriame vėliau tapo vienu geriausių šalies koledžų įžaidėjų. Už tai, kad prisijungė prie Niujorko „Jets" komandos, Neimetas gavo didžiulę premiją ir nuo pat pradžių uždirbo daug daugiau negu kiti jo komandos nariai.

Jis rūpinosi savo asmeniniu įvaizdžiu, kuris pranoko jo komandą. Neimetas buvo ne tik futbolo, bet ir gyvenimo būdo žvaigždė. Jis susimokėjo baudą, kad aikštėje jam būtų leista žaisti su personažo Fu Mančų ūsais. Atlikęs pagrindinius vaidmenis pėdkelnių reklamose jis metė iššūkį senamadiškam vyriškumo supratimui. Visiems buvo žinoma, kad jo viengungiškas butas išklotas šešių colių ilgio plauko kilimais, ir būtent jis pradėjo vartoti žodį „lapės" apibūdindamas moteris. Neimetas parašė autobiografiją pavadinimu „Negaliu sulaukti rytojaus, nes kasdien atrodau vis geriau" (*I Can't Wait Until Tomorrow 'Cause I Get Better Looking Every Day*). Jonaitis tikrai nebūtų pasirinkęs tokio pavadinimo.

Neimetas tapo žvaigžde tuo metu, kai naujoji žurnalistika laužė senojo stiliaus reportažų šablonus. Neimetas buvo tobulas personažas. Jis nieko apie save neslėpdavo ir varžybų išvakarėse kviesdavosi reporterius, kai pats tuo tarpu tuštindavo škotiško viskio butelius. Jis atvirai girdavosi, kad yra puikus sportinin-kas ir labai išvaizdus vyras. Jo atvirumas buvo erzinantis. „Džo! Džo! Tu nuostabiausias pasaulyje!" – vieną 1966 metų vakarą Kopakabanoje sušuko jis savo atvaizdui vonios veidrodyje, kai paskui jį sekė *The Saturday Evening Post* reporteris[6].

Neimetas atkakliai siekė būti nepriklausomas ir nenorėjo rimtai įsipareigoti jokiai moteriai. Jis davė pradžią ankstyvajai tokių santykių, kuriuos dabar vadintume „susimetimu" arba trumpalaikiais santykiais, versijai. „Man ne tiek patinka pa-simatymai, kiek patinka, na, suprantate, netikėtumai", – sakė jis *Sports Illustrated* reporteriui 1966 metais. Jis įkūnijo auto-nomiškumo dvasią, kuri tuo metu pradėjo populiarėti visoje šalyje. „Aš tikiu, kad žmogui reikia leisti gyventi taip, kaip jis nori, jeigu jis niekam netrukdo. Jaučiu, kad mano elgesys man tinka ir niekam, taip pat ir merginoms, su kuriomis susitiki-nėju, nekenkia. Klausyk, žmogau, aš pats gyvenu ir netrukdau kitiems gyventi. Man visi patinka."[7]

Neimetas įtvirtino naują profesionalaus sportininko tipą, kai žvaigždė kurdama ryškų asmeninį įvaizdį ir gausiai išlai-daudama išreiškia savo spalvingą asmenybę ir nustelbia ko-mandą.

KULTŪRINIS POKYTIS

Kultūrai keičiantis vyksta nežymūs išoriniai pokyčiai, kurie tuo pat metu turi ir gilią potekstę. Eseistas Džozefas Epsteinas

(Joseph Epstein) pastebėjo, kad jo jaunystėje vaistinėse cigaretės gulėdavo ant lentynų, o prezervatyvai būdavo už prekystalio. O dabar nuėjus į vaistinę prezervatyvai guli ant lentynų, o cigaretės už prekystalio.

Priimta manyti, kad perėjimas nuo drovaus Jonaičio nuolankumo iki pasipūtėliško Neimeto ekstravagantiškumo įvyko septintojo dešimtmečio pabaigoje. Įprasta istorija skamba maždaug taip: pirmiausia buvo Didžioji karta (The Greatest Generation), kurios atstovai buvo pasiaukojantys, kuklūs ir bendruomeniški žmonės; tada atėjo septintasis dešimtmetis, o su jais Kūdikių bumo karta (Baby Boomers), kuriai buvo būdingas narcisizmas, saviraiška, savanaudiškumas ir palaida moralė.

Vis dėlto ši istorija neatitinka faktų. Iš tikrųjų nutiko štai kas: nuo pat biblinių laikų egzistavo moralės realizmo tradicija, „kreivo medžio" žmonijos mokykla. Ši tradicija arba pasaulėžiūra pabrėžė nuodėmę ir žmogaus silpnybes. Tokį požiūrį į žmogaus prigimtį įkūnijo Mozė, kuris vedė kitus žmones, nors pats buvo nepaprastai drovus ir paklusnus žmogus, ir tokios biblinės asmenybės kaip Dovydas, kuris buvo didis didvyris, bet turėjo daugybę ydų. Šią biblinę metafiziką vėliau išreiškė tokie krikščionių mąstytojai kaip Augustinas, kuris pabrėžė nuodėmę, atsisakė materialios sėkmės, tikėjo, kad malonė yra būtina, kad būtina atsiduoti nepelnytai Dievo meilei. Apie tokį moralinį realizmą vėliau rašė humanistai Samuelis Džonsonas, Mišelis de Montenis ir Džordžas Eliotas, kurie pabrėžė, kiek nedaug mes žinome, kaip sunku pažinti save ir kad mums reikia labai daug dirbti ilgame kelyje į dorybę. Eliotas rašė: „Visi gimėme moraliai buki, į pasaulį žiūrime kaip į tešmenį, kuris turi maitinti visų svarbiausiąjį *aš*."[8] Tą skirtingais būdais ir skirtingais laikais įkūnijo Dantės, Hjumo, Berko, Rainholdo Niburo ir Izaijo Berlino mintys. Visi šie mąstytojai kalba apie mūsų individualaus proto galių ribotumą. Jie nepasitiki abstrakčia mąstysena ir puikybe. Jie pabrėžia mūsų individualios prigimties ribotumus.

Vieni iš tokių ribotumų yra epistemologiniai: protas yra silpnas, o pasaulis sudėtingas. Mes nepajėgiame iki galo suvokti sudėtingo pasaulio arba visos tiesos apie save. Kiti ribotumai yra moraliniai: mūsų sielose yra trūkumų, kurie skatina savanaudiškumą ir puikybę bei gundo mažesnius meilės objektus iškelti virš didesnių. Dar kiti ribotumai yra psichologiniai: viduje esame susiskaldę, mūsų proto judesiai dažniausiai yra nesąmoningi ir mes patys labai retai juos atpažįstame. Ir dar vieni ribotumai yra socialiniai: mes nesame visavertės būtybės. Jei norime augti, turime leisti sau pasitikėti kitais žmonėmis, institucijomis, Dievu. „Kreivo medžio" mokykloje egzistuoja ištisa galybė ribotumų.

Maždaug aštuonioliktame amžiuje atsirado moralinio realizmo varžovas – moralinis romantizmas. Moraliniai realistai pabrėždavo vidines silpnybes, o moraliniai romantikai, tokie kaip Žanas Žakas Ruso, pabrėžė vidinį gerumą. Realistai nepasitikėjo savimi, jie pasitikėjo išorinėmis institucijomis ir papročiais; romantikai pasitikėjo savimi ir nepasitikėjo įsigalėjusia išorinio pasaulio tvarka. Realistai tikėjo ugdymu, civilizacija ir išmone; romantikai tikėjo gamta, žmogumi ir nuoširdumu.

Šios dvi tradicijos, kurdamos kūrybinę įtampą ir palaikydamos tarpusavio pokalbį, kurį laiką visuomenėje gyvavo kartu. Realizmas visur, išskyrus tarp menininkų, ėmė viršų. Jeigu užaugote dvidešimtojo amžiaus pradžios Amerikoje, reiškia augote puikiai žinodamas moralinio realizmo sąvokas ir kategorijas, kurios buvo išverstos į praktinę pasaulietinę arba religinę kalbą. Perkins užaugo veikiama pašaukimo sąvokos, poreikio užgniaužti tam tikrus savo polinkius, idant taptų instrumentu aukštesniam tikslui pasiekti. Eizenhaueris užaugo vadovaudamasis savęs nugalėjimo sąvoka. Dei dar jaunystėje sužinojo apie paprastumo, skurdo ir atsidavimo sąvoką. Maršalas įgijo institucinę galvoseną, poreikį paskirti save organizacijoms, kurių misija pranoksta vieną gyvenimą. Randolfas su Rastinu išmoko santūrumo ir savidisciplinos, įprato nepasitikėti savimi net ir vykdydami kilnų žygį. Tie žmonės nežinojo, kad yra realistų tradicijos pavyzdžiai. Tokia mąstysena vyravo jų aplinkoje ir jie buvo taip auklėjami.

Tačiau moralinis realizmas žlugo. Jo sąvokos ir mąstysena buvo pamirštos ir nustumtos į visuomenės pakraščius. Realizmas ir romantizmas neteko pusiausvyros. Moralės sąvokos išnyko kartu su dvasios ugdymo metodika. Šis pokytis įvyko ne septintajame ir ne aštuntajame dešimtmečiais, nors tuo periodu itin klestėjo romantika. Tai nutiko anksčiau, penktojo dešimtmečio pabaigoje ir šeštajame dešimtmetyje. Būtent Didžioji karta apleido realizmą.

Iki 1945 metų rudens viso pasaulio žmonės turėjo šešiolika metų kęsti nepriteklių – pirmiausia per Didžiąją depresiją, o paskui per karą. Jie buvo pasiruošę išsilaisvinti, atsipalaiduoti ir džiaugtis. Prasidėjo vartojimo ir reklamos bumas, žmonės skubėjo į parduotuves pirkti visko, kas palengvintų ir pralinksmintų jų gyvenimą. Pokario metais žmonės norėjo išsivaduoti iš savęs varžymo pančių ir pabėgti nuo tokių niūrių dalykų kaip nuodėmė ir nedorybė. Jie buvo pasiruošę pamiršti holokausto ir karo siaubus.

Tuoj po karo žmonėms norėjosi skaityti bet kokias knygas, kuriose kalbama apie linksmesnę ir pozityvesnę gyvenimo perspektyvą bei galimybes. 1946 metais rabinas Džošua L. Libmanas (Joshua L. Liebman) išleido knygą pavadinimu „Proto ramybė" (Peace of Mind), kurioje įkalbinėjo žmones pamiršti, kad savyje reikia kažką užgniaužti. Jis skatino žmones įsileisti naują moralę, kuri liepia pamiršti, kad savyje reikia kažką užgniaužti. Vietoj to reikia „deramai save mylėti... nebijoti savo slaptų impulsų... gerbti save... pasitikėti savimi." Libmanas buvo visiškai įsitikinęs beribe vyrų ir moterų dorybe. „Tikiu, kad žmogus turi neišmatuojamą potencialą ir tinkamai jį nukreipus, kažin ar bus užduotis arba darbas, kurių jis negalėtų atlikti, arba meilės pilnatvė, kurios jis negalėtų pasiekti."[9] Jis užkabino reikiamą stygą. Jo knyga stulbinamai išsilaikė

New York Times bestselerių sąraše net penkiasdešimt aštuonias savaites.

Tais pačiais metais Bendžaminas Spokas (Benjamin Spock) išleido savo žymiąją knygą apie kūdikius. Knyga sudėtinga ir dažnai yra nepelnytai šmeižiama, tačiau joje, ypač ankstesniuose leidimuose, buvo piešiamas nepaprastai šviesus žmogaus prigimties paveikslas. Spokas sakė, kad jeigu jūsų vaikas ką nors pavagia, turėtumėte jam padovanoti kažką panašaus į tą daiktą, kurį jis pavogė. Taip parodysite, kad rūpinatės savo vaiku ir „jeigu jo noras yra priimtinas, jis turi būti išpildytas"[10].

1949 metais Haris Overstritas (Harry Overstreet) išleido nepaprastai populiarią knygą „Brandūs protai" (*The Mature Minds*), kurioje dar atidžiau pažvelgė į šią temą. Overstritas įrodinėjo, kad tokie mąstytojai kaip šventasis Augustinas, kurie pabrėžė žmogaus nuodėmingumą, „atmetė mūsų rūšiai būdingą sveikos savigarbos palaimą"[11]. Toks vidinės silpnybės išryškinimas skatino žmones „nepasitikėti savimi ir save šmeižti".

O tada, 1952 metais, Normanas Vincentas Pilas (Norman Vincent Peale) išleido pačią optimistiškiausią pasaulyje knygą „Pozityvaus mąstymo galia" (*The Power of Positive Thinking*), kuri skatino skaitytojus išmesti iš galvos negatyvias mintis ir raginti save siekti didybės. Ši knyga stulbinamai ilgą laiką – net devyniasdešimt aštuonias savaites išsilaikė *Times* dienraščio geriausių knygų sąrašo viršūnėje.

Tada atsirado humanistinė psichologija, kurios vedlys buvo įtakingiausias dvidešimtojo amžiaus psichologas Karlas Rodžersas (Carl Rogers). Psichologai humanistai atsitraukė nuo niūresnės Froido (Sigmund Freud) pasąmonės koncepcijos ir smarkiai išaukštino žmogiškąją prigimtį. Rodžersas įrodinėjo, kad pagrindinė psichologinė problema yra tai, kad žmonės nepakankamai save myli, taigi psichoterapeutai sukėlė didžiąją meilės sau bangą. „Išskirtinai racionalus žmogaus elgesys, – rašė Rodžersas, – yra sudėtingas ir subtilus ir veda link tikslo, kurio siekia jo organizmas."[12] Žmogaus prigimtį geriausiai apibūdina tokie žodžiai, tęsė jis: „pozityvus, judantis pirmyn, konstruktyvus, realistiškas ir patikimas". Žmonėms nereikia kovoti su savimi, jiems tereikia atsiverti, išlaisvinti savo vidinį *aš*, kad vadžias perimtų vidinis saviraiškos impulsas. Kelias į laimę yra meilė sau, savęs vertinimas ir savęs priėmimas. Jeigu žmogus „sąmoningai suvokia savo vertinimo procesus, jis elgiasi taip, kad save tobulintų".[13]

Humanistinė psichologija paveikė beveik visas mokyklas, mokymo programas, žmogiškųjų išteklių skyrius, beveik visas savigalbos knygas. Netrukus visose mokyklose ant sienų kabėjo plakatai su užrašais – „aš esu vertas meilės ir gabus". Gimė judėjimas už savivertės atkūrimą. Mūsų modernusis diskursas vyksta šios romantiškos vizijos kontekste.

RŪPESČIO SAVIVERTE LAIKMETIS

Perėjimas iš vienos moralės kultūros į kitą nėra kažkokia paprasta istorija apie nuosmukį iš kilnios savikontrolės iki silpnybėms nuolaidžiaujančio dekadentizmo. Bet koks moralinis klimatas yra kolektyvinis atsakas į esamas problemas. Viktorijos eros žmonės susidūrę su religinio tikėjimo susilpnėjimu tą kompensavo sukurdami griežtas moralės normas. Šeštojo ir septintojo dešimtmečių žmonės susidūrė su skirtingomis problemomis. Pereinant nuo vienos moralės ekologijos prie kitos ir keičiantis aplinkybėms abiem pusėms tenka nusileisti. Teisėtos tiesos ne visada tarpusavyje sutaria, todėl vienas moralinis klimatas vienus dalykus pabrėžia labiau nei kitus, kad ir kas tai būtų. Tam tikros dorybės yra puoselėjamos, tam tikri įsitikinimai nueina per toli, o tam tikros svarbios tiesos ir moralinės dorybės netyčia pasimiršta.

Šeštajame ir septintajame dešimtmečiais įvykęs perėjimas į kultūrą, kurioje buvo labiau pabrėžiamas pasididžiavimas ir savivertė, davė ir daug gero; tai padėjo ištaisyti tam tikras įsigalėjusias socialines neteisybes. Iki tol daug didelių socialinių grupių, ypač moterys, mažumos ir nepasiturintys žmonės susidurdavo su pažeminimu ir užuominomis apie žemesnę padėtį. Jie buvo įpratę galvoti, kad yra prastesni. Savivertę propaguojanti kultūra paskatino engiamų grupių atstovus patikėti savimi, pakelti akis nuo žemės ir panorėti daugiau.

Pavyzdžiui, daugelis moterų gyveno keliaklupsčiauda-
mos ir tarnaudamos, visiškai ignoruodamos savo poreikius.
Ketrinos Majer Greihem (Katharine Meyer Graham) gyvenimas
parodo, kodėl tiek daug žmonių sutiko pereiti nuo savęs nu-
reikšminimo prie saviraiškos.

Ketrina Majer užaugo turtingoje leidybos verslo atstovų
šeimoje Vašingtone. Ji lankė pažangią, bet snobišką privačią
Madeiros mokyklą, kurioje jaunos merginos buvo auklėja-
mos tokiais šūkiais kaip „Veik nelaimėje. Užbaik stilingai".
Namuose ji buvo visiškai kontroliuojama tėvo, kuris buvo
sudėtingas ir nedraugiškas žmogus, bei motinos, kuri reika-
laudavo, kad ji elgtųsi tobulai, kaip filmo „Stepfordo žmonos"
personažai. Po daug metų Ketrina rašė savo prisiminimuose:
„Manau, mes visos jautėmės taip, tarsi kažkur nepateisino-
me jos lūkesčių ar norų mūsų atžvilgiu, ir mane ilgai lydėjo
nesaugumo jausmas bei pasitikėjimo savimi stoka, kuriuos ji
sukėlė."[14]

Iš mergaičių buvo reikalaujama elgtis ramiai, santūriai ir
teisingai, ir Ketrina išaugo skausmingai drovi. „Ar aš teisingai
pasakiau? Ar buvau apsivilkusi tinkamus drabužius? Ar atro-
džiau patraukli? Tokie klausimai man neduodavo ramybės ir
užvaldydavo, o kartais tapdavo nekontroliuojami."

1940 metais Ketrina ištekėjo už Filipo Greihemo, kuris
buvo žavingas, sąmojingas ir nenuspėjamas vyras bei sugebė-
jo subtiliai arba ne itin subtiliai nuvertinti jos požiūrį ir suge-
bėjimus. „Kuo toliau, tuo aiškiau mačiau, kad mano vaidmuo

yra būti uodega jo aitvarui – ir kuo labiau užgožta jaučiausi, tuo labiau tai tapo tikrove."[15] Greihemas turėjo daugybę romanų, apie kuriuos sužinojusi Ketrina jautėsi palaužta. 1963 metų rugpjūčio 3 dieną depresiją kenčiantis Greihemas nusižudė. Po šešių savaičių Ketrina buvo išrinkta „Washington Post" kompanijos prezidente. Iš pradžių ji save laikė jungtimi tarp mirusio vyro ir vaikų, kurie ilgainiui turėjo paveldėti verslą. Tačiau ji užsimerkė, žengė žingsnį kaip vadovė, žengė kitą žingsnį ir pamatė, kad sugeba susitvarkyti su šiuo darbu.

Kelis ateinančius dešimtmečius vyraujanti kultūra ragino Ketriną įsitvirtinti ir išmokti iki galo panaudoti visus savo sugebėjimus. Tais metais, kai ji perėmė kompaniją, Beti Fridan (Betty Friedan) išleido knygą „Moteriškumo mistika" (*The Feminine Mystique*), kuri pritarė Karlo Rodžerso humanistinei psichologijai. Glorija Steinem (Gloria Steinem) vėliau parašė bestselerį „Vidinė revoliucija: savivertės knyga" (*Revolution from Within: A Book of Self-Esteem*). Žinoma to meto feljetonistė dr. Džois Braters (Joyce Brothers) labai tiesmukiškai apibūdino to laikmečio dvasią: „Galvok apie save – bent jau kurį laiką. Visuomenė išplovė moterims smegenis ir jos patikėjo, kad savo vyrų ir vaikų poreikiams turi teikti pirmenybę. Skirtingai nei vyrams, moterims visuomenė niekada nebandė įteigti, kad žmogus turi teikti pirmenybę sau. Aš neskatinu savanaudiškumo. Kalbu apie esminius gyvenimo dalykus. Tu pati turi nuspręsti, kiek nori vaikų, kokių norėtum draugų ir santykių su savo šeima."[16]

Kai buvo pradėta vertinti saviraišką ir savivertę, milijonai moterų pajuto turinčios priemones, kurios padeda išreikšti ir puoselėti pasitikėjimą savimi, stiprybę ir savo tapatybę. Ilgainiui Greihem tapo viena galingiausių leidybos verslo vadovių pasaulyje, kuria visi žavėjosi. Jos dėka dienraštis *The Washington Post* virto didžiuliu ir labai pelningu šalies laikraščiu. Votergeito krizės metu ji drąsiai pasipriešino Niksono vadovaujamiems Baltiesiems rūmams ir pasipiktinimo audrai, ištikimai palaikė Bobą Vudvardą (Bob Woodward), Karlą Bernsteiną (Carl Bernstein) ir kitus žurnalistus, kurie iškėlė tą istoriją į paviršių. Ji niekada iki galo neatsikratė nesaugumo jausmo, bet išmoko pagarbą keliančios laikysenos. Greihem memuarai yra tikras šedevras; jie parašyti santūriai, bet kartu ir nuoširdžiai bei autoritetingai, juose nėra jokios užuominos į gailestį sau ar netikrus sentimentus.

Kaip ir daugeliui moterų bei mažumų atstovų Ketrinai Greihem reikėjo geresnės ir tikslesnės savivokos – jai reikėjo pereiti nuo mažojo *aš* prie didžiojo *Aš*.

AUTENTIŠKUMAS

Šis perėjimas prie didžiojo *Aš* kultūros pakeitė pagrindines prielaidas apie žmogaus prigimtį ir žmogaus gyvenimo modelį. Jeigu jūs gimėte pastarųjų šešiasdešimties metų laikotarpiu, tai greičiausiai gimėte kultūroje, kurią filosofas Čarlzas Teiloras (Charles Taylor) pavadino „autentiškumo kultūra".

Šios mąstysenos pagrindas yra romantiška idėja, kad kiekvieno žmogaus viduje gyvena auksinis *aš*. Tai įgimtas, geras tikrasis *aš*, kuriuo galima pasitikėti, su kuriuo galima pasitarti ir susisiekti. Asmeniniai jausmai yra geriausia nuoroda į tai, kas teisinga, o kas ne.

Pagal šį požiūrį savimi reikia pasitikėti, o ne abejoti. Tavo norai yra tarsi vidiniai patarėjai, kurie pasako, kas yra teisinga ir tikra. Jeigu viduje jautiesi gerai, reiškia elgiesi teisingai. Gyvenime galioja tos taisyklės, kurias pats sukuri arba sau pritaikai ir kurios tau atrodo teisingos.

Apibūdindamas šią kultūrą Teiloras rašo: „Mūsų moralinis išsigelbėjimas įvyksta atstačius tikrąjį moralinį ryšį su savimi.“ Svarbu klausyti savo švaraus vidinio balso ir nepaisyti sugedusio pasaulio nuostatų. Teiloras sako: „Egzistuoja tam tikras gyvenimo būdas, kuris yra mano gyvenimo būdas. Mano pašaukimas yra gyventi būtent taip, o ne imituoti kažkieno kito gyvenimą. <...> Jeigu gyvenu kitaip, vadinasi, nesuprantu savo gyvenimo esmės. Vadinasi, nevykdau savo misijos būti žmogumi.“[17]

Nuo senosios kovos su savimi tradicijos pereiname prie išsilaisvinimo ir saviraiškos. Moralinio autoriteto ieškome nebe kokiame nors išoriniame objektyviame gėryje; moralinis autoritetas egzistuoja kiekvieno žmogaus unikalioje ir originalioje asmenybėje. Asmeniniai jausmai nurodo, kas yra teisinga, o kas ne. Žinau, kad elgiuosi teisingai, jeigu nejaučiu vidinių prieštaravimų. O jeigu pajuntu grėsmę savo autono-

mijai, jeigu jaučiuosi save išduodantis, vadinasi, kažkas yra
ne taip.

Pagal šią mąstyseną nuodėmė kyla ne iš individualiojo *aš*;
ji išorėje, visuomenėje – rasizme, nelygybėje ir priespaudoje.
Norint tapti geresniam reikia išmokti mylėti save, būti ištiki-
mam sau, neabejoti savimi ir nekovoti su savimi. Kaip filme
„Vidurinės mokyklos miuziklas" (*High School Musical*) dainuoja
vienas personažas: „Visi atsakymai yra manyje / Man tereikia
tikėti."

BŪSENOS ATNAUJINIMAI

Ekonominiai bei technologiniai pokyčiai pastiprino šį inte-
lektualinį ir kultūrinį perėjimą prie didžiojo *Aš*. Šiandien visi
gyvename technologijų amžiuje. Nelabai tikiu, kad socialiniai
tinklai padarė tokį pražūtingą poveikį kultūrai, kaip baimi-
nasi daugelis technofobų. Nėra patvirtinančių įrodymų, kad
technologijos privertė žmones gyventi dirbtiniame interneto
pasaulyje atsižadant tikrojo. Tačiau informacinės technologi-
jos padarė trigubą poveikį moralės ekologijai, kuri išpūtė di-
džiojo *Aš* Adomo I prigimties pusę ir sumenkino nuolankesnį
Adomą II.

Pirmiausia, ryšių priemonės tapo greitesnės ir judresnės.
Dabar sunkiau savo dėmesį skirti švelniam ir ramiam vidi-
niam balsui. Visais žmonijos istorijos laikotarpiais žmonės
suprato, kad savo vidų geriausiai pajunti vienatvės prieglobs-

tyje, išsiskyrimo ir ramybės, ramaus bendravimo akimirkomis. Jie matė, kad norint nutildyti išorinį Adomą ir išgirsti vidinį Adomą reikia laiko, reikia ilgam pasinerti į tylą. Tiesiog šiais laikais tokios ramybės ir tylos akimirkos daug retesnės. Mes tuoj pat griebiamės išmaniųjų telefonų.

Antra, socialiniai tinklai leidžia kurti aplinką, kurioje teikiama labiau savitikslio pobūdžio informacija. Žmonės turi daugiau priemonių ir progų susikurti būtent sau pritaikytą kultūrą ar intelektinę aplinką. Šiuolaikinės informacinės technologijos leidžia šeimos nariams sėdėti viename kambaryje ir kiekvienam iš jų per savo asmeninį ekraną žiūrėti skirtingas laidas, filmus ar žaisti žaidimus. Kiekvienas žmogus, užuot buvęs antraeile žvaigžde Edo Salivano (Ed Sullivan) žiniasklaidos pasaulio laidoje, gali tapti savo paties žiniasklaidos saulės sistemos centru susikurdamas į savo asmeninius poreikius orientuotus programų tinklus, programėles ir tinklalapius. „Yahoo" reklaminės kampanijos metu paskelbta: „Dabar internetas turi asmenybę – ir tai esi Tu!" Kompanijos „Earthlink" šūkis buvo *„Earthlink sukasi aplink tave"*.

Trečia, socialiniai tinklai skatina tapti transliuojančia asmenybe. Visi turime įgimtą polinkį siekti visuomeninio pripažinimo ir baimintis, kad mus gali atstumti. Socialinių tinklų technologijos suteikia galimybę kovoti dėl dėmesio, dėl „patinka" valiutos pergalių itin konkurencingoje aplinkoje. Žmonės turi daugiau progų reklamuoti save, pasinaudoti garsenybių savybėmis, tvarkyti savo pačių įvaizdį, „Snapchat" žinutėmis platinti savo asmenukes su viltimi, kad taip padarys įspūdį ir įtiks pasauliui. Šios technologijos sukuria kultūrą, kurioje naudodamiesi „Facebooku", „Twitteriu", trumposiomis žinutėmis ir „Instagramu" bei kurdami apgaulingai linksmą, kiek pernelyg gyvą išorinį *aš*, kuris iš pradžių gali išgarsėti nedidelėje, o jeigu pasiseks, vėliau ir didesnėje aplinkoje, žmonės tampa savo įvaizdžio vadybininkais. Tokio *aš* vadybininkas matuoja sėkmę pagal gaunamų atsakymų srautą. Socialinių tinklų žinovas leidžia savo laiką kurdamas karikatūrą, daug laimingesnę ir fotogeniškesnę savo tikrojo gyvenimo versiją. Žmonės nepastebimai pradeda save lyginti su kitų žmonių gražiausiomis gyvenimo akimirkomis ir, savaime suprantama, pasijunta prastesni.

MERITOKRATIŠKO ŽMOGAUS SIELA

Sustiprėjusi meritokratija sustiprino ir idėją, kad kiekvienas viduje esame nuostabūs. Tai paskatino polinkį save aukštinti. Jeigu gyvenote pastaruosius šešis ar septynis dešimtmečius, esate dar konkurencingesnės meritokratijos produktas. Jūs, kaip ir aš, visą gyvenimą stengėtės kažką pasiekti, padaryti poveikį, tapti pakankamai sėkmės lydimas šiame pasaulyje. Tai reiškia, kad gyvenote nuolat konkuruodamas ir kad didžiulę reikšmę teikėte tokiems asmeniniams pasiekimams kaip laimėjimai mokykloje, įstojimas į gerą koledžą, geras darbas, judėjimas link sėkmės ir prestižo.

Toks konkurencingas spaudimas reiškė, kad turėjome skirti daugiau laiko, energijos ir dėmesio savo išorinio Adomo I kopimui į sėkmę ir galėjome mažiau laiko, energijos ir dėmesio skirti vidiniam Adomo II pasauliui.

Savyje ir kituose pastebėjau tam tikrą meritokratišką mentalitetą, kuris paremtas romantizmo tradicijos pasitikėjimo savimi ir savęs aukštinimo idėjomis, bet jame nebeliko romantikos ir dvasingumo. Moraliniai realistai į save žiūrėjo kaip į tyrlaukį, kurį reikia apželdinti, Naujojo amžiaus aštuntojo dešimtmečio žmonės į save žiūrėjo kaip į Edeno sodą, kurį reikia paversti tikrove, o didžiulį meritokratijos spaudimą patiriantys žmonės į save labiau žiūri kaip į medžiagą, kurią reikia kultivuoti. Žmogus save rečiau laiko sielos buveine ar transcendentinės dvasios saugykla. Manoma, kad žmogaus *aš* yra žmogiškojo kapitalo indas. Tai daugybė talentų, kuriuos reikia produktyviai ir protingai lavinti. Mano *aš* apibrėžiamas pagal jo užduotis ir pasiekimus. *Aš* reiškia talentą, o ne charakterį.

Toks meritokratiškas mentalitetas puikiai apibūdintas 1990 metais išleistoje Daktaro Sjuzo (Dr. Seuss) knygoje „Ak, vietos, kurias aplankysi" (*Oh, the Places You'll Go*) – tai penkta parduodamiausia knyga per visą *New York Times* sąrašo istoriją ir iki šiol populiari išleistuvių dovana.

Knygoje pasakojama apie berniuką, kuriam primenama, kad jis turi įvairiausių nuostabių talentų ir dovanų ir kad aukščiausia laisvė yra pačiam rinktis, kaip nugyventi savo gyvenimą: „Galvoje turi smegenis. Batuose turi kojas. Gali save nukreipti bet kuria pasirinkta kryptimi." Berniukui primenama, kad jo gyvenimas yra skirtas savo norams pildyti. „Esi savarankiškas. Ir žinai tiek, kiek žinai. Ir TU esi tas žmogus, kuris nuspręs, kur tau eiti." Didžiausi berniuko gyvenimo iššūkiai yra daugiausia išoriniai. O siekia jis tik Adomo I gyvenimo tikslų. „Garbė! Būsi toks garsus, kokiam tik įmanoma būti, / Ir visas platus pasaulis per televizorių matys, kaip tu laimi." Svarbiausias šio gyvenimo tikslas yra sėkmė ir palikti pėdsaką pasaulyje. „O ar tau pasiseks? / Taip! Tikrai pasiseks / Garantija 98 ir ¾ procento."[18] Pagrindinis šios sėkmės istorijos personažas esi TU. Tas trumpas žodelis šioje labai trumpoje knygoje nuskamba devyniasdešimt kartų.

Šios knygos herojus berniukas yra visiškai savarankiškas. Jis turi laisvę pasirinkti tai, ko pats nori. Jam primenama, koks jis nuostabus. Jo neslegia jokios vidinės silpnybės. Savo vertę jis įrodo dirbdamas ir kopdamas aukštyn.

Meritokratija išlaisvina milžiniškas energijas ir skirsto žmones tiek pagal gerus, tiek pagal blogus kriterijus. Tačiau kartu ir subtiliai daro įtaką charakteriui, kultūrai bei vertybėms. Bet kuri pernelyg konkurencinga ir nuopelnais paremta sistema skatins žmones daugiau galvoti apie save ir apie savo įgūdžių lavinimą. Darbas tampa gyvenimą apibūdinančiu dalyku, ypač tada, kai tavimi ima domėtis dėl to, kad dirbi tam tikrą darbą. Ši sistema mumyse subtiliai ir švelniai įdiegia praktiškumo skaičiuoklę, kuri užvaldo visas gyvenimo sritis.

Meritokratija subtiliai skatina viską vertinti kaip priemones, kurios bet kokią progą – šventę ar vakarienę – ir bet kokią pažintį paverčia galimybe pagerinti savo padėtį ir profesinio gyvenimo planą. Žmonės dažniau galvoja komercinėmis kategorijomis – kalba apie alternatyviąsias sąnaudas, dydžio kintamumą, žmonių kapitalą, sąnaudų ir naudos analizę net ir tada, kai kalbama apie jų laisvalaikį.

Pasikeičia žodžio „charakteris" reikšmė. Jis rečiau vartojamas tada, kai norima apibūdinti tokias savybes kaip nesavanaudiškumas, dosnumas, pasiaukojimas ir taip toliau, dėl kurių kartais sumažėja galimybės pasiekti materialinę sėkmę. Vietoj to žodžiu „charakteris" apibūdinamos tokios savybės kaip savikontrolė, ištvermė, atsparumas ir atkaklumas, kurios padeda pasiekti materialinę sėkmę.

Meritokratinė sistema nori, kad žmogus save sureikšmintų – save išpūstų, būtų visiškai užtikrintas savimi, tikėtų, kad nusipelnė daug ir yra vertas gauti tai, ko jis, jo manymu, nusipelnė (jeigu tai yra gerai). Meritokratija ragina reikštis ir reklamuoti save. Ji nori, kad reklamuotum ir išdidintum savo laimėjimus. Laimėjimus vertinanti sistema atsilygins, jeigu pademonstruosi savo pranašumą – jeigu tūkstančiais mažų gestų, pokalbio maniera ir drabužių stiliumi parodysi, kad esi truputį protingesnis, šiuolaikiškesnis, daugiau pasiekęs, labiau išprusęs, žymesnis, labiau susipažinęs ir madingesnis už aplinkinius. Tai skatina ribotumą. Tai skatina tapti apsukriu gyvūnu.

Šis apsukrus gyvūnas racionalizavo savo vidinę prigimtį, kad galėtų sklandžiau kilti aukštyn. Jis apdairiai kontroliuoja savo laiką ir emocinius įsipareigojimus. Į tuos dalykus, kurie kažkada dvelkė romantika, pavyzdžiui, studijas koledže, pažintį su potencialiu mylimuoju ar mylimąja arba artimesnių santykių su darbdaviu kūrimą dabar žvelgiama iš profesionalo pozicijos. Ar tas žmogus, galimybė arba patirtis man gali būti naudinga? Nebeliko laiko užsimiršti iš meilės ir aistros. Rimti įsipareigojimai vienai misijai arba vienai meilei turi savo kainą. Jeigu įsipareigoji vienam dideliam dalykui, uždarai duris kitoms didelėms galimybėms. Tau neduos ramybės baimė, kad Kažką Praleisi.

Perėjimas nuo mažojo *aš* prie didžiojo *Aš* kultūros nebuvo neteisėtas, bet tiesiog nuėjo per toli. Realistų tradicija, kurioje buvo akcentuojami žmogaus ribotumai ir moralinė kova, nejučiomis buvo nuvertinta ir palikta kelkraštyje; tą pirmiausia paskatino romantiškas pozityviosios psichologijos suklestėjimas, paskui socialinių tinklų asmeninio įvaizdžio kūrimo mąstysena ir galiausiai konkurencingas meritokratijos spaudimas. Mums liko moralės ekologija, kuri lavina išorinius Adomo I, bet ignoruoja vidinius Adomo II raumenis, todėl atsiranda pusiausvyros trūkumas. Tai kultūra, kurioje žmonės charakterizuoja jų išoriniai sugebėjimai ir pasiekimai, kurioje didėja užimtumo kultas, nes visi it pašėlę vieni kitiems aiškina, kad turi pernelyg daug įsipareigojimų. Kaip kažkada sakė mano studentas Endriu Rivsas (Andrew Reeves), tai augina su tikrove prasilenkiantį lūkestį, kad gyvenimas vyks linijine progresija, natūraliai kildamas aukštyn sėkmės link. Tai skatina „susitaikėliškumą", kai tau pakanka vien talento ir kai dirbi tik tiek, kad laiku atliktum darbą, bet jokiai užduočiai neatsiduodi visa širdimi.

Ši tradicija pasako, *kaip* elgtis, kad pakiltum iki pat viršaus, bet neskatina užduoti klausimo, *kodėl* tą darai. Ji nesugeba patarti, kaip pasirinkti moraline prasme aukščiausią ir geriausią karjerą bei pašaukimą. Ji skatina žmones nuolat ieškoti pritarimo, savo gyvenimą matuoti pagal išorinį palaikymą – jeigu žmonėms patinki ir jie pripažįsta tavo statusą, reiškia kažką darai teisingai. Meritokratijoje gausu savų kultūrinių prieštaravimų. Ji skatina žmones visiškai išnaudoti savo sugebėjimus, bet veda prie nykstančių moralinių sugebėjimų, kurie būtini norint suprasti, kaip savo gyvenimą nukreipti prasminga linkme.

SĄLYGOTA MEILĖ

Leiskite papasakoti, kokiu būdu praktiška ir vartotojiška meritokratijos mąstysena kartais gali iškreipti šventą ryšį: tėvystę ir motinystę.

Šiuolaikiniam vaikų auklėjimui būdingos dvi pagrindinės savybės. Pirmiausia, dabar vaikai giriami kaip niekada anksčiau. Doroti Parker (Dorothy Parker) pašmaikštavo, kad Amerikos vaikai ne auklėjami, o skatinami – jiems suteikiamas maistas, pastogė ir aplodismentai. Šiandien tai dar akivaizdžiau. Vaikams be paliovos kartojama, kokie jie ypatingi. 1966 metais tik apie 19 procentų vidurinės mokyklos mokinių baigė mokyklą su A ir A- vidurkio įvertinimais. Pagal Kalifornijos universiteto (UCLA) pirmakursių apklausas 2013 metais tokį vidurkį turėjo 53 procentai studentų. Jauni žmonės yra tiek giriami, kad jų siekiai tampa nepaprastai aukšti. Remiantis „Ernst & Young" kompanijos apklausa, 65 procentai koledžo studentų tikisi tapti milijonieriais[19].

Antroji savybė yra tai, kad dabar vaikų tobulėjimui skiriama tiek dėmesio, kaip niekada anksčiau. Bent jau labiau išsilavinusių, turtingesnių sluoksnių tėvai vaikams prižiūrėti, jų įgūdžiams lavinti ir vežioti į užsiėmimus bei repeticijas skiria daug daugiau laiko nei ankstesnės kartos. Ričardas Murneinas (Richard Murnane) iš Harvardo išsiaiškino, kad aukštąjį išsilavinimą turintys tėvai vieno vaiko užklasinei veiklai per metus skiria 5 700 JAV dolerių daugiau negu 1978 metais[20].

Tos dvi svarbios tendencijos – daugiau pagyrimų ir daugiau dėmesio ugdymui – įdomiai siejasi tarpusavyje. Vaikai maudomi meilėje, bet ta meilė dažnai yra kryptinga. Tėvai savo vaikams negaili švelnių jausmų, bet tai nėra paprasta meilė, tai meritokratiška meilė – ji sumišusi su noru padėti vaikams pasiekti materialinę sėkmę.

Kai kurie tėvai savo meilę nesąmoningai išreiškia taip, kad paskatintų vaikus daryti viską, kas, tėvų manymu, padės jiems daugiau pasiekti ir pavers juos laimingais. Tėvai užsidega nepaprasta aistra, jeigu jų vaikai stropiai mokosi, intensyviai treniruojasi, užima pirmas vietas, patenka į prestižinius koledžus arba prisijungia prie garbingos organizacijos (šiuolaikinėse mokyklose žodis „garbė" reiškia gauti aukščiausius įvertinimus). Tėvų meilė pradeda priklausyti nuo vaiko nuopelnų. Tai ne paprastas „aš tave myliu". Tai „aš tave myliu, jeigu lieki ant mano svarstyklių sverto. Tave giriu ir tavimi rūpinuosi, jeigu esi mano sverto pusėje."

Šeštajame dešimtmetyje tėvai, palyginti su dabartiniais tėvais, kurie apklausų rengėjams sako norintys, kad jų vaikai būtų savarankiški, daug dažniau sakydavo, kad iš savo vaikų tikisi paklusnumo. Tačiau tas paklusnumo noras nedingo, tiesiog nuėjo į pogrindį – nuo atviros taisyklių ir pamokymų sistemos, nuo atlygio ir bausmės prie neakivaizdaus pritarimo arba nepritarimo pasaulio.

Meilės pagal nuopelnus šešėlyje slypi galimybė, kad jeigu vaikas nuvils, jis nebebus mylimas. Tėvai su tuo nesutiks, bet čia slypi sąlygotos meilės grėsmė. Tokia užslėpta sąlygota meilė kuria baimę, kad visiškai saugi meilė yra neegzistuojantis reiškinys; nėra tokios visiškai saugios vietos, kur jauni žmonės gali būti visiškai nuoširdūs ir būti savimi.

Viena vertus, santykiai tarp tėvų ir vaikų dabar galbūt artimesni nei kada anksčiau. Tėvai nuolat bendrauja su vaikais, net ir kai vaikai jau mokosi koledže. Jauni žmonės tylomis nuogąstaudami susitaikė su didžiule aplink vyraujančia pasiekimų sistema. Jie su ja taikstosi, nes nori sulaukti pritarimo iš suaugusiųjų, kuriuos myli.

Tačiau padėtis daug sudėtingesnė, negu gali pasirodyti iš pirmo žvilgsnio. Kai kurie vaikai įsivaizduoja, kad meilė pagal nuopelnus yra natūrali visatos tvarka. Mažyčiai pritarimo ir nepritarimo signalai virsta tokia neatsiejama bendravimo dalimi, kad tampa nebepastebimi. Auganti prielaida, kad norint pelnyti kito meilę būtina elgtis tam tikru būdu, sukuria nepaprastą vidinį spaudimą. Giliai viduje vaikus labai gąsdina tikimybė prarasti pačius artimiausius jiems pažįstamus santykius.

Kai kurie tėvai į savo vaikus nesąmoningai žiūri kaip į kažkokį meno projektą, kurį reikia kurti konstruojant protą ir emocijas. Tai tam tikra tėvų savimeilė, primygtinis reikalavimas, kad vaikai mokytųsi koledže ir gyventų taip, kad tėvai būtų patenkinti ir tai pakeltų jų prestižą. Vaikams, kurie nėra tikri, kad tėvai juos myli, atsiranda nepasotinamas meilės alkis. Sąlygota meilė primena rūgštį, kuri ištirpdo vidinius vaikų kriterijus, jų gebėjimą patiems spręsti, kokie yra jų pomėgiai, kokios jie nori karjeros, santuokos ir apskritai gyvenimo.

Tėvų ir vaikų santykiuose turėtų vyrauti besąlygiška meilė – dovana, kurios neįmanoma nupirkti ir užsidirbti. Ji neatitinka meritokratijos logikos, ir ši žmogiškoji patirtis yra artimiausia Dievo malonei. Tačiau šiais atvejais santykius, kurie turėtų remtis Adomo II moralės logika, užkrėtė spaudimas tapti sėkmės lydimu žmogumi Adomo I pasaulyje. Dėl to daugelio šios visuomenės vaikų širdyse atsiveria tuštuma.

ASMENUKIŲ AMŽIUS

Nereiškia, kad ši kultūrinė, technologinė ir meritokratinė aplinka mus pavertė moraliai puolusiais barbarais. Tačiau mes nebemokame aiškiai suformuluoti savo moralinių nuostatų. Dauguma jaučiame kas yra teisinga, o kas ne, kaip ugdomas gerumas ir charakteris, bet tas žinojimas labai miglotas. Dauguma iš mūsų neturi supratimo, kaip ugdyti charakterį, nesugeba aiškiai mąstyti apie tokius dalykus. Mes viską suprantame apie išorinius, profesinius dalykus, bet mums neaiškūs vidiniai, moralės klausimai. Kaip Viktorijos laikų žmonės žiūrėjo į seksą, taip mes žiūrime į moralę: apie tai kalbame užuolankomis.

Kultūrai keičiantis mes pasikeitėme. Visų pirma tapome labiau materialistiški. Koledžo studentai dabar sako, kad jie labiau vertina pinigus ir sėkmingą karjerą. Kalifornijos universiteto tyrėjai kasmet apklausia šalies koledžų pirmakursius, siekdami išsiaiškinti jų vertybes ir ko jie nori iš gyvenimo. 1966 metais 80 procentų pirmakursių sakė, kad jie labai nori atrasti prasmingą gyvenimo filosofiją. Šiandien tą teigia mažiau nei pusė pirmakursių. 1966 metais 42 procentai sakė, kad tapti turtingam yra svarbus jų gyvenimo tikslas. 1990 metais su šiuo teiginiu sutiko 74 procentai studentų. Finansinis saugumas, kuris kažkada buvo antraeilė vertybė, dabar yra vienas pagrindinių studentų tikslų. Kitaip tariant, 1966 metais studentai jautė, kad svarbu bent jau atrodyti filosofiškiems, prasmės ieškančiais žmonėmis. 1990 metais jiems jau nebebuvo svarbu taip atrodyti. Jiems atrodė visiškai normalu teigti, kad juos labiausiai domina pinigai[21].

Dabar gyvename labiau individualistinėje visuomenėje. Jeigu nuolankiai tiki, jog pats nesi pakankamai stiprus, kad nugalėtum savo silpnybes, tuomet žinai, kad negali apsieiti be išorinės pagalbos. Tačiau jeigu išdidžiai galvoji, kad teisingiausius atsakymus gali suteikti tavo tikrasis *aš*, tavo vidinis balsas, tuomet mažiau tikėtina, kad tave domins kiti. Ir tikrai, artimi santykiai virsta vis didesne retenybe. Prieš dešimtis metų žmonės apklausų rengėjams paprastai sakydavo, kad turi keturis arba penkis artimus draugus, su kuriais gali kalbėtis apie viską. Dabar įprastas atsakymas yra du arba trys draugai, o tų, kurie neturi artimų draugų, skaičius padvigubėjo. Trisdešimt penki procentai vyresnio amžiaus žmonių teigia, kad nuolat jaučiasi vieniši, o prieš dešimtmetį tokių buvo 20 procentų[22]. Taip pat sumažėjo ir pasitikėjimas visuomene. Apklausose užduodamas klausimas: „Apskritai, ar galėtumėte pasakyti, kad dauguma žmonių galima pasitikėti arba kad nereikia būti pernelyg atsargiam bendraujant su žmonėmis?" Septintojo dešimtmečio pradžioje didžioji dauguma atsakė, kad žmonėmis paprastai galima pasitikėti. O dešimtajame dešimtmetyje nepasitikinčiųjų buvo 20 procentų daugiau negu pasitikinčiųjų ir nuo tada tas skirtumas tik augo[23].

Žmonės tapo mažiau empatiški – ar bent jau apibūdindami save parodo mažiau empatijos. Mičigano universiteto

(University of Michigan) tyrimas rodo, kad šiuolaikinių studentų sugebėjimas suprasti, ką jaučia kitas žmogus, yra 40 procentų mažesnis palyginti su jų aštuntojo dešimtmečio pirmtakais. Didžiausias nuosmukis įvyko po 2000-ųjų metų[24].

Viešose kalbose taip pat jaučiamas dorovinis nuosmukis. „Google ngrams" apskaičiuoja žodžių pavartojimo atvejus žiniasklaidoje. „Google" skenuoja dešimties metų senumo knygas ir leidinius. Įvedę žodį galite pamatyti, kurie žodžiai bėgant metams buvo vartojami dažniau, o kurie rečiau. Per pastaruosius porą dešimtmečių gerokai padidėjo tokių individualistams svarbių žodžių ir frazių kaip „aš" ir „asmeniškai pritaikytas", „svarbiausia aš" ir „pats galiu padaryti" vartojimas bei gerokai sumažėjo tokių bendruomeniškumą reiškiančių žodžių kaip „bendruomenė", „dalytis", „susivieniję" ir „bendram labui" vartojimas[25]. Padidėjo su ekonomika ir verslu susijusių žodžių vartojimas, o su morale ir charakterio ugdymu susiję pasakymai vartojami rečiau[26]. Per dvidešimtą amžių sumažėjo tokių žodžių kaip „charakteris", „sąžinė" ir „dorybė" vartojimas[27]. Per dvidešimtą amžių žodžio „drąsa" vartojimas sumažėjo 66 procentais. Žodis „dėkingumas" vartojamas 49 procentais rečiau, „nuolankumas" 52 procentais, o „gerumas" – 56 procentais rečiau.

Toks siaurėjantis Adomo I žodynas dar labiau prisidėjo prie nesugebėjimo aiškiai kalbėti apie moralę. Šiame moralinės autonomijos amžiuje kiekvienam žmogui liepiama susikurti savo pasaulėžiūrą. Tau gal ir pavyks tą padaryti, jeigu esi Aristotelis. Tačiau jeigu nesi, greičiausiai nieko neišeis. 2011 metais Kristianas Smitas (Christian Smith) iš Notr Damo universiteto rašydamas savo knygą „Pasiklydęs perėjime" (*Lost in Transition*) nagrinėjo moralinį Amerikos koledžų studentų gyvenimą. Jis prašė, kad jie apibūdintų savo pastarąją moralinę dilemą. Du trečdaliai jaunuolių arba negalėjo to apibūdinti, arba apibūdino problemas, kurios neturi nieko bendra su morale. Pavyzdžiui, vienas apklaustųjų sakė, kad pastarąjį kartą moralinė dilema jam iškilo tada, kai įvažiavo į stovėjimo aikštelę ir neturėjo pakankamai 25 centų monetų susimokėti už stovėjimą.

Smitas su savo bendraautoriais rašė: „Nedaugelis iš jų prieš tai susimąstė arba išvis buvo pagalvoję apie daugelį mūsų užduotų klausimų apie moralę." Jie nesuprato, kad moralinė dilema iškyla tada, kai susikerta dvi teisėtos moralinės vertybės. Visi galvojo, kad moraliniai pasirinkimai reiškia tik tai, kas tau atrodo teisinga, kas tau sukelia gerą emociją. Vieno studento atsakymas buvo tipiškas visiems: „Na, spėju, kad teisinga priklauso nuo to, kaip aš į tai reaguoju. Bet skirtingi žmonės reaguoja skirtingai, todėl negaliu atsakyti už kitus, kas jiems atrodo teisinga, o kas ne."[28]

Jeigu tiki, kad pagrindinis išminčius yra tavo vidinis tikrasis *aš*, tuomet savaime aišku, kad būsi emocionalus – tavo moraliniai sprendimai priklausys nuo sukilusių jausmų. Aišku, kad tapsi reliatyvistu. Vienas tikrasis *aš* neturi pagrindo teisti ar ginčytis su kitu tikruoju *aš*. Aišku, kad tapsi individualistu, nes aukščiausias teisėjas yra tavo tikrasis vidinis *aš*, o ne koks nors bendruomenės standartas arba svarbi išorinė nuoroda. Aišku, kad prarasi ryšį su moralės sąvokomis, kurios reikalingos tam, kad susimąstytum apie šiuos klausimus. Aišku, kad vidinis gyvenimas taps tolygesnis – vietoje įkvepiančių viršūnių ir neviltį varančių prarajų etinio sprendimo priėmimas tėra švelniai banguojančios kalvos ir dėl to tikrai nėra ko per daug jaudintis.

Mūsų proto dalį, kurią kažkada buvo užėmusios mintys apie moralinę kovą, palaipsniui užėmė kova dėl laimėjimų. Moralę pakeitė nauda. Adomą II pakeitė Adomas I.

NETEISINGAS GYVENIMAS

1886 metais Levas Tolstojus išleido savo žymiąją apysaką „Ivano Iljičiaus mirtis" (*Smert Ivana Iljiča*). Pagrindinis personažas yra sėkmės lydimas teismo valdininkas, kuris vieną dieną savo naujuosiuose namuose kabindamas užuolaidas paslysta nuo kopėčių ir nerangiai dunksteli ant šono. Iš pradžių jam atrodo, kad tai niekis, bet netrukus burnoje atsiranda keistas skonis ir jis suserga. Galiausiai Iljičius supranta, kad būdamas keturiasdešimt penkerių metų jis artėja prie mirties.

Iljičius gyveno produktyvų gyvenimą ir sėkmingai kilo karjeros laiptais aukštyn. Tolstojus sako, kad jis buvo „gabus, linksmas, geranoriškas ir visuomeniškas, bet griežtas savo pareigos atžvilgiu: o savo pareiga jis laikė tai, ką pareiga laikė jo valdžia."[29] Kitaip tariant, jis sėkmingas to laikmečio moralės ekologijos ir socialinės sistemos produktas. Jis turėjo gerą darbą ir puikią reputaciją. Jo santuoka buvo persmelkta abejingumo, bet jis nedaug laiko praleisdavo su šeima, ir tą laikė normaliu dalyku.

Iljičius bando galvoti kaip anksčiau, bet užplūstanti mirties nuojauta į galvą bruka naujas mintis. Jis su malonumu prisimena savo vaikystę, bet kuo daugiau galvoja apie savo, kaip suaugusiojo, gyvenimą, tuo mažiau patenkintas jaučiasi. Jo santuoka įvyko paskubomis, tai buvo vos ne atsitiktinumas. Metai iš metų jam rūpėjo pinigai. Karjeros pergalės dabar atrodo nereikšmingos. „Gal aš gyvenau ne taip, kaip turėjau gyventi?" – staiga paklausia jis savęs[30].

Ši istorija yra apie tai, kas yra kilimas ir kas yra nuopuolis. Kuo aukščiau Iljičius kyla išoriškai, tuo labiau skęsta viduje. Jam pradeda atrodyti, kad jo gyvenimas buvo lyg „vis greičiau žemyn krintantis akmuo"[31].

Jis prisimena, kad kartais pajusdavo nedidelius, vos pastebimus impulsus priešintis tam, ką visuomenė laiko gerais ir priimtinais dalykais. Tačiau rimtai į tai nesigilino. Dabar Iljičius supranta, kad „jo darbo pareigos, visas jo gyvenimo ir šeimos planas, visi jo visuomeniniai ir oficialūs interesai greičiausiai buvo klaidingi. Jis bandė pats sau pateisinti visus tuos dalykus, bet staiga pajuto, kad jie per daug menki. Nebuvo, ką ginti."[32]

Tolstojus galbūt truputį persistengia išsižadėdamas Ivano Adomo I gyvenimo. Ne viskas buvo klaidinga ir beprasmiška. Tačiau jis atvirai vaizduoja žmogų, kuris nesusimąsto apie vidinį pasaulį, kol į duris nepasibeldžia mirtis. Tomis paskutinėmis savo gyvenimo valandomis žmogus pagaliau pamato tai, ką turėjo žinoti visą laiką: „Jis įkrito pro skylę, o ten dugne buvo matyti šviesa. <...> Tą pačią akimirką Ivanas Iljičius įkrito ir pastebėjo šviesą, ir jam buvo atskleista, kad nors gyvenimas ir nebuvo toks, koks turėjo būti, jį dar galima pataisyti. Jis paklausė savęs, „kas yra teisinga" ir sustingo ištempęs ausis."

Daugelis iš mūsų jaučiamės kaip Ivanas Iljičius ir pripažįstame, kad socialinė sistema, kuriai priklausome, verčia gyventi kažkokį nepatenkinamą išorinį gyvenimą. Vis dėlto mes turime tai, ko neturėjo Iljičius: turime laiko tą ištaisyti. Klausimas kaip.

Atsakymas turėtų būti bent jau iš dalies pasipriešinti vyraujantiems kultūros vėjams. Atsakymas turėtų būti prisijungti prie kontrkultūros. Norint gyventi padorų gyvenimą, norint auginti savo sielą turbūt reikėtų pripažinti, kad didįjį *Aš* skatinančios jėgos, nors reikalingos ir daugeliu atvejų suteikiančios laisvės, nuėjo per toli. Mes praradome pusiausvyrą. Turbūt reikėtų viena koja stovėti pasaulyje, kuriame vertinami pasiekimai, o kita – kontrkultūroje, kuri prieštarauja pasiekimų kultūros dvasiai. Turbūt reikėtų atkurti pusiausvyrą tarp Adomo I ir Adomo II bei suprasti, kad bet kokiu atveju Adomas II yra svarbesnis už Adomą I.

NUOLANKUMO KODEKSAS

Kiekviena visuomenė kuria savą moralės ekologiją. Moralės ekologija yra normų rinkinys, prielaidos, įsitikinimai ir elgesio įpročiai bei daugybė įsitvirtinusių, organiškai atsiradusių moralės reikalavimų. Moralės ekologija mus ragina būti tam tikro tipo žmonėmis. Jeigu elgiesi taip, kaip diktuoja tavo visuomenės moralės ekologija, žmonės tau šypsosi ir tai skatina toliau taip elgtis. Niekada nėra taip, kad vyraujanti moralės ekologija sulauktų vienbalsio pritarimo; visada pasitaiko maištininkų, kritikų ir pašaliečių. Tačiau bet koks moralinis klimatas yra kolektyvinis atsakas į esamas problemas, ir tai formuoja jame gyvenančius žmones.

Per pastaruosius keletą dešimtmečių mes sukūrėme moralės ekologiją, kurios pagrindas yra didysis *Aš*, tikėjimas, kad kiekvieno viduje gyvena tobula asmenybė. Tai privedė prie išaugusios savimeilės ir savęs aukštinimo. Ir tai skatina dėmesį skirti išorinio Adomo I prigimties pusei bei ignoruoti vidinį Adomo II pasaulį.

Norint atkurti pusiausvyrą, iš naujo atrasti Adomą II ir ugdyti laidotuvių dorybes turbūt reikėtų atgaivinti tai, ką netyčia palikome užnugaryje, ir sekti tuo: priešinga moralinio realizmo tradicija arba tuo, ką vadinu „kreivo medžio" mokykla. Turbūt reikėtų sukurti šios mokyklos idėjomis paremtą moralės ekologiją, vadovautis jos atsakymais į pačius svarbiausius klausimus: kur link turėčiau nukreipti savo gyvenimą?

Kas aš esu ir kokia mano prigimtis? Kaip man formuoti savo prigimtį, kad ji po truputį, diena iš dienos taptų geresnė? Kokias dorybes ugdyti svarbiausia ir kokių silpnybių turėčiau bijoti labiausiai? Kaip auklėti savo vaikus, kad jie iš tikrųjų suprastų, kas jie yra, ir turėtų praktinių pavyzdžių rinkinį, kuris parodytų, kaip keliauti tuo ilgu keliu link tvirto charakterio?

Iki šiol „kreivo medžio" tradicijos apibūdinimai buvo išbarstyti po visus šios knygos skyrius. Pamaniau, kad galbūt naudinga juos sudėti kartu į vieną sąrašą ir trumpai apibendrinti, net jeigu sunumeruoti jie ir atrodo šiek tiek supaprastinti ir šiurkštesni, nei yra iš tikrųjų. Kartu sudėti šie teiginiai sudaro Nuolankumo kodeksą, aiškiai parodo, dėl ko ir kaip reikėtų gyventi. Nuolankumo kodeksas susideda iš šių bendrų teiginių:

1. Gyvename ne dėl laimės, o dėl šventumo. Kiekvieną dieną bandome atrasti kažką malonaus, bet giliai viduje visi esame apdovanoti moraline vaizduote. Visi nori, kad gyvenimas būtų ne tik malonumų vaikymasis, bet ir prasmės, teisingumo ir dorybės ieškojimas. Kaip pasakė Džonas Stiuartas Milas (John Stuart Mill), žmonės turi pareigą laikui bėgant tapti moralesni. Geriausias gyvenimas yra tas, kuris skirtas sielai ugdyti ir kurį puoselėja moralinis džiaugsmas, tylus dėkingumo ir ramybės jausmas, kuris ateina kartu su sėkminga moraline kova.

Prasmingas gyvenimas yra toks pat amžinas dalykas, jį lydi daugybė kokių nors idealų ir vyro ar moters kova dėl tų idealų. Iš esmės gyvenimas yra moralinė, o ne hedonistinė drama.

2. Pirmasis teiginys apibūdina gyvenimo tikslą. Ilgas kelias į charakterį prasideda tiksliai suvokus savo prigimtį, o to suvokimo esmė yra tai, kad mes visi turime trūkumų. Visiems įgimtas polinkis į savanaudiškumą ir perdėtą pasitikėjimą savimi. Esame įpratę į save žiūrėti kaip į visatos centrą, tarsi viskas suktųsi aplink mus. Nusprendžiame daryti viena, bet elgiamės priešingai. Nors ir žinome, kas gyvenime prasminga ir svarbu, vis tiek siekiame to, kas tuščia ir bergždžia. Be to, mes pervertiname savo stiprybes ir bandome atrasti pasiteisinimus savo nesėkmėms. Žinome mažiau, negu įsivaizduojame žinantys. Paklūstame trumpalaikiams norams net ir žinodami, kad to daryti neturėtume. Įsivaizduojame, kad prestižu ir materialiais dalykais patenkinsime savo dvasinius ir moralinius poreikius.

3. Nors ir turime trūkumų, vis tiek esame nepaprastai apdovanoti. Viduje mes susiskaldę, galime kelti tiek baimę, tiek susižavėjimą. Nusidedame, bet sugebame ir atpažinti nuodėmę, jausti dėl jos gėdą ir ją nugalėti. Esame tuo pat metu silpni ir stiprūs, suvaržyti ir laisvi, akli ir toliaregiai. Dėl to sugebame kovoti su savimi. Su savimi kovojantis žmogus, kurį slegia sąžinės našta, kuris kenčia, bet nepai-

sant to, vis tiek išgyvena ir darosi stipresnis, kuris aukoja materialią sėkmę dėl vidinės pergalės, primena didvyrį.

4. Didžiausia dorybė kovoje su silpnybėmis yra nuolankumas. Nuolankumas reiškia, kad aiškiai supranti savo prigimtį ir savo vietą visatoje. Nuolankumas reiškia žinojimą, kad kovoje su silpnybėmis esi silpnesnioji pusė. Nuolankumas reiškia suvokimą, kad individualių talentų nepakanka, jeigu nori atlikti tau skirtas užduotis. Nuolankumas primena, kad nesi visatos centras, o paklusti nurodymams iš aukščiau.

5. Pagrindinė yda yra puikybė. Puikybė sutrikdo mūsų pojūčius. Puikybė mus apakina ir mes nebematome savo susiskaidžiusios prigimties. Ji neleidžia pamatyti savo silpnybių ir verčia mus klaidingai galvoti, kad esame geresni negu iš tikrųjų. Puikybė mus paverčia pernelyg užtikrintais ir siauresnių pažiūrų, negu turėtume būti. Dėl puikybės mums sunkiau leistis būti pažeidžiamiems tų, kurių meilės mums reikia, akivaizdoje. Puikybė gimdo šaltakraujiškumą ir žiaurumą. Ji verčia įrodinėti, kad esame geresni už aplinkinius. Ji skatina klaidingai galvoti, kad patys esame savo gyvenimo kūrėjai.

6. Patenkinus savo išlikimo poreikius pagrindine gyvenimo drama tampa kova su nuodėme ir kova už dorybę. Joks išorinis konfliktas nėra tiek svarbus ar tiek dramatiškas palyginti su vidine kova su savo trūkumais. Kovojant su, pavyzdžiui, savanaudiškumu, prietarais ar nesaugumu

gyvenimas įgyja prasmę ir formą. Tai svarbiau nei išorinė kelionė aukštyn sėkmės laiptais. Kova su nuodėme yra didžiulis iššūkis, kuris reikalingas tam, kad gyvenimas neitų tuščiai ar beprasmiškai. Šiame mūšyje galima kautis gerai arba blogai, labai rimtai arba linksmai nusiteikus. Susiremti su silpnybėmis dažnai reiškia pasirinkti, kurias savo savybes ugdyti, o kurių ne. Kovos su nuodėme ir silpnybėmis tikslas ne „laimėti", nes tai neįmanoma; jos tikslas tapti geresniu kovotoju. Jokio skirtumo, ar dirbi draudimo fonde, ar teiki labdarą vargšams. Abiejuose pasauliuose yra ir didvyrių, ir kvailių. Svarbiausia yra tai, ar tu nori stoti į šią kovą.

7. Charakteris formuojasi vykstant vidinei konfrontacijai. Charakteris yra daugybė polinkių, norų ir įpročių, kurie po truputį įauga, kai pradedi kovoti su savo silpnybėmis. Kuo daugiau save nežymiai kontroliuoji, kuo daugiau dalijiesi, tarnauji, draugauji ir subtiliau mėgaujiesi, tuo drausmingesnis, atidesnis ir labiau mylintis tampi. Sistemingai ir apdairiai rinkdamasis po truputį įrašai tam tikrus polinkius į savo protą. Tada labiau tikėtina, kad norėsis to, kas yra teisinga, ir elgsiesi taip, kaip reikia. Jeigu darysi savanaudiškus, žiaurius ir atsitiktinius pasirinkimus, toji šerdis po truputį degraduos, praras stabilumą arba susiskaldys. Pakanka tik niekingų minčių, nesvarbu, kad jos niekam nekenkia, ir ji gali susilpnėti. Charakteris stiprėja, jeigu sau taikai kokius nors apribojimus, kurių

niekas nemato. Jeigu tokiu būdu neišsiugdysi tvirto charakterio, gyvenimas anksčiau ar vėliau tiesiog žlugs. Tapsi savo aistrų vergu. Tačiau jeigu įprasi save disciplinuoti, tapsi patikimu ir tvirtu žmogumi.

8. Dalykai, kurie mus veda iš kelio – geismas, baimė, tuštybė, apsirijimas – yra trumpalaikiai. Tai, ką vadiname charakteriu – drąsa, nuoširdumas, nuolankumas – išlieka ilgam. Stipriu charakteriu pasižymintys žmonės sugeba ilgai laikytis vienos krypties, bet kokiomis aplinkybėmis likti ištikimi žmonėms, įsitikinimams ir pašaukimui. Žmonės su charakteriu žino savo ribas. Jie nėra begaliniai lankstūs, laisvai klaidžiojantys ir atsiskyrę. Juos sutvirtina ilgalaikiai įsipareigojimai svarbiems dalykams. Intelekto lygmeniu jie turi tvirtus įsitikinimus apie pagrindines tiesas. Emociniu lygmeniu jie įsipainioję į besąlygiškos meilės tinklą. Veiklos lygmeniu jie ilgam įsipareigoję atlikti užduotis, kurioms neužtenka vieno gyvenimo.

9. Joks žmogus negali savo paties jėgomis pasiekti savitvardos. Žmogaus valia, protas, užuojauta ir charakteris nėra tiek stiprūs, kad sugebėtų visą laiką nugalėti savanaudiškumą, puikybę, godumą ir saviapgaulę. Visiems reikalinga pagalba iš išorės – iš Dievo, šeimos, draugų, protėvių, taisyklių, tradicijų, institucijų ir didžių asmenybių. Jeigu nori, kad konfrontacija su savimi būtų vaisinga, turi būti atviras meilei. Turi atsiremti į ką nors už savęs, kad galėtum tvarkytis su savo vidinėmis jėgomis. Reikia pasitelkti

kultūrinę tradiciją, kuri ugdo sielą, puoselėja tam tikras vertybes, moko, kaip reikėtų jaustis tam tikromis aplinkybėmis. Mūsų kova yra neatsiejama nuo kitų kovos ir mus skiria labai nežymios ribos.

10. Galiausiai mus visus išgelbėja malonė. Kova su silpnybėmis dažnai vyksta U formos trajektorija. Gyveni savo gyvenimą ir staiga kažkas tave išmuša iš vėžių – nenugalima meilė, nesėkmė, liga, darbo netekimas arba likimo vingis. Trajektorija tokia – ėjimą pirmyn reguliariai keičia atsitraukimas. Atsitraukęs pripažįsti savo trūkumus ir nusiimi karūną. Sukuri vietas, kurią galėtų užpildyti kiti. Ją pripildo malonė. Ji pasireiškia draugų arba šeimos meile, netikėta nepažįstamojo pagalba arba ateina iš Dievo. Tačiau žinia yra ta pati. Esi priimtas. Tau nereikia pulti į neviltį, nes esi kitų rankose. Nereikia kovoti dėl vietos, nes tave priima. Tereikia tik susitaikyti su tuo, kad esi priimtas. Sielą užplūsta dėkingumas, o su juo ir noras tarnauti bei atsilyginti.

11. Nugalėti savo silpnybes dažnai reiškia save nutildyti. Tik nutildęs save, pamynęs savo *ego* gali aiškiai matyti pasaulį. Tik nutildęs save gali atsiverti išorinei stiprybei, kurios tau prireiks. Tik nuraminęs savo jautrų *ego* gali išlaikyti pusiausvyrą šios kovos pakilimų ir nuopuolių metu. Todėl kovojant su silpnybėmis reikia įprasti savęs nesureikšminti – būti santūriam, kukliam, paklusti kam nors aukštesniam – ir sugebėti gerbti bei žavėtis.

12. Išminties pagrindas yra epistemologinis kuklumas. Pasaulis yra be galo sudėtingas, o žmogaus proto ištekliai yra riboti. Paprastai mes nepajėgiame suprasti, koks sudėtingas yra priežasčių ir pasekmių tinklas. Netgi nesugebame suvokti, kokia sudėtinga yra mūsų pačių pasąmonė. Abstraktus mąstymas arba bandymas taikyti visuotines taisykles skirtingoms situacijoms mums turėtų kelti įtarimą. Tačiau mūsų protėviai laikui bėgant sukaupė bendrą praktinės išminties, tradicijų, įpročių, elgesio, moralės principų ir jų naudojimo saugyklą. Todėl nuolankus žmogus turi stiprią istorinę sąmonę. Jis paveldėjo tam tikrą žodžiais neišreiškiamą išmintį, elgesio kodeksą ir jausmus, kurie nėra išmokti, ir jaučiasi dėkingas, nes gali juos panaudoti kritiniu atveju, jie suteikia praktinius patarimus, kaip elgtis tam tikrose situacijose, ir skatina įpročius, kurie sutampa su dorybėmis. Nuolankus žmogus supranta, kad patirtis yra vertingesnė negu grynas protas. Jis supranta, kad išmintis nėra žinių rinkinys. Intelektualinės dorybės suteikia išminties. Tai žinojimas, kaip elgtis, kai žinai ne viską.

13. Neįmanoma gyventi gerai, jeigu gyvenimas nėra skirtas savo pašaukimui vykdyti. Jeigu stengsitės dirbti tik tam, kad patenkintumėte savo poreikius, pamatysite, kad ambicijos ir lūkesčiai visada užbėga į priekį, ir niekada nesijausite patenkinti. Jeigu stengsitės tarnauti visuomenei, visada teks stebėtis, kodėl kiti nepakankamai jus verti-

na. Tačiau jeigu užsiimsite tuo, kas jus tikrai domina, ir paprasčiausiai stengsitės tą daryti kiek įmanoma geriau, galiausiai netiesiogiai pasitarnausite ir sau, ir bendruomenei. Pašaukimas randamas ne viduje, ne atpažinus savo aistrą. Jis atrandamas išorėje, užduodant klausimą, ko iš manęs nori gyvenimas. Kokią problemą gali išspręsti veikla, kuri man tikrai patinka?

14. Geras vadovas visada stengiasi vesti žmones palankia, o ne priešinga jų prigimčiai kryptimi. Jis supranta, kad pats, kaip ir jo vedami žmonės, kartais gali būti savanaudis, siaurų pažiūrų ir save apgaudinėti. Dėl to jis verčiau renkasi paprastus ir stabilius, o ne didingus ir didvyriškus planus. Kol institucija turi tvirtą pagrindą, jis linkęs rinktis pastovų, laipsnišką ir pažangų, o ne radikalų ir staigų pokytį. Jis supranta, kad viešas gyvenimas yra varžybos tarp dalinių tiesų ir teisėtų interesų. Vadovo tikslas – atrasti teisingą pusiausvyrą tarp konkuruojančių vertybių ir tikslų. Jis stengiasi prisitaikyti ir priklausomai nuo besikeičiančių aplinkybių perkelia svorį tai į vieną, tai į kitą pusę, kad laivas stabiliai ir ramiai judėtų pirmyn. Jis supranta, kad politikoje ir versle blogio poveikis nusveria gėrio poveikį. Blogi sprendimai gali padaryti didesnį nuostolį, negu geri sprendimai teikti naudos. Todėl išmintingas vadovas prižiūri savo organizaciją ir stengiasi, kad jos būklė ją perduodant būtų šiek tiek geresnė, negu tada, kai jis ją perėmė.

15. Sėkmingai su savo silpnybėmis ir nuodėmėmis kovojantis žmogus nebūtinai bus turtingas ir žymus, bet tikrai taps brandus. Branda nepriklauso nuo talento ar proto bei fizinių dovanų, kurios padeda surinkti daugiau taškų IQ teste, greičiau bėgti arba grakščiau judėti. Tai nesulyginama. Brandus tampi ne dėl to, kad kurioje nors srityje esi geresnis už kitus, o todėl, kad esi geresnis, negu buvai. Toks tampi, kai sugebi likti ištikimas išbandymų metu, tvirtas pagundų akivaizdoje. Branda neblizga. Jos neįgysi tokiomis savybėmis, kurios paverčia žmogų įžymybe. Brandus žmogus turi tvirtą vieningą tikslą. Iš išsibarsčiusio jis virto susitelkusia asmenybe, nustojo nerimauti ir nurimo jo sąmyšis dėl gyvenimo prasmės ir tikslo. Brandus žmogus priima sprendimus nekreipdamas dėmesio į neigiamas ar teigiamas gerbėjų ar kritikų reakcijas, nes jis turi stabilius kriterijus, kurie padeda nuspręsti, kas teisinga. Tas žmogus daugybę kartų pasakė „ne" dėl kelių tvirtų „taip".

GYVENIMO BŪDAI

Šios knygos personažų keliai buvo skirtingi ir jie pasižymėjo skirtingomis savybėmis. Vieni, pavyzdžiui, Augustinas ir Džonsonas, buvo linkę į savistabą. Kiti – Eizenhaueris ir Randolfas – tokie nebuvo. Kai kurie, pavyzdžiui, Perkins, buvo pasiruošę klimpti į politiką, kad padarytų tai, ką reikia. Dar kiti, pavyzdžiui, Dei, norėjo ne tik daryti gera, bet ir būti gera, gyventi kuo tyresnį gyvenimą. Vienos asmenybės, pavyzdžiui, Džonsonas ir Dei, buvo griežtos sau. Jie jautė poreikį atkakliai kovoti su savo silpnybėmis. O, tarkime, Montenis susitaikė su savimi ir į gyvenimą žiūrėjo paprasčiau ir laisviau, pasitikėdamas gamta, kuri pati pasirūpina svarbiausiomis gyvenimo problemomis. Ida Eizenhauer, Filipas Randolfas ir Perkins nemėgo viešumo, buvo šiek tiek atsiskyrę ir emociškai uždari žmonės. O štai Augustinas ir Rastinas atvirai reiškė savo emocijas. Dei išgelbėjo religija, Eliotui religija trukdė, o Maršalas išvis nebuvo religingas. Vieni, kaip antai Augustinas, nustojo priešintis ir leido, kad juos aplankytų malonė. O štai Džonsonas pats perėmė savo gyvenimo vadžias ir išsiugdė charakterį savo pastangomis.

Net ir moralinio realizmo tradicijoje egzistuoja skirtingi temperamentai, metodai, taktikos ir polinkiai. Du žmonės, kurie pritaria „kreivo medžio" požiūriui, į tam tikrus dalykus gali žiūrėti skirtingai. Ar toliau kentėti, ar kiek galima greičiau bėgti nuo kančios? Ar rašyti dienoraštį, kad sustiprėtų savimonė, ar tai tik veda prie paralyžiuojančios savianalizės ir mėgavimosi savimi? Ar būti santūriam, ar išraiškingam? Ar pačiam kontroliuoti savo gyvenimą, ar atsiduoti Dievo malonei?

Net ir toje pačioje moralės ekologijoje yra pakankamai erdvės, kad kiekvienas susikurtų savo unikalų kelią. Tačiau kiekvienas šios knygos personažas gyvenimo pradžioje turėjo tvirtai įaugusių silpnybių, ir jiems reikėjo visą gyvenimą labai stengtis jas nugalėti. Džonsonas buvo susiskaldžiusi ir audrų blaškoma asmenybė. Rastinas buvo nenuoširdus ir pasileidęs. Maršalas buvo baikštus berniukas. Eliotas žūtbūt troško meilės. Ir vis dėl to juos visus išgelbėjo būtent ta jų silpnybė. Visi su ja kovojo ir pavertė ją nepaprasta stiprybe. Visi nusileido į nuolankumo slėnį, kad pakiltų į ramybės ir savigarbos aukštumas.

KLUMPANTYS

Geroji šios knygos žinia yra tai, kad turėti trūkumų yra normalu, nes jų turi visi. Mūsų gyvenimą nuolat lydi nuodėmė ir ribotumai. Visi klumpame, gyvenimo grožis ir prasmė yra klupti – pastebėti, kad klumpame, ir po truputį stengtis geriau išlaikyti pusiausvyrą.

Klumpantis žmogus velka kojas per gyvenimą, kartais tai šen, tai ten prarasdamas pusiausvyrą, svyruodamas, kartais parkrisdamas ant kelių. Tačiau jis su neapsimestiniu nuoširdumu ir be pasibjaurėjimo pripažįsta savo netobulumą, savo klaidas ir trūkumus. Jam kartais gėda dėl savo prigimties užgaidų – savanaudiškumo, saviapgaulės, kartais pasireiškiančio noro mažesnius meilės objektus iškelti virš didesnių.

Vis dėlto nuolankumas gali padėti geriau save suprasti. Pripažinę, kad susimovėme, ir pajutę, kokie pavojingi mūsų ribotumai, pamatome, kad susidūrėme su rimtu priešu, kurį turėsime nugalėti ir peraugti.

Ši kova klumpančiam žmogui suteikia pilnatvę. Kiekviena silpnybė virsta galimybe stoti į kovą, kuri sutelkia gyvenimą, suteikia jam prasmę ir paverčia tave geresniu. Kovodami su nuodėme mes remiamės vienas į kitą. Mes priklausome vienas nuo kito, kad už mūsų nuodėmes būtų atleista. Klumpantis žmogus yra ištiesęs ranką, pasiruošęs priimti rūpestį ir rūpintis. Jis gana pažeidžiamas ir jam reikalinga meilė, bet ir pakankamai dosnus, kad galėtų visa jėga išreikšti savo meilę. Jeigu būtume be nuodėmių, galėtume gyventi atsiskyrę, kaip Atlantas, bet klumpantis žmogus gyvena bendruomenėje. Jis turi draugų, su kuriais gali pasikalbėti ir kurie jam pataria. Jo protėviai jam paliko įvairių pavyzdžių, kuriais jis gali sekti ir pagal kuriuos gali vertinti save.

Supratęs savo gyvenimo menkumą klumpantis žmogus įsipareigoja idėjoms ir įsitikinimams, kurie yra kilnesni už bet kurį pavienį žmogų. Jis ne visada vertas savo įsitikinimų ir ne visada laikosi savo pasižadėjimų. Tačiau jis atgailauja ir jam atleidžiama, tada jis bando vėl ir šis procesas suteikia jo trūkumams kilnumo. Pergalių trajektorija tokia pati: po pralaimėjimo ateina pripažinimas, o po pripažinimo – išpirkimas. Nusileidžiama žemyn į praregėjimą ir vėl pakylama aukštyn į atsidavimą. Tai nuolankus ėjimas į gražų gyvenimą.

Bet kuri kova palieka nuosėdų. Tokias kovas išgyvenęs žmogus atrodo tvirtesnis ir išmintingesnis. Ir dėl tos pergalės stebuklingos alchemijos trūkumai virsta džiaugsmu. Klumpantis žmogus nesiekia džiaugsmo. Džiaugsmas yra šalutinis

poveikis, kurį patiria kažko kito siekiantys žmonės. Bet jis at-
eina.

Jeigu žmonės priklauso vieni nuo kitų, jaučia dėkingumą,
pagarbą ir susižavėjimą, gyvenimas yra kupinas džiaugsmo.
Laisva valia paklūstant kitiems žmonėms, idėjoms ir įsiparei-
gojimams, kurie pranoksta tave patį, apima džiaugsmas. Jaus-
mas, kad tave priima, žinojimas, kad kiti tave myli, nors tu ir
nenusipelnei jų meilės, sukelia džiaugsmą; jie įsileido tave į
savo gyvenimus. Atlikęs kokį nors moralinį žygdarbį pajunti
nuostabų džiaugsmą, kurio akivaizdoje visi kiti džiaugsmai
atrodo menki ir jų visai nesunku atsisakyti.

Žmonės išmoksta geriau gyventi, jeigu bent jau išreiškia
norą tapti nuolankūs ir mokytis. Laikui bėgant jie klumpa vis
mažiau ir galiausiai patiria tam tikro katarsio akimirkų, kai
išoriniai troškimai dera su vidiniais siekiais, kai Adomo I ir
Adomo II pastangos pasiekia santarvę, kai stoja ta galutinė
ramybė ir apima tėkmės pojūtis – kai moralinė prigimtis ir
išoriniai įgūdžiai susivienija.

Džiaugsmą sukelia ne kitų žmonių pagyrimai. Džiaugs-
mas sklinda spontaniškai ir natūraliai. Jis ateina kaip dovana,
kai to mažiausiai tikiesi. Tomis trumpomis akimirkomis su-
pranti, kodėl čia patekai ir kokiai tiesai tarnauji. Tokią aki-
mirką galbūt nepajusi svaigulio ir galbūt nepasigirs ekstatiška
orkestro muzika, gal neišvysi raudonų ir auksinių fejerverkų,
bet patirsi pasitenkinimą, tylą, rimtį – nusiraminimą. Tokios
akimirkos yra gerai nugyvento gyvenimo ženklai ir dovanos.

PADĖKOS

Anne C. Snyder prisidėjo prie šios knygos gimimo ir dalyvavo ją rašant pirmuosius trejus metus. Pirminė idėja buvo rašyti knygą apie pažinimą ir sprendimų priėmimą. Anne dėka tai tapo knyga apie moralę ir vidinį gyvenimą. Mes daugybę kartų su ja diskutavome apie medžiagą, ji man pavedė perskaityti savo žinių saugyklą, savo pastabomis keldavo iššūkius mano mąstymo paviršutiniškumui ir transformavo šį projektą. Nors man niekada nepavyko pasiekti jos prozos lyriškumo, prisipažįstu, kad daugelis idėjų ir pastebėjimų yra pavogti iš jos, ir aš žaviuosi jos džiaugsmingu ir moraliai griežtu gyvenimo būdu. Jeigu ši knyga yra nors kiek vykusi, tai greičiausiai nutiko Anne dėka.

April Lawson šiame darbe dalyvavo paskutinius aštuoniolika mėnesių. Ji yra mano dienraščio skilties redaktorė ir jos įžvalgos pravertė rašant ir šią knygą. Aš gal ir daug ką suprantu apie gyvenimą, bet niekada nesuprasiu, kaip toks jaunas žmogus gali turėti tokios brandžios ir gyvenimiškos išminties, tiek daug suprasti apie kitų žmonių gyvenimą ir siūlyti tokius drąsius ir vertingus patarimus.

Mano buvusi studentė Jeilio universitete Campbell Schnebly-Swanson padėjo atlikti galutinius tyrimus ir prisidėjo savo apmąstymais. Jos mintys, sveika nuovoka ir entuziazmas primena viesulą. Jos pastabos patobulino šią knygą, o jos atlikti tyrimai papildo jos puslapius. Su pagarbia nuojauta tikiuosi pamatyti, ką svarbaus ji paliks šiame pasaulyje.

Trejus metus Jeilio universitete dėsčiau kursą, kuris rėmėsi šios knygos idėjomis. Mano studentai kartu su manimi galynėjosi su šia tema ir pateikė neįtikėtinų įžvalgų tiek auditorijoje, tiek viešbučio „The Study Hotel" bare. Jų dėka pirmos dvi kiekvienos savaitės dienos būdavo nepaprastai smagios. Ypač norėčiau padėkoti savo kolegoms iš Jeilio – Jimui Levinsohnui, Johnui Gaddis, Charlesui Hillui ir Paului Kennedy – už tai, kad jie priėmė mane į savo gretas. Jeilio dėstytojas Bryanas Garstenas perskaitė didelę rankraščio dalį ir padėjo paaiškinti bei plėtoti knygos idėjas. Jeile ir Vitono koledže mane išklausė didelės fakulteto grupės ir pateikė komentarų bei pasiūlė patarimų.

Jau antrą kartą teko dirbti su Willu Murphy rašant knygą „Random House" leidyklai. Sunku įsivaizduoti kitą redaktorių, iš kurio sulauktum tiek daug palaikymo. Esu tas retas autorius, kuris gali tik gerai atsiliepti apie savo leidyklą. Man pasisekė, kad rašau entuziastingai, profesionaliai ir palaikančiai komandai, iš kurios galiu išskirti pagrindinę šios knygos leidėją London King, kuri dirba šį darbą geriau nei kas kitas, su kuo man teko dirbti.

Noriu padėkoti ir daugeliui kitų žmonių. Mano tėvai Michaelas ir Lois Brooksai iki šiol yra geriausi ir griežčiausi mano redaktoriai. Cheryl Miller dar pačioje pradžioje man padėjo sugalvoti projektą ir parinkti personažus. Pete'as Wehneris nenuilsdamas teikė patarimus ir rekomendacijas. Yuvalas Levinas yra daug jaunesnis už mane, bet tapo mano intelektualiniu mentoriumi. Kirsten Powers perskaitė pagrindines knygos dalis ir aš visą laiką jaučiau jos moralinį ir emocinį palaikymą. Deividsono koledžo prezidentė Carol Quillen padėjo geriau suprasti Augustiną ir ne tik. Ekumeninė dvasininkų ir pasauliečių grupė padėjo išgyventi sunkų laikotarpį mano gyvenime: Stuartas ir Celia McAlpine, Davidas Wolpe'as, Meiras Soloveichikas, Timas Kelleris ir Jerry Rootas. Su savo agentais Glenu Hartley ir Lynnu Chu esame draugai nuo koledžo laikų ir jais išliksime visą gyvenimą.

Galiausiai noriu padėkoti Blair Miller, kuri perskaitė viską, sakydavo pastabas, ieškojo geresnio pavadinimo, padrąsindavo reikiamomis akimirkomis ir supažindino mane su savuoju pasauliu. Charakteris – tai ne idėjų rinkinys. Tai gyvenimo būdas. Blair nepaprastai drąsiai ir sąžiningai tarnauja pasauliui ir patiems neturtingiausiems jo žmonėms. Ji sugeba išlikti ori ir kartu linksma, praktiška ir kartu svajotoja, veržli ir kartu nesavanaudiška. Jos kelias į tvirtą charakterį nebuvo ilgas, bet jos poveikis mano ir daugelio, daugelio kitų gyvenimams bus ilgas ir nevienareikšmis.

PASTABOS

1 skyrius
POKYTIS

[1] Wilfred M. McClay, *The Masterless: Self and Society in Modern America* (University of North Carolina Press, 1993), 226.

[2] Alonzo L. Hamby, „A Wartime Consigliere", David L. Roll apžvalga, *The Hopkins Touch: Harry Hopkins and the Forging of the Alliance to Defeat Hitler* (Oxford University Press, 2012), Wall Street Journal, 2012 m. gruodžio 29 d.

[3] David Frump, *How We Got Here: The 70's, the Decade That Brought You Modern Life (for Better or Worse)*, 103.

[4] Jean Twenge, W. Keith Campbell, *The Narcissism Epidemic: Living in the Age of Entitlement* (Simon & Schuster, 2009), 13.

[5] "How Young People View Their Lives, Futures and Politics: A Portrait of "Generation Next."" The Pew Research Center For The People & The Press (2007 m. sausio 9 d.).

[6] Elizabeth Gilbert, *Eat, Pray, Love: One Woman's Search for Everything* (Penguin, 2006), 64.

[7] James Davison Hunter, *The Death of Character: Moral Education in an Age Without Good or Evil* (Basic Books, 2000), 103.

[8] Jean M. Twenge and W. Keith Campbell, *The Narcissism Epidemic: Living in the Age of Entitlement* (Simon and Schuster, 2009), 248.

[9] C. J. Mahaney, *Humility: True Greatness* (Multnomah, 2005), 70.

[10] Daniel Kahneman, *Thinking, Fast and Slow* (Farrar, Straus and Giroux, 2011), 201.

[11] Harry Emerson Fosdick, *On Being a Real Person* (Harper and Brothers, 1943), 25.

12   Thomas Merton, *The Seven Storey Mountain* (Harcourt, 1998), 92.
13   Henry Fairlie, *The Seven Deadly Sins Today* (New Republic Books, 1978), 30.

2 skyrius
PAŠAUKTASIS AŠ

1   David Von Drehle, *Triangle: The Fire That Changed America* (Atlantic Monthly Press, 2003), 195.
2   Frances Perkins, paskaita „The Triangle Factory Fire", Kornelio universiteto interneto archyvas. http://trianglefire.ilr.cornell.edu/primary/lectures/francesperkinslecture.html
3   Von Drehle, *Triangle*, 158.
4   George Martin, *Madam Secretary: Frances Perkins; A Biography of America's First Woman Cabinet Member* (Houghton Mifflin, 1976), 85.
5   Von Drehle, *Triangle*, 138.
6   Von Drehle, *Triangle*, 130.
7   Von Drehle, *Triangle*, 152.
8   Von Drehle, *Triangle*, 146.
9   Perkins, „Triangle Fire" lecture.
10   Naomi Pasachoff, *Frances Perkins: Champion of the New Deal* (Oxford University Press, 1999), 30.
11   Viktor Frankl, *Man's Search for Meaning* (Beacon, 1992), 85.
12   Frankl, *Man's Search for Meaning*, 99.
13   Frankl, *Man's Search for Meaning*, 104.
14   Frankl, *Man's Search for Meaning*, 98.
15   Mark R. Schwehn and Dorothy C. Bass, eds., *Leading Lives That Matter: What We Should Do and Who We Should Be* (Eerdmans, 2006), 35.
16   Kirstin Downey, *The Woman Behind the New Deal: The Life of Frances Perkins, FDR's Secretary of Labor and His Moral Conscience* (Nan Talese, 2008), 8.
17   Downey, *Woman Behind the New Deal*, 5.
18   Martin, *Madam Secretary*, 50.
19   David Hackett Fischer, *Albion's Seed: Four British Folkways in America* (Oxford, 1989), 895.
20   Lillian G. Paschal, „Hazing in Girls' Colleges", Household Ledger, 1905.
21   Martin, *Madam Secretary*, 46.
22   Russell Lord, „Madam Secretary", New Yorker, 1933 m. rugsėjo 2 d.
23   Mary E. Woolley, „Values of College Training for Women", *Harper's Bazaar*, 1904 m. rugsėjis.
24   Martin, *Madam Secretary*, 51.

[25] Jane Addams, *Twenty Years at Hull House: With Autobiographical Notes* (University of Illinois, 1990), 71.

[26] Addams, *Twenty Years at Hull House*, 94.

[27] Frances Perkins, „My Recollections of Florence Kelley", *Social Service Review*, vol. 28, no. 1 (1954 m. kovas), 12.

[28] Martin, *Madam Secretary*, 146.

[29] Downey, *Woman Behind the New Deal*, 42.

[30] Downey, *Woman Behind the New Deal*, 42.

[31] Martin, *Madam Secretary*, 98.

[32] Downey, *Woman Behind the New Deal*, 56.

[33] Martin, *Madam Secretary*, 125.

[34] Downey, *Woman Behind the New Deal*, 66.

[35] Martin, *Madam Secretary*, 232.

[36] Martin, *Madam Secretary*, 136.

[37] Downey, *Woman Behind the New Deal*, 317.

[38] Frances Perkins, „The Roosevelt I Knew", (Penguin, 2011), 29.

[39] Perkins, „Roosevelt I Knew", 45.

[40] Martin, *Madam Secretary*, 206.

[41] Martin, *Madam Secretary*, 206.

[42] Martin, *Madam Secretary*, 236.

[43] Martin, *Madam Secretary*, 237.

[44] Perkins, „Roosevelt I Knew", 156.

[45] Downey, *Woman Behind the New Deal*, 284.

[46] Downey, *Woman Behind the New Deal*, 279.

[47] Martin, *Madam Secretary*, 281.

[48] Downey, *Woman Behind the New Deal*, 384.

[49] Christopher Breiseth, esė „The Frances Perkins I Knew", Franklin D. Roosevelt American Heritage Center Museum, (Worcester, MA).

[50] Martin, *Madam Secretary*, 485.

[51] Reinhold Niebuhr, *The Irony of American History* (University of Chicago Press, 2008), 63.

3 skyrius
PERGALĖ PRIEŠ SAVE

[1] *The Eisenhower Legacy: Discussions of Presidential Leadership* (Bartleby Press, 1992), 21.

[2] Jean Edward Smith, *Eisenhower in War and Peace* (New York: Random House, 2012), 7.

3   Smith, *Eisenhower in War and Peace*, 8.
4   Mark Perry, *Partners in Command: George Marshall and Dwight Eisenhower in War and Peace* (Penguin, 2007), 68.
5   Dwight D. Eisenhower, *At Ease: Stories I Tell to Friends* (Doubleday, 1967), 76.
6   Eisenhower, *At Ease*, 31.
7   Smith, *Eisenhower in War and Peace*, 59.
8   Eisenhower, *At Ease*, 52.
9   Anthony T. Kronman, *The Lost Lawyer: Failing Ideals of the Legal Profession* (Harvard University Press, 1995), 16.
10 Smith, *Eisenhower in War and Peace*, 59.
11 Evan Thomas, *Ike's Bluff: President Eisenhower's Secret Battle to Save the World* (Little, Brown, 2012), 27.
12 Thomas, *Ike's Bluff*, 27.
13 Paul F. Boller, Jr., *Presidential Anecdotes* (Oxford University Press, 1996), 292; Robert J. Donovan, *Eisenhower: The Inside Story* (New York: Harper and Brothers, 1956), 7.
14 Thomas, *Ike's Bluff*, p. 33.
15 State of the Union message, Washington, D.C., 1957 m. sausio 10 d.
16 Thomas, *Ike's Bluff*, 30; *Confidence*, 31.
17 Fred Greenstein, *The Presidential Difference: Leadership Style from Roosevelt to Clinton* (Free Press, 2000), 49.
18 Stephen E. Ambrose, *Eisenhower: Soldier and President* (Simon and Schuster, 1990), 65.
19 Smith, *Eisenhower in War and Peace*, 19.
20 Smith, *Eisenhower in War and Peace*, 48.
21 Eisenhower, *At Ease*, 155.
22 Eisenhower, *At Ease*, 135
23 William Lee Miller, *Two Americans: Truman, Eisenhower, and a Dangerous World* (Vintage, 2012), 78.
24 Thomas, *Ike's Bluff*, 26; John S. D. Eisenhower, *Strictly Personal* (Doubleday, 1974), 292.
25 Smith, *Eisenhower in War and Peace*, 61.
26 Smith, *Eisenhower in War and Peace*, 65.
27 Dwight D. Eisenhower, *Ike's Letters to a Friend, 1941–1958* (University Press of Kansas, 1984), 4.
28 Eisenhower, *At Ease*, 193.
29 Boller, *Presidential Anecdotes*, 290.
30 Eisenhower, *At Ease*, 213.

31   Eisenhower, *At Ease*, 214.
32   Eisenhower, *At Ease*, 228.
33   Smith, *Eisenhower in War and Peace*, 147.
34   Smith, *Eisenhower at War and Peace*, 443.
35   Ambrose, *Eisenhower: Soldier and President*, 440.
36   Thomas, *Ike's Bluff*, 153.
37   Thomas, *Ike's Bluff*, 29.
38   Cituojama Steven J. Rubenzer and Thomas R. Faschingbauer, *Personality, Character, and Leadership in the White House: Psychologists Assess the Presidents* (Potomac Books, 2004), 147.
39   Thomas, *Ike's Bluff*, įžanga, 17.
40   Thomas, *Ike's Bluff*, 161.
41   Thomas, *Ike's Bluff*, 161.
42   Smith, *Eisenhower in War and Peace*, 766.
43   Eisenhower, *Ike's Letters to a Friend*, 189, 1957 m. liepos 22 d.

4 skyrius
KOVA

1   Dorothy Day, *The Long Loneliness: The Autobiography of the Legendary Catholic Social Activist* (Harper, 1952), 20.
2   Day, *Long Loneliness*, 21.
3   Paul Elie, *The Life You Save May Be Your Own: An American Pilgrimage* (Farrar, Straus and Giroux, 2003), 4.
4   Elie, *Life You Save*, 4.
5   Day, *Long Loneliness*, 24.
6   Day, *Long Loneliness*, 35.
7   Elie, *Life You Save*, 16.
8   Day, *Long Loneliness*, 87.
9   Jim Forest, *All Is Grace: A Biography of Dorothy Day* (Orbis Books, 2011), 47.
10   Elie, *Life You Save*, 31.
11   Forest, *All Is Grace*, 48.
12   Forest, *All Is Grace*, 50.
13   Deborah Kent, *Dorothy Day: Friend to the Forgotten* (Eerdmans Books, 2004), 35.
14   Day, *Long Loneliness*, 79.
15   Day, *Long Loneliness*, 79.
16   Elie, *Life You Save*, 38.
17   Day, *Long Loneliness*, 60.

[18] Robert Coles, *Dorothy Day: A Radical Devotion* (Da Capo Press, 1989), 6.

[19] Elie, *Life You Save*, 45.

[20] Nancy Roberts, *Dorothy Day and the Catholic Worker* (State University of New York Press, 1985), 26.

[21] Forest, *All Is Grace*, 62.

[22] Day, *Long Loneliness*, 141.

[23] Coles, *Radical Devotion*, 52.

[24] Coles, *Radical Devotion*, 53.

[25] *All the Way to Heaven: The Selected Letters of Dorothy Day* (Marquette University Press, 2010), 23.

[26] Roberts, *Dorothy Day*, 26.

[27] Day, *Long Loneliness*, 133.

[28] William Miller, *Dorothy Day: A Biography* (Harper & Row, 1982), 196.

[29] Day, *Long Loneliness*, 165.

[30] Forest, *All Is Grace*, 61.

[31] Dorothy Day, *The Duty of Delight: The Diaries of Dorothy Day* (Marquette University, 2011), 519.

[32] Day, *Long Loneliness*, 182.

[33] Day, *Long Loneliness*, 214.

[34] Day, *Duty of Delight*, 68.

[35] Mark R. Schwehn and Dorothy C. Bass, eds., *Leading Lives That Matter: What We Should Do and Who We Should Be* (Eerdmans, 2006), 34.

[36] Day, *Duty of Delight*, 42.

[37] Coles, *Radical Devotion*, 115.

[38] Coles, *Radical Devotion*, 120.

[39] Day, *Long Loneliness*, 236.

[40] Forest, *All Is Grace*, 168.

[41] Forest, *All Is Grace*, 178.

[42] Forest, *All Is Grace*, 118.

[43] Day, *Long Loneliness*, 243.

[44] Day, *Long Loneliness*, 285.

[45] Day, *Duty of Delight*, 9.

[46] Voices, Rosalie Riegle Troester, *Voices from the Catholic Worker* (Temple University Press, 1993), 69.

[47] Troester, *Voices*, 93.

[48] Day, *Duty of Delight*, 287.

[49] Day, *Duty of Delight*, 295.

[50] Coles, *Radical Devotion*, 16.

5 skyrius
SAVITVARDA

[1]   Forrest C. Pogue, George C. Marshall, 4 vols. (Viking Press, 1964), vol. 1, Education of a General, 1880–1939, 35.

[2]   Ed Cray, *General of the Army: George C. Marshall, Soldier and Statesman* (W. W. Norton, 1990), 20.

[3]   Cray, *General of the Army*, 25.

[4]   William Frye, *Marshall: Citizen Soldier* (Bobbs-Merrill, 1947), 32–65.

[5]   Pogue, Marshall, vol. 1, *Education of a General*, 1880–1939, 63.

[6]   Pogue, Marshall, vol. 1, *Education of a General*, 1880–1939, 63.

[7]   Richard Livingstone, *On Education: The Future in Education and Education for a World Adrift* (Cambridge, 1954), 153.

[8]   James Davison Hunter, *The Death of Character: Moral Education in an Age Without Good or Evil* (Basic Books, 2000), 19.

[9]   Leonard Mosley, *Marshall: Hero for Our Times* (Hearst Books, 1982), 13.

[10]   Mosley, *Hero for Our Times*, 14.

[11]   Mosley, *Hero for Our Times*, 15.

[12]   Frye, *Citizen Soldier*, 49.

[13]   David Hein, „In War for Peace: General George C. Marshall's Core Convictions & Ethical Leadership", Touchstone, 2013 m. kovas.

[14]   Mosley, *Hero for Our Times*, įžanga, xiv.

[15]   Mosley, *Hero for Our Times*, 19.

[16]   Cray, *General of the Army*, 64.

[17]   Cituojama Major James R. Hill, [Title], publikuotas magistro darbas, General Staff College, Fort Leavenworth, KS, 2008.

[18]   Mosley, *Hero for Our Times*, 64.

[19]   Pogue, Marshall, vol. 1, *Education of a General*, 1880–1939, 79.

[20]   Pogue, 246; Mosley, *Hero for Our Times*, 93.

[21]   André Comte-Sponville, *A Small Treatise on the Great Virtues: The Uses of Philosophy in Everyday Life* (Macmillan, 2002), 10.

[22]   Frye, *Citizen Soldier*, 85.

[23]   Cray, *General of the Army*, 276.

[24]   Mark Perry, *Partners in Command: George Marshall and Dwight Eisenhower in War and Peace* (Penguin, 2007), 15.

[25]   Cray, *General of the Army*, 278.

[26]   Cray, *General of the Army*, 297.

[27]   Mosley, *Hero for Our Times*, 211.

[28]   Mosley, *Hero for Our Times*, 292.

29 Dwight D. Eisenhower, *Crusade in Europe* (Doubleday, 1948), 197.
30 Perry, *Partners in Command*, 238.
31 Pogue, *George C. Marshall* (Viking, 1973), vol. 3, *Organizer of Victory*, 1943–1945, 321.
32 Perry, *Partners in Command*, 240.
33 John S. D. Eisenhower, *General Ike: A Personal Reminiscence* (Simon and Schuster, 2003), 99, atkurta Dwight D. Eisenhower, *Crusade in Europe*, 208.
34 John Eisenhower, *General Ike*, 103.
35 Mosley, *Hero for Our Times*, 341.
36 Mosley, *Hero for Our Times*, prologas, xxi.
37 Frye, *Citizen Soldier*, 372.
38 Robert Faulkner, *The Case for Greatness: Honorable Ambition and Its Critics* (Yale University Press, 2007), 39.
39 Faulkner, *Case for Greatness*, 40.
40 Aristotle, *Nichomachean Ethics* (Focus Publishing, 2002), 70; Faulkner, *Case for Greatness*, 43.
41 Mosley, *Hero for Our Times*, 434.
42 Mosley, *Hero for Our Times*, 522.
43 Mosley, *Hero for Our Times*, 523.
44 Mosley, *Hero for Our Times*, 523.

6 skyrius
ORUMAS

1 Cynthia Taylor, *A. Philip Randolph: The Religious Journey of an African American Labor Leader* (New York University Press, 2006), 13.
2 Jervis Anderson, *A. Philip Randolph: A Biographical Portrait* (University of California Press, 1973), 43.
3 Anderson, *Biographical Portrait*, 9.
4 Anderson, *Biographical Portrait*, 10.
5 Anderson, *Biographical Portrait*, 272.
6 Anderson, *Biographical Portrait*, 339.
7 Aaron Wildavsky, *Moses as Political Leader* (Shalem Press, 2005), 45.
8 Irving Kristol, *The Neoconservative Persuasion: Selected Essays*, 1942–2009, redaktorė Gertrude Himmelfarb (Basic Books, 2011), 71.
9 Murray Kempton, „A. Philip Randolph: The Choice, Mr. President", New Republic, 1963 m. liepos 6 d.
10 Anderson, *Biographical Portrait*, 176.

11   Larry Tye, *Rising from the Rails: Pullman Porters and the Making of the Black Middle Class* (Owl Books, 2005), 154.

12   Doris Kearns Goodwin, *No Ordinary Time: Franklin and Eleanor Roosevelt: The Home Front in World War II* (Simon & Schuster, 2013), 251.

13   Paula F. Pfeffer, *A. Philip Randolph: Pioneer of the Civil Rights Movement* (Louisiana State University Press, 1996), 66.

14   Pfeffer, *Pioneer*, 58.

15   John D'Emilio, *Lost Prophet: The Life and Times of Bayard Rustin* (Simon and Schuster, 2003), 11.

16   D'Emilio, *Lost Prophet*, 16.

17   D'Emilio, *Lost Prophet*, 19.

18   Rachel Moston, „Bayard Rustin on His Own Terms", Haverford Journal, 2005, 82.

19   Michael G. Long, red., *I Must Resist: Bayard Rustin's Life in Letters* (City Lights, 2012), 228.

20   Moston, „Bayard Rustin on His Own Terms", 91.

21   D'Emilio, *Lost Prophet*, 77.

22   Long, *I Must Resist*, 50.

23   D'Emilio, *Lost Prophet*, 172.

24   Long, *I Must Resist*, 49.

25   Long, *I Must Resist*, 51.

26   Long, *I Must Resist*, 65.

27   D'Emilio, *Lost Prophet*, 112.

28   D'Emilio, *Lost Prophet*, 159.

29   David L. Chappell, *A Stone of Hope: Prophetic Religion and the Death of Jim Crow* (University of North Carolina Press, 2004), 48.

30   Chappell, *Stone of Hope*, 54.

31   Chappell, *Stone of Hope*, 179.

32   Chappell, *Stone of Hope*, 55.

33   Chappell, *Stone of Hope*, 56.

34   D'Emilio, *Lost Prophet*, 150.

35   Chappell, *Stone of Hope*, 50.

36   Reinhold Niebuhr, *The Irony of American History* (University of Chicago Press, 2008), 5.

37   Niebuhr, *Irony of American History*, 23.

38   D'Emilio, *Lost Prophet*, 349.

39   D'Emilio, *Lost Prophet,* 352.

40   Anderson, *Biographical Portrait*, 332.

7 skyrius
MEILĖ

1   George Eliot, *Daniel Deronda* (Wordsworth, 2003), 15.
2   Kathryn Hughes, *George Eliot: The Last Victorian* (Cooper Square Press, 2001), 16.
3   Hughes, *Last Victorian*, 18.
4   Frederick R. Karl, *George Eliot: Voice of a Century: A Biography* (W. W. Norton, 1995), 36.
5   Karl, *George Eliot: Voice of a Century* (Norton, 1996), 36.
6   Rebecca Mead, *My Life in „Middlemarch“* (Crown, 2013), 28.
7   Kathryn Hughes, *George Eliot: The Last Victorian* (Cooper Square Press, 2001), 47.
8   Mead, *My Life in „Middlemarch“*, 66.
9   Mead, *My Life in „Middlemarch“*, 125.
10 Karl, *George Eliot: Voice of a Century*, 146.
11 Gordon S. Haight, *George Eliot: A Biography* (Oxford University Press, 1968), 133.
12 Brenda Maddox, *George Eliot in Love* (Palgrave Macmillan, 2010), 59.
13 Haight, *George Eliot*, 144.
14 Karl, *Voice of a Century*, 167.
15 Michael Ignatieff, *Isaiah Berlin: A Life* (Henry Holt, 1999), 161.
16 Christian Wiman, *My Bright Abyss: Meditation of a Modern Believer* (Farrar, Straus, Giroux, 2013), 23.
17 William Shakespeare, *Romeo and Juliet*, II veiksmas, I scena.
18 Karl, *Voice of a Century*, 178.
19 Karl, *Voice of a Century*, 157.
20 Hughes, *Last Victorian*, 186.
21 Mead, *My Life in „Middlemarch“*, 266.
22 Virginia Woolf, „George Eliot“, *The Times Literary Supplement*, 1919 m. lapkričio 20 d.
23 Barbara Hardy, *George Eliot: A Critic's Biography* (Continuum, 2006), 122.

8 skyrius
UŽSAKYTA MEILĖ

1   Peter Brown, *Augustine of Hippo: A Biography* (University of California Press, 2000), 17.
2   Brown, *Augustine of Hippo*, 18.

3   Matthew Arnold, *Culture and Anarchy* (Cambridge University Press, 1993), 130.
4   Arnold, *Culture and Anarchy*, 128.
5   Arnold, *Culture and Anarchy*, 128.
6   Arnold, *Culture and Anarchy*, 132.
7   Brown, *Augustine of Hippo*, 13.
8   Garry Wills, *Saint Augustine* (Penguin, 1999), 7.
9   Brown, *Augustine of Hippo*, 36.
10 Wills, *Saint Augustine*, 26.
11 Brown, *Augustine of Hippo*, 37.
12 Reinhold Niebuhr, *The Nature and Destiny of Man: A Christian Interpretation: Human Nature*, vol. I (Scribner's, 1996), 155.
13 Brown, *Augustine of Hippo*, 173; Augustine, *Confessions*, 10 knyga, 37 dalis.
14 Niebuhr, *Nature and Destiny of Man*, 157.
15 Lewis B. Smedes, *Shame and Grace: Healing the Shame We Don't Deserve* (Random House, 1994), 116.
16 Augustine, 122 psalmė: Dievas yra tikrasis turtas; Mary Clark, *Augustine of Hippo: Selected Writings*, (Paulist Press, 1984), 250.
17 Timothy Keller, *Freedom of Self Forgetfulness* (10 Publishing, 2013), 40.
18 Jennifer A. Herdt, *Putting On Virtue: The Legacy of the Splendid Vices* (University of Chicago Press, 2008), 176.
19 Herdt, *Putting On Virtue*, 57.
20 Augustine, *The Works of Saint Augustine: A Translation for the 21st Century* (New City Press, 1992), 131.
21 Paul Tillich, *The Essential Tillich* (Scribner, 1999), 131.
22 Brown, *Augustine of Hippo*, 157.
23 Brown, *Augustine of Hippo*, 157.

9 skyrius
SAVITYRA

1   Jeffrey Meyers, *Samuel Johnson: The Struggle* (Basic Books, 2008), 6.
2   W. Jackson Bate, *Samuel Johnson: A Biography* (Counterpoint, 2009), 8.
3   Bate, *Samuel Johnson*, 31.
4   John Wain, *Samuel Johnson* (Macmillan, 1980), 49.
5   Boswell, *Boswell's Life of Johnson* (Harper, 1889), 74.
6   Meyers, *Samuel Johnson: The Struggle*, 50.
7   Bate, *Samuel Johnson*, 211.
8   Meyers, *Samuel Johnson: The Struggle*, 205.

9   Bate, *Samuel Johnson*, 204.
10   Paul Fussell, *Samuel Johnson and the Life of Writing* (Norton, 1986), 236.
11   Bate, *Samuel Johnson*, 218.
12   Meyers, *Samuel Johnson: The Struggle*, (Basic, 2008), 114.
13   Meyers, *Samuel Johnson*, 2.
14   Fussell, *Samuel Johnson and the Life of Writing* (Norton, 1986), 163.
15   Fussell, *Johnson and the Life of Writing*, 51.
16   Emerson, *The Spiritual Emerson: Essential Writings* (Beacon, 2003), 216.
17   Fussell, *Johnson and the Life of Writing*, 147.
18   Percy Hazen Houston, *Doctor Johnson: A Study in Eighteenth Century Humanism* (Cambridge University Press, 1923), 195.
19   Sarah Bakewell, *How to Live: Or a Life of Montaigne in One Question and Twenty Attempts at an Answer* (Other Press, 2010), 21.
20   Bakewell, *How to Live*, 14.
21   Fussell, *Johnson and the Life of Writing*, 185.
22   Bate, *Samuel Johnson*, 4.

10 skyrius
DIDYSIS AŠ

1   Tom Callahan, *Johnny U: The Life and Times of John Unitas* (Random House, 2007), 16.
2   Michael Novak, *The Joy of Sports: Endzones, Bases, Baskets, Balls, and the Consecration of the American Spirit* (Madison Books, 1976), 241.
3   Callahan, *Johnny U*, 20.
4   Jimmy Breslin, „The Passer Nobody Wanted", *Saturday Evening Post*, 1958 m. lapkričio 1 d.
5   Callahan, *Johnny U*, 243.
6   John Skow, „Joe, Joe, You're the Most Beautiful Thing in the World", *Saturday Evening Post*, 1966 m. gruodžio 3 d.
7   Dan Jenkins, „The Sweet Life of Swinging Joe", *Sports Illustrated*, 1966 m. spalio 17 d.
8   George Eliot, *Middlemarch*, (Penguin, 2003), 211.
9   Joshua L. Liebman, *Peace of Mind: Insights on Human Nature That Can Change Your Life* (Simon and Schuster, 1946), 56.
10   Benjamin Spock, *The Pocket Book of Baby and Child Care* (Duell, Sloan and Pearce, 1946), 309.
11   Harry A. Overstreet, *The Mature Mind* <<AU: pls specify edition cited>>, 261.
12   Carl Ransom Rogers, *On Becoming a Person: A Therapist's View of Psychotherapy* (Harcourt, 1995), 194.

[13] Carl Ransom Rogers, *The Carl Rogers Reader,* (Houghton Mifflin, 1989), 185.

[14] Katharine Graham, *Personal History* (Random House, 1997), 51.

[15] Graham, *Personal History,* 231.

[16] Eva Illouz, *Saving the Modern Soul: Therapy, Emotions, and the Culture of Self-Help* (University of California Press, 2008), 117.

[17] Charles Taylor, *Multiculturalism: Examining the Politics of Recognition* (Princeton University Press, 1994), 30.

[18] Dr. Seuss, *Oh, the Places You'll Go!* (Random House, 1960).

[19] Ernst & Young apklausa, „Sixty-five Per Cent of College Students Think They Will Become Millionaires" (Canada, 2001).

[20] Greg Duncan and Richard Murnane, *Whither Opportunity? Rising Inequality, Schools, and Children's Life Chances* (Russel Sage Foundation, 2011), 11.

[21] „The American Freshman" Thirty Year Trends, 1966–1996. Alexander W. Astin, Sarah A. Parrott, William S. Korn, Linda J. Sax. Higher Education Research Institute Graduate School of Education & Information Studies. University of California, Los Angeles. 1997 m. vasaris.

[22] Gretchen Anderson, „Loneliness Among Older Adults: A National Survey of Adults 45+" (AARP Research and Strategic Analysis, 2010).

[23] Francis Fukuyama, *The Great Disruption: Human Nature and the Reconstitution of Social Order* (Profile, 1999), 50.

[24] Sara Konrath, „Changes in Dispositional Empathy in American College Students Over Time: A Meta-Analysis" (University of Michigan, 2011).

[25] Jean M. Twenge, W. Keith Campbell, and Brittany Gentile, „Increases in Individualistic Words and Phrases in American Books, 1960–2008" (2012), PLoS ONE 7(7): e40181, doi:10.1371/journal.pone.0040181.

[26] David Brooks, „What Our Words Tell Us", *New York Times,* 2013 m. gegužės 20 d.

[27] Pelin Kesebir ir Selin Kesebir, „The Cultural Salience of Moral Character and Virtue Declined in Twentieth Century America", *Journal of Positive Psychology,* 2012.

[28] Christian Smith, Kari Christoffersen, Hilary Davidson, *Lost in Transition: The Dark Side of Emerging Adulthood* (Oxford University Press, 2011), 22.

[29] Leo Tolstoy, *The Death of Ivan Ilyich* (White Crow Books, 2010), 20.

[30] Tolstoy, *The Death of Ivan Ilyich,* 66.

[31] Tolstoy, *The Death of Ivan Ilyich,* 68.

[32] Tolstoy, *The Death of Ivan Ilyich,* 71.

Davidas Brooksas rašo apžvalgas dienraščiui *The New York Times*, dėsto Jeilio universitete ir reguliariai pasirodo PBS „NewsHour", NPR „All Things Considered" ir NBC „Meet the Press" laidose. Prieš tai jis buvo žurnalo *The Weekly Standard* vyriausiasis redaktorius, laisvai samdomas žurnalų *Newsweek* ir *The Atlantic Monthly* redaktorius bei *The Wall Street Journal* apžvalgos redaktorius. Jis išleido knygas: *Bobos in Paradise: The New Upper Class and How They Got There*; *On Paradise Drive: How We Live Now (And Always Have) in the Future Tense* ir *The Social Animal: The Hidden Sources of Love, Character, and Achievement*. Jo straipsniai pasirodė *The New Yorker*, *The New York Times Magazine*, *Forbes*, *The Washington Post*, *The Times Literary Supplement*, *Commentary*, *The Public Interest* ir daugelyje kitų žurnalų. Davidas Brooksas gyvena Merilande.